Peter Offergeld / Dieter Schulz

Krieg und Frieden

Friedensordnungen und Konflikte
vom Mittelalter bis zur Gegenwart

Margarete Merkel   2000/2001

Best.-Nr. 34856

Verlag Ferdinand Schöningh
Schroedel Schulbuchverlag

Geschichts-Kurse für die Sekundarstufe II

Herausgegeben von Herbert Prokasky und Martin Tabaczek

Bd. 1 Uwe Horst/Herbert Prokasky
Martin Tabaczek
Europäische Agrargesellschaften
Bäuerliches Leben in der römischen Antike
und im mittelalterlichen Deutschland
(Best.-Nr. 34851)

Bd. 2 Herbert Prokasky
Das Zeitalter der Industrialisierung
Das deutsche Beispiel 1815–1914
(Best.-Nr. 34852)

Bd. 3 Peter Böhning/Helga Jung-Paarmann
Revolutionen
Der deutsche Bauernkrieg – Die Französische Revolution – Die Russische Revolution – Die Kubanische Revolution
(Best.-Nr. 34873)

Bd. 4 Dirk Hoffmann/Friedhelm Schütze
Weimarer Republik und nationalsozialistische Herrschaft
Deutschland zwischen Demokratie und Diktatur (Best.-Nr. 34864)

Bd. 5 Martin Tabaczek/Johannes Altenberend
Deutschland nach 1945
Teilung und Einheit im internationalen Kräftefeld
(Best.-Nr. 34875)

Bd. 6 Peter Offergeld/Dieter Schulz
Krieg und Frieden
Friedensordnungen und Konflikte vom Mittelalter bis zur Gegenwart
(Best.-Nr. 34856)

Gedruckt auf umweltfreundlichem, chlorfrei gebleichtem Papier mit 50% Altpapieranteil.

© 1994 Ferdinand Schöningh, Paderborn
(Verlag Ferdinand Schöningh, Jühenplatz 1, 33098 Paderborn)

Printed in Germany. Gesamtherstellung Ferdinand Schöningh.

Druck 5 4 3 2   Jahr 98 97 96 95

ISBN 3-506-34856-6 (Schöningh)   ISBN 3-507-34856-X (Schroedel)

Inhalt

Einleitung

Einer der ältesten Wunschträume der Menschen ist der vom „Ewigen Frieden" und einem „Goldenen Zeitalter". In der Wirklichkeit allerdings hat es weder in Europa noch in einem anderen Weltteil je eine längere Phase der Geschichte ohne Krieg gegeben. Es ist nicht einmal sicher zu entscheiden, ob Frieden oder Krieg der „Normalzustand" der bisherigen Menschheitsgeschichte ist.

Als 1989/90 in Osteuropa die sozialistischen Regime zusammenbrachen, das Militärbündnis des Warschauer Pakts sich aufzulösen begann und mit dem Ende des Ost-West-Gegensatzes die Gefahr eines globalen atomaren Krieges verschwand, empfanden viele Menschen das glückliche Gefühl, daß ein Zeitalter des Friedens beginne. Die Schärfe der Konflikte seit 1945, die man zeitweise sogar als „Kalten Krieg" bezeichnet hatte, die Härten, die die Teilung der Welt in zwei Blöcke Millionen Menschen gebracht hatte, die Belastungen einer gigantischen Rüstung und das Zerstörungspotential moderner Waffen hatten fast ein halbes Jahrhundert lang die Welt – und besonders Europa – überschattet. Die Demonstrationen Hunderttausender Menschen in den 1980er Jahren gegen den „Nachrüstungsbeschluß" der NATO[1] bewiesen beispielhaft, wie tief die Angst der Menschen vor einem atomaren Krieg ging.

Erst langsam erkannten selbst Wissenschaftler und Politiker, welche Folgen sich aus dem Paradox hinter dem Ost-West-Konflikt der vorausgegangenen Jahrzehnte ergaben: Die Existenz zweier Supermächte, die sich hochgerüstet mit Atomwaffen und Raketen gegenüberstanden, prägte alle übrigen Konflikte der Welt. Sobald auch nur einer der Konfliktpartner die Unterstützung einer Supermacht suchte, zwang er seinen Gegner, dasselbe bei der anderen Supermacht zu tun, so daß sich vor allem in den 1960er und 1970er Jahren zahlreiche Konflikte zu einem einzigen bündelten – dem zwischen den USA und der UdSSR. Regionale Konflikte drohten somit zu Auslösern für globale zu werden, die die ganze Menschheit bedrohten. Dieser Mechanismus löste aber eine überraschende Gegenbewegung aus: Angesichts der Zerstörungen, die die modernen Waffensysteme auch bei dem möglichen Sieger in einem atomaren Konflikt anrichten mußten, sahen sich die beiden Weltmächte zu äußersten Anstrengungen gezwungen, gemeinsam die Konflikte ihrer Verbündeten zu begrenzen und kontrollierbar zu halten.

Es lag in der Konsequenz dieser Logik, daß der Fortfall des amerikanisch-sowjetischen Gegensatzes zahlreiche der bisher untergeordneten Konflikte freisetzte und unbeherrschbar machte: In und zwischen den Nachfolgestaaten der UdSSR und Jugoslawiens brachen neue Kriege aus; alte Konflikte im Nahen Osten, in Asien und Afrika machten sich unabhängig von den alten Großmachtrivalitäten. Die erstaunliche Selbständigkeit, mit der inzwischen auch mittlere und kleinere Mächte Politik treiben und Kriege führen, hat an die Stelle des einen großen Kriegsrisikos die konkreten Grausamkeiten „kleiner" Kriege treten lassen. Spätestens mit dem Golfkrieg 1991 und dem Konflikt um die Nachfolgestaaten Jugoslawiens ist auch die Illusion verflogen, daß die UNO oder die USA und die NATO alle Konflikte beenden und ihre Ursachen beheben könnten. Am Ende des 20. Jahrhunderts stehen die Menschen ratloser als je vor der Frage, wie und ob überhaupt Frieden als Normalzustand weltweit zu verwirklichen sei. Die fortschreitende Vernetzung der Welt sorgt sogar dafür, daß immer mehr Menschen die Folgen dieser Konflikte zu spüren bekommen, so daß im nachhinein die vorausgegangene Ost-West-Teilung der Welt geradezu als eine beneidenswert stabile und friedliche Ordnung erscheinen könnte.

Das Nachdenken über Krieg und Frieden ist so lange belegt, wie es schriftliche Aufzeich-

---

[1] Beschluß der NATO, die vertragswidrige Aufrüstung der Sowjetunion bei Mittelstreckenraketen durch eine „Nachrüstung" mit neuen westlichen Mittelstreckenraketen auszugleichen.

nungen der Menschen gibt. In unserer Epoche bemüht sich neben der Geschichte, der Politologie und anderen traditionellen Fächern eine eigene Wissenschaft, die Friedensforschung, die Voraussetzungen von Krieg und Frieden zu klären. Sie wurde unter dem Eindruck der Schrecken des Ersten Weltkriegs mit vielen Hoffnungen ins Leben gerufen, als am Rande der Versailler Friedenskonferenz 1919 britische und amerikanische Delegierte vereinbarten, in ihren Ländern Institute zur Erforschung der internationalen Beziehungen zu gründen. Sie sollten Möglichkeiten erkunden, wie der Weltfrieden sicherer gemacht werden könnte. Durch den Zweiten Weltkrieg und die weltweite atomare Bedrohung ist seitdem die Friedensforschung noch intensiviert worden. Es ist kein Wunder, daß sich an der Kompliziertheit und Vieldeutigkeit des Forschungsgegenstands ein heftiger, nicht selten ideologisch motivierter Meinungsstreit entzündete. Allein die Frage, ob man bei der Analyse der Phänomene Krieg und Frieden vom Frieden oder vom Krieg ausgehen müsse, spaltete die Forschung in zwei große Lager, die Kriegsforschung (Polemologie) und die Friedensforschung (Peace Research). Zum Widersprüchlichsten überhaupt gehören die Antworten auf die Frage, was Krieg und Frieden denn überhaupt seien. So wollen manche Forscher den Kriegsbegriff ausschließlich auf bewaffnete Auseinandersetzungen zwischen Staaten beschränkt sehen, während andere ihn auch auf solche zwischen gesellschaftlichen Gruppierungen verwendet haben wollen. Beim Friedensbegriff reicht die Bandbreite der Definitionen im wesentlichen vom sog. „positiven" bis zum sog. „negativen" Frieden. Dabei versteht man unter „positivem Frieden" den Abbau jeglicher sog. „struktureller Gewalt" zwischen Staaten und innerhalb von Gesellschaften, unter „negativem Frieden" die bloße Abwesenheit von Krieg. Solche Gegensätze verraten, daß es sich bei den Definitionen von Krieg und Frieden eben nicht um die Klassifikation „naturgegebener Objekte" handelt, sondern um weltanschaulich geprägte Definitionen sehr komplexer Wirklichkeiten.

Die Geschichtswissenschaft unterrichtet uns darüber, welche Anstrengungen die Menschen seit je unternommen haben, um bei Interessenkonflikten – mit friedlichen oder kriegerischen Mitteln – erfolgreich zu bestehen, indem sie uns mit den vergangenen Erscheinungsformen von Konflikten, Rüstung, Kriegswesen, Friedensschluß, Friedens- und Kriegsordnungen, Friedens- und Kriegspublizistik, Außenpolitik, Diplomatie usw. bekannt macht.

Alle Friedensforscher stimmen dahingehend überein, daß die Ursachen von Konflikten in dem „Geflecht" der politischen, sozialen und wirtschaftlichen Merkmale von Gesellschaften zu suchen sind. Die Arbeit am Thema „Krieg und Frieden" wird daher weit über die engen Grenzen der Außenpolitik und der Militärtechnik hinausführen. Angesichts der komplexen Realität und der wissenschaftlichen Meinungsvielfalt wird sie keine einfachen Antworten in Gestalt von Kriegsverhütungsstrategien und Friedenstechniken bieten. Wir können nur anstreben, mit einer breiteren historischen Reflexion an der Diskussion um Krieg und Frieden teilzunehmen und zu verstehen, daß „Frieden nicht als abstrakter Begriff, sondern als ein in immer neuer Form aufgegebenes Problem verstanden wird, für das keine Patentlösungen verfügbar sind." (Dozentenkoll., Hist. Sem., Uni. Düsseldorf)

Die historische Betrachtung öffnet den Blick dafür, daß die innere Verfaßtheit von sozialen Systemen und ihre Konfliktanfälligkeit in Beziehung zueinander stehen. Sie verdeutlicht, daß sich im Gestaltwandel von Krieg und Frieden nicht nur anschaulich der Gestaltwandel von sozialen Systemen anzeigt, sondern daß die Auswirkungen von Krieg und Frieden selber Motoren für Wandel sein können.

Das ist der Leitgedanke der vorliegenden Längsschnittbetrachtung vom Hochmittelalter bis zur jetzigen Zeit. Für die Entscheidung, mit einem Stück mittelalterlicher Geschichte zu beginnen, waren folgende Überlegungen maßgebend: Mit dem Beginn der Neuzeit setzt massiv die Herausbildung von Staaten und Staatlichkeit ein und damit von politischen Strukturen, zu denen wir von Anfang an eine gewisse „Erfahrungsnähe" und „Vergleichbarkeitsnähe" haben. Denn das vorläufige Ende der Entwicklung ist uns vertraut. Der Staat hat das Recht, öffentlich Gewalt auszuüben, zu seinem Monopol gemacht. Er praktiziert es, indem er in seinem Herrschaftsbereich die Individuen unter den Schutz von Polizei und Justiz stellt und die „private" bewaffnete Selbsthilfe verbietet. In diesem Innenbereich des Staates ist somit für die Phänomene Krieg und Frieden kein Platz mehr. Sie sind zu Erscheinungsformen der staatlichen Außensphäre, der Beziehungen zwischen Staaten, geworden, vorausgesetzt, die Funktionstüchtigkeit des Staates wird nicht durch innere Konflikte außer Kraft gesetzt. Die wichtigsten Stationen der Entwicklung auf diesen vorläufigen Endzustand hin sind von Kapitel 2 ab dargestellt. Kapitel 1 mit seiner Darstellung (hoch-)mittelalterlicher Verhältnisse bildet dazu sozusagen einen kontrastierenden Hintergrund. Der Hauptunterschied zu den späteren Verhältnissen besteht darin, daß es den Zentralgewalten noch nicht gelang, öffentliche Gewaltanwendung wirkungsvoll zu monopolisieren. Die Folge davon war, daß Krieg und Frieden in der mittelalterlichen Gesellschaft einen anderen, für uns ungewöhnlichen „Ort" hatten. Doch gerade durch das mittelalterliche Anderssein kommt die Besonderheit der neuzeitlichen Entwicklung deutlicher in den Blick. Denn der bewaffnete Konflikt hatte in der mittelalterlichen Gesellschaft eine ganz andere Funktion als in der heutigen. Angesichts vieler innerer Konflikte in europäischen und außereuropäischen Ländern stellt sich aber die Frage, ob die Herausbildung des Staates als Inhaber des Gewaltmonopols als ein unumkehrbarer Fortschritt gesichert ist.

Die sechs Kapitel dieses Buches bieten in einer zeitlichen Folge exemplarische Konfliktkonstellationen und die dazugehörigen Muster der Stabilisierung und Veränderung. Sie gliedern sich alle nach den gleichen Fragen,

- worin gewaltsame Konflikte in Gesellschaften und zwischen Staaten begründet sind,
- wie sie vorbereitet und ausgelöst wurden,
- wie sie ausgetragen wurden,
- wie sie beendet wurden,
- wie eine Friedensordnung ausgehandelt und gesichert wurde,
- wie man alle diese Vorgänge verstand und rational zu beherrschen suchte.

Die folgenden Materialien sollen Ihnen den Einstieg in eine erste, problemorientierte Diskussion der Thematik erleichtern.

Ausgehend von der Frage nach den Ursachen aggressiven Verhaltens haben sich Psychoanalytiker zu Krieg und Frieden geäußert. Alexander Mitscherlich (1908–82) stellt Zusammenhänge zwischen der menschlichen Natur und der herrschenden Friedlosigkeit heraus:

Die Idee des Friedens und die menschliche Aggressivität

Wir befassen uns nicht nur ungern mit dem Frieden, wir befassen uns noch viel weniger gern mit unserer eigenen Aggressivität. Weil sie uns in Konflikt mit unserer Moral bringen, scheint uns für unser Selbstverständnis kaum etwas sonst solche Mühe zu bereiten wie die angemessene Einschätzung eigener Aggressionsneigungen. Wenn sie im Bewußtsein auftauchen, verstoßen sie gegen die Forderung nach Friedfertigkeit, weshalb auch die faktisch gezeigte Aggressivität leicht im eigenen Urteil zur harmlosen, jedenfalls gutgemeinten Äußerung wird oder zur berechtigten und möglicherweise triumphierend erlebten Strafaktion für die aggressive Bosheit, mit der andere uns begegnen – für deren Unleidlichkeit erweist sich unsere Wahrnehmung als ungemein scharfsichtiger. Freud hat diesen Mechanismus als Projektion, als Selbstschutz erkannt – als wirkungsvollen, wenn auch unvernünftigen Selbstschutz – und in die Reihe der Abwehrvorgänge gegen die Wahrnehmung eigener Triebregungen, die den Wertnormen und Idealen der jeweiligen Gesellschaft widersprechen, eingeordnet. [...] Es zeigt sich, daß lange zuvor auch Kants Scharfsinn in Sachen des Friedens die Störenfriede nicht hindern konnte, die

(Zeichnung: Mohr)

„Organisation der Friedlosigkeit" – um mich einer Formulierung von Dieter Senghaas zu bedienen – weiterzubetreiben. Die einen machen dafür die unverbesserliche menschliche Natur haftbar, die anderen die bösen, repressiven Gesellschaften. Solcherart wird aber nach zu großem Augenmaß geschätzt. Weder ist ein aggressionsfreier Mensch, der dann noch lebensfähig wäre, in Aussicht, noch eine Gesellschaftsstruktur, innerhalb deren die Mitglieder nicht genötigt wären, die neu hinzukommenden Individuen, also ihre Kinder, und immer auch sich selbst darauf aufmerksam zu machen, daß wir ziemlich lange nach unserer Geburt noch keineswegs Einfühlung, Rücksichtnahme zeigen, also keine primäre soziale Gesinnung mitbringen. Soziale Ansprüche, das wohl. Aber von Anfang an gibt es Unlustgeschrei, wenn andere etwas von uns wollen. Im Zusammenprall unseres Anspruchs an die Mitspieler in unserem Leben und der Unlust, uns den gleichartigen Ansprüchen dieser Mitmenschen zu fügen, entsteht permanent in der Welt Streit, Machtkampf, Krieg. Und in der Tat, die Gerechtigkeit ist leicht zu korrumpieren, wo menschliche Interessen, denen immer etwas von der Maßlosigkeit des primären Narzißmus, der primären Selbstbezogenheit – Selbstverliebtheit, anhaften, im Spiele sind.

Alexander Mitscherlich, Freiheit – eine Utopie? Ausgewählte Schriften 1946–74. Frankfurt/M. 1975, S. 258f.

M 2

Die Frage nach dem Sinn von Kriegen wurde – besonders in den 1960er und 1970er Jahren – auch von zahlreichen Künstlern gestellt. Der folgende Text wurde in der Interpretation des Popsängers Donovan ein „Klassiker" der Popmusik.

Universal Soldier

He's five foot two
And he's six feet four,
He fights with missiles and with spears.
He's all of thirty-one,
And he's only seventeen,
But a soldier for a thousand years.

He's a Catholic, a Hindu, an atheist, a jain,
A Buddhist and a Baptist and a Jew,
And he knows he shouldn't kill
And he knows he always will,
Kill you for me my friend and me for you.

And he's fighting for Canada, he's fighting
   for France,
He's fighting for the U.S.A.,
And he's fighting for the Russians,
And he's fighting for Japan
And he thinks we'll put an end to war this way.

And he's fighting for democracy, he's
   fighting for the reds,
He says it's for the peace of all,
He's the one who must decide
Who's to live and who's to die,
And he never sees the writing on the wall.

But without him how would Hitler have condemned him at Dachau?
Without him Cesar would have stood alone.
He's the one who gives his body as a weapon
   of the war,
And without him all killing can't go on.

He's the universal soldier, and he really is to
   blame
His orders come from far away no more,
They come from here and there, and you
   and me,
And brothers, can't you see,
This is not the way we put the end to war.

Aus: Peter Bursch's Gitarrenbuch, (Voggenreiter Verlag) Bonn 1975, S. 103f.

M 3

Ernst Nagel, katholischer Theologe und Friedensforscher aus Hamburg, beschreibt die Position der Kirchen zum Thema „Krieg und Frieden" nach dem Ende des Ost-West-Konfliktes:

[...] Abschied genommen haben die Kirchen von der „Lehre vom gerechten Krieg", wenigstens in der tradierten Form. Diese Tradition, die unter anderem auf Augustinus und Thomas von Aquin zurückgeht und über Jahrhunderte kirchliche Positionen geprägt hat, erlaubte nicht nur die Verteidigung, sondern zur Wiederherstellung von Gerechtigkeit auch den Angriffskrieg. Dies hat sich grundlegend geändert: So viele Elemente dieser Tradition auch heute noch Gültigkeit behalten (die Prinzipien der Hinlänglichkeit, der Unterscheidung von Kombattanten und Nicht-Kombattanten, der Verhältnismäßigkeit oder der ultima ratio), in diesem zentralen Punkt wurde die Tradition aufgegeben: Der Angriffskrieg ist absolut zu ächten, Krieg ist kein Mittel der Politik mehr. Hier gehen Völkerrechtsentwicklung und Kirchen

Hand in Hand. Gerade der Ost-West-Konflikt aber, der seit 1947 die Welt teilte, hat in dieser Hinsicht substantielle Fortschritte verhindert. Um so gespannter wird man sein, ob sein Ende einen Aufbruch bewirkt.

Kriterien für einen solchen Aufbruch sind aus kirchlicher Perspektive: Friede bricht nicht aus, weil die Menschheit fortan von Friedensliebe durchdrungen ist. Die Welt gebiert weiterhin Ungerechtigkeit und Gewalt. Friedenspolitik ist eine bleibende Aufgabe und bedeutet zunächst und vor allem das Aushandeln einer Friedensordnung, die tradierte Vorstellungen absoluter nationalstaatlicher Souveränität überwindet. Christlicher Universalismus kann nicht an Staatsgrenzen haltmachen; seine Forderungen konvergieren heute mit dem politisch Einsichtigen: Staaten sind nicht souverän gegenüber umfassendem Völkerrecht. Eintreten gegen Menschenrechtsverletzungen kann nicht als „Einmischung" in die inneren Angelegenheiten anderer Staaten betrachtet werden. Zur Sicherung des Friedens bilden die Fortentwicklung des Völkerrechts und die Einrichtung durchsetzungsfähiger Institutionen das Gebot der Stunde. Welchen Gefahren dabei zu begegnen ist, ob eine „Weltregierung" eingesetzt werden muß oder ob andere Organisationsformen denkbar sind, das ist nicht Sache der Kirchen.

Eine Friedensordnung, betonen die Kirchen, geht weit über eine reine Sicherheitspolitik hinaus. Weder ökonomischer Druck noch militärische Drohung allein können den Krieg hinreichend ächten. Absolute Kriegsächtung muß aber heute das Ziel von Friedenspolitik sein. Den Zusatz „Frieden" verdient nur eine Ordnung, in der neben der Sicherheit zugleich auch Gerechtigkeit und Schutz der Menschenwürde garantiert sind. In dem Maße, in dem Friedenspolitik sich diesen Vorgaben nähert, erwächst ihr selbst Stabilität und Akzeptanz. Diese entscheidende Stabilisierung wird in kirchlichen Texten gewöhnlich unter dem Begriff „Friedensförderung" in den Vordergrund gerückt. Ziel ist dabei, Kriegsursachen oder vermeintlich berechtigte Kriegsgründe im Vorfeld politisch und gewaltfrei zu beheben. Daher sind auch Entwicklungs- und Umweltpolitik unverzichtbare Bestandteile einer stabilen Friedensordnung. Für den Ernstfall muß dann schließlich auch dergestalt Vorsorge getroffen werden, daß dem Friedensbrecher als ultima ratio auch mit Gewalt gedroht und begegnet werden kann. [...]

Aus: „Das Parlament" v. 17./24.04.92

M 4

Kriege führen für den Frieden?

Spiegel-Gespräch mit dem Philosophen Sir Karl Raimund Popper (geb. 1902) im März 1992

Spiegel: Der Zusammenbruch des Sowjetkommunismus und das Ende der Bipolarität haben die Welt nicht sicherer gemacht. Weltweit müssen wir uns mit der Rückkehr der nationalistischen Dämonen, mit vagabundierenden Atomwaffen und Armutswanderungen auseinandersetzen. Sind das die neuen Feinde der liberalen Demokratien?

Popper: Unser erstes Ziel heute muß der Friede sein. Der ist sehr schwer zu erreichen in einer Welt wie der unseren, wo Leute wie Saddam Hussein und ähnliche Diktatoren existieren. Wir dürfen hier nicht davor zurückschrecken, für den Frieden Krieg zu führen. Das ist unter den gegenwärtigen Umständen unvermeidbar. Es ist traurig, aber wir müssen es tun, wenn wir unsere Welt retten wollen. Die Entschlossenheit ist hier von entscheidender Bedeutung.

Spiegel: Krieg führen, um die Weiterverbreitung von Massenvernichtungswaffen zu stoppen?

Popper: Es gibt derzeit nichts Wichtigeres, als die Verbreitung dieser Wahnsinnsbomben zu verhindern, die schon am schwarzen Markt gehandelt werden. Die Staaten der zivilisierten Welt, die nicht verrückt geworden sind, müssen hier zusammenarbeiten. Denn noch einmal: Eine einzige Sacharow-Bombe entspricht der Stärke von mehreren tausend Hiroschima-Bomben. Das heißt, daß in jedem dichtbesiedelten Staat die Detonation einer einzigen Bombe Millionen Opfer fordern würde, ganz abgesehen von den Strahlenopfern, die im Laufe vieler Jahre an den Folgen zugrunde gehen würden. An diese Dinge darf man sich nicht gewöhnen. Hier muß gehandelt werden.

Spiegel: Die Amerikaner sollten also erneut gegen Saddam vorgehen, wenn es Anzeichen gibt, daß er sich die Bombe verschafft?

Popper: Nicht nur gegen Saddam. Es muß eine Art Einsatztruppe der zivilisierten Welt für solche Fälle geben. Im überholten Sinne pazifistisch vorzugehen wäre Unsinn. Wir müssen für den Frieden Kriege führen. Und selbstverständlich in der am wenigsten grausamen Form. Die Verwendung der Bombe muß, da es sich um Gewalt handelt, mit Gewalt verhindert werden.

Spiegel: Da reden Sie beinahe schon wie die Strategen des Pentagon, die sich eine neue Weltordnung im Zeichen der Pax americana wünschen, die zugleich auch die Wirtschaftskonkurrenz aus Japan und Europa in Schach hält.

Popper: Ich halte es für verbrecherisch, so zu reden: Die Notwendigkeit, den Kernkrieg zu verhindern, darf man nicht mit Wirtschaftsfragen zusammenbringen. Wir sollten uns bemühen, in dieser Pax americana so aktiv mitzuarbeiten, daß es eine Pax civilitatis wird. Das ist einfach die Notwendigkeit der gegenwärtigen Situation. Es geht hier nicht um Kleinigkeiten, sondern um das Überleben der Menschheit. [...]

Spiegel: Nach Ihrer Überzeugung leben wir in der besten und gerechtesten Gesellschaft, die es je gab. Zur Beseitigung des Massenhungers in der Dritten Welt oder der Umweltzerstörung hat diese liberale Demokratie gleichwohl keine überzeugenden Lösungen anzubieten.

Popper: Wir sind mehr als fähig, die ganze Welt zu füttern. Das ökonomische Problem ist gelöst: von der Technik her, nicht von den Ökonomen.

Spiegel: Aber Sie werden doch kaum bestreiten können, daß es in weiten Teilen der Dritten Welt Massenelend gibt?

Popper: Nein. Aber das ist hauptsächlich auf politische Dummheit der Führer in den verschiedenen Hunger-Staaten zurückzuführen. Wir haben diese Staaten zu schnell und zu primitiv befreit. Es sind noch keine Rechtsstaaten. Dasselbe würde geschehen, wenn man einen Kindergarten sich selbst überließe.

Spiegel: Sind Wirtschaftskonflikte heute die Fortsetzung des Krieges mit anderen Mitteln? Europa und die USA fürchten, daß sie den Chip-Krieg gegen die Japaner verlieren.

Popper: Alle diese Probleme sind nicht ernst zu nehmen und sollten nicht so besprochen

werden. Diese Art zu reden ist das, was ich die zynische Geschichtsauffassung nenne – die Intellektuellen wollen gescheit sein, statt zu helfen. Die Japaner sind wirklich zivilisiert. Mit ihnen kann man reden. Aber es gibt immer wieder nur die Dummheit, bei uns und auch in Japan natürlich. [...]

Spiegel: Der neokonservative Philosoph Francis Fukuyama, derzeit in Amerika in Mode, sieht mit dem Ende ideologischer Konflikte und der weltweiten Verbreitung liberaler Demokratie schon „das Ende der Geschichte" gekommen. Mit dem Sieg der Demokratie sei gleichsam der Endpunkt der ideologischen Evolution der Menschheit erreicht.

Popper: Das sind so Phrasen, dumme Phrasen. Es gibt keine philosophischen Wunder. Übrigens hat auch Marx gesagt, daß mit der „sozialen Revolution" das Ende der Geschichte erreicht werde, da ja die Geschichte nur eine Geschichte der Klassenkämpfe sei.

Spiegel: Bei Fukuyama schimmert jemand durch, den Sie nicht sonderlich schätzen: Hegel mit seiner Theorie vom historischen Prozeß, der in einer Abfolge von Widersprüchen schließlich sein Ziel erreicht mit der Realisierung der Freiheit auf Erden.

Popper: Natürlich. Hegel würde Ja dazu sagen, denn er sah in der Geschichte eine Geschichte der Macht. Das war sie auch zum großen Teil. Unsere Geschichtsbücher waren nie Werke, in denen die geistige Entwicklung der Menschheit als Hauptthema angesehen wurde, sondern die Geschichte der Macht. Selbstverständlich brauchen wir ein Ende der Geschichte, nämlich ein Ende der Machtgeschichte. Das ist notwendig geworden durch die Waffen. Es war immer notwendig moralisch, aber jetzt ist es durch den Überschuß der Waffen lebensnotwendig geworden.

Aus: „Der Spiegel", Nr. 13/92 vom 23.03.92, S. 208–211, Auszüge

---

M 5

Der Historiker Michael Stürmer äußert sich 1993 zur „neuen Weltunordnung":

Die Weltunordnung

Seit den Revolutionen von 1990, als Deutschland in „Zwei plus Vier" seine Einheit fand, die Osteuropäer aus der Kälte kamen und die Sowjets nicht mehr Sowjets sein wollten, haben der Golfkrieg, Jugoslawien und andere ausgewählte Schrecken deutlich gemacht, daß die Zeit der, mit de Gaulle zu reden, „großen Stürme" wieder da ist. Die Ordnung von Jalta 1945 ist zerfallen, die Reste der Ordnung von Paris 1919 folgen nach, und überall blättern sich vergilbte Atlanten und verstaubte Geschichtsbücher auf und eröffnen Blicke auf Szenarien der Zukunft. [...]

Die Geschichte kehrt zurück, und zwar in vier wesentlichen Dimensionen:

• Die sowjetische Erbfolge hat noch lange kein Ende gefunden. Der Putsch von 1991 sprengte die Sowjetunion, die „Oktoberereignisse" von 1993 werden vielleicht die Reformer stärken, auf jeden Fall die russischen Territorien, die voraussichtlich als militärisch-industrielle Territorialherrschaften Eigenleben suchen werden nach mit dem Satz: „Der Himmel ist groß und Moskau ist weit."

Die Zukunft der „GUS"[1] ist ungewiß, aber wahrscheinlich wird sie sehr viel mehr als eine Einflußzone um Rußland sein als ein Bündnis gleichberechtigter Staaten. [...]

• Zweitens der islamische Krisenbogen von Kashmir bis Casablanca, der durch die frühere Sowjetunion schneidet, und durch die blutigen Länder des früheren Jugoslawien. Dazu gehört das von einer Militärdiktatur gerade noch unter Kontrolle gehaltene Algerien ebenso wie Ägypten, der hochaufrüstende Iran und der notorische Saddam Hussein, Afghanistan und Ghaddafi-Land[2]. Was immer diese Länder trennt, es existiert über ihnen kein einheitsverbürgendes Prinzip, so gibt es doch Wichtiges, was sie verbindet: Am meisten der Konflikt zwischen westlichsäkularer Staatlichkeit und dem totalitären Streben zur Priesterherrschaft über unmündige Massen im Fundamentalismus; und damit verbunden ist fast überall das ungehemmte Bevölkerungswachstum, das in den meisten islamischen Ländern in zwanzig Jahren die Bevölkerung verdoppeln wird und damit zum Ruin der Umwelt, zum Umbruch der Staaten und zum Aufbruch neuer Völkerwanderungen treibt.

• Die dritte der großen Unheilsdimensionen ist die Waffenproliferation[3] high tech und low tech, vor allem aber die immer realer werdende Gefahr, daß die nuklearen Waffen nicht mehr in der Obhut der fünf Mächte des UN-Sicherheitsrats bleiben, sondern eine nukleare Weltunordnung entsteht, die der Anarchie verzweifelt ähnlich sieht. [...]

• Last but not least wird die Bevölkerungsexplosion dem Westen, der die schöne Kunst des Kindermachens verlernte und mit Besorgnis auf den Zerfall des Generationsvertrages starrt, den Schlaf rauben: 100 Millionen Menschen kommen jedes Jahr global hinzu, warnen die Vereinten Nationen seit bald einem Jahrzehnt, und inzwischen geschah nichts Wesentliches, den Trend zu verlangsamen. [...]

Michael Stürmer: Deutschland in der neuen Weltunordnung – Bedingungen der Handlungsfähigkeit; zit. nach: Bundesverband deutscher Banken (Hrsg.): Was hält die Deutschen noch zusammen? Schönhauser Gespräche 1993. Köln 1993, S. 35–38

---

[1] „Gemeinschaft Unabhängiger Staaten"; gegründet im Dezember 1991 als Nachfolger der am 27. Dezember 1991 aufgelösten Sowjetunion
[2] Gemeint ist Libyen.
[3] Weiterverbreitung bzw. Weitergabe von Waffen, besondern von Atomwaffen

1 Krieg und Frieden im mittelalterlichen Europa (um 1300)

1250	Tod Kaiser Friedrichs II. von Hohenstaufen. Beginn der „kaiserlosen Zeit"
1254–1256	Rheinischer Landfriedensbund (der Städte und Territorialherren am Rhein) gegen die wachsende Unsicherheit auf den Handelsstraßen durch Raubritter
um 1280	Handwerker- und Arbeiteraufstände in den flandrischen Textilstädten gegen die patrizische Oberschicht der reichen Tuchkaufleute
1288	Schlacht von Worringen; Sieg der Koalition des Herzogs von Brabant über die des Erzbischofs von Köln beendet den Limburgischen Erbfolgestreit
1291	Eroberung von Akkon, der letzten größeren Kreuzfahrerstadt im Heiligen Land, durch den Mamlukensultan
	Bündnis der Schweizer Kantone Schwyz, Uri und Unterwalden gegen die habsburgische Herrschaft
1292	Französisch-schottisches Bündnis gegen England
1294-97	Französisch-englischer Krieg
1297	Bündnis zwischen dem englischen König und dem Grafen von Flandern gegen den französischen König. Beginn des schottischen Aufstands gegen England
1298	Ende des französisch-englischen Krieges durch einen Schiedsspruch von Papst Bonifaz VIII. Der deutsche König Adolph von Nassau verliert die Schlacht bei Göllheim gegen den Gegenkönig Albrecht von Habsburg.
1302	Flandrischer Volksaufstand; Sieg des flandrischen Volksheeres über ein französisches Ritterheer in der Schlacht bei Kortrijk; Papst Bonifaz VIII. verkündet seinen Weltherrschaftsanspruch in der Bulle „Unam sanctam".
1309	Beginn der „Babylonischen Gefangenschaft" der Päpste (Verlegung der päpstlichen Residenz von Rom nach Avignon)
1310–1313	Italienzug König Heinrichs VII. von Luxemburg reißt die alten pro- und antikaiserlichen Fronten wieder auf; nach schweren Kämpfen 1312 Kaiserkrönung; 1313 Tod des Kaisers (letzter Versuch eines Universalkaisertums)
1315	Schlacht bei Morgarten; Sieg eines Schweizer Volksheeres über habsburgische Ritter

Das Mittelalter ist eine Epoche der europäischen Geschichte, die zwar viele sichtbare Zeugnisse (Bauten, Kunstwerke usw.) hinterlassen hat und durch den Geschichtsunterricht zugänglich ist, sich aber bei genauerem Hinsehen als eine ganz fremde Welt erweist. Die große Spannweite unserer eigenen Geschichte, die hier erkennbar wird, erleichtert uns, die Fremdheit vieler heutiger Kulturen auf dem Umweg über die Fremdheit unserer eigenen Vergangenheit zu verstehen und die Veränderbarkeit aller Ordnungen sichtbar zu machen.

Das Spätmittelalter, die Zeit um 1300, eignet sich gut für unsere Betrachtung, weil sich in ihr ein tiefer Umbruch Europas vollzog: Die alten Mächte des Kontinents, Papsttum und Kaisertum, wurden zwar noch als Repräsentanten einer universalen abendländisch-christlichen Ordnung verstanden, verloren aber im 13./14. Jahrhundert ihre Bedeutung zugunsten neuer Mächte. Auf der territorialen und regionalen Ebene traten Könige, Fürsten, hoher und niederer Adel und Städte als die wichtigsten Akteure hervor. Ihre Interessengegensätze verursachten neue Kriege, die mehrheitlich eine bestimmte Tendenz aufwiesen: Sie zielten in erster Linie darauf ab, immer größere Bereiche von Herrschaft in den Händen einer immer kleineren Zahl von Fürsten zu konzentrieren. Hier begann die Entwicklung zu einer öffentlichen Ordnung, die uns als Staat selbstverständlich geworden ist. Dieser Prozeß wurde begleitet von wirtschaftlichen Entwicklungen, die die Leistungsfähigkeit und Bedeutung des nicht-agrarischen Sektors steigerten. Die Städte mit ihren Märkten und Fernhandelsverbindungen, ihrer Geld- und Kreditwirtschaft und ihrer leistungsfähigen Handwerksproduktion (im 14. Jahrhundert auch den Anfängen der Massenproduktion in Manufakturen) stiegen zu gesellschaftlich und politisch immer wichtigeren Zentren auf; sie wurden zu wichtigen Voraussetzungen für die Organisation und Zentralisierung von Herrschaft. Mit ihrem Anspruch auf bürgerliche Selbstverwaltung und Unabhängigkeit von einem adligen (oder kirchlichen) Stadtherrn stellten sie sich aber – gerade in Deutschland – der Herausbildung des modernen Territorialstaats entgegen.

In Mitteleuropa hatte bis ins 14. Jahrhundert (und teilweise noch darüber hinaus) politische Ordnung auf einem Netz personaler Verbindungen zwischen Adligen ohne bürokratische Institutionen beruht (Personenverbandsstaat). An der Spitze dieser Ordnung standen Kaiser und Könige, die zunächst keine Herrschaftsinstrumente wie Ämter und Beamte im heutigen Sinne besaßen. Größerräumige Herrschaft war nur möglich, indem einzelne Aufgaben mit Pflichten und Rechten, Leistungen und Gegenleistungen vertraglich – d. h. nach den Regeln des Lehnsrechts – an andere Adlige übertragen wurden. Der Zwang, wenigstens die wichtigsten politischen Vorgänge mit der Autorität der eigenen Person zu regeln, und die geringen Überschüsse der Landwirtschaft zur Ernährung ihres Hofes zwangen Kaiser und Könige, ihr Amt sozusagen im Umherziehen auszuüben.

Das Recht des einzelnen war im Mittelalter nur durch allgemeingültige Rechtsregeln festgelegt und daher kaum zweifelsfrei zu bestimmen. Bis zum 13. Jahrhundert gab es keine festen Gerichte, um Rechtsansprüche zu verhandeln und zu entscheiden; keine Polizei im modernen Sinne setzte die Urteile der Ge-

richtstage von Königen und Adligen durch. Im Personenverbandsstaat sicherte der Freie daher überwiegend sein Recht mit eigener Gewalt, wobei sein Erfolg meist davon abhing, wieviel Unterstützung er dabei von Verwandten und ihm sonstwie verbundenen Personen erhielt. Mittelalterlicher Herrschaft fehlte damit der innere Friede, der uns heute als zentrales Merkmal des Staates erscheint und dessen Verlust auch in der heutigen Welt als wichtigstes Krisensymptom verstanden wird.

Die salischen und staufischen Kaiser in Deutschland (11.–13. Jahrhundert) unternahmen den Versuch, sich vom Adel unabhängig zu machen, indem sie „Ministerialen" aus dem Stande der Unfreien mit der Wahrnehmung von Herrschaftsaufgaben betrauten. Um sie für ihre Tätigkeit zu „entlohnen", wiesen sie ihnen Dienstgüter nur für die Dauer der Amtsführung zu, während die Lehen der Adligen lebenslang an die Person vergeben und von dieser häufig vererbt wurden, also ständig dem Herrscher verlorenzugehen drohten. Dieser Versuch der deutschen Könige war nicht sehr erfolgreich, weil die Ministerialen nach und nach die meisten Standesprivilegien des Adels erwarben und sich der Gewalt ihres Dienstherrn entzogen. Nur in den kleineren räumlichen Dimensionen der Territorialfürstentümer gelang es den Landesherren im späten Mittelalter, einen großen Teil der Herrschaftsfunktionen, die mit einem Gebiet und seinen Bewohnern verbunden waren, in ihrer Hand zu vereinigen und durch abhängige, für die Dauer ihrer Dienste bezahlte Personen ausüben zu lassen.

1.1 Europa um 1300 – Konflikte und Entwicklungstendenzen

Europäische Konflikte

Es wirft ein bezeichnendes Schlaglicht auf die inneren Verhältnisse in Europa um 1300, daß seine Fürsten wie gleichgültig zusahen, als die Reste der Kreuzfahrerstaaten in Palästina, Ergebnis der großen universalen Bewegung des europäischen Christentums, zugrunde gingen. Am 17. Mai 1291 eroberte der Sultan des ägyptischen Mamlukenreiches, Al-Asraf, die Kreuzfahrerstadt Akkon, die letzte größere europäische Bastion im Heiligen Land.

Papst Nikolaus IV. (1288–1292) hatte schon vor dem Fall Akkons zum Kreuzzug ins Heilige Land aufgerufen und erneuerte danach seinen Aufruf. Er wandte sich an die Könige Frankreichs und Englands und suchte den Streit zwischen den rivalisierenden Seemächten Venedig und Genua zu schlichten, um Truppen und Transportmittel zu bekommen. Es war fast genau 200 Jahre her, daß sein Vorgänger Urban II. (1088–1099) zum erstenmal zu einem Kreuzzug aufgerufen hatte (1095). Damals waren Tausende von Herren und Rittern dem päpstlichen Appell gefolgt, später hatten Kaiser und Könige das Kreuz genommen. Doch diesmal waren alle Bemühungen des Papstes umsonst. Selbst ein Bündnisangebot des mit den Mamluken verfeindeten Mongolenkhans von Persien ließ die Herrscher Europas kalt. Für sie war der Kampf wichtiger, der in Westeuropa, in den traditionellen Herkunftsgebieten der Kreuzfahrer, ausgebrochen war. Ende des 13. Jahrhunderts befanden sich die Könige von England, Frankreich, Aragon und Kastilien in einem Wettbewerb mit ihren größten Vasallen um die Sammlung und räumliche Ausweitung der Herrscherrechte und hatten keine Zeit mehr für Unternehmungen, die sie für längere Zeit aus ihren Ländern fortführten. Der Kampf um Herrschaft ging in großem Umfang von der Verschwägerung der hohen Adelsfamilien ganz Europas aus, die

erb- und lehnsrechtlich begründete Ansprüche hervorbrachte, um die dann Fehden und Kriege geführt wurden.

Hauptkrisenherde der Zeit waren zum einen die englischen Festlandsbesitzungen in Südwestfrankreich, die beiden Herzogtümer Guyenne und Gascogne, und zum anderen das Königreich Sizilien. Zu den Hauptakteuren gehörten in beiden Fällen die Päpste. Denn die Königreiche Sizilien, England und Aragon waren päpstliche Lehen, ihre Könige päpstliche Vasallen. Das Königreich Sizilien war unter dem letzten Stauferkaiser Friedrich II. (1210–1250) Kernland des staufischen Imperiums gewesen. Nach seinem Tode kam es zu einem Konflikt zwischen den vom Papst belehnten Anjou und dem spanischen Haus Aragon, das mit den Staufern verschwägert war. Der Papst drängte Frankreich und Kastilien zum Angriff auf Aragon und Sizilien. Immense Summen aus den Einnahmen der Kirche, mit denen eigentlich ein Kreuzzug ins Heilige Land finanziert werden sollte, flossen nach Kastilien, Frankreich und Süditalien. Der Papst erklärte den Krieg zum Kreuzzug und bewies damit, daß die Idee des Kreuzzugs zum beliebig einsetzbaren machtpolitischen Instrument geworden war. Der König von Aragon seinerseits spann diplomatische Fäden zum ideologischen Feind des Papsttums, dem griechisch-orthodoxen Kaiser von By-

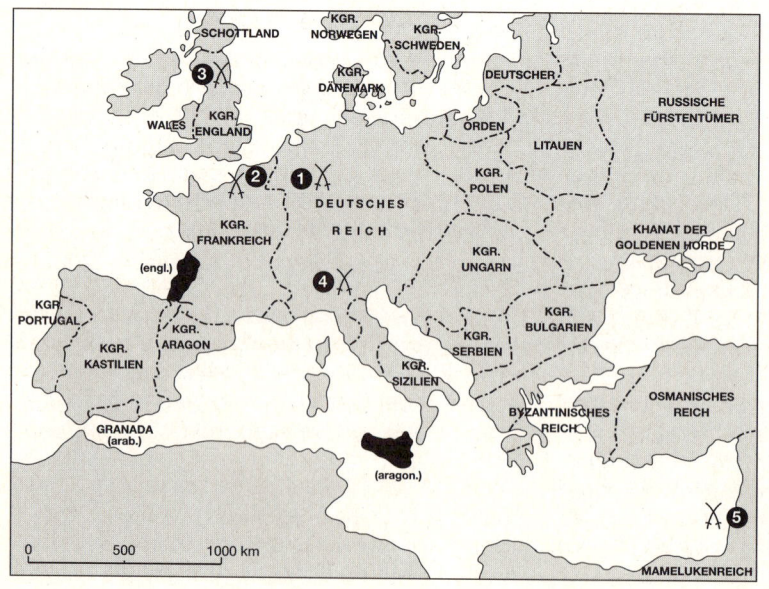

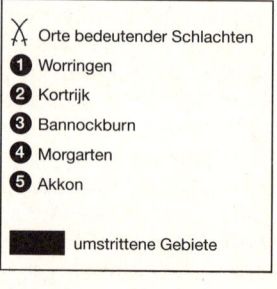

✗ Orte bedeutender Schlachten
❶ Worringen
❷ Kortrijk
❸ Bannockburn
❹ Morgarten
❺ Akkon

■ umstrittene Gebiete

Europa um 1300

Christus als Anführer von Kreuzrittern.
Miniatur aus einer engl. Handschrift, Anfang 14. Jh. Das Schwert in seinem Mund symbolisiert die „Schärfe" des in der Hl. Schrift geoffenbarten Gotteswortes.

zanz, und ging 1290 sogar ein Bündnis mit dem Sultan des Mamlukenreiches ein, dem späteren Eroberer von Akkon. Nicht minder große Kreise zog der zweite Krisenherd. Die englischen Könige waren als Herzöge von Guyenne und Gascogne zwar Vasallen der französischen Könige, doch waren sie ihnen an Macht mindestens ebenbürtig. König Philipp IV. suchte diese Bedrohung zu beseitigen und begann 1294 den Krieg mit Eduard I. von England.

Französisches und englisches Geld formte aus den vielen kleinen und mittleren Territorien entlang der französischen Ostgrenze zwei feindliche Bündnissysteme. Gegenüber der überlegenen französischen Finanzkraft geriet England bald ins Hintertreffen. Als 1297 Papst Bonifaz VIII. auf der Grundlage eines Vergleichs zwischen Philipp IV. und Eduard I. Frieden stiftete, benutzte Philipp den Akt, um zu demonstrieren, daß er den universalen Herrschaftsanspruch des Papstes nicht mehr anerkannte. Er bestand darauf, daß Bonifaz VIII. bei der Vermittlung als der Privatmann Benedikt Caetani, wie er vor der Annahme des Papstnamens geheißen hatte, und nicht als Papst fungierte. Der Frieden wurde in der damals üblichen Weise durch die Stiftung ver-

wandtschaftlicher Beziehungen für den Augenblick gesichert. 1328, nach dem Aussterben der Kapetinger, führten sie zwischen England und Frankreich zu neuen Erbstreitigkeiten und lösten den Hundertjährigen Krieg aus.

Regionale und lokale Konflikte

Während sie untereinander Krieg führten, kämpften die europäischen Fürsten gleichzeitig mit konkurrierenden politischen Kräften in ihren Territorien, mit Adel, Städten oder ganzen Volksteilen. In England und Aragon gelang es den Ständeversammlungen der Großen, dem Parlament bzw. den Cortes, der Krone ein Mitspracherecht bei der Regierung abzuringen. Geradezu ein Spielball in den Händen der Großen war nach dem Tod Friedrichs II. (1250) die königliche Zentralgewalt im Deutschen Reich. Bis weit in das 14. Jahrhundert hinein konnte sich kaum ein Herrscher ohne langwierige Kämpfe auf dem Thron halten.

Auch Nichtadlige – aus der Perspektive des Adels „Volk" – konnten im Mittelalter ihre Rechte mit Waffengewalt verteidigen. So leisteten immer wieder Bauern Widerstand gegen ihre Herren, waren dabei aber fast immer in einer aussichtslosen Lage. Der Adel – militärisch überlegen – erkannte bäuerliche Ansprüche nie als den seinen vergleichbar an, verstand sie als Aufstände gegen die gottgewollte Ordnung und unterdrückte sie mit aller Härte. Erst zu Beginn des 14. Jahrhunderts kämpften Bauern einige Male – unter der Führung kleiner Adliger – erfolgreich für ihre Interessen; bei Bannockburn besiegte ein schottisches Volksaufgebot die Engländer, bei Morgarten 1315 Schweizer Bauern ihren habsburgisch-österreichischen Herrn.

Weitaus zahlreicher waren die Konflikte der wachsenden und reicher werdenden Städte, die sich von ihren adligen Herren zu befreien suchten. War die Unabhängigkeit erst einmal erstritten, dann dauerte es meist nicht lange, bis sich die Bürgerschaft ihrerseits in feindliche Fraktionen spaltete. Im Kampf um die Teilhabe an der Stadtregierung standen sich Patrizier und Zünfte gegenüber. Besonders erbittert wurden diese Kämpfe geführt, wenn zu den politischen noch soziale Motive kamen, die aus der Ungleichverteilung des städtischen Reichtums herrührten. Das war vor allem in den reichsten Gebieten Europas, den Textilgebieten in Flandern und Oberitalien, der Fall. 1280 brach in den Städten Flanderns ein allgemeiner Aufstand los. Die Tucharbeiter erhoben sich gegen das Patriziat der Fernkaufleute, das die Städte regierte. In einer Art Kettenreaktion löste der Aufstand den offenen Ausbruch weiterer, räumlich und politisch ganz verschiedener Konflikte aus: In die Kämpfe griff der Graf von Flandern, Guydo

von Dampierre, auf seiten der Arbeiter ein. Er hoffte, dadurch die fürstlichen Vorrechte zurückzugewinnen, die er an das ihm feindlich gesonnene Patriziat verloren hatte. Dagegen verbündete sich das Patriziat mit dem Lehnsherrn des Grafen, dem französischen König Philipp IV. Kampfbereit standen sich damit die „leliaerts" (die patrizischen Parteigänger des französischen Lilienbanners) und die „klauwaerts" (das Volk als Anhänger des Grafen von Flandern, der den schwarzen Löwen mit erhobenen Klauen im Wappen führte) gegenüber. Als Eduard I. von England die Chance ergriff, durch die Unterstützung der aufständischen Vasallen in Flandern Philipp IV. zu schwächen, und Philipp seinerseits John Balliol, den Lehnsmann Eduards in Schottland, mobilisierte, hatte der Konflikt europäische Dimensionen angenommen. 1297 beendete ein päpstlicher Vergleich zwar die direkte Konfrontation der beiden Monarchen, aber nicht deren Konfrontation mit ihren aufständischen Vasallen. In Flandern brachten die Aufständischen dem Heer des französischen Königs und seiner patrizischen Bundesgenossen am 11.7.1302 bei Kortrijk eine vernichtende Niederlage bei.

Es war eine denkwürdige Schlacht. Zum ersten Mal im Mittelalter siegte ein nur aus Fußtruppen – flämischen Bauern und Handwerkern – bestehendes Heer über ein Ritterheer, dazu noch das des turniergeschulten französischen Adels. Auch die Kampfesweise unterschied sich bemerkenswert von allen adligen Traditionen. Sie war geprägt vom Haßgefühl zwischen unterschiedlichen sozialen Schichten. Die Bauern und Handwerker

Flämische Fußtruppen, die Sieger in der Schlacht von Kortrijk 1302 (zeitgenössische Reliefdarstellung)

mißachteten die gewohnten Spielregeln, die bisherige Konflikte gemäßigt und zivilisiert hatten; sie waren nicht daran interessiert, nach der Sitte des Ritterkampfes Gefangene zu machen, um sie später gegen Lösegeld freizulassen. In gnadenloser Wut erschlugen sie die aus den Sätteln geholten oder gestürzten Ritter.

1.2 Die Fehde – der bewaffnete Kampf um Recht

Die kaum entwirrbaren und fast ununterbrochenen Kämpfe um Macht bildeten im Mittelalter nur einen Teil eines noch umfassenderen Unfriedens. Selbst in relativ stabilen Herrschaften wie denen der englischen und französischen Könige gab es keine Institutionen, die dauerhaft und wirksam den Rechtsfrieden garantieren konnten, d. h. die unparteiische Entscheidungen von Rechtsstreiten und die Durchsetzung des Urteils sicherten. Daher holte sich vor allem der Adel sein Recht (oder was er dafür hielt) häufig mit der Waffe. Jeder Bruch des Rechts war so zugleich Bruch des Friedens und führte zur Anwendung von Gewalt. Solche Fehde um sein gutes Recht und Krieg waren im Mittelalter gleichbedeutende Begriffe und unterschieden sich nur nach dem Ausmaß des Konflikts. Man trennte – wenn auch nicht konsequent – zwischen der „gemeinen Fehde" und dem „ansehnlichen Krieg". Die Fehde war also sozusagen ein Rechtsmittel, das es im Falle eines Rechtsbruches dem Geschädigten erlaubte, sich selber mit Gewalt Recht zu verschaffen. Diese Bindung an das Recht setzte der Fehde Grenzen. Rechte Fehde konnte es nur im Rahmen der Christenheit als Gemeinschaft gleicher Rechtsvorstellungen geben. Gegen die Muslime z. B. konnten eigentlich nur Kreuzzüge geführt werden. Neben der räumlichen Begrenzung gab es eine zweite prinzipielle Einschränkung. Nur die Fürsten und Adligen, die geistlichen Grundherrn und die Bürgergemeinden durften Fehden führen, wenn sie sich in ihren Rechten gekränkt fühlten. Dafür sammelten sie in aller Regel Helfer um sich. „Natürliche" Verbündete waren die Personen, die durch verwandtschaftliche oder lehnsrechtliche Beziehungen mit dem Fehdeführenden verbunden waren. Fehdeführung

war in erster Linie darauf gerichtet, dem anderen Schaden an seinen Sachgütern anzutun. Die Leidtragenden dabei waren meist die ungeschützt auf dem offenen Lande wohnenden abhängigen Bauern und Hörigen des Fehdegegners, weil sie ein leichtes Ziel für Raub, Brand und Plünderung – die Hauptschadensarten – waren. Nur in seltenen Fällen, bei der sog. Todfehde, die ausdrücklich angekündigt werden mußte, war man auf den Tod des Fehdegegners aus. Gewöhnlich beschränkte man sich darauf, den Gegner gefangenzunehmen, um für seine Freilassung Lösegeld zu erpressen. Seit der Stauferzeit (1137–1250) waren die deutschen Herrscher bestrebt, der Fehdeführung enge Grenzen zu setzen. Im „Gesetz gegen Brandstifter" (1186) Friedrichs I. und im Mainzer Reichslandfrieden (1235) Friedrichs II. wurden die Bedingungen erschwert, unter denen eine rechtmäßige Fehde begonnen werden durfte. Es reichte nun nicht mehr, einen gerechten Grund zu haben, sondern es mußten zwei weitere Bedingungen erfüllt sein: 1. Bevor der Geschädigte zur Selbsthilfe griff, mußte er zuerst versuchen, vor Gericht zu seinem Recht zu kommen. 2. Scheiterte das, dann durfte er immer noch nicht sofort mit der Fehde beginnen. Er hatte zuvor seinem Gegner – schriftlich oder mündlich, bei Tage, durch einen Boten – die sog. „Absage" mitzuteilen, d. h. der Friedenszustand mußte ausdrücklich aufgekündigt werden. Danach war nochmals eine Wartezeit von drei Tagen zu beachten. Erst vom vierten Tag ab waren Gewaltmaßnahmen erlaubt. So förmlich wie der Beginn war auch das Ende einer Fehde reglementiert. Der Besiegte verpflichtete sich urkundlich, für alle Schäden, die der Sieger erlitten hatte, aufzukommen, und er versprach in einem Eid, der sog. „Urfehde", keine Rache nehmen zu wollen. Damit war der Friedenszustand wiederhergestellt.
Die Selbstverständlichkeit der Gewalt im mittelalterlichen Rechtsdenken zeigt sich nicht zuletzt auch darin, daß selbst vor Gericht lange Zeit der Zweikampf mit Waffen gleichberechtigt neben dem Richterspruch stand und in beiden Fällen der Ausgang als Gottesurteil verstanden wurde.
Krieg war in dieser Epoche Europas im wörtlichen Sinne allgegenwärtig in zahllosen räumlich und zeitlich meist eng begrenzten Fehden;

dafür waren aber lange Kriege wie der „Hundertjährige" zwischen dem französischen und dem englischen König auch wieder von längeren Zeiten des Friedens durchsetzt. Die Ursachen dafür lagen primär in einer Ordnung der Gesellschaft, der die festen Einrichtungen moderner Staaten fehlten. Wenn wir Krieg und Frieden im Mittelalter verstehen wollen, müssen wir über Herrschaft und über die Entstehung staatlicher Gewalt sprechen. Wir dürfen dabei deren materielle Bedingungen nicht übersehen: Bei einer Landwirtschaft, die in Mitteleuropa nur ca. 10 Prozent nicht-agrarische Bevölkerung ernähren konnte, und bei ganz dürftigen Verkehrs- und Nachrichtenverbindungen war es technisch und wirtschaftlich äußerst mühsam, feste Institutionen im neuzeitlichen Sinne zu verwirklichen.

Zwar war dem Mittelalter die Vorstellung, daß die Herrscher der großen Reiche Träger souveräner Macht in ihrem Verhältnis zueinander waren, nicht fremd. Aber ihre Reiche waren dadurch keineswegs Staaten im modernen Sinne. Es fehlte weitgehend die Monopolisierung der Gewaltausübung bei einer zentralen Instanz. Viele Hoheitsrechte waren nach unten delegiert, so daß die öffentliche Gewalt zersplittert war. Vor diesem Hintergrund gelang es den Herrschern während des gesamten Mittelalters nicht, bewaffnete Selbsthilfe bei Rechtsstreitigkeiten auszuschalten. Erst 1495 wurde in Deutschland auf dem Reichstag von Worms ein Reichsgesetz („Ewiger Landfriede") verabschiedet, das Fehdeführung absolut verbot.

1.3 Das Kriegswesen

In den Kriegen um 1300 spielten immer noch die adligen Ritter die Hauptrolle; ein Heer war ein Abbild des sogenannten Personenverbandsstaates: Die Ritter gruppierten sich jeweils um diejenigen höherrangigen Adligen, mit denen sie durch Verwandtschaft und Lehnsbindungen zu gegenseitiger Hilfe und Schutz verbunden waren. Diese wiederum umgaben – je nach Bedeutung und Ausdehnung des Kampfes – ihren Landesherren oder König. Die Ritter waren das offensive Element des mittelalterlichen Heeres, auf ihnen ruhte die Hauptlast des Kampfes, während die Fußtruppen nur defensive Aufgaben hatten.

Der Ritter war in jahrelanger Übung zum Einzelkämpfer ausgebildet; seine Fähigkeit, taktisch und in größeren Verbänden zu denken, war gering, und auf eine genaue Gefechtsplanung wurde dabei wenig Wert gelegt. Man bildete einfach nebeneinander mehrere Gruppen (Treffen), die einige Glieder tief waren. Ritterschlachten dauerten meist nicht lange. Dafür sorgte schon die begrenzte Belastbarkeit von Mensch und Tier. Man versuchte daher, den Gegner durch einen Aufprall in Höchstgeschwindigkeit und mit ge-

Kampf deutscher Ritter König Heinrichs VII. (1308–1313) gegen römische Ritter, die die Kaiserkrönung verhindern wollen, in den Straßen Roms, 1312 (zeitgenössische Darstellung)

schlossener Formation im ersten Angriff zu „werfen". Für den Nahkampf war der Ritter mit seinem schweren Panzer weniger geeignet.

Ritterliches Kriegswesen verlangte ein militärisches Spezialistentum, das über die nötigen wirtschaftlichen und finanziellen Mittel verfügte, um sich kriegsmäßig ausrüsten und schulen zu können. Der Begriff „Ritter" ist auch im 20. Jahrhundert noch den meisten Menschen geläufig; sie verstehen darunter einen berittenen und gepanzerten mittelalterlichen Krieger. Diese Vorstellung bedarf der Ergänzung. Als Ritter verstanden sich in der mittelalterlichen Agrargesellschaft zunächst Adlige, die als Berufskrieger lebten und mit Pferd und Rüstung für einen Lehnsherrn in den Krieg zogen. Sie grenzten sich anfangs deutlich von den unfreien Ministerialen ab, die als Dienstleute von Königen und Fürsten den gleichen Kriegsdienst taten und dafür zur Entlohnung ein Dienstgut erhielten. Später – seit dem 12. Jahrhundert – verbanden sich beide Gruppen in der „Kultur" des Rittertums. Es gehörte dazu, wer die Lebensweise der Ritter teilte, d. h. sich dem Ehrenkodex des Standes unterwarf (Ehre, Tapferkeit, Maßhalten, Gerechtigkeit), wer zu Turnieren zugelassen wurde und als lehnsfähig und als ebenbürtig galt. Insofern sie sich dem ritterlichen Moralkodex unterwarfen, konnten auch Könige und Fürsten „Ritter" sein. Aus seinen gemeinsamen Interessen gegenüber dem König oder den Landesherren entwickelte sich im 13. Jahrhundert in Deutschland das „Rittertum" zur sozialen Gruppe, dem Stand des niederen Adels – als Reichsritterschaft im Reich bzw. als Landesritterschaft in den Territorien.

Im Spätmittelalter (in Deutschland vor allem im 15. Jahrhundert, in Frankreich früher) setzte eine Entwicklung ein, die das soziale Gefüge und die gesellschaftliche Bedeutung des Rittertums zu seinen Ungunsten veränderte: Schon die Kriege um Flandern zu Beginn des 14. Jahrhunderts zeigten, daß Bürger- und sogar Bauernheere adlige Truppen besiegen konnten. Der Hundertjährige Krieg zwischen England und Frankreich wurde zunehmend mit Söldnern – darunter auch adligen – geführt. Diese neuen Heere waren für die großen Feudalherren zwar kostspieliger als das Aufgebot der Lehnsleute, dafür aber schlagkräftiger und vor allem gefügiger, was von Vorteil

für die Zentralisierung und Sicherung der Herrschaft war. Das Aufkommen von Feuerwaffen im 15. Jahrhundert schließlich veränderte die Kriegführung radikal und machte den gepanzerten Reiter, den Inbegriff des Ritters, überflüssig. Die kleinen, wenig ertragreichen Grundherrschaften zwangen viele Ritter schon aus wirtschaftlichen Gründen, sich einen neuen Platz als Söldner in den Heeren der Fürsten zu suchen. Daneben konnten sie sich bemühen, eine Aufgabe in der sich neu herausbildenden Verwaltung der Territorialstaaten zu finden, wobei sie aber auf die Konkurrenz von Dienstleuten und Bürgerlichen stießen.

Die militärische Bedeutung der Bauern wurde schon im frühen Mittelalter stark eingeschränkt – in dem Maße, in dem sie ihre Freiheit an den Adel verloren, schieden sie aus der Heerfolge aus. Sofern sie nicht als Knechte ihre adligen Herren begleiteten, wurde ihnen das Tragen und der Besitz von Waffen bis zum 12. Jahrhundert immer mehr eingeschränkt – nicht zuletzt aus der Erfahrung des Adels mit den vielen Bauernaufständen des Mittelalters. Erst die Söldnerheere des 14./15. Jahrhunderts rekrutierten ihre Mannschaften in wachsendem Maße aus dem Bauernstande, eine Praxis, die bis zur Französischen Revolution bestehen sollte.

1.4 Krieg und Frieden im moraltheologischen Denken des Mittelalters

Die moralische Sicht von Frieden und Krieg wurde im Mittelalter von der Kirche und ihren Vertretern geprägt. Die Grundlagen dazu hatte der Hl. Augustinus (354–430), insbesondere in seinem Buch „Über den Gottesstaat", gelegt. Nahezu alle Denker des Mittelalters und alle großen Gesetzessammlungen der Kirche fußten darauf.

Für Augustinus war der Frieden das höchste Gut. Er meinte, daß es niemanden gebe, der nicht den Frieden wolle. Dagegen spreche auch nicht die Allgegenwart des Krieges. Denn diejenigen, die Krieg führten, täten das nicht aus Freude am Krieg, sondern weil sie einen besseren Friedenszustand herstellen wollten als vor dem Krieg. Ob allerdings der neue Zustand wirklich als Frieden bezeichnet werden konnte, hing nach Augustinus – eine seiner wichtigsten Aussagen – davon ab, welche Ordnung in dem Frieden verwirklicht wurde. Echt war ein Friede nur, wenn er Ausdruck göttlicher Weltordnung war. Dann war er gerecht. Frieden sollte verwirklichte göttliche Gerechtigkeit sein, das war das wichtigste Vermächtnis von Augustinus an das Mittelalter. In seinem Gesamtwerk sind die Aussagen zu Krieg und Frieden ziemlich unsystematisch verstreut. Mittelalterliche Kirchenrechtslehrer sammelten und ordneten sie. Auf dieser Grundlage gab 1269 Thomas von Aquin (1225–1274), einer der bedeutendsten Gelehrten des Mittelalters, in seiner „Summa theologica" der Lehre vom gerechten Krieg die klassische Formulierung, die bis ins 17. Jahrhundert wirksam blieb. Thomas von Aquin bindet den gerechten Krieg an das Vorhandensein von drei Bedingungen: 1. Krieg darf nur von einer Instanz mit fürstlicher Vollmacht angeordnet werden („auctoritas principis"). 2. In der Schuldhaftigkeit des Gegners muß ein gerechter Grund für die Kriegführung vorhanden sein („iusta causa"). 3. Der Kriegführende muß mit gerechter Absicht kämpfen, d. h. er muß das Gute mehren und das Böse vermindern wollen („recta intentio"). Die zweite und dritte Bedingung begründet Thomas einfach dadurch, daß er sich auf Augustinus beruft. Bei der Begründung der ersten geht er über seine Vorlage hinaus. Es fiel ihm offensichtlich schwer, „fürstliche Vollmacht" und damit das Recht zur Kriegführung bestimmten Personen bzw. Personengruppen zuzuordnen. Die öffentliche Ordnung, die der Römer Augustinus vor Augen gehabt hatte, als er schrieb, stimmte nicht mehr mit der überein, in der Thomas lebte. So viele Machthaber waren oder fühlten sich berechtigt, im Namen der Fehde Krieg zu führen. Thomas begnügte sich daher mit einer recht vagen Formulierung, indem er unter „Fürsten" die Personen(gruppen) verstand, denen Sorge für die öffentliche Ordnung „einer Stadt, eines Königreichs oder einer Provinz" anvertraut war. Sie hatten das Recht und die Pflicht, gegen innere Unruhestifter und gegen äußere Feinde mit Waffengewalt vorzugehen. Alle, auf die dieses Kriterium nicht paßte, waren nach Thomas Privatpersonen, die ihre Streitigkeiten vor dem Gericht des Vorgesetzten auszutragen hatten. Es gab noch andere Schwierigkeiten bei der Anwendung des Augustinischen Friedensbegriffs auf mittelalterliche Verhältnisse. Die un-

terschiedlichen Kennzeichen des Friedens – Gerechtigkeit, Ruhe, Sicherheit – wiesen darauf hin, daß es unterschiedliche Erscheinungsformen des Friedens gab. „Friede und Recht" bezeichnete einen Zustand unversehrter oder wiederhergestellter Rechtsordnung. „Friede und Ruhe" lag schon vor, wenn bloß Waffenruhe herrschte. „Friede und Sicherheit" bestand in einem räumlichen oder rechtlichen Bereich, in dem Personen oder Sachen vor Unfrieden sicher waren. Echten Frieden gab es nach mittelalterlicher Anschauung nur da, wo „Friede" und „Recht" zusammenkamen. Da im christlich geprägten Denken des Mittelalters „Recht" göttliches Recht war, konnte es „Friede und Recht" auch nur in der Gemeinschaft der Christgläubigen geben. Mit Nichtchristen wie den Muslimen war – in der Theorie wenigstens – Frieden nur in den anderen Erscheinungsformen möglich.

1.5 Friedensordnungen

Universal-europäische Friedensordnungen

Der Gedanke, durch eine universale Autorität den Frieden zu sichern, war dem Mittelalter geläufig. Als Ausgangspunkte dafür kamen an erster Stelle die beiden traditionellen Universalmächte – Papst und Kaiser – in Frage. In der Zeit um 1300 regierten mit Papst Bonifaz VIII. (1294–1303) und Kaiser Heinrich VII. (1308–1313) zwei Vertreter der Universalmächte, die die Idee des Friedenspapstes bzw. des Friedenskaisers besonders nachdrücklich in die Wirklichkeit umzusetzen suchten. Ihr Schicksal veranschaulicht, wie es damals um die Realisierbarkeit dieses Friedensprogramms bestellt war. Der universale Anspruch des Kaisers hatte durchaus eine reale Grundlage. Nach mittelalterlichem Verständnis waren die Kaiser Nachfolger der römischen Kaiser und daher Regenten des der Idee nach noch immer bestehenden römischen Reiches, dessen Grenzen West- und Südeuropa umgriffen und darüber hinausgingen. Zugleich war dieses Reich auch das Reich der Christenheit, für dessen Frieden in erster Linie – wie es die Liturgie der kaiserlichen Krönungsmesse kundtat – der Kaiser zuständig war. Konkret wahrgenommen wurde diese Aufgabe aber außer in Deutschland nur in Italien. Der erste deutsche Herrscher, der sich ihr nach Friedrich II. wieder tatkräftig zuwandte, war König Heinrich VII. aus dem Hause Luxemburg (1308–1313). 1310 kündigte er den Städten Oberitaliens an, daß er nach Rom ziehen werde, um sich dort zum Kaiser krönen zu lassen. Es sei seine Absicht, dem politisch und sozial zerstrittenen Land Frieden zu bringen. Darauf publizierte der berühmte Dichter und Gelehrte Dante Alighieri (1265–1321) aus Florenz ein Sendschreiben an die Fürsten und Völker Italiens, in dem er Heinrich als „Frieden und Gerechtigkeit bringenden Titan" pries, mit dem der in der Hl. Schrift prophezeite Weltfriede in Erfüllung gehe. Ähnlich hatte sich Dante schon 1308/09 in seinem Buch „Gastmahl" (IV, 4) geäußert: Die Kriege würden verschwinden, wenn die ganze Erde zu einer Herrschaft unter einem Herrscher zusammengeschlossen würde. Der müsse unter den Königen und zwischen den Städten Frieden schaffen. Dann bekäme jede Familie, was sie brauchte, und jeder könnte ein glückliches Leben führen. Dazu nämlich sei der Mensch geboren. Mit solchen Ideen stand Dante nicht allein da. Viele Menschen, besonders aus den politisch und sozial benachteiligten Bevölkerungskreisen, richteten ihre Hoffnung auf eine friedlichere, gerechtere Welt, die der Kaiser schaffen sollte. Häufig nahm er in solchen Vorstellungen die Gestalt eines überirdischen Messias an. Heinrich VII. kannte diese Vorstellungen, und er bezog sich in seinem Schreiben an die Fürsten Europas, in dem er ihnen seine Krönung zum Kaiser mitteilte (19.6.1312), ausdrücklich darauf. Wie im Himmel alle Herrschaft auf Gott ausgerichtet sei, so sei sie hier auf Erden auf den Kaiser als höchsten Monarchen bezogen, damit die Welt in Frieden, Eintracht und Liebe zu Gott zurückkehre. Die Reaktionen, die Heinrich VII. hervorrief, bewiesen, daß die Idee des Friedenskaisertums für die wirklichen Machthaber Europas eine realitätsferne Träumerei war. Schon den Hinweg nach Rom mußte er sich durch eine Serie von Schlachten erkämpfen. Sein Anspruch brüskierte die Könige Europas. Philipp IV. von Frankreich ließ ironisch anfragen, ob Heinrich nicht bekannt sei, daß die Könige von Frankreich seit je nur Christus als Oberherrn anerkannt hätten.

Ähnlich stand es um die allgemeine Anerkennung der zweiten europäischen Universalmacht, des Papsttums. Kaum je hatte ein Papst den Universalanspruch so nachdrücklich vertreten wie Bonifaz VIII. Seine Bulle „Unam sanctam" von 1302 gilt als propagandistischer Höhepunkt für den Anspruch des Papstes auf Weltherrschaft. Sie verkündete, daß der Papst als Stellvertreter Christi die höchste irdische Macht innehabe, weltliche und geistliche, und daß es zum Seelenheil aller Geschöpfe notwendig sei, sich ihr zu unterwerfen. Doch die Bulle rief schärfsten Widerstand hervor. Philipp IV. von Frankreich scheute sich nicht vor einem Angriff auf die Person des Papstes selbst. 1303 ließ er ihn in Anagni bei Rom durch seinen Kanzler Nogaret in einem Handstreich gefangennehmen. Bonifaz VIII. wurde zwar kurz darauf befreit, aber er überlebte die Strapazen nur um einige Wochen. Seine Nachfolger verlegten ihren Sitz nach Frankreich und dokumentierten damit, unter wessen Einfluß die Kirche nun stand.

Eine zukunftweisende Lösung entwarf der zur Umgebung des französischen Hofes zählende königliche Advokat Pierre Dubois (†1321) in seiner Schrift „Über die Wiedergewinnung des Heiligen Landes" (1306). In ihr wird zum erstenmal eine europäische Friedensregelung entworfen, die nicht von einer universalen Autorität, sondern von der Gemeinschaft der Reiche und Herrscher ausging. Als Voraussetzung für einen Kreuzzug sollte ein Konzil aller Fürsten, „die keinen Höheren als Gott über sich anerkannten" (die mittelalterliche Formel für Souveränität), zusammentreten, um alle Kriege gegeneinander zu beenden. Hier sollten sie eine europäische Staatsgemeinschaft („res publica") gründen. Streitigkeiten untereinander sollten sie durch einen unabhängigen Gerichtshof, bestehend aus drei geistlichen und drei weltlichen Richtern, beilegen lassen. Gegen Friedensbrecher sollten die Herrscher gemeinsam mit Gewalt vorgehen, sie enteignen und nach Palästina verbannen, wo sie an der Besiedlung des Landes teilnehmen konnten.

Dubois fand in seiner Zeit keine politische Resonanz, doch hatte er den einzigen Weg gewiesen, der in einem pluralistischen Mächtesystem, dessen Mitglieder keine Einzelautorität anerkannten, Frieden herstellen konnte – die gemeinsame (kollektive) Vereinbarung mit gemeinsamen Mitteln zur Durchsetzung der Entscheidungen. Dafür gab es in der mittelalterlichen Realität sogar schon erste Ansätze.

Gottes- und Landfrieden

Die entschiedensten Versuche des Mittelalters, die ausufernden Fehden einzudämmen, stellen die Gottes- und Landfriedensordnungen dar. Bei solchen Friedensordnungen wurden bestimmte Personengruppen, Gebiete und / oder Zeiten von den Fehden ausgenommen.

Der erste Gottesfriede („pax dei") kam 975 in Le Puy (Auvergne) zustande. Weitere folgten, alle in Frankreich. Überall waren die Bischöfe die Initiatoren. Sie riefen die Adligen ihrer Amtsbezirke auf Synoden zusammen und ließen sie schwören, bestimmte Personen – Geistliche, Jäger, Fischer, Schiffer, Bauern, Pilger, Witwen, Edelfrauen ohne männliche Begleitung – nicht mit Waffengewalt zu bedrängen. Dem Friedensbrecher wurden Exkommunikation und der Verlust seiner Lehen angedroht. Damit wurden die Fehden zwar nicht abgeschafft, aber ihre Auswirkungen weitgehend auf den Adel beschränkt. Noch weiter ging die zweite Spielart des Gottesfriedens, die „treuga dei" (Waffenruhe Gottes). Sie entstand in Burgund. Erstmals 1037 veranlaßten die Erzbischöfe von Vienne und Besançon sowie der Bischof von Lausanne, daß in ihren Amtsbezirken eine Treuga beschworen wurde. Im Unterschied zur Pax Dei verbot die Treuga Dei die Fehde an bestimmten Tagen des Jahres. Auf der Synode von Narbonne (1054) wurden Pax Dei und Treuga Dei erstmals miteinander verbunden. Der Bischof von Lüttich (1081) und die Erzbischöfe von Köln (1083) und Mainz (1085) führten die Treuga in Deutschland ein. Die erste allgemeine Verkündigung des Gottesfriedens, Pax Dei und Treuga Dei zusammen, für die gesamte Christenheit erfolgte 1095 durch Papst Urban II. auf dem Konzil von Clermont. Es war das berühmte Konzil, auf dem der Papst zum ersten Kreuzzug aufrief.

Die Landfrieden entstanden um 1100 in Deutschland. Von Friedrich I. von Hohenstaufen an wurden sie zum festen Bestandteil der Reichsgesetzgebung. Sein Enkel, Friedrich II. – erfahren in den damals hoch entwickelten politischen Verhältnissen Siziliens –, stabilisierte solche Ordnungen, indem er ein dauerndes Hofgericht schuf und die Ahndung von Verbrechen zur öffentlichen Sache machte. Hier schienen dem Kaisertum Mittel zur Sta-

bilisierung seiner Herrschaft zu entstehen, ja sogar zu einer Staatlichkeit im Sinne der Neuzeit. Die gewalttätige Selbstjustiz der Fehde wäre durch eine Ordnung mit öffentlicher Justiz und staatlichem Gewaltmonopol in einer waffenlosen Gesellschaft verdrängt worden. Aber solche Pläne waren noch weit verfrüht; die partikularen Gewalten waren unter den gegebenen wirtschaftlichen und technischen Möglichkeiten zu stark. Immerhin wirkte die Vorstellung, daß es Aufgabe einer öffentlichen Hand sei, Verbrechen zu ahnden und den Rechtsfrieden zu sichern, weiter und trug dazu bei, daß sich eine Staatlichkeit im modernen Sinne herausbildete.

Um 1300 waren selbst begrenzte Gottes- und Landfrieden mit ihren unvollkommenen Friedensgeboten keine Realität. Ihre Initiatoren – Bischöfe, Päpste, Kaiser – waren nicht stark genug, um sie aus eigener Kraft zu erzwingen. Die Verwirklichung hing von den eigentlichen Trägern – den Schwurgemeinschaften bei den Gottesfrieden, den Reichsfürsten bei den Landfrieden – ab. Im Alltag erwiesen sich regionale Landfrieden meist wirksamer als die Reichslandfrieden. In Deutschland forderte der Zerfall der kaiserlichen Macht am Ende des Stauferreiches die territorialen Gewalten geradezu auf, die Friedenssicherung in die eigenen Hände zu nehmen. Daraus resultierten im 13./14. Jahrhundert zahlreiche regionale Landfriedensbündnisse. Eines der ersten und größten war die Friedensvereinigung des Rheinischen Bundes, der 1254–1256 bestand. Ihm gehörten die Erzbischöfe von Köln, Mainz und Trier an, die Bischöfe von Straßburg, Metz und Basel, der Abt von Fulda, 24 rheinische Territorialherren und über 50 Städte. Die Bundesmitglieder versprachen sich gegenseitig, für Sicherheit im eigenen Territorium zu sorgen und gemeinsam gegen Friedensbrecher vorzugehen. Dafür verabredete man eine gemeinsame Friedenstruppe. Streitigkeiten zwischen den Mitgliedern sollten schiedlich geregelt werden. Regelmäßige Zusammenkünfte von bevollmächtigten Vertretern sollten den inneren Zusammenhalt fördern.

Freiwillige Gerichtsbarkeit

Zur friedlichen Beilegung von Streitigkeiten bediente man sich im Hochmittelalter seit dem 12. Jahrhundert zunehmend des

Schiedsverfahrens. Könige und Fürsten, große und kleine Landesherren, Ritter und Städte zogen zur Streitschlichtung Schiedsrichter heran. Manchmal geschah das, nachdem man versucht hatte, eine Entscheidung mit Waffengewalt herbeizuführen, häufig aber, um eine solche von vornherein durch ein friedliches Verfahren zu ersetzen. Beispiele für Schiedsverfahren auf höchster Ebene sind Ende des 13. Jahrhunderts der Schiedsvertrag zwischen den Königen von Böhmen und Ungarn von 1271 (Schiedsrichter: 2 Bischöfe; Streitsache: Grenzländereien) und der zwischen dem König von Böhmen und dem deutschen König Rudolf I. von 1276 (Schiedsrichter: der Pfalzgraf bei Rhein, der Markgraf von Brandenburg und 2 Bischöfe; Streitsache: das Recht auf Österreich, Kärnten, Krain, Görz, Steiermark).

Die Grundlagen des mittelalterlichen Schiedsverfahrens stammten aus dem Kirchenrecht. Sein Herzstück bildete der sog. Kompromiß. Das war die vertragliche Vereinbarung der streitenden Parteien, ihre Sache durch Schiedsrichter entscheiden zu lassen und sich ihrem Spruch zu unterwerfen. Die Schiedsrichter wurden durch die Parteien bestellt. Ihre Tätigkeit endete mit der Verkündigung des Spruches, da die Parteien ja schon die Ausführung versprochen hatten.

Das Schiedsverfahren erfreute sich bei großen und kleinen Herrschern großer Beliebtheit, weil es ihrem Selbstverständnis, Souverän zu sein, entsprach. Denn im Gegensatz zum Urteil im öffentlichen Prozeß nahm man den Schiedsspruch freiwillig an. Das Schiedsverfahren war somit eine Art Selbstjustiz, und darin war es – bei aller sonstigen Unterschiedlichkeit – der Fehde gar nicht so unähnlich. Aus eben diesem Grunde waren die Schiedsverfahren der kleineren Machthaber den Landesherren ein Dorn im Auge. Denn es wurden durch sie zwar Fehden vermieden, aber sozusagen auf Kosten der landesherrlichen Gerichtsbarkeit. Diese aber war für die Landesherren das wichtigste Instrument, um die öffentliche Ordnung zu kontrollieren und „innenpolitische" Souveränität zu entwickeln.

Utopische Friedensvorstellungen

Die religiöse Entwicklung des 13. und 14. Jahrhunderts in Europa gab dem Streit um Krieg und Frieden ein neues, zeitweise sogar revolutionäres Element, das weit in die Zukunft weisen sollte, wenn es auch zunächst noch wirkungslos blieb. Die Predigerorden der Dominikaner und Franziskaner, die sich mit ihrer Bibelauslegung in der Muttersprache zuerst in den Städten Oberitaliens, dann im ganzen römisch-katholischen Europa an die breite Menge der Gläubigen wandten, lösten politische Bewegungen „von unten" aus. Mit ihrer dauernden Kritik am Reichtum und an der Weltlichkeit der Kirche aktivierten sie zugleich soziale Konflikte, die auch die weltlichen Gewalten und die städtischen Oberschichten gefährdeten. Die Forderung der kleinen Leute nach Frieden verband sich mit der nach Gerechtigkeit, wenn nicht gar Gleichheit; es war eine Kampfansage gegen die als „strukturelle Gewalt" empfundene Gesellschaftsordnung der Mächtigen und Reichen. Sie provozierte zur Verwirklichung des Friedens eine Form der Gewalt, die weit über die begrenzte Konfliktform der Fehde hinausreichte und den Charakter des Kreuzzugs annehmen konnte, die unerbittlichste Form des Krieges. Als z. B. die Sekte der Apostelbrüder in Oberitalien nach einem mißlungenen Aufstand nach zähen Kämpfen endgültig besiegt war, wurden die, die nicht im Kampf gefallen waren, grausam hingerichtet (1307).

1.6 Zivilisation und Krieg

Einen dauerhaften Frieden mit Gewalt herbeizuführen gelang im 13. Jahrhundert so wenig wie später. Wenn sich der Krieg aber schon nicht abschaffen ließ, dann bemühten sich doch zu allen Zeiten Menschen darum, ihn wenigstens „humaner" zu gestalten, d. h. ihn zu begrenzen und Regeln zu unterwerfen, die den Ausbruch erschweren und die Folgen zumindest für die nicht am Kampf beteiligten oder kampfunfähig gewordenen Personen mildern sollten. Diese Bemühungen haben zeitweilig Erfolge gehabt, die aber immer wieder von den Entwicklungen der Waffen und der Strategien zunichte gemacht wurden. „Ritterlichkeit" erschien in den Kriegen des 20. Jahrhunderts als eine zynische Lüge. Trotzdem muß jedes Zeitalter die Sisyphusarbeit, den Krieg zu bändigen, neu beginnen, und es ist zu fragen, ob es irgendeinen

Antrieb im Menschen gibt, der es erlaubt, mit diesen Anstrengungen eine Hoffnung zu verbinden.

In den 1930er Jahren begann Norbert Elias, ein Soziologe und Psychologe, so scheinbar belanglose Dinge wie die Entwicklung von Tischsitten und Umgangsformen zu untersuchen, und gelangte dabei zu überraschenden Ergebnissen.[1] Die Herausbildung von Verhaltensweisen, die man später allgemein als „höfisch" und „höflich" bezeichnete, steht in einem keineswegs zufälligen Zusammenhang mit umfassenderen gesellschaftlichen und politischen Entwicklungen. Elias spricht von einem Prozeß der Zivilisation, den er für die europäischen Gesellschaften bis ins Mittelalter zurückverfolgt, ohne dessen Anfänge damit genau festzulegen.

In dem Wandel der Umgangsformen, der sich im 13. und 14. Jahrhundert abzeichnet und den Elias bis ins 19. Jahrhundert verfolgt, drückt sich eine Veränderung der psychischen und sozialen Verfassung der Menschen aus, die durchaus als Fortschritt im Sinne individueller Affektbeherrschung verstanden werden kann. Ihr sozialer Ort sind zunächst die adligen, später auch die bürgerlichen Oberschichten, d. h. die Höfe der großen Feudalherren und die Städte, während die große Mehrheit der Bevölkerung bis zum 18. Jahrhundert nur wenig davon erfaßt wird. Auch die meisten Adligen hatten sich noch im Hochmittelalter kaum anders benommen als die Bauern. Erst an den Höfen großer Adliger, wo Ausdruck von Macht und Reichtum und Differenzierung des Ranges wichtig wurden, erhielten Umgangsformen eine Bedeutung. Ursprünglich waren bei Tisch Suppenschüssel und Becher das einzige Geschirr und das Messer – mit scharfer Spitze – das einzige Besteck. Mit „Klauen und Zähnen" sicherte man sich seinen Anteil an der Nahrung, die auf dem Tisch ausgebreitet war, und das Messer konnte sich leicht gegen den Rivalen um die Nahrung kehren.

Wenn im späten Mittelalter mehr Tischgerät – zuerst wohl der Löffel – zwischen den Esser und die Nahrung trat, das gerundete Messer die spitze Waffe ersetzte und Verhaltensregeln den Zugriff ordneten und Rücksicht auf die anderen Esser geboten, dann bedeutete das bei einer kleinen, aber doch der führenden gesellschaftlichen Gruppe einen Zwang zur Selbstkontrolle und zur Beherrschung der Affekte. Das Wort „Manieren" leitet sich nicht zufällig von dem lateinischen „manus" (Hand) her, galt es doch zuerst die Hand zu beherrschen. Die alltägliche Automatik der einfachen Handlungen mußte langfristig die Psyche der Menschen verändern. Norbert Elias spricht von einer „Pazifizierung" des Menschen, einer Minderung seiner Aggressivität, und sieht in ihr die Voraussetzung für eine höhere gesellschaftliche Verflechtung und für eine Zentralisierung von Herrschaft. Wer unter den vielen Menschen, die einen Fürsten umgaben, erfolgreich sein wollte, durfte nicht spontanen Impulsen nachgeben, sondern

1066 – Krieg im Mittelalter: Tod König Harolds in der Schlacht von Hastings; in der Fußleiste: Bauern plündern tote Ritter aus. (Teppich von Bayeux)

mußte beherrscht und überlegt sein; mit solchermaßen beherrschten Menschen wiederum konnte der Fürst eine kompliziertere und großräumige Herrschaft aufbauen.

Die Verfeinerung der psychischen Struktur der Menschen drückte sich – nach Elias – auch in veränderten Rollen der Geschlechter aus. War die Frau im Mittelalter dem Manne zunächst völlig unterlegen und eher das Objekt seines Willens, so bildete sich wohl zuerst an den französischen Adelshöfen ein anderes Verhalten heraus. Vor allem die Frau des höheren Adels wurde zum Ziel des Respekts, ja sogar der Verehrung und der Kunst: Die Kultur der Troubadoure, die im späten 12. Jahrhundert in der Gestalt des Minnesangs auch Deutschland erreichte, wurde überwiegend getragen von Rittern. Da das Leben an den großen Höfen Vorbild für die adlige Kultur war, mußte diese neue Sensibilität der Ritter auch deren Bild als Krieger verändern. Spielregeln – quasi Kampf-Manieren – entwickelten sich; die Schaukämpfe der Turniere

wandten sich auch an ein weibliches Publikum, dessen Applaus den Kämpfern wichtig war.

Man darf die unmittelbaren Auswirkungen dieses Prozesses auf den Krieg nicht überbewerten; die Kontrolle der Affekte und eine allgemeine Verfeinerung der Lebensformen kamen ausschließlich den sozial Gleichrangigen zugute. Der Alltag der kleinen Ritter, wie ihn Ulrich von Hutten 1518 dem gebildeten Bürger Pirckheimer beschreibt, ist nicht weniger hart als im frühen Mittelalter. Schließlich verfeinerten sich die Manieren der adligen Kämpfer in einer Zeit, in der ihr militärischer Wert deutlich sank. Mit jeder neuen Phase der Kriegstechnik und neuen sozialen Gruppen auf dem Schlachtfeld – Bürgern oder Bauern – scheint zunächst eine Zunahme der Gewaltsamkeit verbunden gewesen zu sein. Trotz vieler Rückschläge aber können wir bis zum Ende des 18. Jahrhunderts eine deutliche Tendenz ausmachen, die mit der Zentralisierung von Herrschaft auch die Zahl derer vermin-

**Frühes 14. Jahrh. – Ritterkultur in der Darstellung der Manessischen Liederhandschrift.
Walther von Klingen: Turnier vor Damen** (links)**, Minnesänger: Graf Kraft von Toggenburg** (rechts)

derte, die Gewalt anwenden und Krieg führen durften. Die im Vergleich zum Mittelalter wenigen Kriege, die es dann noch gab, zählten zwar viele Kämpfer und Opfer, waren aber immer mehr rationalen Überlegungen unterworfen und in ihren Auswirkungen begrenzt. Die Französische Revolution und vor allem das 20. Jahrhundert sollten diese Tendenz allerdings grundsätzlich in Frage stellen.

[1] Norbert Elias: Über den Prozeß der Zivilisation, 2 Bde. (Suhrkamp) Frankfurt[4] 1977. Das Werk entstand zu Beginn der dreißiger Jahre; in Deutschland begonnen, wurde es 1936 im Exil in London abgeschlossen. Erst 1969 wurde es im deutschen Sprachbereich – in der Schweiz – veröffentlicht.

Überlegungen zur weiteren Arbeit

Das Spektrum der mittelalterlichen Erscheinungsweisen und Vorstellungsformen von Krieg und Frieden ist so vielgestaltig und beziehungsreich, daß es sich in zahlreiche Richtungen untersuchen ließe. So könnten etwa die Kreuzzüge, ihre ideologischen Grundlagen, ihre Durchführung, die Koexistenz und Konfrontation von Europäern und Arabern, ein Arbeitsgebiet abgeben oder der Investiturstreit zwischen Kaiser und Papst. Allerdings könnten solche Arbeitsgebiete leicht den Nachteil haben, daß sie von der (im Darstellungsteil akzentuierten) „Alltäglichkeit" des bewaffneten Konflikts in der mittelalterlichen Gesellschaft ablenken. Daher haben sich die Verfasser entschieden, den Materialteil ganz der Dokumentation eines konkreten Konfliktsfalles zu widmen, des Limburgischen Erbfolgestreits. Er war einer der bedeutendsten Streitfälle der 2. Hälfte des 13. Jahrhunderts überhaupt, und die in ihm ausgefochtene Schlacht von Worringen (5. Juni 1288) war nach der Zahl der Teilnehmer – allein ca. 5000 Ritter (zur Hälfte adlige Lehns- und nichtadlige Soldritter) – vermutlich die größte Schlacht im Mittelalter auf deutschem Boden. Die unterrichtliche Arbeit an diesem konkreten Fall bietet eine Reihe von Vorzügen: Am Limburgischen Erbfolgestreit läßt sich in typischer Weise der Verlauf einer Fehde erkennen. Dazu gibt seine räumliche und zeitliche Begrenztheit bei günstiger quellenmäßiger Erfaßbarkeit die Gelegenheit, mit wirklich repräsentativen Quellen unterschiedlicher Gattungen zu arbeiten. Schließlich können Darstellungs- und Materialteil im Sinne von Veranschaulichung und Überprüfung des Allgemeineren am Konkreten aufeinander bezogen werden.

Materialien zu Kapitel 1

Streitobjekt und Rechtslage

M 1.1 **Übersicht über die Territorien im Niederrheingebiet am Ende des 13. Jahrhunderts**
(Geschichtlicher Handatlas der Rheinprovinz)

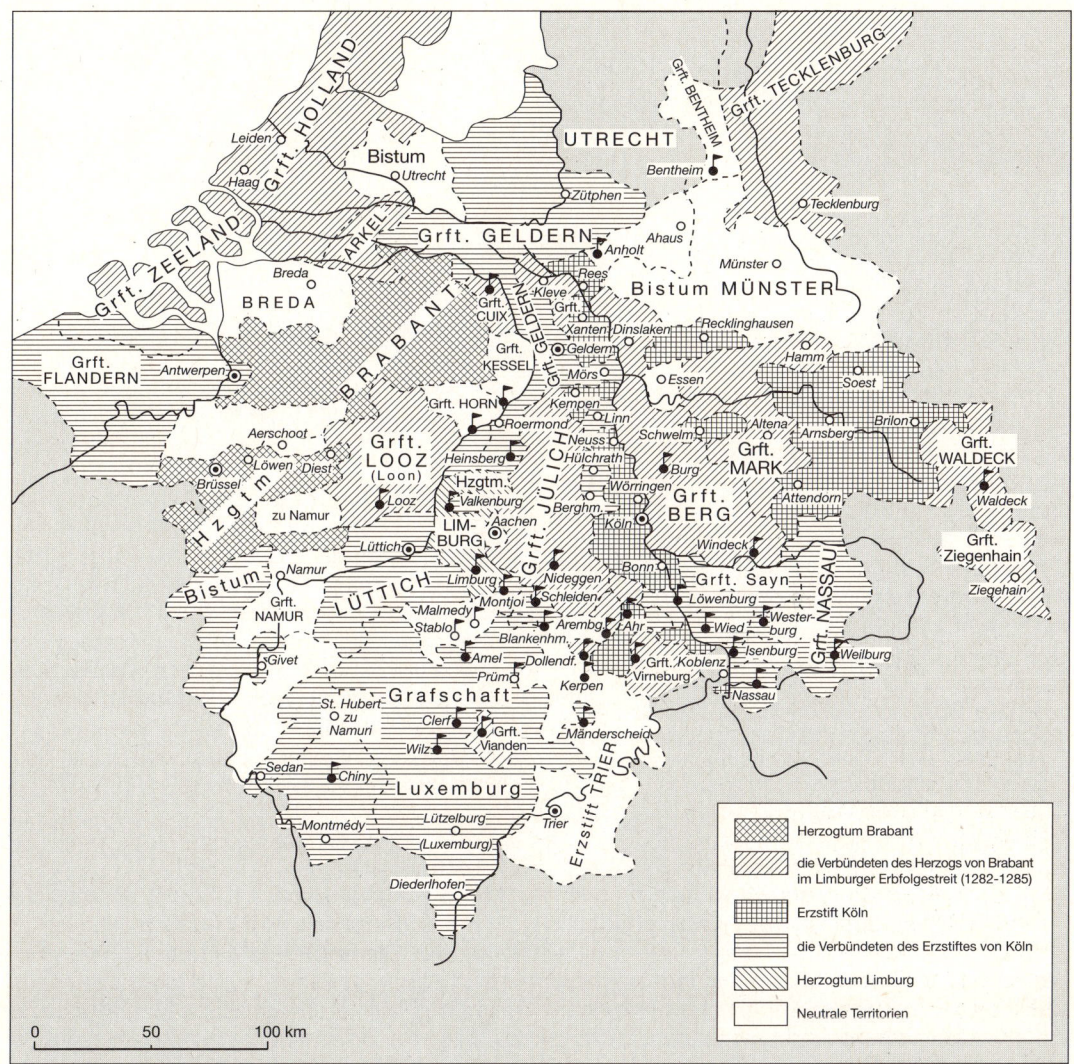

Die Flächen dieser Karte zeigen keine staatlichen Gebiete im heutigen Sinne. Auch das Erbgut des Herzogs von Limburg bestand nicht aus einem einheitlichen Territorium, sondern aus einem Herrschafts- und Güterkomplex mit unterschiedlichen Rechtstiteln. So „besaß" der Herzog neben Eigengütern auch brabantische, Kölner und Lütticher Lehnsgüter; dazu kamen Gebiete, in denen er Gerichtsherr oder Vogt war, und er war als Geleitsherr zwischen Rhein und Maas für den öffentlichen Frieden auf Straßen und Wegen zuständig.

M 1.2   Verschwägerung der Herzöge von Limburg mit den Grafen von Berg und Geldern

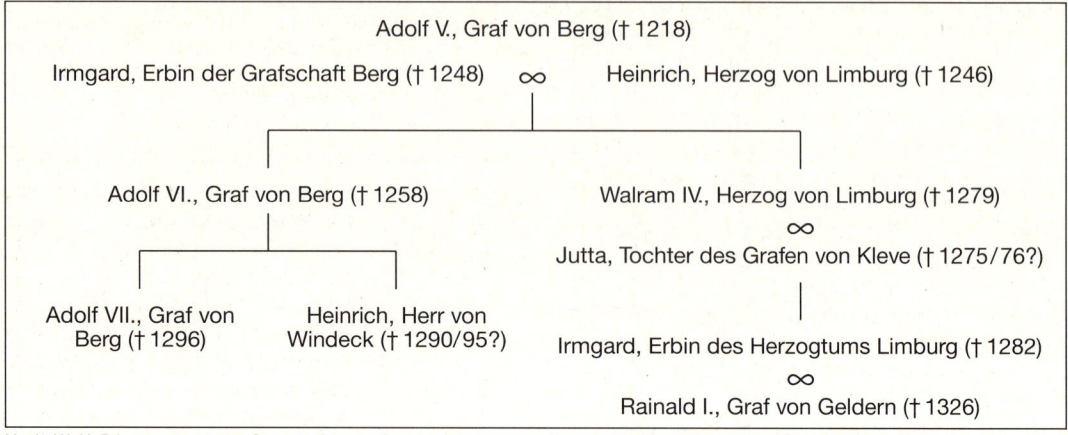

Nach: W. K. Prinz von Isenburg: Stammtafeln zur Geschichte der europäischen Staaten, Berlin 1936, Taf. 6 und 186

M 1.3   **Regest[1] der Belehnungsurkunde Irmgards von Geldern, 18. Juni 1282**

König Rudolf belehnt Irmgard, Gattin des Grafen Rainald von Geldern, einzige Erbin ihres Vaters, des Herzogs Walram von Limburg, mit dem Herzogtum Limburg und be-
5 stimmt dabei, daß nach ihrem Tode ihr Ehemann Rainald das Herzogtum bis zu seinem Tode besitzen soll.

Nach: J. F. Böhmer: Regesten, 1898, Nr. 682

---

[1] In der Geschichtswissenschaft gebräuchliche Kurzfassung (bes.) mittelalterlicher Urkunden, enthält Namens- und Zahlenangaben sowie den rechtlichen Kerninhalt.

[verstorbenen] Gräfin von Geldern, waren, 10 [...] dem [Herzog von Brabant] zum Besitz übertragen und in einem förmlichen Schenkungsakt überschrieben haben, [...] beauftragen und ermahnen Wir Euch mit Bezug auf Eure Pflicht zur treuen Erfüllung des Lehns- 15 eides, durch den Ihr an das Herzogtum Limburg gebunden seid – die vorliegende Urkunde sei Zeugnis dafür –, daß Ihr ohne jeden Vorbehalt dieselbe Lehnstreue und denselben Lehnseid, den Ihr Uns geleistet 20 hättet, wenn die Herrschaft des Herzogtums in Unseren Händen geblieben wäre, dem oben genannten Herzog von Brabant leistet. [...]

Übers. nach: A. J. W. Baron Sloet (Hg.): Oorkondenboek der graafschappen Gelre en Zutfen, 's Gravenhage 1872–1876, Nr. 1069

M 1.4   **Urkunde des Grafen Adolf von Berg, 13. September 1283**

Adolf, Graf von Berg, Erbe des Herzogtums Limburg, allen Lehns-, Dienst- und Burgleuten sowie jedermann im Herzogtum Limburg Heil und alles Gute. Weil Wir mit Zustim-
5 mung Unserer Brüder das Herzogtum Limburg mit Schlössern, Befestigungen und allen Gütern, die im Besitz Unseres Schwagers Walram selig, des verstorbenen Herzogs von Limburg, und seiner Tochter Irmgard, der

M 1.5   **Urkunde des Kölner Erzbischofs Siegfried von Westerburg, 22. September 1283**

Wir, Siegfried, durch die Gnade Gottes Erzbischof von Köln und Erzkanzler des Heiligen Römischen Reiches für Italien, wollen, daß allen kund sei, daß nach dem zwischen Uns einerseits und Unserem Lehnsmann, 5 dem edlen Herrn Rainald, Grafen von Geldern und Herzog von Limburg, andererseits die Frage der Burg Wassenberg und der an-

deren Güter, die Wir als durch den Tod der
10 Herzogin von Limburg an Unsere Kirche
heimgefallen bezeichnen, erörtert worden ist,
schließlich zwischen dem genannten Grafen
und Uns folgende Übereinkunft getroffen
worden ist, daß Wir, der Erzbischof, den Gra-
15 fen mit der Burg Wassenberg und allen anderen Gütern des Landes Limburg, die Wir als
zur Kölner Kirche gehörig bezeichnen, erblich
belehnt haben und hiermit belehnen. [...]
Außerdem, weil der Herzog von Brabant Un-
20 seren Lehnsmann, den Grafen von Geldern
und Herzog von Limburg, und sein Land Limburg mit Brand und Raub heimgesucht hat, indem er sich widerrechtlich die Rechte des Grafen und Herzogs und die Unsrigen angeeignet
25 hat und die limburgischen Güter und die anderen, die der Graf von Uns hat, in seinen Besitz
gebracht hat, haben Wir mit Schwur und Treu-
eid dem Grafen und Herzog, seinen Blutsverwandten und Freunden, den Erben der oben
30 genannten Güter, Unseren Lehnsmännern,
versprochen und versprechen hiermit, ihnen
nach bestem Vermögen gegen den Herzog von
Brabant, den Grafen von Berg und deren Helfer auf Unsere Kosten, wo und wie oft immer
35 es nötig sein wird, beizustehen, mit Ausnahme
gegen Unseren erlauchten Herrn, den Römischen König. Der Graf und seine oben genannten Helfer, jeder einzelne, haben versprochen,
Uns nach bestem Vermögen und offen gegen
40 den Herzog (von Brabant), den Grafen von
Berg und deren Helfer auf ihre Kosten beizustehen, wie oft und wo immer es nötig sein
wird. Wir sind übereingekommen, daß Wir mit
dem Herzog von Brabant, dem Grafen von
45 Berg und ihren Helfern keinen Vergleich eingehen, wenn er nicht mit ausdrücklicher Zustimmung und mit Willen des Grafen und aller
und jedes einzelnen der oben genannten Personen vorgenommen wird. Und daran halten
50 Wir so sehr fest, daß, wenn irgendeiner von
Uns allen von dieser Übereinkunft abfällt, Wir
ihn für eidbrüchig, für einen Verletzer des
Treueversprechens, für Unseren Feind erachten und ihn deswegen alle zusammen angreifen
55 werden. Wir, Siegfried, und alle oben genannten Personen bezeugen, daß Wir zusammen
bleiben werden, daß Wir durch kein Ereignis
in diesem Krieg getrennt werden und durch
nichts, was aus ihm folgen wird. [...]

Übers. nach: J. F. Willems (Hg.): Chronique en vers de Jean van
Heelu. Codex diplomaticus, Brüssel 1836, Nr. 35

M 1.6   Ein Rekonstruktionsversuch

Der niederländische Historiker Moorman van Kappen ist der Ansicht, daß die vorhandenen Quellen
um zwei nicht erhaltene „Schlüsseldokumente" ergänzt werden müssen, damit sie stimmig zusam-
menpassen. Sinngemäß sagt er:

Das eine „Schlüsseldokument" sei ein Ehe-
vertrag zwischen Rainald von Geldern und
Irmgard von Limburg gewesen. Darin habe
Irmgard ihrem Mann den lebenslangen Nießnutz des Herzogtums Limburg zugesagt, wenn 5
sie vor ihm sterben sollte. Dieser Vertrag aber
sei weder von den sonst noch lebenden Angehörigen der limburgischen Dynastie (vgl. M
1.2) noch von den benachbarten Lehnsherren
(vgl. M 1.1) anerkannt worden. Daß dies zu 10
Erbstreitigkeiten führen würde, sei den Ehe-
leuten 1282 durch eine schwere Krankheit
und die Kinderlosigkeit Irmgards klar gewesen. Um ihrem Mann einen anerkannten
Rechtstitel zu sichern, habe sich Irmgard da- 15
her unter ausdrücklicher Erwähnung der
Nießnutzklausel zugunsten Rainalds vom König mit dem Herzogtum Limburg belehnen
lassen. Der König habe in den Akt aus ganz
anderen Gründen eingewilligt: Er war für ihn 20
ein Schritt auf dem Weg, die Reichslehnho-
heit für alle Herzogtümer und Grafschaften
durchzusetzen. Das zweite „Schlüsseldokument" sei eine „hauseigene" limburgische
Erbfolgeordnung gewesen, nach der der näch- 25
ste männliche Verwandte erbberechtigt wurde, wenn der Erblasser keine eigenen Kinder
hatte. Das war Adolf von Berg, dessen Vorgehen nach Irmgards Tod (vgl. M 1.4) so auch
verständlich werde. Daß er sich aus der Be- 30
lehnung nichts machte, sei darauf zurückzuführen, daß er noch der traditionellen Auffassung verhaftet gewesen sei, das Herzogtum
könne wie Eigengut behandelt werden.

Nach: W. Janssen/H. Stehkämper (Hg.): Der Tag bei Worringen,
Köln-Düsseldorf 1988, S. 109ff., S. 119f.

Verlauf der Fehde bis zur Entscheidungs-schlacht bei Worringen

**M 1.7   Urkunde Herzog Johanns von
Brabant, 17. Juli 1284**

Wir, Johann, durch die Gnade Gottes Herzog von Lothringen und Brabant, lassen

jedermann wissen, daß Wir, weil zwischen Uns einerseits und dem edlen Herrn Rainald, Graf von Geldern, andererseits dadurch ein Streitfall entstanden ist, daß der Graf behauptet, ihm stehe das Herzogtum Limburg lebenslang zu, und Wir auf der anderen Seite behaupten, er habe kein Recht darauf, und weil darüber ein großer Krieg zwischen Uns und ihm begonnen hat, Uns bezüglich des Streitfalles, aller Streitangelegenheiten und des Krieges dem Schiedsurteil der edlen Herren Guido, Graf von Flandern und Marquis von Namur, und Johann von Avennes, Graf von Hennegau, in der Weise unterwerfen, daß Wir Uns und Unsere Erben verpflichten, die Anordnung und Friedensregelung völlig so, wie sie die Grafen geben und anordnen werden, gut loyal, nach gutem Glauben und aus freien Stücken einzuhalten. [...]

Übers. nach: Sloet: (M 1.4) Nr. 1076. Rainald von Geldern stellte eine gleichlautende Urkunde aus.

M 1.8   Regest der Urkunde Guidos, Graf von Flandern und Marquis von Narmur, sowie Johanns von Avennes, Graf von Hennegau, 18. Juli 1284

Guido von Flandern und Johann von Avennes fällen in der Streitsache zwischen Johann, Herzog von Brabant und Lothringen, sowie Rainald, Graf von Geldern und Herzog von Limburg, nachdem sie sich von Gelehrten und anderen vertrauenswürdigen Personen eingehend über die Rechte der streitenden Parteien haben informieren und beraten lassen, folgenden Schiedsspruch: Rainald soll lebenslang der Nießnutz des Herzogtums Limburg zustehen, Kriegsgefangene und Geiseln sollen freigelassen werden, beide Parteien sollen in ihrem bisherigen Besitz bleiben.

Übers. u. verkürzt nach: Sloet: (M 1.4) Nr. 1077

M 1.9   Regest der Urkunde Rainalds, Graf von Geldern und Herzog von Limburg, 16. August 1284

Rainald von Geldern verspricht, dem Erzbischof von Köln, Siegfried von Westerburg, gegen jeden seiner Feinde, namentlich gegen Johann von Brabant, Adolf von Berg und dessen Brüder, Heinrich von Windeck und Graf Everhard von der Marck, zu helfen, ausgenommen gegen den Römischen König. Bei einem Krieg zwischen dem Erzbischof und Rainalds Verwandten zweiten und dritten Grades will dieser jenem bedingungslos bei der Verteidigung des erzbischöflichen Landes helfen, bei einem Angriff auf das Land des Verwandten nur unter dem Vorbehalt, daß ihm vorher die Gelegenheit gegeben wird, den Streit als Schiedsrichter zu schlichten, und die Schlichtung am Widerstand des Verwandten scheitert.

Übers. u. verkürzt nach: Willems: (M 1.5) Nr. 56

M 1.10   Regest der Urkunde des Grafen Dietrich von Kleve, 6. März 1287

Graf Dietrich von Kleve bekundet, daß er mit Herzog Johann von Brabant und Lothringen einen neuen Freundschaftsvertrag über wechselseitigen Beistand eingegangen ist, der folgende Bestimmungen enthält: Dietrich wird dem Herzog gegen jedermann helfen, ausgenommen gegen den Römischen König, das Reich und seinen Verwandten, den Grafen Florens von Holland, ferner ausgenommen beim Angriff auf die Länder seines Bruders Dietrich Luef, des Erzbischofs und der Kirche von Köln sowie seiner Blutsverwandten, nämlich seines Oheims Dietrich von Heinsberg, dessen Bruders Heinrich, des Grafen von Luxemburg, und Walrams von Valkenburg. Ferner wird Dietrich anfallende Beute jeglicher Art mit Herzog Johann von Brabant und Graf Florens von Holland so teilen, daß jeder ein Drittel erhält, ausgenommen davon sind die Inseln Bommelerweerd und Tielerweerd, die Erbländereien der drei Bündnispartner und das Herzogtum Limburg. Schließlich wird Dietrich, nachdem er dem Grafen von Geldern auf Ersuchen Johanns von Brabant die Fehde angesagt hat und jener ihm auch, mit dem Grafen von Geldern ohne Wissen und Willen Johanns von Brabant weder einen Waffenstillstand noch einen Friedensvertrag abschließen.

Übers. u. verkürzt nach: Sloet: (M 1.4) Nr. 1126

M 1.11 Urkunde König Rudolfs von Habsburg, 9. Mai 1287

Rudolf, durch die Gnade Gottes Römischer König, auf ewig Mehrer des Reichs. Dem ehrwürdigen Erzbischof von Köln, Seinem lieben Fürsten, seine Gnade und alles Gute. Deine
5 Durchlaucht wisse, daß Wir den Tag für das Gespräch, das nach Pfingsten in Boppard stattfinden sollte, wegen dringender Reichsgeschäfte und anderer gewichtiger Gründe bis zum Fest des Hl. Jakob verschieben müs-
10 sen. Deshalb halten Wir Deine Durchlaucht mit Nachdruck an, daß Du bezüglich der Angelegenheit, die zwischen Dir und dem Grafen von Geldern einerseits und dem erlauchten Herzog von Brabant und seinen Helfern
15 andererseits schwebt, bis zum Fest des Hl. Jakob und 15 Tage darüber hinaus unter Beachtung aller Verträge und Bedingungen, so wie Du neulich von Würzburg von Uns – genauer belehrt – gleichsam als Sonderbeauftrager
20 für Frieden und Eintracht geschieden bist, den Waffenstillstand unverletzt einhältst und beachtest und in der Angelegenheit in der Zwischenzeit nichts Neues versuchst, sondern daß Du zum oben genannten Zeitpunkt und
25 am oben genannten Ort Dich vor Unsere Majestät begibst. Denn Wir wollen Dich mit dem Herzog dort endlich versöhnen. [...]

Übers. nach: Willems: (M 1.5) Nr. 83

M 1.12 Regest der Urkunde des Herzogs Johann von Brabant und des Grafen Florens von Holland, 2. Juli 1287

Johann von Brabant und Florens von Holland gewähren für sich und ihre Helfer im Herzogtum Limburg und allen ihren Ländern dem Grafen Rainald von Geldern, dem
5 Erzbischof von Köln, dem Grafen von Luxemburg sowie deren Helfern und Ländern einen Waffenstillstand, der vom gegenwärtigen Tag bis einen Monat nach Christi Himmelfahrt dauern soll. In dieser Zeit soll der
10 momentane Zustand, was Besitzungen und Eroberungen angeht, nicht verändert werden, und jeder soll das Gebiet des Feindes gefahrlos betreten können.

Übers. u. verkürzt nach: Willems: (M 1.5) Nr. 86

M 1.13 Die Ereignisse unmittelbar vor der Schlacht von Worringen (5. Juni 1288), nach dem Bericht in der Reimchronik des Jan van Heelu

Jan van Heelu war Geistlicher und Herold am Hofe Herzog Johanns von Brabant. Er war Augenzeuge der damaligen Ereignisse, und seine Reimchronik stellt die wichtigste Quelle zur Schlacht von Worringen dar. Ihre Darstellung zeigt, daß er bei aller Parteinahme für seinen Herrn um ein möglichst „richtiges Bild" des Geschehens bemüht war.

Es geschah an einem Pfingsttag [1288], daß eine Beratung zu Valkenburg abgehalten wurde, wo man Versöhnung und Frieden in allen Angelegenheiten schließen wollte, zwi-
5 schen dem Herzog von Brabant und den Herren, die ihm das Limburger Land verwehren wollten. Zu dieser Versammlung kamen die Herren, der Fürst von Köln und der Graf von Geldern und der Herr Walraf von
10 Monschau, und die Gräfin von Flandern kam mit ihnen nach Valkenburg, in Begleitung ihrer beiden Brüder aus Luxemburg, und dazu der Herzog von Lansi. [...]
Als die Versammlung war, ließ man den Herzog [von Brabant] wissen, daß man die Ver-
15 söhnung angehen und einem jeglichen Recht verschaffen würde. Das [aber] vergaßen sie arglistig. Denn als sie alle versammelt waren, ließen sie den Beschluß fallen, ebenso das Sprechen über die Versöhnung und verhiel-
20 ten sich wie gewöhnlich und begannen auszudenken und zu ersinnen, wie sie den Herzog [von Brabant] abwehren und ihm das Limburger Land vorenthalten könnten.
Da kamen sie zu dem Schluß, daß sie es mit
25 einem Handel betreiben sollten. Das Land von Limburg sollte dem Grafen von Luxemburg gänzlich angehören. Denn dadurch glaubten sie wohl, daß es dem Herzog [von Brabant] entginge. [...] Der Graf von Gel-
30 dern gab darauf sofort Limburg und das ganze Land dem Grafen von Luxemburg zum Lehen. Der Erzbischof von Köln, der Graf Rainald von Geldern selbst und all die Herren, die dem Herzog von Brabant nicht
35 wohlgesonnen waren, schworen dann mit erhobener Hand, daß sie dem Grafen von Luxemburg auf ewig mit ihren Streitkräften helfen würden, das Limburger Land zu halten. [...] [Am Wochenanfang nach Pfingsten
40

griff der Herzog von Brabant überraschend Valkenburg an, um die Versammlungsteilnehmer gefangen zu nehmen. Als das mißlang, zog er mit seinem Heer brandschat-
45 zend in das erzbischöfliche Territorium und ließ sich zwischen den Städten Köln und Bonn nieder.]
[Es] berieten [zu der Zeit] über den Landfrieden die vornehmsten Kölner und mit ih-
50 nen ein Teil der Herren, die den Landfrieden stärken wollten. [...] Diese wandten sich geschlossen an den Herzog von Brabant. [...] Sie klagten über die Nichtachtung, die die Raubritter offen an den Tag legten, und er-
55 baten die Hilfe des Herzogs. Denn man war es von jeher gewohnt, daß derjenige, welcher zu Limburg Herr war, zwischen Maas und Rhein über die Raubritter zu richten hatte.[1] Der Herzog antwortete: „Ich will mit euch
60 gemeinsame Sache machen, ihr Herren, will euch die Verbrechen rächen und den Raubritterhorst zerstören; denn das war schon lange mein Wunsch.“[2] [...] Da sprachen sie: „Herr Herzog! Über Worringen haben wir
65 sehr zu klagen, denn das ist der Raubritter Nest.[3] Dabei dünkt es uns das beste, daß wir sie schnellstens angreifen, denn sie lassen niemanden passieren, weder bei Tag noch bei Nacht. Sie rauben alles mit Waffenge-
70 walt. Darum lasset uns also beginnen, daß wir sie alle umbringen oder gefangennehmen und die Burg dem Erdboden gleichmachen.“ [...] [Der Herzog von Brabant zog mit allen seinen Helfern vor die erzbischöfliche Burg
75 Worringen und schlug dort ein Lager auf.]
[Da] sandte der Erzbischof, der hohe Herr, nach Freunden und Verwandten, daß sie sich eilig bereit machten. Sie kamen alle, die er entbot, der Fürst von Köln, von überall her.
80 Denn sie hofften, ob groß, ob klein, Beute zu erhalten. Sie dachten nicht anders, mehr oder weniger. Da kamen die Limburger hinzu, aus Luxemburg die hohen Herren, Herr Walraf von Monschau, der mächtige Graf
85 von Geldern, zu Pferd und zu Fuß, mit all den Leuten, die er hergebeten hatte. Diese sammelten sich bei Neuss. [...] Von dort aus zogen sie bis auf eine Meile an Worringen heran, wo der Herzog lagerte. Da fiel es auf
90 einen Samstag, daß sie den Herzog schlagen wollten. Da wollte der Bischof vorher Gott durch seine guten Werke ehren und begab sich nach Brauweiler in die Kirche. [...]

[Auch die Brabanter feierten eine Messe zur Ehre Gottes.] Damit wollten sie ihn gnädig 95 stimmen, weil sie, derartig ermutigt, die Feinde erwarten wollten, als ob sie mit dem Kreuz gegen die Sarazenen reiten [und] um das heilige Grab kämpfen wollten. Denn so selig ist die Mühe, Raubritterburgen zu bre- 100 chen, wie um das heilige Grab zu kämpfen. [...]

Übers. nach der Ausgabe von J.F. Willems: (M 1.5) passim

1 Mit dem Geleitsrecht (vgl. M 1.1) war der Herzog von Limburg für den Landfrieden zwischen Rhein und Maas zuständig.
2 Am 27. oder 28. Mai 1288 beschworen die Stadt Köln und die Grafen von Berg und Jülich mit Johann von Brabant einen Landfrieden. Es war ein Bündnis gegen den Erzbischof, auch wenn er namentlich nicht genannt wurde. Für die Stadt ging es darum, die erzbischöfliche Stadtherrschaft endgültig los zu werden.
3 Worringen war erzbischöfliche Zollstation, und für den Erzbischof war die Tätigkeit seiner dortigen Burgbesatzung sicherlich kein Raubrittertum.

Die Schlacht von Worringen am 5. Juni 1288

| M 1.14 | Die entscheidenden Ereignisse der Schlacht nach dem Augenzeugenbericht des Jan van Heelu |

[...] [Gleich zu Beginn der Schlacht begeht der Erzbischof von Köln den alles entscheidenden Fehler. Statt – wie verabredet – die bergische Abteilung anzugreifen, stürzt er sich auf die brabantische und bringt damit den ganzen Angriffsplan durcheinander. Der folgende Aus- 5 schnitt beginnt mit dem Augenblick, wo die Schlachtreihen aufeinander prallen.]
Es handelte sich um die besten Leute, von tapferer Ritterschaft, die man überhaupt unter 10 denen finden konnte, auf die Gott die Sonne scheinen läßt. Deswegen war die Begegnung so erbittert und so hart, mit großer Gewalt und Leidenschaft ausgetragen, mehr als es je zuvor diesseits und jenseits des Meeres[1] der 15 Fall war. Das dauerte erbittert und leidenschaftlich so lange an, wie man braucht, um eine Meile zu reiten, ehe man entscheiden konnte, wer den Sieg davontragen würde. [...]

20 Selbst der Bischof machte es so, das ist meine Überzeugung, daß bis auf den Bischof Turpin sich kein kühnerer Geistlicher je das Schwert umgürtete als Bischof Siegfried. Denn als er in den Kampf zog, hätte außer denen, die ihn
25 kannten, ihm keiner anmerken können, daß er die Tonsur trug oder etwas Kirchliches oder Geistliches an sich hatte. Denn er zeigte sich als lobenswerter Ritter, sowohl im Angriff als auch in der Verteidigung. Aber die
30 Brabanter Gegenwehr fand er gegen sich so unerbittlich, daß sie wiederum des Bischofs Schar mit Waffengewalt durchbrachen. [...]
Als der Bischof sah, daß die [Bauern] von
35 Berg kamen, rief er mitleiderweckend: „Herr Godevaert von Brabant, edler Ritter, ich ergebe mich. Führt mich als Gefangenen in euer Reich und beschützt mich vor meinen Feinden. Denn falls sie mich ergriffen, diese teufli-
40 schen Bauern von Berg, ich würde erschlagen." Als Herr Godevaert ihn klagen vernahm, nahm er ihn gnädig an und ließ ihn unversehrt. [...]
Herr Godevaert dachte, daß er den Bischof
45 [solange der Kampf dauerte] nicht dabehalten konnte, noch von hinnen führen. Denn er wollte weder von dort wegreiten noch stillstehen, ohne zu kämpfen. Darum entsprach er der Bitte, die Graf Adolf vorbrachte, und
50 sprach: „Herr von Berg! Auf eure ritterliche Ehre und auf das Vertrauen, das sich gute Ritter untereinander entgegenbringen, wollen wir euch den Bischof überlassen, unter der Bedingung, daß er mit euch kein Lösegeld vereinba-
55 ren soll, außer mit dem Willen des Herzogs, meines Bruders und Herrn, und aller Kölner und obendrein aller Herren, die mit ihm Landfrieden schworen. Unter dieser Bedingung übergeben wir ihn euch. Nehmt ihn und
60 führt ihn gleich mit euch und laßt euer Volk hier zum Kampf." Der Graf von Berg war zufrieden, daß er mit einem so großen Pfand nach Hause zurückkehren sollte, und ergriff schnell den Bischof, als er ihm übergeben wur-
65 de, und nahm ihn sogleich über den Rhein nach Monheim, da das Land sein war, mit in den Kerker. So fielen die Abenteuer dort für den Bischof nicht gut aus. [...]
Seit man den Bischof vom Schlachtfeld wegge-
70 führt hatte, dauerte der Kampf noch erbittert an, lange und heftig. Aber da gerieten auch der Herzog und seine Leute in die allergrößte Be-

drängnis. Dennoch blieben sie und stritten, bis daß der Kampf beendet war, wie ich hernach erläutern werde. Aber erst werde ich berichten, 75 wie sie mit ihren Knüppeln, die mit Eisenspitzen versehen waren, hinzukamen und zu Werke gingen, die kühnen Bauern von Berg, die in der Sprache Brabants zu Recht Dorfleute genannt werden. Diese kamen alle wohl zum 80 Kämpfen bereit, in der Gewohnheit, die dort besteht. Ein Großteil von ihnen hatte Wams und auch Haube, ein Teil sogar Panzer. Zwar der Schwerter mit scharfen Klingen wollten sie sich nicht bedienen. Aber Knüppel hatten sie 85 alle, am Ende mit großen Hufnägeln gespickt. Ihren Scharen hatten sich auch die Kölner [Bürger] mit ihren Treffen beigesellt. In ihrer Gesellschaft sah man glänzende Kettenhemden, Halsberge[2] und Schwerter blinken. [...] 90 Die Bauern [...] stellten sich an einen Graben und schlugen nieder Freund und Feind, ohne Schonung, denn wer zu den einen oder anderen gehörte, davon hatten sie keine Kenntnis. [...] Als die Bauern sahen, daß die Herren die Ge- 95 wohnheit hatten, die Feinde alle zu fangen und sich für Gut loskaufen zu lassen, da wollten sie daran mitverdienen und taten das gleiche. Darum ließen sie das Schlagen und gingen tapfer die zu fangen, die bei ihnen um 100 Gnade baten. Aber die dagegen fochten, erschlugen sie sogleich. Da sah man jämmerlich gezwungen die Wackersten des ganzen Christenreichs, dem armen Bauernvolk sich zu ergeben. Aber ehe sie dazu gezwungen wurden, 105 vermag keine Zunge zu sagen, welche große Pein aus dem Rheinland und vom Rhein Bannerträger, Ritter, Knappen, Grafen erlitten, ehe sie sich ergaben. [...] Es kamen elfhundert Männer an der Zahl um 110 und noch mehr, die man wohl bezeugen kann, aber außer denen, die hinterher starben. Unter allen, die man dort tot fand, waren dem Herzog von Brabant auf seiner Seite zusammen dann weniger als vierzig Mann umge- 115 kommen. Darüber bis zu der anderen Zahl, die verloren seine Feinde alle. Der Verlust und der Jammer waren groß, denn es kamen nicht viele Bauern oder Knechte um, sondern die man fand, waren von Herkunft und Ritter- 120 lichkeit die Besten aus deutschen Landen. Das zeigte sich an ihrem Streiten, denn dort kamen auf beiden Seiten ums Leben im Ansturm auf dem Schlachtfeld mehr als viertausend Pferde, die unter ihnen niedergeworfen wurden, ohne 125

diejenigen, die gepeinigt und verwundet von
dort kamen. Der Kampf dauerte von neun
Uhr morgens an bis weit in die Vesperzeit.
Man erfuhr von keinem Kampf, in keinem
130 Land, der je so lange andauerte. Hiermit
sind die Ereignisse, die sich in diesem
Kampf zutrugen, gänzlich der Wahrheit
entsprechend beschrieben. [...]

Übers. nach der Fassung von J.F. Willems: (M 1.5) passim

---

¹ Gemeint ist das Mittelmeer bzw. der Kampf gegen die Sarazenen.
² Teil der Rüstung

| M 1.15 | **Rekonstruktion des Schlacht-
verlaufs** |

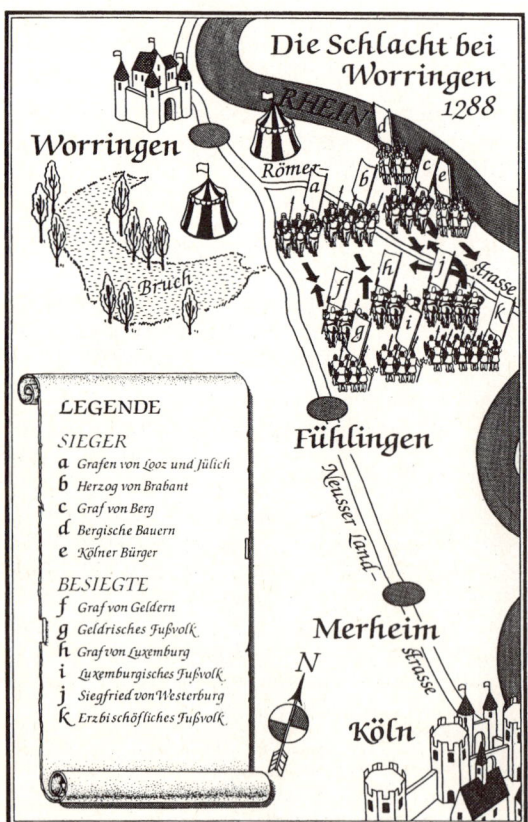

| M 1.16 | **Die Schlacht von Worringen in
(späteren) Abbildungen** |

Herzog Johann I. von Brabant – erkennbar am
Löwenwappen auf dem Schild und der Standarte –
an der Spitze seiner Abteilung in der Schlacht von
Worringen

Manessische Liederhandschrift, Anfang 14. Jh.

Urfehde: Die Beendigung der Fehde

| M 1.17 | **Beurkundung der Urfehde zwi-
schen dem Kölner Erzbischof,
Siegfried von Westerburg, und
dem Grafen Adolf von Berg und
seinen Helfern vom 19. Mai 1289** |

[...] Wir, Siegfried, durch die Gnade Gottes
Erzbischof der hl. Kölner Kirche, tun allen
kund, die diese Urkunde lesen werden, daß
Wir in bezug auf alle Streitigkeiten und die
Zwietracht, die zwischen Uns einerseits so-
wie den edlen Herren, den Brüdern Graf
Adolf von Berg und Heinrich von Berg, dem
Herren von Windeck, Unseren lieben Ge-   5
treuen, andererseits ausgebrochen waren,

Die Schlacht von Worringen in der stadtkölnischen Koelhoffschen Chronik, Köln 1499. Im Hintergrund sieht man den von einer Kölner Wachmannschaft begleiteten Wagen, auf dem das Symbol der städtischen Freiheit, der Stadtschlüssel, liegt.

10 eine freundschaftliche Vereinbarung und Regelung wie folgt getroffen haben: Wir, der Erzbischof, Unsere Nachfolger und die Kölner Kirche bestätigen jetzt und für die Zukunft dem Grafen, seinem Bruder Heinrich
15 und ihren legitimen Erben volle Erbansprüche, jegliches Recht, jegliche Begünstigung, jegliches früher erhaltene Zugeständnis und Gewohnheitsrecht, richterliche und landesherrliche Gewalt, so wie sie und ihre
20 Vorgänger dies alles bis zur Stunde besessen haben und besitzen. [...] Ferner werden Wir dem Grafen und seinen Erben für die Schäden, die ihm und seinen Leuten unverdientermaßen von Uns und Unseren Leuten angetan worden sind, 12000 Kölner Mark[1] [...]
25 zahlen. [Es folgt eine genaue Auflistung, wie und in welcher Zeit diese gewaltige Schuld getilgt werden soll.] [...] Ferner sei jeglichem Zwist, jeglichem Groll und jeglicher Feind-

30 schaft zwischen Uns, dem Erzbischof, einerseits sowie dem Grafen von Berg und Heinrich von Berg, Herrn von Windeck, seinem Bruder, samt ihren sonstigen Helfern andererseits, verursacht sowohl durch die Gefallenen in der Schlacht von Worringen und 35 sonstwo, die Gefangenen und Vertriebenen, durch Brand, Schadentun und Raub, als auch durch die Zerstörung von Burgen, Städten und Dörfern, insbesondere durch Meine Inhaftierung, und durch das, was daraus durch 40 Unsere Schuld für Uns, Unsere Verwandten, Freunde, Lehns- und Dienstmannen sowie entsprechend durch den Grafen von Berg und Heinrich von Windeck für sie selbst, ihre Helfer, Verwandten, Freunde, Lehns- und 45 Dienstmannen gefolgt ist, von hier und jetzt an aufrichtig, einfach und freiwillig abgesagt. [...] [Es folgt die Beurkundung der Beeidigung und Besiegelung des Aktes von beiden Parteien.]   50

Nach: Th.J. Lacomblet: Urkundenbuch für die Geschichte des Niederrheins, Düsseldorf 1840ff., Nr. 865

[1] Die Kölner Mark war eine Gewichtseinheit von 234 g Münzsilber, aus dem 166 Münzen (Kölner Pfennige) geprägt wurden.

| **M 1.18** | **Regesten von Urfehdeverträgen, die von der Stadt Köln mit bei Worringen gefangengenommenen Gegnern abgeschlossen worden sind, 15. Juni 1288** |

Graf Wilhelm von Sayn verbürgt sich dafür, daß Thiebald von Mareuil und Wilhelm von Cineroy ihre Urfehde halten, die sie der Stadt Köln und ihren Helfern nach der Schlacht bei Worringen geschworen.[1]   5
Werner von Burbach schwört der Stadt Köln und ihren Helfern Urfehde bezüglich seiner Gefangennahme bei Worringen.[1]
[Im Historischen Archiv der Stadt Köln befinden sich etwa 30 Urfehdebriefe aus den 10 Jahren 1288/1289, alle in der Form wie der von Werner von Burbach.]

Aus: L. Korth: Das Urkundenarchiv der Stadt Köln bis 1396, in: Mitteilungen aus dem Stadtarchiv von Köln, Bd. 2, Köln 1884, S.19

[1] Danach erst erfolgte die Freilassung.

Die kulturelle Verfeinerung des Rittertums – und ihre Grenzen

M 1.19   1387 – Ritterideal in England

Es war ein Ritter da, ein würdger Mann,
Der, seit den ersten Kriegsritt er begann,
Von Herzen liebte Rittertum und Streit
Und Freimut, Ehre, Wahrheit, Höflichkeit,
5 Und tapfer focht im Dienste seines Herrn.
Geritten war wohl keiner je so fern
Wie er in Christenland und Heidentum,
Und überall gewann er Preis und Ruhm.
Bei der Eroberung Alexandrias
10 War er zugegen. Oft bei Tafel saß
Vor allem Volk er obenan in Preußen;
Gereist wie er, bei Letten und bei Reußen,
War kaum ein Christenmensch von seinem Stand.
Er war in Granada, als man berannt
15 Dort Algesir. Er ritt nach Belmarie
Und focht vor Layas und vor Satalie,
Als man sie einnahm; und im großen Meere
Bestand er manche Waffentat mit Ehre.
In fünfzehn blutgen Schlachten focht der Ritter.
20 [...]

Sein Sohn, ein Junker, folgt ihm als Begleiter,
Ein lustger Bursche, so verliebt wie heiter.
Von krausen Locken war sein Haupt umwallt,
Und zwanzig Jahre war er – denk ich – alt.
25 Sein Körper war von reinstem Ebenmaß.
Viel Stärke, viel Gewandtheit er besaß.
Auf Ritterfahrt zog mehrfach er schon früh
Nach Artois, Flandern und der Picardie,
Und hielt sich brav im kurzen Kampf. Sein Sinnen
30 War, seiner Dame Gunst sich zu gewinnen.
Wie eine Wiese, wo zur Frühlingszeit
Sich rot und weiß an Blume Blume reiht,
War er geschmückt, und heiter wie der Mai
Sang er und pfiff den ganzen Tag dabei.
35 Sein Rock war kurz, die Ärmel weit und lang,
Kein beßrer Reiter auf ein Roß sich schwang;
Gewandt war er in schriftlichen Berichten,
Im Zielen, Zeichnen, Tanzen, Liederdichten;
Und liebesbrünstig hatte manche Nacht
40 Er schlaflos wie die Nachtigall durchwacht. [...]

[Eine adlige Dame – Priorin eines Nonnenklosters –
als Trägerin einer höheren Zivilisation:]

Da war auch eine Nonnen-Priorin,
Scheu lächelnd und von schüchterner Natur. [...]
Beim Essen war besonders sie beflissen
Der größten Sauberkeit, und jeden Bissen

Führte sie so zu Mund, daß ihren Lippen   5
Kein Stück entfiel. Die Finger einzustippen
In ihre Brühe, fiel ihr niemals ein.
Die Oberlippe wischte sie so rein,
Daß in dem Becher nie von Fett die Spur,
Und zu verschütten einen Tropfen nur   10
Von ihrem Trunke, war sie zu manierlich;
Und nach der Mahlzeit rülpste sie höchst zierlich;
Gewiß, sie war von liebenswürdiger Güte,
Gefällgem Sinn und heiterem Gemüte.
Viel Mühe gab sie sich, zu imitieren   15
Den Hofton und durch stattliche Manieren
Als würdevoll zu gelten und geachtet.

Geoffrey Chaucer: Die Canterbury Tales. (Winkler) München 1985,
S. 22ff.

M 1.20   2. Hälfte des 12. Jahrhunderts – Ein Ritter und Minnesänger versetzt sich in die Gefühlslage einer Frau

Wie soll ich mein verlangen reimen,
das wohl und weh tut? einen rittersmann
begehr und lieb ich im geheimen,
dem ich nicht längst mehr versagen kann,
worum er mich so oft schon bat.   5
denn sag ich tapfer »nein«, weiß ich
mir weiter keinen rat.

Dann wieder – trotz der liebesnöte –
ist eisern meine willenskraft. ich litt,
wie sehr er mich auch darum bäte,   10
nicht, was er wünscht; er bisse auf granit.
doch wenn ich mich ganz ehrlich frag:
»warum?«, so schmilzt mein widerstand
wohl noch am selben tag.

Ach, ginge er mir doch aus dem wege!   15
denn die versuchung macht mich langsam schwach.
ich zögere, ich überlege –
und eines tages gäb ich endlich nach.
zwar würd ich's liebend gerne tun,
indes: die tugendhafte frau   20
muß ohne liebsten ruhn.

Mit tausend ängsten in der seele
und meiner sehnsucht bleib ich ganz allein.
so sehr ich tag und nacht mich quäle,
kann ich ihm leider nicht zu willen sein.   25
doch wenn ich's nur um eine stund
verschieb, so reut's mich schon in meines
herzens tiefstem grund.

P. Hutsch (Hg. u. Übers.): Walther von der Vogelweide, Minnesang
und Spruchdichtung. (Passiva) Passau 1978. S. 85

M 1.19 1518 – Der Alltag kleiner Ritter in Süddeutschland

Der adlige Humanist Ulrich von Hutten schildert dem bürgerlichen Humanisten und Nürnberger Patrizier Willibald Pirckheimer das Elend des Kleinadels.

Man lebt auf dem Felde, in Wäldern und in jenen Bergnestern. Die uns ernähren, sind ganz arme Bauern, denen wir unsere Äcker, Weinberge, Wiesen und Wälder verpachten;
5 der Zins, der davon einkommt, ist im Verhältnis zur aufgewendeten Mühe gering und kärglich; aber mag er noch so ansehnlich und fett sein, wird er doch nur mit großer Sorge und Mühe erworben: denn wir müssen sorg-
10 same Hausväter sein und überdies dem Dienste irgendeines Fürsten verpflichtet, von dem die Hoffnung auf Schutz abhängt; denn wenn ich es nicht bin, glauben alle, es sei ihnen alles gegen mich erlaubt; aber auch
15 wenn ich es bin, ist jene Hoffnung mit Gefahr und täglicher Furcht gemischt; denn so oft ich von Hause weggehe, besteht die Gefahr, daß ich in die Hände derer falle, mit denen jener, welcher Fürst es auch sei, einen
20 Handel oder Krieg hat, der ihnen einen Vorwand gibt, mich zu überfallen und wegzuschleppen; und wenn mir das Glück unhold ist, so kann leicht mein halbes Gut für das Lösegeld daraufgehen, und so trifft mich
25 Schaden von dort, von wo ich auf Schutz gehofft hatte. Daher füttern wir zu diesem Zwecke Pferde und rüsten uns aus, umgeben uns mit zahlreichem Gefolge, alles unter großen und schweren Kosten; bisweilen wa-
30 gen wir uns unbewaffnet nicht zwei Morgen weit hinaus; keinen Bauernhof dürfen wir unbewaffnet aufsuchen, nur gepanzert jagen und fischen gehen. [...] Das sind unsere ländlichen Freuden, das ist unsere Muße, unsere
35 Ruhe. Unsere Burg selbst, mag sie auf dem Berge oder in der Ebene liegen, ist nicht zur Annehmlichkeit, sondern zur Verteidigung erbaut, mit Wall und Graben umgeben, innen eng, verbunden mit Viehställen, dane-
40 ben dunkle Geschützkammern, angefüllt mit Pech, Schwefel und dem übrigen Apparat von Waffen und Kriegsmaschinen; überall Pulvergeruch, Hunde und Hundegestank. Reiter kommen und gehen, unter ihnen Die-
45 be und Räuber; denn unsere Häuser stehen meist allen offen, da wir entweder nicht wissen, welcher Art jeder ist, oder nicht sonderlich darnach forschen. Man hört Schafgeblök, Rindergebrüll, Hundegebell, das
50 Lärmen der Arbeiter auf dem Felde, Karren- und Wagenknarren, auch Wolfsgeheul, da unser Haus nahe dem Walde liegt. An jedem Tage Sorge um den morgigen Tag und Unruhe. [...] Wenn dann einmal ein Jahr schlecht ausfällt, wie in jener unfruchtbaren Gegend
55 sehr oft, entsteht eine schreckliche Not, eine schreckliche Armut.

Zit. nach: G. Bürck/R. Dietrich (Hg.): Weltgeschichte im Aufriß II. [Diesterweg] Frankfurt o.J., S. 215

Aufgaben zu Kapitel 1

① Unterscheiden Sie die bewaffneten Konflikte um 1300 (S. 13–17) nach Arten, Ursachen, Beteiligten und Betroffenen. – Auch der Limburgische Erbfolgekrieg gehört in das Konfliktpanorama. Ordnen Sie ihn anhand der Materialien (M 1.1–M 1.6, M 1.13) nach den genannten Kriterien ein.

② Vom Phänomen der Fehde her (S. 17f.) lassen sich wichtige Einsichten in die Besonderheit der mittelalterlichen Gesellschaftsordnung gewinnen. Begründen Sie an Beispielen, warum die Fehde Bestandteil der mittelalterlichen Lebenswelt war. – Prüfen Sie, ob im Limburgischen Erbfolgestreit (M 1.5–M 1.10, M 1.13) die Bedingungen „rechter Fehde" (S. 17) eingehalten worden sind. – Bestimmen Sie die Rolle des Reichsoberhauptes bei der Fehdeführung (S.18; M 1.11–1.13) und ziehen Sie daraus Folgerungen für den Entwicklungsstand mittelalterlicher „Staatlichkeit" um 1300. Konkretisieren Sie mit Hilfe von M 1.4, M 1.5, M 1.9, M 1.13 die Bedeutung lehnsrechtlicher Bindungen für die Fehdeführung.

③ Herzstück des Kriegswesens um 1300 war (immer noch) das Rittertum (S. 18f.). Auch von hier aus eröffnen sich interessante Einblicke in die mittelalterliche Gesellschaft. Begründen Sie die unterschiedliche gesellschaftliche Stellung des mittelalterlichen Ritters und des heutigen Soldaten. – Untersuchen Sie, ob die Schlacht von Worringen (M 1.14) ritterlichem Berufsethos gemäß (S. 17ff.) geführt worden ist. – Beurteilen Sie anhand der Schlachtschilderung (M 1.14) die Realitätsnähe der bildlichen Darstellungen (M 1.16).

④ Setzen Sie sich mit der mittelalterlichen Lehre vom gerechten Krieg (S. 19f.) auseinander. Lassen Sie in einem Rollenspiel (Debatte) auf der Grundlage der Materialien M 1.1 bis 1.6 die Hauptgegner des Limburgischen Erbfolgekrieges ihren Krieg als „gerechten Krieg" rechtfertigen.

⑤ Verschaffen Sie sich einen Überblick über die mittelalterlichen Friedensmaßnahmen und -projekte (S. 20-23), und gehen Sie insbesondere auf folgende Punkte ein: Beurteilen Sie die Realisierungschancen der Projekte von Dante und Dubois in ihrer Zeit (S. 20f.); beziehen Sie sich dabei auch darauf, was man im späten 13. Jh. alles unter „Kreuzzug" verstand (S. 14f.; M 1.13 Ende). – Stellen Sie fest, welche friedlichen Lösungen im Limburgischen Erbfolgestreit gesucht worden sind (M 1.7–1.13), und suchen Sie nach einer Erklärung für ihre Erfolglosigkeit. – Klären Sie anhand der Urfehdebriefe (M 1.17–1.18), wie man um 1300 künftigen Frieden sichern und Krieg verhindern wollte.

2 Die Entstehung des Ständestaats und die Glaubenskriege des 16. Jahrhunderts

Kriege im Zeitalter der Glaubenskämpfe

1559	Frieden von Cateau-Cambrésis zwischen Philipp II. von Spanien und Heinrich II. von Frankreich
1559–1580	(See-)Kriege im westlichen Mittelmeer zwischen Spanien und seinen Verbündeten gegen das Osmanische Reich und seine nordafrikanischen Vasallenstaaten
1562–1598	Hugenottenkriege in Frankreich. Beendigung (1598) durch das Edikt von Nantes: bürgerliche Gleichberechtigung und freie Religionsausübung für die französischen Hugenotten
1568–1648	„Achtzigjähriger Krieg" zwischen Spanien und den Niederlanden. Waffenstillstand: 1609–1621
1568–1570	Aufstand der Moriscos (christianisierte Mauren) in Spanien
1580–1583	Portugiesischer Erbfolgekrieg. Personalunion des spanischen und portugiesischen Königreichs
1585–1604	Englisch-spanischer Seekrieg
1595–1598	Französisch-spanischer (See-)Krieg
1593–1606	Türkenkrieg in Ungarn
1614–1629	Adels- und Hugenottenkriege in Frankreich
1618–1648	Dreißigjähriger Krieg (Union der protestantischen Fürsten, Hauptverbündete: Dänemark, Schweden, Frankreich, gegen die Liga der katholischen Fürsten, Hauptverbündete: Kaiser, Spanien)

Im 16. Jahrhundert hatte die Fehde aufgehört, die öffentliche Sicherheit zu beunruhigen. Das war die Folge davon, daß das verwirrende lehnsrechtliche Herrschaftssystem, das Rechtsunsicherheit und Selbstjustiz Vorschub geleistet hatte, im 14./15. Jahrhundert überall in Europa – wenn auch nicht gleichzeitig und gleichartig – vom sog. „Ständestaat" verdrängt wurde. An die Stelle der unüberschaubar vielen Treueverhältnisse zwischen Einzelpersonen und der Verteilung von Hoheitsrechten in viele Hände trat ein überschaubareres duales Herrschaftssystem: auf der einen Seite der mit allen Machtbefugnissen und einer effektiven Verwaltung ausgestattete Herrscher, auf der anderen Seite die Gremien, in denen die Vertreter der in „Stände" oder „Staaten" eingeteilten Untertanenschaft – meist Adel, Klerus, Stadtbürgertum, selten das Bauerntum – saßen und bei der Regierung mitwirkten. Rechte und Pflichten beider Seiten waren in schriftlichen Vereinbarungen niedergelegt, die jeder Herrscher bei seinem Amtsantritt beeiden mußte. Das wichtigste Recht der Ständevertreter war das Steuerbewilligungsrecht. Ansonsten ließen die Vereinbarungen dem Herrscher weitgehend freie Hand, solange er die Rechte der Stände nicht antastete. Es war vorhersehbar, daß das neue System auch neue Konflikte bringen würde, besonders zwischen Herrscher und Ständen, aber auch von seiten der Bevölkerungsgruppen, die sich benachteiligt fühlen mußten, wie den Bauern.

Die Spaltung der europäischen Christenheit in feindliche Konfessionen deckte das Konfliktpotential der neuen Ordnung auf. Das zeigte sich mit den Aufständen der Ritterschaft und Bauern sowie den Kriegen der protestantischen und katholischen Fürsten zuerst in

Deutschland. Es entstand ein neuer Typus von Krieg, der „Religionskrieg". Katholiken, Lutheraner, Kalvinisten verstanden ihre Kriege gegeneinander nicht – wie es im Mittelalter gewesen wäre – als Kreuzzüge, sondern als Religionskriege, bei denen es darum ging, sich konfessionell zu behaupten. Allerdings ging es fast überall um viel mehr. Denn dem Religionskrieg lag ein neues Konfliktmuster zugrunde, das von der modernen Geschichtswissenschaft als „gemischter Konflikt" bezeichnet wird. Die konfessionellen Feindschaften vermischten sich mit bestehenden politischen, wirtschaftlichen, sozialen Konflikten und entzündeten oder verschärften sie.

Ihren ersten Höhepunkt erreichten die Religionskriege in der 2. Hälfte des 16. Jahrhunderts Das war kein Zufall. Im Zeichen von kalvinistischer Reformation und katholischer Gegenreformation verhärteten sich die konfessionellideologischen Fronten. Dahinein wurde mit dem Spanien Philipps II. die Macht verwickelt, die sich nicht nur als weltlicher Arm der Gegenreformation verstand, sondern überhaupt als politische Vormacht Europas im Brennpunkt der konflikttrachtigen zwischenstaatlichen Spannungen der Zeit stand: zu England im Atlantik wegen der reichen spanischen Besitzungen in Amerika, zu Frankreich auf dem Kontinent, weil Spanien das Kraftzentrum des habsburgischen Imperiums darstellte, das Frankreich zu erdrücken drohte, zum Osmanischen Reich aus ideologischen Gründen und wegen der Gefahr für die spanische Bewegungsfreiheit im westlichen Mittelmeer.

Auf dieses Geschehen – insbesondere den zentralen Ereigniskomplex, den Aufstand in den Niederlanden – konzentrieren sich die nachfolgenden Ausführungen. Sie sollen deutlich machen, worin die Eigentümlichkeiten des vorherrschenden Konfliktmusters im Zeitalter der Glaubens- und Religionskriege – des „gemischten Konflikts" – und die Schwierigkeiten seiner friedlichen Lösung bestanden. Daß für die exemplarische Darstellung dem ersten Höhepunkt der Religionskriege – und nicht dem zweiten, dem Dreißigjährigen Krieg – der Vorzug gegeben wird, begründet sich darin, daß gerade hier völkerrechtliche, staatstheoretische, diplomatische und militärische Entwicklungen angestoßen und fortgeführt wurden, die zukunftweisend waren.

2.1 Kalvinistische Reformation und katholische Gegenreformation

Seit der Mitte des 16. Jahrhunderts trat die Reformation in eine neue Phase. Drei Erscheinungen machten das deutlich: 1. Innerhalb der reformatorischen Bewegungen ging die Initiative vom Luthertum auf den Kalvinismus über, der vor allem Frankreich, die Niederlande und Schottland erfaßte. 2. Er traf auf eine erneuerte katholische Kirche. Sie hatte sich im Konzil von Trient (1545–1563) von Fehlern und Schwächen der Vergangenheit losgemacht und schickte sich nun an, über die Bewahrung des Gebliebenen hinaus verlorenes Terrain zurückzuerobern. 3. Alle Konfessionen publizierten in rascher Folge ihre Bekenntnisschriften: der Kalvinismus u.a. 1561 das überarbeitete Genfer und das belgische Bekenntnis sowie 1563 den Heidelberger Katechismus, der Katholizismus 1564 die Glaubensdekrete des Tridentiner Konzils, das Luthertum 1577 die „Konkordienformel" – Anzeichen sich verfestigender ideologischer Fronten.

Die von dem Genfer Reformator Johann Calvin (1509–1564) begründete Lehre forderte dem einzelnen rigoroser als jede andere Konfession Enthaltsamkeit von alltäglichen Vergnügungen ab. Zugleich aber spornte sie auch stärker zu tatkräftiger, weltzugewandter Aktivität an. Dafür waren insbesondere zwei Lehraussagen verantwortlich: 1. Die Prädestinationslehre, nach der die Geschicke der Welt und der Menschen von Anbeginn vorherbestimmt waren. Ein Teil der Menschheit war zum Heil erwählt, während dem Rest die ewige Verdammnis bestimmt war. Für den einzelnen war seine Erwähltheit in diesem Leben daran erkennbar, ob der Segen Gottes auf seinen Taten ruhte oder nicht. Politischer oder wirtschaftlicher Erfolg galt dem Kalvinisten somit als Indiz für seine Erwähltheit. 2. Die Widerstandslehre. Im 16. Jahrhundert war es eine wichtige Frage, ob es Untertanen erlaubt sei, sich ihrer Obrigkeit zu widersetzen, wenn sie sich religiös, politisch oder wirtschaftlich von ihr ungerecht behandelt fühlten. Calvins berühmte Antwort lautete, daß beide, Obrigkeit und Volk, unter dem Gesetz Gottes stünden und daß die Obrigkeit ihr Amt als Auftrag Gottes auszuüben habe. Handle die Obrigkeit gegen den göttlichen Auftrag, so verwirke sie ihr Amt. Aus der Amtsperson werde eine Privatperson, gegen die Widerstand erlaubt, ja Pflicht sei, allerdings nicht von Privatpersonen, sondern von der „niederen Obrigkeit". Das waren für Calvin die Mitglieder der Ständeversammlungen in den Königreichen, die durch Gottes Anordnung eingesetzt seien und die Freiheit des Volkes gegen die Willkür der Könige zu verteidigen hätten.

Calvin dachte dabei grundsätzlich an gewaltlosen Widerstand. Der Aufruf zur Gewalt kam dann von den sog. Monarchomachen (Bekämpfern der Monarchen), eine Gruppe von Publizisten vor allem des späten 16. Jahrhunderts, deren Hauptvertreter Kalvinisten waren. Für sie war es schmerzliche Erfahrung, daß der von Gott gestiftete Vertrag göttlichen Rechts zwischen Volk und Obrigkeit überall und täglich durch konfessionelle Unterdrückung gebrochen wurde. Ihr bedeutendster Vertreter war Theodor Beza (1519–1602), Calvins Nachfolger in Genf. Er lehrte, daß die „niederen Obrigkeiten" in solchen Notzeiten auch mit Waffengewalt für das Heil derer, die ihnen anvertraut waren, gegen den Herrscher zu kämpfen hätten. Das sei kein Aufruhr, sondern die treue Erfüllung der Aufgabe, um derentwillen sie eingesetzt seien: die Untertanen gegen jeden, der sie bedränge, zu beschützen.

Daß der Katholizismus wiedererstarkte, war nicht zuletzt das Verdienst Papst Pauls III. (1534–1549). Er bestätigte 1540 den Jesuitenorden und eröffnete 1545 das Reformkonzil von Trient. Die Beschlüsse der Konzilsväter sorgten für eine gefestigte Organisation der Kirche und stellten die katholische Glaubenseinheit sicher, u.a. indem Zwangsinstrumente wie die römische Inquisition und der Index der verbotenen Schriftwerke eingerichtet wurden.

Nirgendwo kam der militante Grundzug der Gegenformation deutlicher zum Ausdruck als bei dem von dem spanischen Edelmann Ignatius von Loyola (1491–1556) gegründeten Orden der „Gesellschaft Jesu" (Jesuiten). Gelobten die Angehörigen anderer Orden Armut, Ehelosigkeit und Gehorsam, so hatten die Jesuiten nach dem Willen ihres Ordensgründers noch folgendes Gelübde abzulegen: „Wir verpflichten uns, jede Anordnung der römischen Päpste [...], zu welchen Verrichtungen sie uns immer senden möchten, auszuführen [...], ob sie uns nun zu den Türken oder zu anderen Ungläubigen senden. Wir sind bereit, bis in die Indien genannten Gegenden oder zu irgendwelchen Ketzern oder Ungläubigen zu gehen [...]". Nicht das Kloster, sondern jede Stelle im Leben draußen, wo es für den katholischen Glauben zu streiten galt, war der Einsatzort des Jesuiten.

2.2 Staaten und Parteien

Das politische Gewicht der religiösen Kräfte zeigte sich in der 1. Hälfte des 16. Jahrhunderts zuerst in Deutschland. Im Zeichen von Luthertum und Katholizismus fochten die Fürsten ihre Machtkämpfe untereinander und gegen den Kaiser Karl V. (1519–1556) aus. Frankreich, das sich von dem gewaltigen habsburgischen Imperium eingeschlossen fühlte, mischte sich auf der Seite von Karls Gegnern ein. Resigniert trat er 1556 zurück, nachdem er 1555 nach jahrzehntelangen Kämpfen in Augsburg einen Religionsfrieden mit den deutschen Territorialherren geschlossen hatte. Katholische und lutherische Landesherren beendeten ihre kriegerischen Auseinandersetzungen mit der Vereinbarung, die territorialen und konfessionellen Verhältnisse, wie sie in dem als Stichjahr angesetzten Jahr 1552 bestanden hatten, zu respektieren. Stillschweigend wandte man diese Bestimmungen auch auf die Landesherren an, die zum Kalvinismus übergetreten waren, um den Frieden nicht zu gefährden. Lieber nahm man einzelne Verstöße gegen die Bestimmungen in Kauf und hielt sich im allgemeinen von den großen Auseinandersetzungen fern, die das westeuropäische Ausland in der 2. Hälfte des 16. Jahrhunderts erschütterten.

In Frankreich und den Niederlanden trafen die durch Kalvinismus und Gegenreformation geschärften Waffen des Glaubens auf politisch-gesellschaftliche Situationen, in denen sie maßgeblich zum Umschlag von Gewaltbereitschaft in Gewalttätigkeit beisteuern konnten.

Der plötzliche Tod Heinrichs II. von Frankreich 1559 stürzte das Land in eine verzweifelte Krise: Seine Söhne waren noch unmündig; zwei von ihnen starben nach kurzer Regierungs-

Europa 1559

(aus: R.S. Dunn: The Age of Religious Wars, London 1971, S. 5)

zeit, der dritte war ein schwacher Herrscher. Nur die Königinwitwe Katharina von Medici besaß politische Begabung, stieß aber auf eine politische Konstellation, die ihr kaum Handlungsspielraum ließ: Zwei mächtige Adelsgruppen beherrschten das Land, die katholische von den Herzögen von Guise angeführt, die kalvinistische – in Frankreich hugenottisch genannte – von Prinzen aus dem Hause Bourbon. Was zu ihrem Vorteil war, war zum Schaden der Zentralgewalt; es bewies, wie gefährdet die französische Staatlichkeit immer noch war.

Der innere Konflikt verband sich unverzüglich mit dem äußeren: Die Guise und Philipp II. von Spanien trafen sich in der Sorge um den katholischen Glauben (und nicht ganz zufällig auch in ihrer Feindschaft gegen eine starke französische Zentralgewalt). Elisabeth I. von England unterstützte die Kalvinisten – eine ihr fremde religiöse Sache – und hoffte, damit zugleich die Macht Spaniens zu treffen. Mit einem Blutbad an Hugenotten (Kalvinisten)

begann 1562 der erste von acht Hugenottenkriegen, die erst 1598 mit einem stabilen Frieden beendet wurden. Der Ausbruch der Kämpfe zwischen den niederländischen Ständen und König Philipp 1568 verband sich augenblicklich mit den Kämpfen in Frankreich und steigerte ihre Schärfe: Ihr Höhepunkt war 1572 die Bartholomäusnacht, als die katholische Partei in Paris und in den Provinzen weit über 10 000 Hugenotten ermordete. Im Vorfeld und im Gefolge des Einsatzes der spanischen Armada gegen England 1588 sollte es zu einer besonderen Welle von Morden kommen, denen auch König Heinrich III. zum Opfer fiel, bevor Heinrich IV. (auch er wurde später von einem fanatischen Mönch ermordet) die Königsmacht und den inneren Frieden Frankreichs wiederherstellte.

Die inneren Verhältnisse in Deutschland und Frankreich engten den außenpolitischen Spielraum ihrer Herrscher ein. Das waren wichtige Voraussetzungen für die Vormachtstellung Spaniens auf dem europäischen Kontinent. Spanien hatte schon im habsburgischen Imperium Karls V. als stärkster Reichsteil gegolten, und aus spanischer Sicht stellte die Reichsteilung von 1556, die das Land zwar von den habsburgischen Stammlanden nebst der Kaiserwürde trennte, aber auch von dem erschöpften Deutschland befreite, eher einen Gewinn dar. Weitere Aktivposten der Stärke Spaniens lagen in seiner gesellschaftlichen Verfassung. Die spanische Gesellschaft wies alle Kennzeichen einer „geschlossenen Gesellschaft" auf. Es gab keine nennenswerte konfessionelle Opposition. Lediglich mit den Moriscos, den Nachfahren der islamischen Mauren, die sich gegen die völlige religiöse und kulturelle „Gleichschaltung" wehrten und die als türkenfreundlich verdächtigt wurden, kam es mehrfach zu schweren Kämpfen. Auch sie förderten die Einheit der spanischen Gesellschaft, Adel und Volk, weil sie die Erinnerung an die gemeinsamen Kreuzzüge gegen die Mauren zur Zeit der Reconquista (Wiedereroberung) wiederbelebten. Gleicher allgemeiner Zustimmung erfreute sich die in Europa einmalige Einrichtung der Inquisition, deren engmaschiges Spitzelsystem den bescheidenen Ausbreitungsversuchen des Protestantismus keine Chance ließ.

Auf der Habenseite der spanischen Machtstellung schlugen ferner seine Außenbesitzungen zu Buche. Die Niederlande zählten zu den blühendsten Produktionszentren Europas und beherrschten den Getreidehandel der Ostseeländer mit Westeuropa. Durch seine Besitzungen in Amerika, in Afrika, in Asien und im Pazifik, die 1580 durch die Annexion Portugals noch vergrößert wurden, verfügte Spanien über das erste weltweite Kolonialreich. Einen nicht zu unterschätzenden Machtfaktor stellte der spanische König, Philipp II., selbst dar. Obwohl er nicht Deutscher Kaiser war, galt er als das Oberhaupt der habsburgischen Dynastie. Er war zutiefst von seiner katholischen Sendung durchdrungen und auf Grund von Gesinnung und Macht der Protagonist der Gegenreformation. Zu seiner Hauptresidenz erwählte er den Escorial, den er eigens für sich bei Madrid errichten ließ. Von hier aus regierte er mit Hilfe einer zentralistisch auf ihn ausgerichteten, für damalige Verhältnisse erstaunlich modern organisierten Bürokratie sein Weltreich.

Die Achillesferse des spanischen Königreichs war die wirtschaftliche Schwäche des Mutterlandes, besonders des Kernlandes Kastilien, von dessen Finanzkraft die außenpolitische Handlungsfähigkeit des Königs in hohem Maße abhing. Es blieb wie im Mittelalter einseitig landwirtschaftlich ausgerichtet, und der größte Landbesitzer, der Adel, produzierte vor allem Merinowolle. Hauptabnehmer waren die tuchherstellenden Betriebe in Flandern, das daher – wie überhaupt die Niederlande – als unentbehrlich für das Funktionieren der spanischen Wirtschaft angesehen wurde. Das galt in gleichem Maße für die spanischen Kolonien in Amerika. Mehr als einmal retteten nur die Schätze der jährlich in Sevilla landenden Silberflotte Philipp II. vor einem finanziellen Desaster.

Wegen der wirtschaftlichen Abhängigkeit Spaniens von seinen Außenbesitzungen hing seine Vormachtstellung nicht zuletzt von der

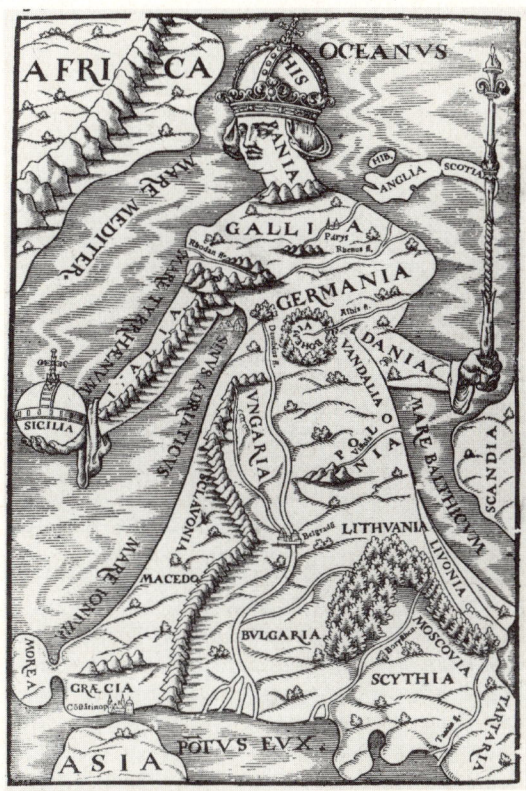

Sebastian Münster: Spanien als Haupt Europas (1527)

Der Escorial, in seiner Mischung aus Gebäuden weltlichen und geistlichen Zwecks sozusagen das gemauerte Regierungsprogramm Philipps II. (unbekannter Künstler)

Sicherheit der Verkehrswege zwischen Kernland und Außenbesitzungen ab. Drei Routen stellten sozusagen die Hauptschlagadern des Weltreiches dar, und jede war gefährdet. Die wichtigste Verbindung zu den Niederlanden war die sog. „spanische Route". Sie führte über See nach Genua und dann über Land an der französischen Grenze entlang in die Niederlande. Problematisch war die Sicherung des Seeweges, wozu die Seeherrschaft im westlichen Mittelmeer erforderlich war. Gegner Spaniens, hier von seinen italienischen Außenbesitzungen und Bündnispartnern (Genua, zeitweilig Venedig und das Papsttum) unterstützt, war der als ideologischer Erzfeind des Christentums geltende Türkensultan. Die zweite Route zu den Niederlanden führte durch den Kanal. Es zeigte sich, daß er, wenn England und Teile der Niederlande Spaniens Gegner waren, für spanische Schiffe kaum mehr passierbar war. Genauso anfällig war die dritte Route, die der Silberflotte von Amerika nach Spanien. Der Transport des Edelmetalls (zeitweise 96 Prozent des Gesamttransports) lockte englische, französische und später auch niederländische Piraten an, die – mit offiziellen Kaperbriefen ihrer Regierungen ausgestattet – den finanziellen Lebensnerv der Krone ständig bedrohten und diese zu aufwendigen Gegenmaßnahmen veranlaßte.

Zur großen Gegenspielerin Philipps II. entwickelte sich – nach anfänglich freundlichen Beziehungen – die englische Königin Elisabeth I. (1558–1603). Durch die entschlossene (Neu-)Begründung der anglikanischen Staatskirche hielt sie die Schrecken des Konfessionskrieges von England zu ihrer Zeit fern. In Frankreich und in den Niederlanden ergriff sie gegen Philipp II. für die protestantische Seite Partei. Sie förderte englische Freibeuter wie Hawkins oder Drake, die die spanischen Kolonien oder Silberflotten angriffen. Aus der einzigen direkten Konfrontation mit der spanischen Weltmacht – 1588, als die spanische Armada England angriff – ging sie als Siegerin hervor. Alles in allem brachte sie England auf den Weg, der zu seiner späteren weltweiten Seeherrschaft führte.

2.3 Völkerrecht und Staatstheorie

Nicht nur in Europa konnte man im 16. Jahrhundert die Schrecken des Krieges erleben. Zur gleichen Zeit und noch früher drangsalierten und mordeten europäische Konquistadoren die eingeborene Bevölkerung in den eben erst entdeckten Gebieten der Neuen Welt. Angesichts der ausufernden Greueltaten, die hier wie dort zumeist unter dem Deckmantel der Bewahrung und Ausbreitung des rechten Glaubens verübt wurden, sahen sich viele Gelehrte, Theologen und Juristen, besonders soweit sie selbst öffentliche Ämter verwalteten, zur Stellungnahme aufgefordert. Sie alle mußten sich die Frage vorlegen, ob die überlieferten Rechtfertigungslehren des Krieges (die Kreuzzugslehre, die Lehre vom gerechten Krieg) dem Handeln inmitten der veränderten Verhältnisse noch Orientierungshilfen boten. Ließ sich etwa der Krieg gegen Indianer und konfessionelle Gegner wie gegen den Islam als Kreuzzug rechtfertigen? Galt die alte Lehre vom gerechten Krieg überhaupt noch, nachdem die Spaltung in verschiedene Konfessionen die Basis gemeinchristlichen Denkens zerstört hatte? Im Bedürfnis nach allgemeiner Orientierung und nach Rechtfertigung der eigenen Position entstand eine Vielzahl von Schriften zu diesen Fragen. Aus ihnen ragen die einer Gruppe von spanischen Gelehrten – ein Anzeichen für die kulturelle Führungsrolle Spaniens damals – heraus, weil sie sich in sehr kritischer Weise mit den Verhältnissen auseinandersetzen. Es waren dies der Dominikaner Francisco de Vitoria (1480–1546) sowie die Jesuiten Luis Molina (1535–1600) und Francisco Suarez (1548–1617). Ihre große Leistung besteht darin, dem Rechtsverständnis für das Zusammenleben von Menschen und Völkern neue Wege gewiesen zu haben. Daher werden sie auch als „Väter des Völkerrechts" bezeichnet. Mindestens genauso folgenreich für das Verständnis vom Recht auf Gewaltanwendung und das Verhältnis der Staaten zueinander war die „Souveränitätslehre", deren Grundlagen von dem spanischen Militärrichter Balthasar Ayala (1548–1584) und dem französischen Juristen und Politiker Jean Bodin (1529–1596) erarbeitet wurden, die die Bürgerkriege in Frankreich und in den Niederlanden aus eigener Erfahrung kannten.

Die Theologen Vitoria, Molina und Suarez nahmen vor allem Anstoß am spanischen Vorgehen in Amerika. Sie knüpften in ihrer Kritik an die christliche Naturrechtslehre des Mittelalters an. Danach war der Mensch ein durch den Glauben an den wahren Gott erleuchtetes Vernunft- und Gemeinschaftswesen. Diese Lehre führten sie in einem entscheidenden Punkte weiter, indem sie den christlichen Glauben als Voraussetzung für Vernünftigkeit und Gemeinschaftssinn bei Menschen fallen ließen und beides unabhängig von der Religion zum Wesensmerkmal der menschlichen Natur schlechthin erklärten. Damit galt das Naturrecht auch für die Indianer, zumal diese nach Ansicht der spanischen Gelehrten durch ihre Reichsbildungen Vernünftigkeit und Gemeinschaftssinn hinreichend bewiesen hätten. Naturrechtlich gesehen bestand also zwischen Christen und Heiden kein anderes Recht als zwischen Christen und Christen. Das war das epochemachende Fazit aus der Lehre der spanischen Theologen.

Auf dieser Grundlage entwickelte Suarez seine Gedanken, die für die Verrechtlichung der Beziehungen zwischen den Völkern und Staaten, d. h. für das Völkerrecht, zukunftweisend waren. Während das Naturrecht im Wesen der einzelmenschlichen Natur begründet sei, bilde sich das Völkerrecht auf Grund von Gewohnheiten und Abmachungen heraus. Es sei das Recht, das Völker und Nationen in ihrem Verkehr miteinander zu beachten hätten, wie z. B. das Gesandtenrecht, das Handelsverkehrsrecht oder das Recht, Krieg zu führen. Denn obwohl das Menschengeschlecht in Völker und Reiche unterteilt sei, bilde es doch eine gewisse Einheit, und zwar nicht allein biologisch, sondern auch im Sinne einer sozusagen politischen Gemeinschaft, die durch das Sittengesetz gefordert ist. Die Existenz von selbständigen Stadtstaaten, Republiken und Königreichen ändere daran nichts. Sie seien alle Einrichtungen des einen Menschengeschlechts und daher auch alle Glieder der politischen Gesamtgesellschaft. Folglich müsse es auch eine Rechtsordnung geben, durch die sie alle sich miteinander verständigen und zusammenarbeiten könnten. Bis dahin sollte es noch lange dauern. Aber der Spanier Suarez hatte mit erstaunlicher Weitsicht einen Weg aufgezeigt, der Konfliktlösung anders als durch Krieg möglich machte.

Ayala und Bodin gingen von ihren Bürgerkriegserfahrungen aus und suchten nach einer Antwort auf die Frage, wie der Bürgerkrieg – wenn schon nicht der Krieg überhaupt – beseitigt werden könnte. Dabei rückte der Begriff der Souveränität in den Mittelpunkt ihrer Überlegungen. Ayala dachte noch ganz in den Bahnen der mittelalterlichen Lehre vom gerechten Krieg. Allerdings hielt er es mittlerweile angesichts der feindlichen konfessionellen Ideologien für unmöglich zu entscheiden, von welcher Seite die gerechte Sache vertreten wurde. Daher knüpfte er die Einstufung „gerecht" an eine einzige formale Voraussetzung: Der Krieg mußte von souveränen Herrschern geführt werden. Sei diese Voraussetzung erfüllt, dann verbiete es sich, über die Gerechtigkeit der Sache zu diskutieren. Denn unter dieser Bedingung könne man die Kriege souveräner Herrscher auch dann als gerecht bezeichnen, wenn sie aus ungerechten Gründen geführt würden. Folgerichtig war für Ayala jeder Aufstand gegen den Souverän ungerecht, ganz gleich aus welchen Gründen er erfolgte.

Als eigentlicher Begründer der „Souveränitätslehre" gilt Jean Bodin. Das Haupthindernis für die Souveränität des Herrschers sah Bodin – in bewußtem Gegensatz zu den Monarchomachen – in den Machtansprüchen der nachgeordneten Gewalten (Ständeversammlungen und Parlamente). Er gesteht ihnen zwar zu, Anträge und Bitten vortragen zu dürfen, aber nicht die geringste Befehls- und Entscheidungsgewalt, nicht einmal eine beratende Stimme. Für Bodin hat nur das Gesetzeskraft, was der Herrscher nach seinem Gutdünken akzeptiert oder ablehnt, befiehlt oder verbietet. Ausdrücklich verurteilt er die Lehre der Monarchomachen, daß die Ständeversammlungen über den Fürsten stünden. Solche Ansichten seien die Ursache dafür, daß Untertanen ihren souveränen Fürsten den schuldigen Gehorsam verweigerten und revoltierten. Wie sehr es Bodin ausschließlich darum ging, die Bürgerkriege und nicht die Kriege überhaupt zu beseitigen, wird darin sichtbar, daß er den Fürsten sogar empfahl, Krieg gegen äußere Feinde zu führen. Denn das schaffe im Staat ein Gemeinschaftsgefühl zwischen den Untertanen und sei der beste Schutz gegen Bürgerkriege.

2.4 Staatenkonflikte und diplomatischer Dienst

Nicht von ungefähr beginnt die Geschichte der modernen Diplomatie in Europa mit der Entstehung des modernen Staates. Jetzt erst kam es zu einer bewußten Trennung zwischen der Verwaltung der inneren Angelegenheiten und der auswärtigen Beziehungen zu anderen Staaten. Die Einrichtungen, mit denen die letzteren „geknüpft" wurden, waren Militärwesen und – neu – Diplomatie. Noch bis ins 18. Jahrhundert waren Außen- und Kriegsministerium – Zeichen für die Ambivalenz der auswärtigen Beziehungen – häufig in einer Hand. Dennoch war die Entstehung einer Institution, durch die Konflikte mit Hilfe eines eigenen Beamtenapparates „diplomatisch" gelöst werden konnten, eine Neuerung von großer Tragweite.

Kontaktaufnahmen in Form von Gesandtschaften hatte es zwischen Personengruppen und Mächten schon immer gegeben. Die Geburtsstunde der modernen Diplomatie schlug freilich erst mit der Einrichtung des ständigen Vertreters, der im Gastland residierte und dort sein Herkunftsland bzw. dessen Herrscher repräsentierte.

Das ständige Gesandtschaftswesen nahm seinen Anfang bei den rivalisierenden Stadtstaaten Italiens im 15. Jahrhundert. Voran ging Venedig. Mailand, Genua, die Toscana und Savoyen übernahmen die Einrichtung. Im 16. Jahrhundert breitete sie sich bei den Mächten Mittel- und vor allem Westeuropas aus, so daß gegen Mitte des Jahrhunderts die bedeutenderen Mächte durch ständige Vertretungen miteinander verbunden waren. Die Gründe für die rasche Ausbreitung waren in Italien und dann später in West- und Mitteleuropa ähnlich: Die politischen Verhältnisse waren instabil, und Koalitionen wechselten rasch. So schien es den Herrschern ratsam, durch einen ständigen Vertreter möglichst viel vom politischen Geschehen an den Entscheidungszentren der anderen Staaten mitzubekommen, um nicht überrascht zu werden.

Zwei Hauptmerkmale kennzeichnen seit dem 16. Jahrhundert den modernen diplomatischen Dienst: das Zeremoniell und die Verhandlungstechnik. Da die ständigen Vertreter ihre Herrscher repräsentierten, war die Frage des Zeremoniells (heute: Protokoll) sehr wichtig, und an den meisten Höfen gab es eigens einen Zeremonienmeister dafür. Denn fühlte sich ein ständiger Vertreter bei einem Empfang z. B. nicht „ranggemäß" behandelt, dann konnte das zu ernstesten Verwicklungen führen.

Der ständige Vertreter war der eine Pol der Verbindung zwischen den Mächten. Der andere war die Stelle, die sich im Herkunftsland mit den auswärtigen Angelegenheiten befaßte. Das war in der ersten Hälfte des Zeitalters der Glaubenskriege zumeist noch der Herrscher selbst. Besonders Philipp II. war bekannt für sein persönliches Regiment. Es setzte sich aber bald durch, besondere Beamte damit zu betrauen, zum erstenmal 1589 in Frankreich. Hier entstand auch 1626 das erste europäische Außenministerium.

Im 15. Jahrhundert erschienen zwei bedeutende Abhandlungen über die Aufgaben des Botschafters, die des Franzosen Bernard du Rosier und die des Venezianers Ermolao Barbaro. Sie zeigen, daß geordnete diplomatische Beziehungen, so sehr sie selbst an Frieden gebunden sind, darum nicht auch den Frieden als Zweck haben müssen. Für Rosier bestand die Hauptaufgabe des Botschafters darin, für Frieden und Allgemeinwohl zu sorgen. Auf keinen Fall dürfe er Krieg und Unruhen im Gastland anzetteln. Barbaro urteilte anders: Für ihn war der Botschafter Diener seines Herrschers und Staates wie jeder andere auch, und er hatte alles zu tun, was seinem Herrscher und Land zum Vorteil ausschlug. In der alltäglichen Praxis hatte der Botschafter sich Informationen zu verschaffen und sie an die Regierung seines Herkunftslandes weiterzugeben, um von dort Instruktionen für Verhandlungen im Gastland zu erhalten. Die Informationen eines Botschafters waren natürlich um so reichhaltiger, je mehr es ihm gelang, neben offiziellen Quellen über Spione inoffizielle anzuzapfen. Ein geflügeltes Wort der Zeit besagte, der Botschafter sei ein „ehrenwerter Spion".

2.5 Krieg und Militärwesen

Das Militärwesen war (und ist) das Instrument für den Modus der gewaltsamen Konfliktlösung, den Krieg. Sein Stand im 16. Jahrhundert spiegelt sowohl die Herausforderungen der damaligen Zeit als auch das ihr mögliche Ausmaß an Gewaltanwendung wider.

Auf den drei Hauptschauplätzen des Krieges in der ersten Phase der Glaubenskämpfe – Mittelmeer, Atlantik, Niederlande – dominierten je andere Waffensysteme. Ein Kennzeichen jedoch war ihnen gemeinsam: die rasch zunehmende Bedeutung der Feuerwaffen (Kanone, Muskete, Arkebuse).

Der Krieg im Mittelmeer wurde im 16. und noch im 17. Jahrhundert mit Galeeren ausgefochten. Wie schon in der Antike versuchte man, die gegnerischen Schiffe zu entern und dann im Kampf Mann gegen Mann zu überwältigen. So zwangen die Spanier und ihre Verbündeten in der größten Seeschlacht des 16. Jahrhunderts, 1571 bei Lepanto, die türkische Flotte nieder und sicherten damit u.a. den wichtigen südlichen Verbindungsweg über Genua zu den Niederlanden.

Für den Seekrieg im Atlantik war die geruderte, niederbordige Galeere nicht geeignet. Englische und portugiesische Schiffsbauer entwickelten hierfür das hochbordige Segelschiff, das nicht wie die Galeere (wegen der Ruderbänke) nur an Bug und Heck, sondern an den Breitseiten bestückt war. Dieses Waffensystem fand schnell Nachahmer bei den europäischen Mächten, die beim ersten europäischen Ausgriff auf die Randzonen des Atlantiks und Pazifiks mitreden wollten, und löste so den ersten Wettlauf in der Flottenrüstung aus.

Die Kerntruppe des Landkrieges bildete die Infanterie. Besonders bewährt als Kampfformation hatte sich der sog. Gevierthaufe, d. h. die Aufstellung in Form eines Quadrats oder Rechtecks. Seine Zusammensetzung war fast in allen Heeren gleich. Das Rückgrat stellten die mit meterlangen Spießen ausgerüsteten Pikeniere dar, die den Gegner auf weite Distanz halten konnten, wenn er nicht über die gleiche Waffengattung verfügte. Den eigentlichen Nahkampf führten mit Hellebarden und Schwertern ausgerüstete Soldaten. Die Schlachtfelder des 16. Jahrhunderts wurden beherrscht von den spanischen Tercios, Gevierthaufen zu 3000 Mann. Ihre Überlegenheit beruhte vor allen Dingen darauf, daß die spanischen Feldherren früher als andere die Bedeutung von Handfeuerwaffen für die Feldschlachten erkannten. Seit der Heeresreform von 1534 gehörten zu einem spanischen Ter-

Kampf zwischen der spanischen Armada und der englischen Flotte vor Gravelines 1588

cio fast genausoviel Arkebusiere wie Pikeniere, deren Feuer die gegnerischen Reihen vor dem Zusammenprall so sehr lichtete, daß die nachstoßenden Pikeniere das entscheidende Übergewicht hatten. Durch den Einsatz von Langpiken und Arkebusen verlor die Kavallerie an Bedeutung. Dieser Wandel war symptomatisch für das Kriegswesen des 16. Jahrhunderts (und darüber hinaus). Nicht mehr die größere Offensiv-, sondern die größere Defensivkraft entschied den Krieg, der dadurch den Charakter eines sich schleppend hinziehenden Geschehens annahm, in dem größere Schlachten die Ausnahme darstellten. Von der Mitte des 16. Jahrhunderts bis weit in den Dreißigjährigen Krieg hinein fand keine große Entscheidungsschlacht mehr statt.

Die Heere der damaligen Zeit bestanden durchweg aus Söldnern, die Abenteuerlust, Tatendurst und vor allem Hoffnung auf Reichtum zum Kriegsdienst lockten. Konfessionelle Gründe, Anhänglichkeit an einen Herrscher oder gar nationale Zugehörigkeit spielten nur sehr nachgeordnete Rollen. Symptomatisch für die noch in den Anfängen steckende Organisationsstruktur des frühmodernen Staates war dabei, daß die Aufstellung und Ausrüstung der Soldtruppen weitgehend in den Händen von privaten Unternehmen lag. Für

den Auftraggeber hatte das sicher manche Vorteile. Bedenklich erschien freilich schon manchem Zeitgenossen dabei die Verflechtung von wirtschaftlichem Profitdenken und militärischen Erfordernissen.

All das machte das Militär zu einem teuren und schwer handhabbaren Instrument. Zwar verschaffte das Soldwesen den Herrschern zum erstenmal die Möglichkeit, „stehende Heere" zu unterhalten, aber – noch – nur auf Zeit. Dafür war das Steuerwesen der damaligen Zeit noch zu unentwickelt, und ein länger dauernder Krieg konnte einen Herrscher leicht finanziell ruinieren. Das zeigt sich anschaulich am Beispiel der größten Militärmacht Europas, am Spanien Philipps II. Insbesondere der Achtzigjährige Krieg in den Niederlanden wies alle Kennzeichen der ruinösen Kriegführung damaliger Zeit auf. Von wenigen größeren Schlachten abgesehen, schleppte sich der Krieg von Belagerung zu Belagerung. Die Versuche der Spanier, den Krieg durch eine höhere Besteuerung der einheimischen Bevölkerung zu finanzieren, und die „Selbsthilfe" meuternder spanischer Söldner, die sich durch Raubzüge und Plünderungen Ersatz für fehlende Soldzahlungen verschafften, spielten für die Fortdauer des Krieges fast eine genauso wichtige Rolle wie ideologische und politische Gegnerschaft. Nur das Zusammenwirken dieser unterschiedlichen Faktoren erklärt die Exzesse an brutaler Gewalt, die auf beiden Seiten immer wieder vorkamen. Für das Kriegswesen brachte der Krieg in den Niederlanden eine bahnbrechende Neuerung: die Entstehung der Militärwissenschaft. Ihre Gründer waren die Oranier-Prinzen Moritz (1567–1625) und Wilhelm Ludwig (1560–1620), in deren Händen ab 1589 die militärische Leitung des Krieges gegen Spanien lag. Sie erkannten, daß die feindliche Überlegenheit auf Dauer nur durch besondere Maßnahmen abgewehrt werden konnte. Das war der Anlaß für eine groß angelegte Heeresform. Durchgeführt wurde sie anhand einer genauen Durchforschung des griechischen und römischen Kriegsschrifttums und unter Berücksichtigung der mathematisch-naturwissenschaftlichen Kenntnisse der Zeit. Zum erstenmal wieder seit der Antike wurden für die Fußtruppen präzise Exerzierreglements aufgestellt, die diesen eine dem Gegner überlegene Beweglichkeit verleihen sollten. Besondere Aufmerksamkeit schenkte man der Befestigung und Belagerung von Städten. Im Stammland der Oranier, in Siegen, gründete Wilhelm Ludwigs Bruder, Johann von Nassau, 1617 die erste Kriegsakademie Europas. Es war ein bedeutsamer Augenblick: Die Wissenschaft hatte ihren festen Platz im Kriegswesen erhalten. Die damaligen Zeitgenossen sahen es freilich praktischer. „Auff niederländsch Manier" Krieg führen zu können wurde zum Markenzeichen militärischer Befehlshaber im frühen 17. Jahrhundert.

2.6 Friedensutopien und -pläne

Durch die Friedlosigkeit ihrer Zeit sahen sich einige Gelehrte, z.T. Staatsmänner in höchsten Positionen, veranlaßt, radikaler danach zu fragen, warum Menschen gegeneinander wüteten und wie man die Kriegsfurie endlich bändigen könnte. Denker wie die beiden englischen Politiker Thomas Morus (1478–1535) und Francis Bacon (1561–1626) oder der italienische Dominikaner Tommaso Campanella (1568–1639) sahen die Hauptursache in Mängeln der bestehenden Staatswesen. Da offene Kritik jedoch für den Kritiker gefährlich war, übten sie sie meist in Form von Berichten über fiktive Idealstaaten aus, die sie häufig in die gerade entdeckten Erdregionen verlegten. Nach dem wegweisenden Werk des Thomas Morus, der „Utopia", werden sie als „Utopisten" bezeichnet.

Die Überlegungen der Utopisten zielten auf die Errichtung einer möglichst konfliktfreien Gesellschaft. Hauptübel und Hauptursache der zwischenmenschlichen Konflikte war für sie die ungleiche Verteilung des Besitzes, die ihrerseits auf die Einrichtung des Privateigentums zurückzuführen war. Das wichtigste Kennzeichen der von ihnen beschriebenen Idealstaaten war daher die Ablösung des Privateigentums durch das Gemeineigentum und der Vorrang des Gemeininteresses vor dem Privatinteresse des einzelnen. Nach Ansicht der Utopisten kehrte durch diese Ordnung Frieden in die Staatswesen ein. Daß religiöse Gegensätze Konflikte und Kriege erzeugen können, ist für die Utopisten – sehr erstaunlich – ein Thema, das sie fast stillschweigend mit dem Hinweis auf die religiöse Toleranz der Bewohner ihrer Idealstaaten übergehen.

Einen demgegenüber sehr viel konkreteren Friedensplan entwickelte der Franzose Maximilien de Béthune, Herzog von Sully (1560–1641), der langjährige Minister König Heinrichs IV. von Frankreich, in seinem „Großen Plan". Für ihn gab es nur einen notwendigen auswärtigen Krieg: den Krieg gegen die ungläubigen Türken. Gerade die Unvermeidlichkeit dieses Krieges sollte die Herrscher und Staaten Europas veranlassen, untereinander durch eine Neuordnung der Verhältnisse ständigen Frieden zu schaffen. Diese stellte er sich so vor: Das europäische Territorium (bis an die Grenzen Rußlands und des Türkenreiches) sollte durch Vergrößerung bzw. Verkleinerung bestehender Staaten in 15 Gebiete aufgeteilt werden, die an Größe und Macht in etwa gleich seien. Grenzveränderungen dürften danach nur noch im Einvernehmen aller vorgenommen werden. In ganz Europa sollten die katholische, die lutherische und die kalvinistische Konfession erlaubt sein, wobei allerdings der einzelne Herrscher zu entscheiden habe, ob in seinem Gebiet eine, zwei oder alle drei Konfessionen praktiziert werden dürften. Alle diese Staaten sollten freizügig zu Land und zu Meer Handel miteinander treiben. Wollte ein Herrscher Krieg gegen ein außereuropäisches Land führen, dann habe er zuerst ausreichend für Sold und Lebensmittel seiner Soldaten zu sorgen, damit diese beim Durchzug durch befreundete europäische Staaten nicht eine Spur der Verwüstung hinter sich ließen (womit der politische Praktiker Sully sicher seine Erfahrungen gemacht hatte). Die christliche Universalrepublik Europa sollte von einem europäischen Rat aus 40 Männern, die von den 15 Einzelstaaten geschickt wurden, gelenkt werden. Dieser Oberste Rat traf Entscheidungen, die für die Einzelstaaten bindend waren. Dazu sah Sullys Ordnung noch 6 regionale Räte vor, die Streitigkeiten zwischen den Einzelstaaten zu schlichten hatten. Deren wichtigste gemeinsame Aufgabe war die Unterhaltung einer europäischen Streitmacht zum ständigen Krieg gegen die Ungläubigen.

Überlegungen zur weiteren Arbeit

Nachdem im Darstellungsteil Bedingungen (und vereinzelt auch schon Konsequenzen) des niederländischen Krieges aufgezeigt worden sind, wird im nachfolgenden Materialteil das Geschehen in den Niederlanden selbst dokumentiert. Dabei werden für den Umfang des berücksichtigten Zeitraumes und die Art der ausgewählten Materialien bestimmte Akzente gesetzt, die kurz erläutert seien.

Der Aufstand der Niederlande wird in der niederländischen Geschichtsschreibung zumeist als „Achtzigjähriger Krieg" bezeichnet. Diese Namensgebung ist darin begründet, daß mit der (erfolglosen) Invasion des Prinzen Wilhelm von Oranien von 1568 die militärischen Auseinandersetzungen begannen und 1648 im Rahmen des Westfälischen Friedens auch der niederländische Krieg beendet wurde. Im Materialteil wird bewußt davon Abstand genommen, diese lange Zeitspanne in Einzelstücken zu belegen. Stattdessen konzentrieren sich die Materialien auf die erste Phase der Auseinandersetzung, vom Ausbruch des Krieges bis zur Unabhängigkeitserklärung der Nordprovinzen im Jahre 1581. Ergänzt werden sie durch Einzelstücke aus der Zeit davor, die zum Verständnis der Argumentation der Kriegsparteien nötig sind.

Im Hinblick auf die Dimensionen historischer Erfahrung dominieren Materialien aus dem politikgeschichtlichen Bereich. Das kann nicht überraschen, da die das Kriegsgeschehen begleitende Art der argumentativen Auseinandersetzung der Parteien das politische Argument begünstigte. Andererseits werden die übrigen Dimensionen – inhaltlich und durch die Publikationsformen – mitangesprochen, so daß sie ebenfalls anhand des Materials thematisiert werden können.

Was die Untersuchungsformen betrifft, so bieten sich – Darstellungs- und Materialteil zusammen gesehen – vorrangig folgende Zugriffsweisen an: 1. die Untersuchung des Falles „Aufstand der Niederlande" im Kontext der übergreifenden Bedingungen, 2. die diachronisch angelegte Betrachtung der „inneren Logik" bei der Entwicklung des Geschehens selbst.

Materialien zu Kapitel 2

Der Aufstand der Niederlande: Daten und Ereignisse

1494	Philipp d. Schöne, Sohn Kaiser Maximilians I., erster Habsburger Landesherr der Niederlande
1555/1556	Philipp II. als Nachfolger Kaiser Karls V. König von Spanien und Landesherr der Niederlande. Residenz: Brüssel. Philipp kehrt 1559 für immer nach Spanien zurück
1563/1564	Kritik von Vertretern des Hochadels im Brüsseler Staatsrat (Prinz Wilhelm von Oranien, Graf Egmont, Graf Horn) an der spanischen Verwaltung
1566	Zusammenschluß und Protest des niederen Adels gegen die spanische Religionspolitik (Entstehung der Bezeichnung „Geusen" für die Protestierenden). Bildersturm
1567	Trotz Niederkämpfung der Unruhen durch die Statthalter Ankunft des Herzogs von Alba mit 10 000 Mann spanischer Truppen. Verstärkte Massenflucht von Anhängern des Kalvinismus nach Deutschland und England (niederländische Exilgemeinden)
1568	Enthauptung von Egmont und Horn. Flucht Oraniens nach Deutschland. Invasionsversuch endet mit mehreren Niederlagen (1. Aufstand)
1568–1571	Maßnahmen Albas (Einrichtung des sog. „Blutrates" zur verschärften Ketzerverfolgung, Erhebung des „Zehnten Pfennigs" als ständiger Steuer) erregen Unzufriedenheit und Widerstand
1572	Landung einer aus England kommenden Geusenflotte bei Den Briel. Eroberung weiter Teile der Provinzen Holland, Seeland, Gelderland und Overijssel durch Oranien und seine Anhänger (2. Aufstand)
1576	Holland und Seeland übertragen Oranien die Landeshoheit. Brandschatzung Antwerpens durch meuternde spanische Truppen führt zum eigenmächtigen Frieden zwischen Holland und Seeland sowie den übrigen (königstreuen) Provinzen zu Gent
1577/1578	Niederländische Einheitsfront gegen den spanischen Generalstatthalter Don Juan d'Austria und die spanischen Truppen (3. Aufstand) zerbricht nach dem spanischen Sieg über die niederländischen Truppen bei Gembloux
1579	Zusammenschluß der Südprovinzen (Union von Arras) und Friedensschluß mit Spanien. Dagegen: Zusammenschluß der Nordprovinzen (Union von Utrecht)
1581	Unabhängigkeitserklärung der Nordprovinzen (mit Holland und Seeland)
1584	Ermordung Oraniens
1596	Antispanische Koalition Niederlande – Frankreich – England
1609–1621	Waffenstillstand Niederlande – Spanien
1648	Anerkennung der (nord-)niederländischen Unabhängigkeit durch Spanien im Westfälischen Frieden

Die Niederlande vor dem Aufstand

| M 2.1 | Die Niederlande – politisch und strategisch gesehen |

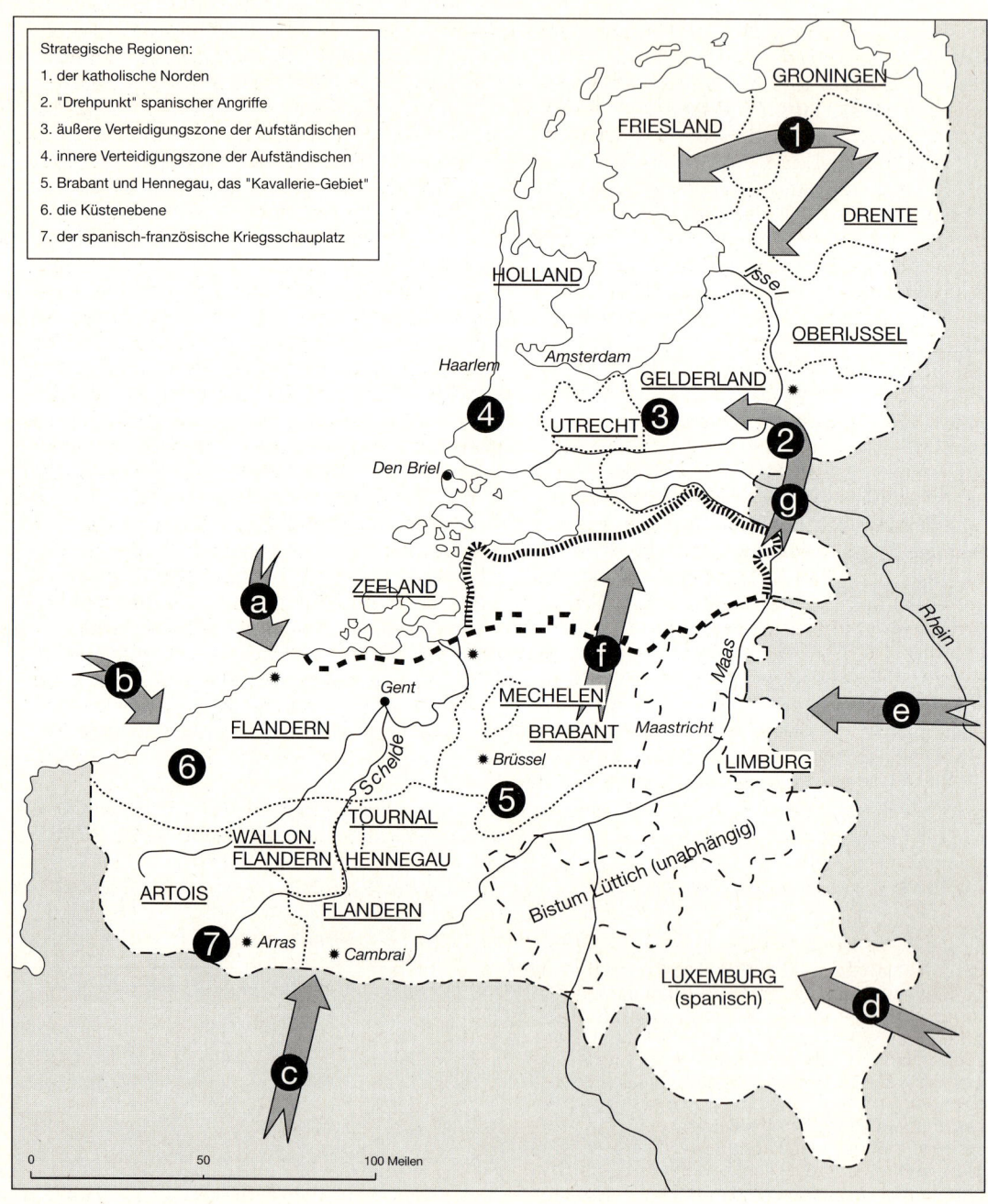

Strategische Regionen:

1. der katholische Norden
2. "Drehpunkt" spanischer Angriffe
3. äußere Verteidigungszone der Aufständischen
4. innere Verteidigungszone der Aufständischen
5. Brabant und Hennegau, das "Kavallerie-Gebiet"
6. die Küstenebene
7. der spanisch-französische Kriegsschauplatz

Aus: Chr. Duffy: Siege Warfare, London & Henley 1979, S. 60

M 2.2 Auszug aus den Privilegien der Provinz Brabant, die Philipp (II.) 1549 bei seiner Einführung als künftiger Herzog von Brabant zu beschwören hatte[1]

[Wir schwören], daß Wir als Herzog von Brabant und Limburg niemals etwas unternehmen werden, was die Herrschaft dieser Länder betrifft, im Hinblick auf Kriegführung oder Erhebung oder Erzwingung von Abgaben bei einem, außer mit Rat, Willen und Zustimmung Unserer Städte und des Landes von Brabant. Und Wir werden Unser Versprechen und Unser Siegel zu keiner Handlung hergeben, durch die Unsere Länder, Grenzen oder Städte, oder einer ihrer Einwohner, oder irgendeines ihrer Rechte, ihrer Freiheiten oder Privilegien verletzt oder verringert werden könnte oder durch die Unsere Länder und Untertanen irgendwie geschädigt werden könnten. [...]
Und sollte es sein, daß Wir, Unsere Erben oder Nachfolger durch Unsere eigene Handlung oder die anderer die oben genannten Privilegien, teilweise oder ganz, wie auch immer, verletzen, dann erlauben und gestatten Wir Unseren Prälaten, Baronen, Rittern, Städten, Freiheiten und allen Unseren Untertanen, daß sie Uns, Unseren Erben und Nachfolgern keine Dienste zu leisten brauchen und in keiner anderen Sache, die Wir brauchen oder von ihnen fordern könnten, gehorsam sein müssen, bis zu der Zeit, wo Wir den fehlerhaften Kurs, den Wir bis dahin gegen sie eingeschlagen haben, berichtigt und vollständig verlassen haben. [...]

Übers. aus: G. Griffiths: Representative Government in Western Europe in the Sixteenth Century, Oxford 1968, S. 346–349

[1] Es gab keinen Titel, der sich auf das Gesamtterritorium der 17 Provinzen bezog. Der künftige Landesherr bereiste daher bei seinem Regierungsantritt die einzelnen Provinzen, beschwor deren Privilegien (die im wesentlichen mit den brabantischen überall übereinstimmten) und empfing dann unter dem Titel, den der Landesherr der jeweiligen Provinz aufgrund von deren historischer Tradition (Herzog oder Graf) trug, die Huldigung der Stände. Da die Privilegien beim Antrittsbesuch beschworen wurden, nannte man sie auch „Blijde incomst" (fröhlicher Einzug).

M 2.3 Das Edikt Kaiser Karls V. gegen Ketzer in den Niederlanden von 1550, von Philipp II. 1556 erneut verkündigt

Niemand darf irgend ein Buch oder eine Schrift des Martin Luther, [...] Ulrich Zwingli, [...] Johann Calvin oder anderer von der heiligen Kirche verworfener Ketzer drucken, schreiben, vervielfältigen, aufbewahren, verheimlichen, verkaufen, kaufen oder verschenken; niemand darf die Bilder der heiligen Jungfrau oder canonisierter Heiliger zerbrechen oder sonst beschädigen; niemand darf in seinem Hause Conventikel oder gesetzwidrige Zusammenkünfte halten. [...] Außerdem verbieten wir [...] allen Personen vom Laienstande, an offenen oder geheimen Unterhaltungen oder Disputationen über die heilige Schrift, besonders über alle zweifelhaften und schwierigen Lehren teilzunehmen, oder die Schrift zu lesen, zu lehren oder zu erklären, wenn sie nicht Theologie studiert haben und von einer Universität von Ruf geprüft worden sind [...]; sollte jemand der Übertretung der ebengenannten Punkte für schuldig gefunden werden, so soll er als Störer unseres Staats und der allgemeinen Ruhe folgendermassen [...] zum Tode gebracht werden: die Männer mit dem Schwert, die Weiber sollen lebendig begraben werden, wenn sie nicht in ihren Irrtümern verharren; verharren sie darin, alsdann sollen sie mit Feuer zum Tode gebracht werden; alles ihr Eigentum soll in beiden Fällen der Confiscation durch die Krone unterliegen [...]; den Richtern wird verboten, die Strafen in irgend welcher Weise abzuändern oder zu mäßigen. [...]

Aus: J.L. Motley: Der Abfall der Niederlande und die Entstehung des holländischen Freistaats, Bd. 1, Dresden ²1861, S. 245ff.

M 2.4   **Das ständestaatliche Regierungssystem der Niederlande um 1560[1]**

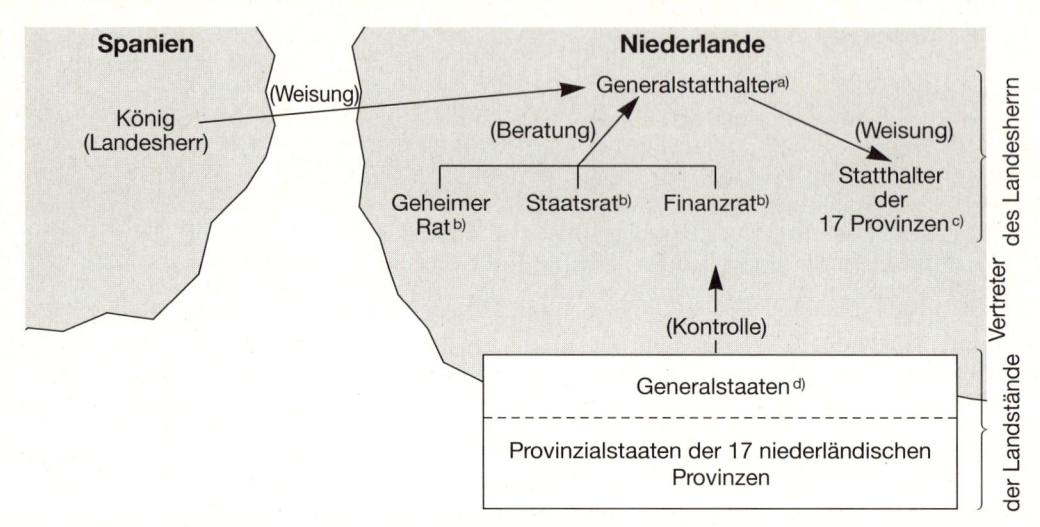

a) Oberster Vertreter des spanischen Königs. Unter Philipp II.: Margarete von Parma (1559–1567), Herzog von Alba (1567–1573), Don Luis de Requesens (1573–1576), Don Juan d'Austria (1576–1578), Herzog von Parma (1578–1592)

b) Staatsrat (politische Angelegenheiten, wichtigster Rat). Mitglieder: Viglius van Aytta (Vorsitz), Kardinal Granvelle (bis 1564), Baron de Berlaymont, Herr von Glayon, Herzog von Aerschot, Prinz Wilhelm von Oranien, Graf Egmont, Graf Horn
Geheimer Rat (Justiz): Viglius von Aytta (Vorsitz)
Finanzrat: Baron von Berlaymont (Vorsitz)

c) Oberbefehlshaber der Provinzen, u.a. Prinz Wilhelm von Oranien (Holland, Seeland, Utrecht), Graf Egmont (Flandern, Wallonisch-Flandern, Arras), Graf Horn (Gelderland), Baron von Berlaymont (Namur)

d) Versammlung der Vertreter der Provinzialstaaten[1], an deren imperatives Mandat gebunden, Zusammentritt nur nach landesherrlicher Einberufung (in Brüssel), Hauptaufgabe: Wahrung der ständischen Privilegien gegenüber dem Landesherrn

---

[1] Der niederländische Begriff für Stände lautet „Staaten", die Ständeversammlung einer Provinz heißt demnach „Provinzialstaaten".

Beginn des Widerstands und der Unruhen 1565–1566

M 2.5   **Brief Philipps II. an seine Generalstatthalterin, Margarete von Parma, vom 17. Oktober 1565**

Madame, meine liebe Schwester, ich antworte auf Ihren Brief vom 22. Juli, in dem Sie mir mitteilten [...], wie Sie versucht haben, mit den Religionsproblemen fertigzuwerden. [...] Sie sagen, ich hätte nicht klar gemacht [...], daß es nicht meine Absicht sei, Sie oder die Herren des Staatsrats in den Niederlanden um mehr Rat in dieser Angelegenheit zu fragen, aber ich habe Ihnen in der Tat meine endgültige Absicht zu verstehen gegeben [...], weil mein Entschluß feststeht. [...] 10
Ich bin schon sehr betroffen von den Schmähschriften, die in den Niederlanden dauernd verbreitet und bekanntgemacht werden, ohne daß die Missetäter bestraft 15

werden. Das geschieht natürlich, weil die Verfasser von früheren nicht bestraft worden sind. Sie sollten sich vor Augen halten, was von meiner Autorität und der Ihrigen und
20 vom Gottesdienst übrigbleibt, wenn es möglich ist, solche Dinge ungestraft in Ihrer Gegenwart zu tun. Ich bitte Sie daher, veranlassen Sie das Nötige, damit das nicht ungestraft bleibt. [...]
25 Im Hinblick auf die Inquisition ist es meine Absicht, daß sie so von den Inquisitoren ausgeführt werden soll, wie sie es bis jetzt getan haben und wie es sich für sie kraft göttlichen und menschlichen Rechts gehört. Das ist
30 nichts Neues, weil das immer getan worden ist in den Tagen des letzten Kaisers, meines Herrn und Vaters, Gott hab ihn selig, und von mir. [...]
Ich kann mich nicht enthalten, Ihnen mitzu-
35 teilen, daß bei Erwägung der Situation der Religionsangelegenheiten in den Niederlanden, wie ich sie verstehe, dies nicht die Zeit ist, irgendeine Veränderung zu machen. Im Gegenteil, die Erlasse Seiner Majestät soll-
40 ten ausgeführt werden. [...] So können Sie in meinen Provinzen Gerechtigkeit, Frieden und Ruhe halten. [...]

Übers. aus: E.H. Kossmann/A.F. Mellink (Hg.): Texts concerning the Revolt of the Netherlands, London 1974, S. 53ff.

| M 2.6 | **Bittschrift des niederen Adels vom 5. April 1566** |

Abgefaßt von Johann von Marnix und Ludwig von Nassau, dem Bruder Wilhelms von Oranien, der Generalstatthalterin Margarete von Parma von Heinrich von Brederode, der Gallionsfigur des Adelsprotestes, an der Spitze einer großen Anzahl von Adligen in Brüssel überreicht. Als ein Begleiter der Generalstatthalterin dabei die Protestierenden abfällig als „gueux" (Bettler) bezeichnete, nahm Brederode das Schimpfwort auf und machte die Bezeichnung „Geusen" zum Ehrennamen für die Anhänger des Protests. Die hochadligen Provinzstatthalter Oranien, Egmont und Horn sympathisierten zwar mit den Protestierenden, hielten sich aber zurück.

Madame!
Es ist allgemein bekannt, daß in der ganzen Christenheit das Volk der Niederlande immer wegen seiner großen Treue seinen
5 Herren und angestammten Fürsten gegen-

über gelobt worden ist, und das ist noch der Fall, und daß die Adligen sich immer in dieser Hinsicht hervorgetan haben, da sie weder Leben noch Besitz geschont haben, um die Größe ihrer Herrscher zu bewahren 10 und zu vermehren. Und wir, demütige Vasallen Seiner Majestät, wünschen das gleiche zu tun und sogar noch mehr, so daß wir Tag und Nacht bereit sind, Ihm höchst demütig mit Leben und Besitz Dienst zu 15 tun. [...]
Wir bezweifeln nicht, Madame, was immer Seine Majestät im Hinblick auf die Inquisition und die strikte Beachtung der Religionserlasse früher befohlen hat und 20 jetzt wieder befiehlt, ist in gewisser Hinsicht begründet und rechtlich verankert und soll all das fortsetzen, was der verstorbene Kaiser Karl, seligen Angedenkens, mit besten Absichten verfügt hat. Wenn man 25 aber erwägt, daß unterschiedliche Zeiten unterschiedliche politische Maßnahmen verlangen und daß vor einigen Jahren jene Erlasse, obwohl sie nicht einmal sehr rigoros ausgeführt wurden, die ernstesten 30 Schwierigkeiten verursacht haben, dann läßt uns die neuerliche Weigerung[1] Seiner Majestät, die Erlasse irgendwie zu mäßigen, und Sein strikter Befehl, die Inquisition beizubehalten und die Erlasse in aller 35 Schärfe auszuführen, fürchten, daß die momentanen Schwierigkeiten unzweifelhaft zunehmen werden. Aber tatsächlich ist die Situation sogar schlimmer. Es gibt überall deutliche Anzeichen, daß die Leute 40 so verbittert sind, daß das schließliche Ergebnis, wie wir fürchten, eine offene Revolte und allgemeine Rebellion sein werden, die alle Provinzen ruinieren und ins äußerste Elend stürzen. [...] Daher 45 sollte Seine Majestät gebeten werden, die Erlasse freundlich zu widerrufen. Das ist nicht nur sehr nötig, um den völligen Ruin und Verlust all seiner Provinzen abzuwenden, sondern auch in Überein- 50 stimmung mit Vernunft und Gerechtigkeit [...].[2]

Übers. aus: Kossmann/Mellink: (M 2.5) S. 62ff.

---

1 Vgl. M 2.5
2 In einem Schreiben vom 31. Juli 1566 verbot Philipp II. der Generalstatthalterin, die Inquisition und die Ketzeredikte zu ändern.

M 2.7   Kalvinistische Bilderstürmer in der Antwerpener Liebfrauenkirche am 20. August 1566

Zeitgenössischer Stich aus der Flugblattsammlung des Franz Hogenberg. Der Bildersturm erfaßte fast die ganzen Niederlande. Wie sonstwo auch waren ihm in Antwerpen sog. „Heckenpredigten", verbotene kalvinistische Predigtveranstaltungen vor den Toren der Stadt, voraufgegangen.

M 2.8   1566 – Der Antwerpener Bildersturm nach der Schilderung in Emanuel van Meterens „Belgische oder niederländische Geschichte unserer Zeit" von 1605

Als der Prinz von Oranien, von der Regentin [Margarete von Parma], den Übelstand zu schlichten, dahin gesandt, wieder gen Brüssel gerufen und abgereist war, begab sich's, daß
5 anderen Tags darnach, als man in der Prozession um die Stadt das große Marienbild getragen, auch dasselbige schon wieder in den Chor gestellt und nichts mehr zu befürchten schien, daß desselbigen Tags etliche Jungen vor den Chor kamen und fragten, ob »Marie-
10 ken« oder Marien sich fürchte, weil sie so zeitig zu Chor liefe und dergleichen. Auf der anderen Seite aber waren etliche Knaben, welche in der großen Kirche bei dem Predigtstuhl spielten, das Predigen nachkonter-
15 feiten oder dem Prädikanten nachtun wollten. Unter anderem stieg ein großer Lecker auf die Kanzel und machte etliche närrische Possen, mit welchem die anderen Narren trieben und nach ihm warfen. Etliche wollten
20 ihn herabziehen, er aber stieß sie mit Füßen. Zuletzt wurde schier Ernst daraus wie aus dem Katzenspiel. [...]
Des anderen Tags, welcher war ein Dienstag und der 20. August, sammelten sich gegen
25 Abend etliche Jungen [wieder] in der Kirche, samt etlichen Mannspersonen, welche nach Gewohnheit allda auf und ab spazierten, zur Zeit des Lobgesangs. Da ward wiederum

30 mannigfaltig geschimpft mit dem Marienbild, so daß ein altes Weib, das vor dem Chor Kerzlein verkaufte und Opfer empfing, darob ergrimmte und deshalb den Jungen Staub, Asche und anderen Unflat nach dem Kopf 35 und in die Augen warf. Darauf erhob sich ein Zank, so daß der Markgraf, Herr Johann von Immelsele, mit seinen Hellebardieren oder Trabanten in die Kirche kam und den einen hier, den anderen dort hinausgehen 40 ließ, welches etliche taten. Etliche aber sagten, sie wollten den Lobgesang zuvor anhören. Darauf ließ ihnen der Markgraf ansagen, man werde keine Vesper halten. Darüber wurden etliche unwillig und verur-45 sacht, einer zum anderen zu sagen: so wollten's sie selbst singen. Als nun einer nach dem anderen darauf bestand zu singen, auch etliche Jungen mit Bällen und Steinchen spielten, kam zuletzt durch dieses Gerücht 50 mehr und mehr Volks zusammen.

Da nun der Markgraf sah, daß er mit seinem Befehl wenig ausrichtete, das Volk herauszutreiben, schloß der die Kirchentüren bis auf eine und ging davon. Dadurch ward des Hu-55 delmanns Gesind noch verwegener.

Als es nun spät auf den Abend und wohl sechs Uhr war, reizten sie einander an, das Marienbild herabzureißen, und fingen also an, den Chor aufzubrechen und »Vive les 60 Gueux« zu rufen.

Als dies einmal angegangen, lief es mit solcher Unsinnigkeit fort und ward mit so vielen Händen dazu geholfen, daß, ehe Mitternacht [war], alle Chöre aufgebrochen, alle 65 Altäre umgerissen, alle Bilder abgeworfen und zerschlagen, alle Schlösser geöffnet und alles verwüstet war, in einer so großen Kirche, darin wohl 70 Altäre, wie man sagt, gewesen, die mit allerlei künstlerischem Mal-70 werk und anderen köstlichen Dingen dermaßen geziert waren, daß ihresgleichen anderswo wenig gefunden werden.

Sobald es da getan war, lief eine große Menge von Jungen mit etlichen Mannspersonen 75 [und] sonst vielen Huren und Buben in der Stadt umher, um an den anderen Orten auch zu prozedieren, so zu den Minnebrüdern oder Franziskanern, zu St. Claren, St. Jakobus, St. Andreas, St. Georg, St. Michel [...], 80 in summa, allenthalben in allen Kirchen und Kapellen in der ganzen Stadt, wo sie dann auch meistenteils alles umgeschmissen hat-

ten, ehe es Tag ward, und alle Kerzen und Fackeln angezündet, die sie in den Kirchen gefunden, mit welchen sie alle Winkel durch-85 liefen.

Ein groß und wunderlich Werk, wenn man alle Umstände betrachten will! Sintemal man der Bildstürmer schier keinen kannte, auch keinen vernahm, der sich's gerühmt hätte; 90 [es] erhob sich kein Streit noch Schlägerei unter ihnen, ward auch keiner darüber beschädigt, welches über alle Maßen zu verwundern, weil sie alles in der Nacht begingen und so viel Steine, Hölzer und von anderem 95 dergleichen Material gemachte Werke abbrachen.

Unterdessen standen die Obrigkeit und Bürgerschaft die ganze Nacht über in ihrer Rüstung, so verdutzt und erstarrt, als ob sie bezaubert gewesen und sie nicht wüßten, was 100 sie am besten dazu tun sollten, von mancherlei Gedanken, Furcht und Argwohn mittlerweil angefochten. Die Römisch-Katholischen dachten, es wäre ein angelegtes Werk der 105 Reformierten, welche, mit solchem Lumpengesindel gestärkt, ihnen zu mächtig schienen, und sich deshalb besorgten, man würde ihnen auf den Leib rücken. Hingegen dachten die Reformierten, diesen Handel würde man 110 ihnen aufmessen, deshalb gebühre ihnen zuzusehen, damit sie von ihrem Widerpart nit überfallen würden. Und weil beide Parteien einander also verdächtig hielten und [sich] fürchteten, besorgten sich beide daneben zu-115 gleich – weil dieses Lumpenvölklein die Hände einmal an den Raub gewandt – sie würden's dabei nit bleiben lassen, sondern auch in der reichen Kaufleut und Bürger Häuser einen Einfall tun und unter dem 120 Schein der Bildstürmerei die Götzen in den Kisten und Taschen auch suchen, Verräterei zu Werk stellen oder dergleichen Übel anrichten.

[So] stand also die Obrigkeit und Bürger-125 schaft in ihren Waffen, dazu in guter Ordnung, zweifelhaft und verstrickt, mit Herzen und Händen in ihre Rüstung gebunden, vermahneten einander zur Eintracht und zuzusehen, daß kein Blut vergossen und keine 130 Häuser aufgebrochen würden. In einem waren sie allesamt einig, auch nach der Aussage der Spanischen; ihrem eigenen Leib und Gut, der Römischen Heiligkeit und [dem] Gottesdienst fleißiger vorzustehen, 135 folgenden Tags Gott dankend, daß kein Unglück geschehen sei.

Wiewohl aber in der Bildstürmung oder -plünderung viel Kleinodien, Silberwerk und
140 andere Dinge entwendet worden, wurde doch nicht wenig wieder aufs Stadthaus und anderswohin [ab]geliefert. [Es] haben auch viele Amt- oder Zunftmeister und Gilden diesem Gesindel vielerlei schöne und kunst-
145 volle Tafeln aus Liebe [zur] Kunst abgebeten, genommen und hinweggeführt.

Sobald des Morgens die Pforten aufgingen, liefen etliche von diesen Bildstürmern hinaus, erstlich zu St. Bernhard, einem Kloster,
150 anderthalb Meilen vor der Stadt gelegen, und brachen alles ab, wie im gleichen auf allen, rund um die Stadt gelegenen Dörfern, mit wunderlicher Vermessenheit und Klugheit.

155 Die anderen in der Stadt durchliefen noch denselben ganzen Tag und wohl zwei folgende Tage dazu alle Kirchen und Klöster und rissen um und ab, was sie noch ganz gefunden, und niemand durfte etwas dagegen sa-
160 gen und tun.

Indem sie aber endlich ein großes und sehr schönes Kruzifix in der großen Kirche über dem Chor nicht ohne große Mühe herabgezogen, fiel dasselbige auf die Wappen der
165 Ritter vom Orden des Goldenen Vlieses, welche rundherum über dem Gestühl gemalt standen, [...] welches die Obrigkeit und viele Bürger verdroß, die deshalb ein Herz faßten und alle diejenigen zurücktrieben, die sich
170 dessen mehr unterwinden wollten, nahmen ihrer zwölf gefangen, von denen drei, auf frischer Tat ergriffen, den 28. August auf dem Markt gehenkt, drei andere des Landes verwiesen und die übrigen auf andere Weise be-
175 straft wurden.

Zit. nach Karl-Heinz Neubig (Hg.): Anbruch der Neuzeit (Lesewerk zur Geschichte 4). (Goldmann) München o. J., S. 117ff.

M 2.9 **Der Herzog von Alba in der zeitgenössischen kalvinistischen Propaganda (Flugblatt)**

Die Gestalt links oben symbolisiert den bösen Einfluß, unter dem Alba steht. Im übrigen erläutern Beitext und die Namen im Bild das Dargestellte. Übersetzung: „Er nimmt mit Gewalt den Reichtum von dem Land und hat viel unschuldig Blut erwürgen und verbrennen lassen. Hat auch Egmont und

Horn das Leben genommen und den ganzen Adel umgebracht. Das möge von Bürger und Bauer bedacht werden."

Der zweite Aufstand

M 2.10 **Der Propst Morillon schildert in einem Brief an den Kardinal Granvelle vom 24. März 1572 die Lage in den Niederlanden**

[...] Man sagt öffentlich, es könne nicht anders sein, als daß der Herzog (von Alba) entschlossen sei, die Untertanen so zu quälen, daß sie aufbegehrten, damit er dann alles beschlagnahmen und rauben könnte. Über-
5 haupt, wenn die Dinge so weitergehen, wird er sich mit den Seinen eingezwängt und in Gefahr befinden, und das wird für alle Kirchenleute und Beamte seiner Majestät [Philipps II.] gelten.

Die Gebannten haben leichtes Spiel und
10 suhlen sich darin. Hätte der Prinz von Oranien seine Armee für eine solche Zeit aufbe-

wahrt, dann hätte er sich behauptet. Aber Gott hat es nicht gewollt. Ich bitte Sie, uns vor den Franzosen zu schützen. Denn wenn sie an die Tür klopfen, wird man ihnen, wie ich fürchte, aufmachen. Die Herzen sind so voll Wut, daß man es wagt, ihnen vorzuschlagen, den Herrn zu wechseln, ohne Rücksicht auf die Religion, und daß das Land in einen langen Krieg dadurch gestürzt wird und so viele Todesfälle daraus folgen werden. [...] Die Armut ist überall riesengroß. [...] Es gibt vornehme Haushalte, die sich seit Weihnachten von Brot und Äpfeln ernährt haben. Alle Spitzbuben halten sich in den Städten auf und warten nur auf eine Gelegenheit, um zu plündern, und die Felder sind leer. Die Lombarden[1] verschließen ihre Wechselstuben, weil sie kein Geld mehr haben und ihre ganze Habe unter die Leute gebracht haben. In Holland haben sie damit angefangen, ihre besseren Möbel und Kleider zu Ankern und Tauwerk ihrer Schiffe zu tragen[2], ein bisher unerhörter Vorgang. Es gab mehrere Städte und Dörfer, wo sich nicht ein einziger Kalvinist befunden hatte. Sie sind dort jetzt überall, bis zu sechs-

oder siebenhundert, meistens Schiffer und Fischer. Die Städte mußten sie in der letzten Zeit mit Getreide und Geld unterstützen, sonst hätte es gewaltige Unbotmäßigkeiten gegeben. Es gibt keinen Handelsverkehr mehr. Diejenigen, die noch etwas zu handeln haben, verkaufen es und besorgen sich nichts Neues mehr. Die Schiffer wollen wegen der Belastung durch den Zehnten[3] nicht mehr aufs Meer. [...] Ich höre, daß vor allen Hafenschleusen in Holland unzählige Schiffe aus Kleve und sonstwoher liegen, die man dort zurückhält, wenn sie nicht dem Erlaß gemäß den Zehnten zahlen, was sie nicht machen wollen. [...] [Kaufleute] aus Deutschland, Ostland, Schweden und Dänemark und anderen Ländern wollen keine Handelswaren einführen, weil das, was sie importieren wollen, hier dem Zehnten unterworfen ist. [...]

Übers. nach E. Poullet/Ch. Piot (Hg.): Correspondance du Cardinal de Granvelle, 1877ff., Bd. 4, Nr. 53

---

[1] Beherrschten damals das Bankwesen
[2] Wahrscheinlich Vorbereitung zur Auswanderung
[3] Die von Alba erhobene ständige Steuer

M 2.11 **Eroberung von Den Briel durch eine Geusenflotte am 1. April 1572**

(Zeitgenössischer Stich von Franz Hogenberg)

M 2.12 Aufruf Wilhelms von Oranien an die Staaten und das Volk der Niederlande vom 16. Juni 1572

Um zu verhindern, daß der giftige Krake[1] sich unter seiner schwarzen Tinte versteckt und Euch ansteckt und verführt auf seiner Bahn, müßt Ihr uns beweisen, daß wir Euch
5 zu Unrecht beschuldigen, Komplizen bei all den Greueltaten gewesen zu sein, die jüngst ausgeführt worden sind. Wir sind bereit, Euch wieder in unsere Gunst aufzunehmen [...], wenn Ihr uns Eure Städte zum Gemein-
10 wohl des Vaterlands übergebt und den Tyrannen[1] vertreibt. Die schönsten Städte, Häfen, Flüsse und ihre Mündungen haben, wie Ihr sehen könnt, ein Beispiel gegeben, indem sie ihr Joch mit unerhörtem Mut abgeworfen
15 und meine Flotte und Truppen empfangen haben[2], so daß ich jetzt in der Lage bin, ihre neu gewonnene Freiheit zu verteidigen. Ich stehe bereit mit gut ausgestatteten Hilfstruppen und hege überhaupt keinen Groll wegen
20 der Undankbarkeit, die ich in der Vergangenheit erfahren habe. [...] Kehrt endlich zur Freiheit zurück, stellt die Freiheit des Staats wieder her und gebt den Staat, wiederhergestellt in seinem alten Glanz und von Leid be-
25 freit, dem König zurück. Denn wenn er nie das Land verlassen und gemäß internationalem Recht das freie Geleit unserer Abgesandten beachtet hätte [er konnte es nicht tun aufgrund der Treulosigkeit seiner Ratge-
30 ber], dann wären nicht all unsere Besitztümer vernichtet worden. Um Euer früheres Glück wiederzugewinnen, müßt Ihr – mit der Waffe in der Hand – Gewalt mit Gewalt vergelten. Auf daß die Gründe für meinen Rat
35 allen bekannt sein mögen, rufe ich Gott den Allmächtigen an, den Lenker meines gerechten Bestrebens, Euch zu beschützen, als Zeugen, daß ich nur die folgenden Ziele in diesem Krieg habe:
40 Mit voller Rücksichtnahme auf die souveräne Macht des Königs sollen alle Erlasse, die gegen Gewissen und Gesetz verstoßen, annulliert sein, und jedem, der es will, soll es freistehen, die Lehre der Propheten, Jesu Christs
45 und der Apostel anzunehmen, welche die Kirchen bis jetzt gelehrt haben, und diejenigen, die diese Lehren ablehnen, können das tun ohne irgendeine Schädigung an ihren Gü-

tern, solange sie sich friedlich verhalten und beweisen können, daß sie das auch in der
50 Vergangenheit getan haben. Der Name Inquisition wird für immer ausradiert sein. [...] Ihr müßt Euch mit Gott versöhnen, Ihr müßt dafür sorgen, daß der König seine Regierungsgewalt wieder zurückbekommt und daß
55 der Frieden im Staat wiederhergestellt wird. Dann allein könnt Ihr erwarten, daß Ihr wieder   freie   Durchgangswege   durch Deutschland, England, Frankreich und Polen für Euren Handel erhaltet, den der Tyrann,
60 dieser zerstörerische Unmensch, behinderte, Euch dadurch einen enormen Schaden zufügend. [...]

Übers. aus: Kossmann/Mellink: (M 2.5) S. 93–97

1 Gemeint ist der Herzog von Alba.
2 Die Häfen Den Briel, Vlissingen und Enkhuizen hatten mittlerweile ihre Tore den Geusen geöffnet.

M 2.13 Der Krieg in der zeitgenössischen Propaganda

„Die Märtyrer von Gorkum", 1572 (Darstellung aus den südlichen Niederlanden nach der Spaltung um 1600)

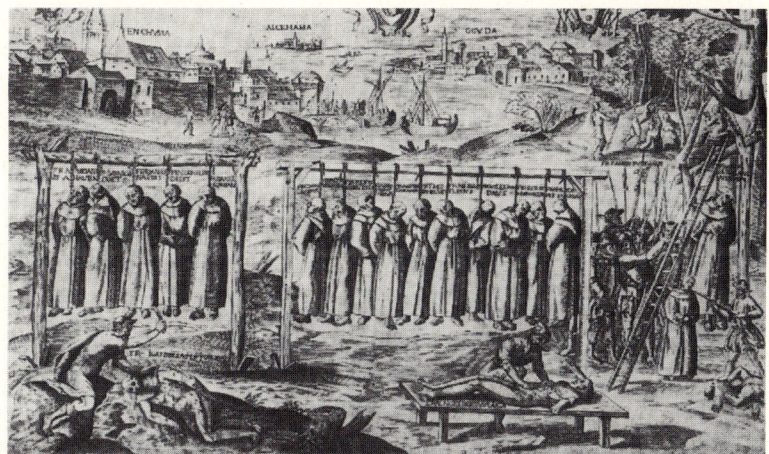

Ermordung katholischer Geistlicher nach der Eroberung von Gorkum durch die Geusen, 1572 (Stich von Franz Hogenberg)

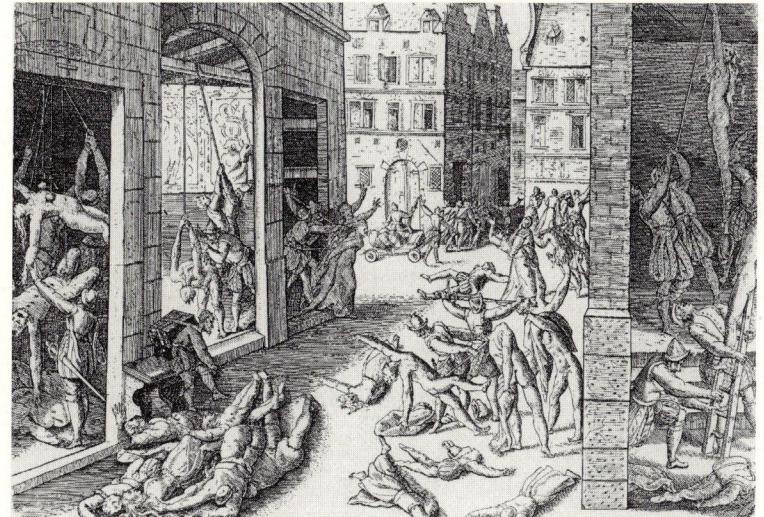

Brandschatzung Antwerpens (1576) durch spanische Truppen, die wegen ausstehender Soldzahlungen meuterten (Stich von Franz Hogenberg)

Kenau Simonsdochter Hasselaer an der Spitze einer „Frauenkompanie" bei der Belagerung von Haarlem durch die Spanier, 1575 (anonymer Holzschnitt)

M 2.14 Die Militärmacht Spanien und ihre „Flandrische Armee" z. Z. Philipps II.

a) Die spanische Heeresstärke im westeuropäischen Vergleich zu bestimmten Zeiten

Zeit-raum	Spanien	Nieder lande	Frank reich	England
1470er	20 000	–	40 000	25 000
1550er	150 000	–	50 000	20 000
1590er	200 000	20 000	80 000	30 000

aus: G. Parker: Europe in Crisis, Brighton 1980, S. 70

b) Die nationale Zusammensetzung der „Flandrischen Armee"

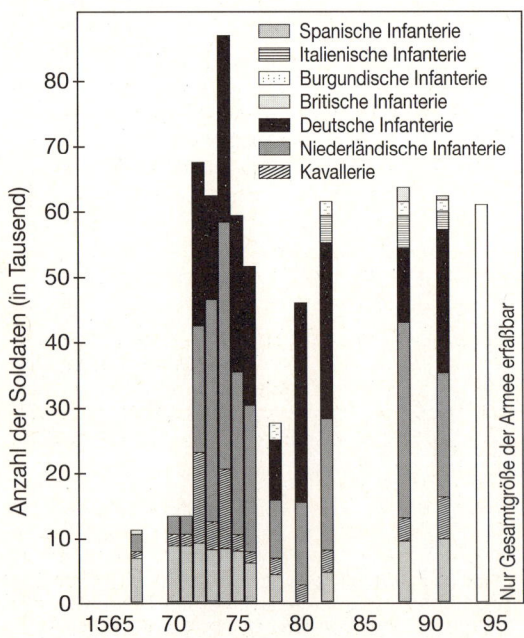

aus: G. Parker: The Army of Flanders and the Spanish Road 1567–1659, Cambridge 1972, S. 28

c) Übersicht über Orte, Zeiten, Kosten von Meutereien der „Flandrischen Armee"

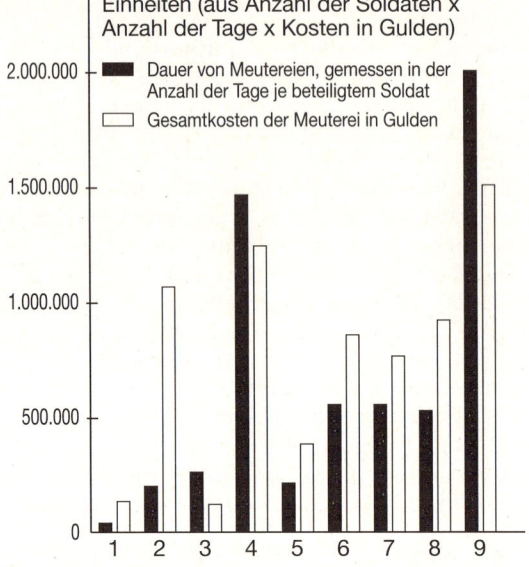

Einheiten (aus Anzahl der Soldaten x Anzahl der Tage x Kosten in Gulden)

■ Dauer von Meutereien, gemessen in der Anzahl der Tage je beteiligtem Soldat
□ Gesamtkosten der Meuterei in Gulden

1 Haarlem 1573
2 Antwerpen 1574
3 Holland 1574–1575
4 Aalst 1576–1577
5 Kortrijk 1589–1590
6 Diest 1590–1591
7 St. Pol 1593–1594
8 Pont-sur-Sambre 1593–1594
9 Zichem 1594–1596

aus: Parker: (M 2.14 b) S. 186

M 2.15 Der Friedensvertrag von Gent („Genter Pazifikation") vom 8. November 1576 zwischen Holland und Seeland einerseits und Brabant, Flandern, Artois, Hennegau, Valenciennes, Lille, Douai, Orchies, Tournai, Utrecht und Mechelen andererseits

Dieser ewige und dauerhafte Frieden [...] ist unter folgenden Bestimmungen und Bedingungen geschlossen worden.
1. Alle Beleidigungen, Verletzungen, Gesetzlosigkeiten und Beschädigungen, die wäh- 5
rend der Unruhen zwischen den Bewohnern der Provinzen geschehen sind, die in den vorliegenden Vertrag mit einbeschlossen sind, wo und wie immer sie auch passiert sind, sollen vergeben und vergessen sein und 10

als nicht geschehen betrachtet werden, so daß keiner sie mehr erwähnen oder deswegen gerichtlich verfolgt werden darf.

2. Infolgedessen versprechen die genannten Staaten von Brabant, Flandern, Hennegau usw. wie auch der Prinz, die Staaten von Holland und Seeland mit ihren Verbündeten, sich aufrichtig und ehrlich daran zu halten, alle Bewohner der Provinzen zu verpflichten, von jetzt an dauerhaft und unverbrüchlich Freundschaft und Frieden aufrecht zu erhalten, sich immer und überall in Wort und Tat gegenseitig beizustehen, mit Leben und Besitz, und die spanischen Soldaten und die anderen Ausländer aus den Provinzen zu vertreiben und davon weg zu halten. [...]

9. Es hat auch Zustimmung gefunden, daß alle Gefangenen, die während der jüngsten Unruhen gemacht worden sind, freigelassen werden sollen [...] ohne Zahlung eines Lösegeldes [...], allerdings sollten sie die Gefängniskosten zahlen. [...]

Übers. aus: Kossmann/Mellink: (M 2.5) S. 127–130

M 2.16   Der Unionsvertrag von Utrecht vom 29. Januar 1579[1]

Es ist offenkundig, daß seit dem Abschluß des Friedensvertrages von Gent, gemäß dem es fast alle Provinzen dieser Niederlande unternommen haben, sich gegenseitig mit Leben und Besitz bei der Vertreibung der Spanier, des anderen ausländischen Volks und ihrer Gefolgsleute[2] beizustehen, die Spanier genauso wie Don Juan d'Austria[3] [...] versucht haben und noch mit allen ihnen zur Verfügung stehenden Mitteln versuchen, diese Provinzen ganz oder zum Teil ihrer tyrannischen Herrschaft zu unterwerfen und zu versklaven [...] und die Union zu annullieren und umzustürzen, die durch den Friedensvertrag errichtet worden ist, so daß letztendlich die Länder und Provinzen Ruin und Zerstörung preisgegeben sein möchten [...] Daher haben die aus dem Herzogtum Gelderland und der Grafschaft Zutphen und die aus den Grafschaften und Regionen Holland, Seeland, Utrecht und Ommelanden [...] die folgenden Punkte und Artikel aufgesetzt und beschlossen. Dabei war es nicht ihr Wunsch, sich aus dem Verband des Heiligen Römischen Reiches zu lösen.

1. Die genannten Provinzen werden eine Allianz, Konföderation und Union eingehen und tun das hiermit, um ewig in jeglicher Weise und Form zusammenzuhalten, als wären sie eine einzige Provinz. [...]

2. In Übereinstimmung mit und in Erfüllung der Union und Allianz sollen die Provinzen verpflichtet sein, sich gegenseitig mit Leben und Besitz gegen jeden Gewaltakt beizustehen, den irgend jemand gegen sie (tatsächlich oder vorgeblich) im Namen Seiner Majestät des Königs oder seiner Bediensteten unternehmen sollte. [...]

13. Im Hinblick auf die Sache der Religion sollen Holland und Seeland nach eigenem Gutdünken handeln, während die anderen Provinzen dieser Union [...] solche Regelungen einführen mögen, wie sie sie für Frieden und Wohlfahrt der Provinzen geeignet ansehen [...], vorausgesetzt, daß in Übereinstimmung mit dem Friedensvertrag von Gent jeder einzelne Religionsfreiheit genießt und keiner wegen seiner Religion verfolgt oder vor Gericht gestellt wird. [...]

19. Um allen Fragen und Schwierigkeiten, die auftauchen können, zu begegnen, sollen die Alliierten – durch autorisierte Personen eingeladen – verpflichtet sein, an dem festgesetzten Tag nach Utrecht zu kommen. Dort sollen die Fragen oder Schwierigkeiten [...] diskutiert werden, und es soll eine Entscheidung getroffen werden, entweder durch eine allgemeine Beratung und Einmütigkeit der Alliierten oder durch einen Mehrheitsbeschluß. [...] Diese Entscheidungen sollen auch für diejenigen bindend sein, die abwesend sind, außer in sehr wichtigen Angelegenheiten, die einen gewissen Aufschub zulassen. [...]

Übers. aus: Kossmann/Mellink: (M 2.5) S. 165–171

---

1 Vorausgegangen war am 6. Januar 1579 der Unionsvertrag von Arras, durch den sich zunächst die Provinzen Hennegau und Arras und dann weitere Südprovinzen mit dem erklärten Ziel zusammentaten, zu einer Aussöhnung mit Spanien zu gelangen.

2 Gemeint ist hier insbesondere eine Gruppe von Personen aus dem wallonischen Hochadel, die sog. „Malcontenten" (Unzufriedenen). Sie waren Katholiken und sahen ihre Position durch die oranische Partei gefährdet. Es ging maßgeblich auf ihr Konto, daß es zwischen den Provinzen der südlichen Niederlande (heute: Belgien) und Spanien zu einem Ausgleich kam.

3 Vgl. M 2.4

Die Niederlande erklären sich unabhängig

| M 2.17 | **Aus der Verteidigungsschrift Wilhelms von Oranien gegen seine Ächtung durch Philipp II., veröffentlicht im Februar 1581** |

Meine Herren, Sie wissen, welche Verpflichtungen ihn binden[1] und daß er nicht tun kann, was er will, wie er es in den Indien[2] kann. Er kann nicht gewaltsam irgendeinen
5 seiner Untertanen zu irgendeiner Tat zwingen, wenn das Gewohnheitsrecht der lokalen Rechtshöfe, die die Rechtsprechung über ihn haben, es nicht erlaubten. Auch kann er die allgemeine Verfassung des
10 Landes in keiner Weise durch Befehl oder Erlaß verändern.

Übers. aus: Kossmann/Mellink: (M 2.5) S. 211f.

---

[1] Gemeint ist Philipp II.
[2] den amerikanischen Kolonien

| M 2.18 | **Aus der Unabhängigkeitserklärung der Generalstaaten der Vereinigten Niederlande[1] vom 26. Juli 1581** |

Jedermann weiß, daß der Prinz eines Landes von Gott zum Haupt über seine Untertanen bestellt ist, um sie zu bewahren und zu beschirmen vor jeder Ungerechtigkeit, Not und Gewalt, gleich wie ein Hirte zum Schutz für seine
5 Schafe bestellt ist, und daß die Untertanen nicht von Gott geschaffen sind um des Prinzen willen, um ihm in allem, was er befiehlt, egal
10 ob es göttlich oder ungöttlich, Recht oder Unrecht ist, untertänig zu sein und als Sklaven zu dienen. Im Gegenteil, der Prinz ist um der Untertanen willen da, ohne die er kein Prinz ist, um sie gemäß Recht und Vernunft zu regieren
15 und sie zu erhalten und zu lieben wie ein Vater seine Kinder und ein Hirt seine Schafe, der Leib und Leben einsetzt, um sie zu bewahren. Und deshalb, wenn er das nicht tut, sondern, statt seine Untertanen zu beschirmen, sie zu
20 unterdrücken, zu bedrängen, ihnen ihre alte Freiheit, ihre Privilegien und ihr altherkommendes Recht zu nehmen und sie wie Sklaven

zu kommandieren und gebrauchen sucht, braucht er nicht mehr als Prinz, sondern muß als Tyrann angesehen werden. Und als solchen 25 brauchen seine Untertanen ihn jedenfalls nach Recht und Vernunft nicht länger als ihren Prinzen anzuerkennen, vor allem wenn das durch die Staaten des Landes beschlossen worden ist, und sie können ihn verlassen. Und ein anderer 30 kann an seiner Stelle zum Oberhaupt gewählt werden, damit er sie beschirme, ohne daß ein Mißbrauch vorliegt. [...]
Solches ist aus ähnlichen Ursachen in verschiedenen Ländern zu verschiedenen Zeiten geschehen, Beispiele sind genugsam bekannt. 35 Und es pflegt vornehmlich in den Ländern zu geschehen, die immer regiert worden sind und auch regiert werden mußten gemäß dem Eid, den ihr Prinz bei seiner Amtseinsetzung nach 40 Ausweis ihrer Privilegien, Gewohnheitsrechte und Rechtstraditionen schwören mußte. Auch haben fast alle diese Länder ihre Prinzen unter bestimmten Bedingungen aufgrund von beschworenen Kontrakten und Zu- 45 stimmungen angenommen. Brach der Prinz sie, verlor er sein Herrschaftsrecht in den Landen [...].[2]
Daher tun wir kund, daß [...] der König von Spanien von Rechts wegen seine Rechte auf 50 Herrschaft, Rechtsprechung und Erbschaft an diesen Landen verloren hat [...] und daß wir seinen Namen als Souverän nicht mehr gebrauchen werden und nicht zulassen, daß er von anderen [so] gebraucht wird. Wir erklären 55 auch alle Beamten und Richter, die Territorialherren[3] und Vasallen und alle anderen Einwohner dieser Lande ohne Rücksicht auf Stand und Rang von jetzt ab frei von dem Eid, den sie dem König von Spanien als Herrn die- 60 ser Länder geleistet haben und durch den sie ihm verpflichtet waren. [...]

Übers. aus: Kossmann/Mellink: (M 2.5) S. 216f., S. 225f.

---

[1] Flandern, Brabant und die Provinzen der Union von Utrecht
[2] Vgl. M 2.2. In der Unabhängigkeitserklärung folgt nun eine lange Liste mit Verstößen Philipps II. gegen die niederländischen Privilegien.
[3] Kleinere Landesherren, die nur noch den König über sich hatten. Das niederländische Original der Erklärung nennt sie „smale-heren", die gleichzeitige französische Übersetzung „seigneurs particuliers".

Auf der Suche nach Frieden und Recht

M 2.19 **Aus der „Brüderlichen Warnung an alle Christenbrüder", in Antwerpen gedruckte kalvinistische Flugschrift vom 6. August 1581**

[...] Meines Erachtens ist es am besten, daß niemand, der im Handwerk oder einer anderen niederen Tätigkeit beschäftigt ist, sei er reich oder arm, wenn es keine unreinen und 5 unehrbaren Handwerke und Personen sind, unwählbar oder von der Wahl ausgeschlossen sein sollte, sondern daß die Fähigsten gewählt werden sollten [von den Handwerkern für ihre Gruppe und von Adel oder 10 Patriziat für ihre Gruppe], ohne Unterschied und Ansehen der Personen. Denn es ist zweifellos eine harte Sache, die man in vielen Städten seit Jahren gesehen hat, daß diejenigen, die einmal in den Magistrat ge- 15 kommen sind, sich den Ball so geschickt zuspielen, daß sie dauernd in dem einen oder anderen Amt bleiben, dieses Jahr als Bürgermeister, das nächste Jahr als Schatzmeister, das dritte als Oberdekan, Rentmeister, 20 Schöffe oder dergleichen. [...]
Der Grund von all dem [...] [ist], daß die Angesehensten und Mächtigsten in ihrem Ehrgeiz so zusammenhalten, daß sie – die ehrenvollen Ämter unter sich aufteilend – das 25 gemeine Volk davon ausschließen können, und daß so ein Geschäft [ganz gleich, wer es betreibt] an Tyrannei grenzt und daß es so weit vom Gebot Gottes, der uns alle gleich aus dem einen Vater Adam und der einen 30 Mutter Eva geschaffen hat, und vom Gesetz der Natur, die uns über die eingeborene Gerechtigkeit belehrt, entfernt ist wie die Sterne von der Erdoberfläche.

Übers. aus: G. Griffiths: Democratic Ideas in the Revolt of the Netherlands, in: Archiv für Reformationsgeschichte 50, 1959, S. 58

M 2.20 **Aus einer anonymen katholischen Streitschrift von 1580**

Das sind die Worte des Magistrats von Leiden. Aus ihren Argumenten merkt man wohl, was sie wollen. Zum ersten, die Geistlichkeit vertreiben, damit sie ohne Gott und Gebot leben können, ja sogar, sie zu töten. 5 [...]
Dann, den Adel ein für allemal auszurotten, um eine Demokratie zu machen, d.h. die Herrschaft des gemeinen Volks oder Pöbels, eine Regierungsform, die – wie man sagt – in 10 einigen Städten der Schweiz existiert. Diese ungebildeten Weber und Kürschner haben von ihren Predigern gelernt, wie man debattiert [...], wenn auch ohne Vernunft und Verstand. [...] 15
Die Genter sagen offen, daß sie keine viereckigen Kappen, langen Roben und Samtkappen mehr sehen wollen, d.h. keine Geistlichen, gelehrte Doktoren und Adligen. Ohne Geistliche und gelehrte Doktoren 20 werden wir bald eine gefährlichere und schrecklichere Verwirrung haben als je in Babylon.

Übers. aus: G. Griffiths: (M 2.19) S. 60ff.

M 2.21 **Aus einer anonymen kalvinistischen Flugschrift von 1583**

Wenn wir bereit sind, die Wahrheit leidenschaftslos zu erkennen, müssen wir dann nicht zugeben, daß es gegenwärtig in Europa kein glücklicheres Volk als die Schweizer gibt, weil dort die Demokratie, d.h. die ehr- 5 bare, wohlgefügte bürgerliche Regierungsform, eingerichtet ist? Gottesfurcht, Ehrbarkeit und Gerechtigkeit werden bei ihnen in Frieden aufrecht erhalten, und sie sind so gesegnet im Angesicht Gottes, daß sie – in Ver- 10 einigung verharrend – von allen Machthabern geachtet werden, die daher Bündnis und Freundschaft mit ihnen suchen. Deshalb scheint es nötig, daß wir in diesen Niederlanden über jene Regierungsform reif- 15 lich nachdenken sollten, um aus aristokratischer und demokratischer, d.h. aus Adels- und Bürgerregierung eine gemäßigte und gute Regierungsform zu entwickeln, durch die unser Vaterland von aller Tyrannei 20 befreit und in Gottesfurcht, Frieden und Gerechtigkeit regiert und erhalten werden kann.

Übers. aus: G. Griffiths: (M 2.19) S. 62f.

Der Aufstand aus geschichtswissenschaftlicher Sicht

M 2.22 **Der marxistische Historiker Gerhard Schilfert kam 1973 zu folgendem Urteil über den Aufstand in den Niederlanden:**

Die niederländische Revolution brachte eine neue Etappe in der Auseinandersetzung zwischen Bourgeoisie und Feudalklasse. Sie war die zweite höhere Stufe der frühen bürgerli-
5 chen Revolution[1], zu deren Auslösung die katholische Gegenreformation von wesentlicher Bedeutung war. Denn diese stellte die Antwort des Feudalismus auf die Entwicklung des Kapitalismus dar und war ein prin-
10 zipiell konterrevolutionäres Vorhaben, die Erfolge der ersten Stufe der frühbürgerlichen Revolution[1] zunichte zu machen. Die Niederlande waren schließlich Bestandteile des Hauptzentrums der Gegenreformation
15 des spanischen Reiches König Philipps II., das alle Tendenzen zur Unterdrückung des Kapitalismus förderte. Andererseits waren in den Niederlanden selbst die Elemente der kapitalistischen Entwicklung weiter gediehen
20 als anderswo, so daß dieses Gebiet in der zweiten Hälfte des 16. Jh. das Hauptkampfgebiet zwischen Feudalismus und Kapitalismus abgab. […]
Im Norden der Niederlande, wo die nieder-
25 ländische Revolution zwar nicht zuerst begonnen hatte, aber schließlich allein siegte, war der einheimische Adel zumeist schwach, dagegen gab es – besonders in Friesland – relativ viele Freibauern. Während in den südli-
30 chen Niederlanden die Stellung des Adels vornehmlich in den wallonischen Gebieten, noch verhältnismäßig stark war, hatte der spanische Feudalabsolutismus im Norden sehr wenig Stützen an einer inneren Reak-
35 tion, die sich neben dem Adel aus dem städtischen Patriziat, besonders in Amsterdam und Groningen rekrutierte. Der Gegenschlag der Spanier in der Mitte der achtziger Jahre des 16. Jh. unter Führung Alexander Farne-
40 ses führte deshalb auch nur zur Zurückgewinnung der südlichen Niederlande, während die nördlichen Niederlande unter Führung Moritz von Oraniens der Konterrevolution erfolgreich Einhalt geboten. […]

Die Entwicklung in den Niederlanden seit 45 den fünfziger Jahren des 16. Jh. erwies, daß die Durchsetzung des Kapitalismus nur in einem nationalen Befreiungskampf erreichbar war. Im Unterschied zu den deutschen Staaten gelang es den niederländischen Volks- 50 massen weitgehend, sich im Befreiungskampf als Triebkräfte durchzusetzen. Die führende Klasse in diesem Befreiungskampf konnte jedoch nur die Bourgeoisie, und zwar ihre damals führende Fraktion, die Handels- 55 bourgeoisie, sein. Die niederländische Handelsbourgeoisie hatte ein Interesse an der Einschränkung des Feudalismus, aber […] noch nicht an dessen völliger Beseitigung. Da sie aber gezwungen war, das Joch der na- 60 tionalen Unterdrückung durch Spanien abzuschütteln, mußte sie sich mit plebejisch-radikalen Kräften verbinden, die an einer Bekämpfung nicht nur der spanischen Unterdrücker, sondern auch des einheimischen 65 Feudalismus ein weitergehendes Interesse hatten als die Handelsbourgeoisie.

Aus: Zeitschrift für Geschichtswissenschaft, 21. Jg., 1973, S. 1444–1446

[1] gemeint ist die Reformation in Deutschland

M 2.23 **Der westdeutsche Historiker Heinz Schilling faßte 1976 sein Urteil über den Aufstand der Niederlande wie folgt zusammen:**

In ihrem gesellschaftlichen Kern stellte die niederländische Revolution eine Auseinandersetzung innerhalb der aus Adel, Großbürgertum – in geringem Maße auch Großbauerntum – zusammengesetzten politischen 5 Elite dar. Weder dieser Bruch quer durch die Führungsschicht noch die Koalition zwischen ihren Fraktionen lassen sich primär auf lang- oder kurzfristige ökonomische Entwicklungslinien zurückführen. Sie wurden viel- 10 mehr durch politische und administrative Veränderungen hervorgerufen, die der zunehmend vom Fürsten monopolisierte Staat durchzusetzen bestrebt war und die den gesellschaftlichen Status eines Teils der tradi- 15 tionellen Führungsschicht beeinträchtigten. Die niederländische Revolution fügt sich somit ein in die sozio-politische Entwicklungs-

dynamik, wie wir sie auch in Deutschland
kennen, wie sie aber vor allem in England und
Frankreich für das 17. Jahrhundert herausge-
arbeitet worden ist. Eine solche Bewertung
soll die relative Bedeutung ökonomischer
Zusammenhänge keineswegs in Abrede stellen; für eine Gesamtbewertung sind sie aber
den Vorgängen auf dem staatlich-politischen
Sektor zuzuordnen. Ähnliches gilt auch für
die religiösen und kirchlichen Probleme. Sie
gehörten aber […] im 16. Jahrhundert unmittelbar zu dem staatlichen und politischen
Kontext, so daß eine Unterscheidung häufig
nur analytisch erfolgen kann. […]
Im Gegensatz zu der These einer bürgerlichen Revolution in den Niederlanden gilt es
festzuhalten, daß das Bürgertum nie alleine
als Motor der revolutionären Bewegung fungierte und daß es überhaupt erst relativ spät
führend in die Erhebung eingegriffen hat.
Das Movens für seinen Anschluß an den
Aufstand ist nicht primär bei ökonomisch
bedingten Widersprüchen zu suchen. […] In
den östlichen und nördlichen Provinzen
spielte neben dem Bürgertum der Adel eine
wichtige Rolle, z. T. auch die Großbauern; in
den Seeprovinzen Holland und Seeland, die
im Gesamtstaat ein starkes Übergewicht er-
langten, herrschte aber das Bürgertum vor.
Damit war aus einer Revolution, die vom
Adel begonnen und von einer Koalition zwischen Adel und Großbürgertum gewonnen
worden war, eine in wesentlichen Zügen bür-
gerlich geprägte Welt hervorgegangen. Es
bleibt aber zu fragen, ob nicht unter Anerkennung der unbestreitbaren Leistungen des
Bürgertums – v.a. für die von den Zeitgenossen hoch bewunderte Wirtschaftsblüte der
Niederlande – bei einer Charakterisierung
des politischen und gesellschaftlichen Systems auch des nachrevolutionären Gemeinwesens stärker auf das Vorhandensein einer
relativ breitgestreuten Herrschaftselite abzu-
heben ist, die sich aus Großbürgertum, Adel
und Großbauern zusammensetzte. Innerhalb
dieser Gruppe traten ständische Unterschiede in den Hintergrund, konnte das Bürgertum
selbstbewußt agieren, ohne zum Adel aufzu-
schauen und durch ein Streben nach Aufstieg
in den höheren Stand sich ständig selbst zu
schwächen. Voraussetzung hierfür waren aber
nicht grundsätzliche Verschiebungen in der
Bewertung der Bereiche „Herrschaft" und

„Wirtschaft", sondern die gleichberechtigte
Beteiligung des Bürgertums an Herrschaft.
Jedenfalls war die in der Revolution geborene
Gesellschaft keine bourgeoise Wirtschaftsge-
sellschaft im modernen Sinne.

Aus: H.G. Wehler (Hg.): 200 Jahre amerikanische Revolution und
moderne Revolutionsforschung, (Vandenhoeck & Ruprecht) Göttingen 1976, S. 203, S. 230f.

Das Verhältnis von Mann und Frau und seine Änderung

M 2.24 | **Die Historikerin Heide Wunder in-
formiert über den Wandel der Geschlechterbeziehungen im 15. und
16. Jahrhundert:**

Nach der ersten Phase der Reformation änderte sich die soziale Herkunft der Gelehrten, der
Pfarrer und ihrer Ehefrauen. Sie bildeten zum
einen eigene Heiratskreise mit der Folge von
Selbstrekrutierung und Berufsvererbung –
auch über Töchter –, zum anderen verbanden
sie sich mit den Heiratskreisen des altständi-
schen Bürgertums, aus dem sie zum Teil
stammten. Obwohl die verschiedenen bürgerlichen Gruppierungen nur einen kleinen Teil
der Bevölkerung ausmachten, entstand hier
ein neues Frauenbild, das die älteren standes-
spezifischen Frauenbilder tendenziell ablöste
und keinen Unterschied mehr zwischen Adeli-
ger, Bürgerin und Bäuerin machte: das der
christlichen Haus- und Ehefrau. […]
Ich habe meine Überlegungen zum Wandel
der Geschlechterbeziehungen im 15. und 16.
Jahrhundert auf das Beispiel der gegenge-
schlechtlichen Institution der Ehe beschränkt.
Ebenso wichtig wäre es jedoch, der Frage
nachzugehen, ob und wie sich die gleichgeschlechtlichen Beziehungen zwischen Männern
und zwischen Frauen infolge dieses Prozesses
verändert haben. Von besonderer Wichtigkeit
scheinen mir diese Fragen für die Positionen
von Frauen in Familie, Verwandtschaft und
Nachbarschaft zu sein, wenn ich auf eine zentrale Form lokaler Konfliktaustragung im 16.
und 17. Jahrhundert, die Hexenprozesse, sehe.
Sie sind keineswegs allein aus der Misogynie[1]
der gelehrten Männer in Kirche und Staat zu
erklären, sondern nicht denkbar ohne die in
vielen Prozessen aufscheinende Feindschaft

35 zwischen Frauen, die sich gut kannten. Wird hier bereits die bedeutsame Dimension von gleichgeschlechtlichen Beziehungen und Interaktionen erkennbar, so wird sie noch in einem weiteren ebenso zentralen gesellschaftlichen
40 Bereich manifest. Ein ganz entscheidender Teil von Frauenlohnarbeit waren häusliche und im engeren Sinne „weibliche" Arbeiten für „bürgerliche" Frauen oder alleinstehende Männer. Die Klassifizierung von Frauen nach der von
45 ihnen verrichteten oder nicht verrichteten Arbeit ist im 17. Jahrhundert gang und gäbe: die bürgerlichen Frauen wurden zu „Frauenzimmern", ihre weiblichen Gehilfinnen zu „Menschen" oder gar „Tierlein". Die herkömmliche
50 Unterscheidung der Menschen nach Herkunft und Stand erreichte damit eine neue Qualität.

Aus: Heide Wunder: Überlegungen zum Wandel der Geschlechterbeziehungen im 15. und 16. Jahrhundert aus sozialgeschichtlicher Sicht, in: Wunder/Vanja (Hg.), Wandel der Geschlechterbeziehungen zu Beginn der Neuzeit, (Suhrkamp) Frankfurt, S. 22, S. 25

[1] Frauenfeindlichkeit

M 2.25   ca. 1609 – Der spanische Offizier und sein gesellschaftlicher Hintergrund

Adliger und Offizier verbanden sich zu einem Leitbild der feudalen Gesellschaften Europas, ebenso verfestigte sich die Rolle der adligen Frau, deren Handlungsspielraum nicht nur in der Literatur denkbar eng war

Don Antonio de Isunza und Don Juan de Gamboa, zwei vornehme Kavaliere von gleichem Alter, sehr verständige Leute und vertraute Freunde, entschlossen sich, wie sie
5 zusammen in Salamanca studierten, die Universität zu verlassen und nach Flandern zu gehen, angespornt von jugendlichem Feuer und von dem Triebe, die Welt zu sehen – wie man zu sagen pflegt –, wobei sie glaubten, daß
10 die Waffenübungen nicht nur einem jeden sehr wohlanständig wären, sondern sich vorzüglich für edle und vornehme Leute schickten. Wie sie in Flandern ankamen, war eben Friede geschlossen oder auf dem Punkt, abgeschlossen
15 zu werden.[1] In Antwerpen erhielten sie Briefe von ihren Eltern, in welchen sie ihnen empfindliche Vorwürfe machten, daß sie ihre Studien verlassen hätten, ohne ihnen Nachricht davon zu geben, damit sie sie wenigstens ihrem
20 Stande gemäß hätten ausrüsten können. Wie sie also sahen, daß sie in Flandern für sich nichts zu

tun war, entschlossen sie sich, um ihren Eltern keinen Verdruß zu machen, nach Spanien zurückzukehren, vorher aber die berühmtesten Städte Italiens zu besuchen. Nachdem sie die- 25 se alle besehen hatten, wählten sie Bologna zu ihrem Aufenthalte und wurden durch die Bewunderung, welche dieser berühmte Musensitz ihnen einflößte, gereizt, ihre Studien daselbst fortzusetzen. Sie eröffneten ihren Wunsch 30 ihren Eltern. Diese legten ihre Freude über den Entschluß ihrer Söhne dadurch an den Tag, daß sie ihnen reichliche Mittel übersandten, um sich ihrem und ihrer Eltern Stande gemäß aufzuführen, so daß sie von dem ersten 35 Augenblick an, da sie die Kollegien besuchten, sich als vornehme, muntere, vernünftige und wohlerzogene Kavaliere zeigen konnten. […] und sie bewiesen sich gegen jedermann freimütig und höflich und zeigten keine Spur 40 von der Zurückhaltung und dem Stolz, den man den Spaniern oft vorwirft; und da sie jung und munter waren, so versagten sie sich auch nicht den Umgang mit den Schönen der Stadt. Unter diesen gab es zwar sehr viele, sowohl 45 unverheiratete als verheiratete, die ebensosehr wegen ihrer Sittsamkeit als wegen ihrer Schönheit berühmt waren, doch den Vorzug vor allen behauptete Cornelia Bentibolli, ein Fräulein aus der uralten und edlen Familie der Bentibolli, 50 welche einst Herren von Bologna waren. Cornelia war ausbündig schön und stand unter der Vormundschaft ihres Bruders Lorenzo Bentibolli, eines biederen und tapferen Kavaliers.

Aus: Miguel de Cervantes Saavedra: Exemplarische Novellen, (Fischer Verlag) Frankfurt 1961, S. 393f.

---

[1] Waffenstillstand zwischen Spanien und den Niederlanden 1609–1621

M 2.26   In seinem Roman über die Marketenderin Courasche fängt der deutsche Dichter Grimmelshausen (1621–1676) wirklichkeitsnah das Leben der einfachen Frauen ein, die vor allem im Zeitalter der Söldnerheere das Lagerleben mit den Soldaten suchten:

Damals[1] lagen weit herum keine kaiserlichen Völker oder Armeen, zu welchen ich mich wieder zu begeben im Sinn hatte. Weil mirs denn nun an solchen mangelte, so gedachte ich mich

5 zu den Weimarischen oder Hessen zu machen, welche damals im Kitzinger Tal an der Orten herum sich befanden, um zu sehen, ob ich etwa wieder einen Soldaten zum Mann bekommen könnte. Aber ach! die erste Blüte meiner ohn-

10 vergleichlichen Schönheit war fort, wie eine Frühlingsblum verwelket, wie mich denn auch mein neulicher Unfall und daraus entstandene Bekümmernis nicht wenig verstellet, so war auch mein Reichtum hin, der oft die alten Wei-

15 ber wieder an Männer bringet. Ich verkaufte von meinen Kleidern und Geschmuck, so mir noch gelassen worden, was Geld galt, und brachte etwa zweihundert Gulden zuwege, mit denen machte ich mich samt einem Boten auf

20 den Weg, um mein Glück zu suchen, wo ichs finden möchte. Ich traf aber nichts als Unglück an; denn ehe ich Schiltach[2] erlangte, kriegte uns eine weimarische Partei Musketier, welche den Boten abprügelten, plünderten und

25 wieder von sich jagten, mich aber mit sich in ihr Quartier schleppten. Ich gab mich für ein kaiserliches Soldatenweib aus, deren Mann vor Freiburg in Breisgau tot geblieben wäre, und überredet die Kerl, daß ich in meines Mannes

30 Heimat gewesen, nunmehr aber willens sei, mich ins Elsaß nach Haus zu begeben. Ich war, wie obgedacht, bei weitem nicht mehr so schön als vor diesem, gleichwohl aber doch noch von solcher Beschaffenheit, die einen

Musketierer aus der Partei so verliebt machte, 35 daß er meiner zum Weib begehrte. Was wollte oder sollte ich tun? Ich wollte lieber diesem einzigen mit gutem Willen gönnen, als von der ganzen Partei mit Gewalt zu demjenigen ge- zwungen werden, was dieser aus Lieb suchte; 40 in Summa, ich wurde eine Frau Musketiererin, ehe mich der Kaplan kopulierte. Ich hatte im Sinn, wieder […] eine Marketenderin abzuge- ben, aber mein Beutel befand sich viel zu leicht, solches ins Werk zu setzen. So mangelte 45 mir auch meine böhmische Mutter, und über- das bedünkte mich, mein Mann wäre viel zu schlecht und liederlich zu solchem Handel; doch fing ich an mit Tabak und Branntwein zu schachern, gleichsam als ob ich wieder halb- 50 batzenweis hätte gewinnen wollen, was ich kürzlich bei tausenden verloren. Es kam mich blutsauer an, so zu Fuß daherzumarschieren und noch dazu einen schweren Pack zu tragen, neben dem, daß es auch zuzeiten schmal Essen 55 und Trinken setzte, welches unangenehmlichen Dings ich mein Lebtag nicht versucht, viel weniger gewohnet hatte.

Aus: H.J. Grimmelshausen: Simplicianische Schriften – Lebensbe- schreibung der Erzbetrügerin und Landstörzerin Courasche, (Wiss. Buchgesellschaft) Darmstadt 1974, S. 110f.

---

[1] 1644 (Dreißigjähriger Krieg)
[2] Ort an der Kinzig

M 2.27 **Nach dem Kriege**

Chodowiecki, Bettelndes Soldatenweib

Calau, Invalider Husar

Aufgaben zu Kapitel 2

❶ Stellen Sie anhand der Ausführungen auf S. 39–44 die vorherrschenden Ursachen für die inner- und zwischenstaatlichen Konflikte im Zeitalter der Konfessionskriege zusammen. – Erläutern Sie an Beispielen aus dem Krieg in den Niederlanden (M 2.2–2.6, M 2.8, M 2.10, M 2.12, M 2.16, M 2.18–2.21), warum die damaligen Konflikte in der Geschichtswissenschaft als „gemischte Konflikte" bezeichnet werden. – Untersuchen Sie anhand von M 2.3, M 2.6, M 2.9, M 2.10, M 2.12, M 2.18, welche Formen struktureller Gewalt für den Aufstand in den Niederlanden eine Rolle gespielt haben.

❷ Zeigen Sie die ideologische Sprengkraft des (politischen) Kalvinismus (S.40f.) auf, und untersuchen Sie sie insbesondere für die Entwicklung in den Niederlanden (z.B. M 2.6, M 2.18–2.19).

❸ Überlegen Sie, warum die Weltmacht Spanien die Niederlande nicht unter Kontrolle zu bringen vermochte (S. 42ff.; M 2.10, M 2.14).

❹ Vergleichen Sie die ideologischen Positionen der Souveränitätslehre (S. 45f.) und des politischen Kalvinismus (S. 40f.) miteinander und mit der mittelalterlichen Lehre vom gerechten Krieg. – Untersuchen Sie die Bedeutung der Souveränitätsfrage für den Krieg in den Niederlanden (M 2.2, M 2.4–2.6, M 2.12, M 2.16–2.18). Achten Sie dabei auf den Wechsel der Argumentationsmuster, mit denen der Widerstand legitimiert wird.

❺ Erörtern Sie die Stärken und Schwächen diplomatischer Beziehungen für die Erhaltung und Sicherung des Friedens. Gehen Sie dabei von den Anschauungen und Lehren des 16. Jahrhunderts (S. 46f.) aus.

❻ Das Kriegsgeschehen der Glaubenskriege hat die Miterlebenden tief beeindruckt. Inwieweit lassen sich die Auswüchse des damaligen Krieges (vgl. M 2.13–2.14) aus der Eigenart des damaligen Kriegswesens (S. 47ff.) erklären? In seinem hintergründigen Roman „Don Quijote" konfrontiert Miguel de Cervantes, selbst spanischer Soldat in den Niederlanden und in der Seeschlacht von Lepanto, seinen nach ritterlichen Idealen lebenden (Anti-)Helden mit der zeitgenössischen Wirklichkeit des späten 16. Jahrhunderts. Informieren Sie sich dazu, und diskutieren Sie den ideologie- und gesellschaftskritischen Gehalt der Romanfigur vor dem Hintergrund des damaligen Konfliktgeschehens.

❼ Stellen Sie fest, welche Friedensbegriffe in der Friedensdiskussion des 16. Jahrhunderts verwendet wurden (S. 49f.; M 2.19–2.21), und nehmen Sie Stellung dazu, ob Ihnen die Beschreibung der Konfliktursachen und die Vorschläge zur Konfliktminderung bzw. -beseitigung realistisch erscheinen.

❽ Die Erfindung des (Buch-)Drucks eröffnete neue Möglichkeiten propagandistischer Kriegführung. Hinterfragen Sie in diesem Sinne die bildlichen Darstellungen M 2.7, M 2.9, M 2.11 und M 2.13.

❾ Vergleichen Sie den Genter Friedensvertrag (M 2.15) und den Urfehdebrief (M 1.17). Interpretieren Sie die beiden Stücke als Dokumente des gesellschaftlichen Strukturwandels, der sich zwischen dem 13. und 16. Jahrhundert vollzogen hat. Beide Dokumente enthalten die sog. „Oblivionsformel" („Vergessensformel"), die bis zu Beginn des 20. Jahrhunderts Bestandteil von Friedensverträgen war. Der Versailler Vertrag (vgl. Kapitel 5) enthielt stattdessen eine Klausel über die „Kriegsschuld" des besiegten Deutschland und über „Kriegsverbrechen", die nach Abschluß des Vertrages strafrechtlich zu verfolgen waren. Beurteilen Sie die Entwicklung unter dem Gesichtspunkt der Friedensförderlichkeit.

❿ Vergleichen Sie die Sichtweisen von Schilfert und Schilling (M 2.22 und M 2.23). – Decken Sie die unterschiedlichen ideologischen Positionen und Erkenntnisinteressen der Verfasser auf. – Begründen Sie, welche der beiden Sichtweisen Ihrer eigenen Sicht der Dinge am nächsten kommt.

⓫ Informieren Sie sich über die Entwicklung der Geschlechterbeziehungen im 16. Jahrhundert (M 2.24), und beurteilen Sie von daher das öffentliche Ansehen der in M 2.25–M 2.26 (vgl. auch M 2.13) dargestellten Frauentypen. – Untersuchen Sie, welche Faktoren in den Geschlechterbeziehungen eine Rolle spielen und wie sie sich auf die Biographien der Frauen auswirken.

3 Krieg und Frieden im Zeitalter des Absolutismus und der Französischen Revolution

Das Edikt von Nantes hatte Frankreich 1598 das Ende der Religionskriege gebracht, ohne das Risiko innerer Kriege grundsätzlich zu beseitigen. Heinrich IV. hatte den Hugenotten etwa 150 befestigte Orte zugestanden, an denen sie ihr eigenes Militär unterhielten – eine für den König kaum zu ertragende Minderung seines Herrschaftsanspruchs. Daneben stand unvermindert der Einfluß der Ständeversammlungen und der Parlamente (= Gerichtshöfe), auch war die Macht großer Adelsfamilien kaum gemindert – ja sogar durch die zunehmende Käuflichkeit der hohen Staatsämter noch gewachsen. Hinzu kamen die Wechselfälle des Lebens in der Königsfamilie: Als Heinrich IV. 1610 von einem fanatischen Katholiken ermordet wurde, war sein Nachfolger Ludwig XIII. erst neun Jahre alt, der seinerseits 1643 den erst fünfjährigen Ludwig XIV. als Erben hinterließ. In dieser Situation waren es zwei Kardinäle, Richelieu und Mazarin, die eine konsequente Stärkung der Zentralgewalt betrieben. Ihr Ziel eines Königtums, das – „legibus absolutus" – von gewöhnlichen rechtlichen Bindungen frei war, gab der Monarchie und dem Zeitalter den Namen „Absolutismus".

Der Begriff Absolutismus – auf einen Zeitraum von fast zwei Jahrhunderten (vom Anfang des 17. bis zum Ende des 18. Jahrhunderts) und auf die Mehrzahl der europäischen Staaten angewendet – lädt geradezu zu Mißverständnissen ein, besonders wenn man sich an den zahlreichen theoretischen Schriften darüber orientiert. Die Selbstdarstellung Ludwigs XIV. als eines uneingeschränkten Souveräns war zunächst ein Programm, nach dem der König zwar eine für seine Zeitgenossen ganz neue Machtposition eroberte, aber auch große Bereiche unausgefüllt ließ, die heute notwendig zur staatlichen Herrschaft gehören. In den vielen europäischen Staaten, deren Fürsten ähnliches wie in Frankreich versuchten, entwickelten sich je nach örtlichen Machtverhältnissen und wirtschaftlichem Entwicklungs-

stand unterschiedliche Ausprägungen des Absolutismus. Die meisten von ihnen gerieten mit der Zeit unter den Einfluß der Aufklärung, einer geistig-politischen Bewegung, so daß man in der zweiten Hälfte des 18. Jahrhunderts vom „aufgeklärten Absolutismus" als einem eigenen Herrschaftstypus spricht.

3.1 Der absolutistische Staat

Es war in Frankreich Richelieu, der 1628 den Hugenotten ihre militärische Macht nahm, die Festungen des Adels schleifen ließ, die Parlamente schwächte und die Generalstände, den Ständetag ganz Frankreichs, nicht mehr einberief. Mit einem „stehenden" Heer schuf sich das Königtum ein Militär, das von zufälligen Einzelentscheidungen der Stände weitgehend unabhängig und nach innen und außen ständig verfügbar war. Mit einer wachsenden Beamtenschaft zog es immer mehr staatliche Aufgaben an sich und bewältigte sie nach einheitlichen und rationalen Verfahren. Die Zahl derjenigen, die noch wie im späten Mittelalter höchste politische Macht ausüben konnten, sank immer mehr. Ebenso verringerte sich die Anzahl der Gründe, die früher einem (freien) Mann das Recht zum Widerstand gegen eine Macht gaben, die als ungerechtfertigt angesehen wurde. Die Politik orientierte sich nicht länger an Religion und Moral, sondern vielmehr an der Erhaltung des Staates und der Mehrung seiner Macht. Die Europäer des 20. Jahrhunderts haben oft vergessen, daß sie der Konzentration und Monopolisierung staatlicher Gewalt neben vielen Problemen auch den Vorteil verdanken, daß die Kriegsgefahren vor allem im Inneren reduziert und Kriege kalkulierbarer und beherrschbarer wurden.

Ihren theoretischen Ausdruck fand die neue Vorstellung vom Staat in der Lehre vom Primat der Staatsräson in öffentlichen Angelegenheiten. Danach sollte das öffentliche Leben nicht durch religiös motivierte Moral oder Tugend geregelt werden, sondern durch die rationale Entscheidung, den vernunftgeleiteten Willen des Monarchen. „In den Monarchien bringt die Politik die wichtigsten Dinge mit sowenig wie möglich Tugend zuwege" (Montesquieu, Vom Geist der Gesetze, 1748). Diese Ausschaltung der Moral aus der Politik bzw. ihre Unterordnung unter die Politik war der zentrale Grundzug der absolutistischen Monarchie überhaupt.

Bahnbrecher des Rationalismus war der französische Gelehrte Réné Descartes (1596–1650). Ihm galt nur das als wahr, was die Vernunft klar und deutlich begriff. Einmal erkannt, waren die Naturgesetze zugleich Instrumente, die Welt zu beherrschen. Die Maschine, der vom Menschen hergestellte Automat, war für ihn der Beweis dafür, daß die Erkenntniskraft der Vernunft den Menschen befähigt, steuernd in die Natur einzugreifen. Sollte nicht dasselbe für die Politik gelten? Die Wirkung des Rationalismus auf den Absolutismus wird in den Lehren der Kameralistik, der Wissenschaft von der Regierung des Staates, augenscheinlich. Daß 1727 der preußische König Friedrich Wilhelm I. in Halle den ersten Lehrstuhl für Kameralistik schuf, unterstreicht den offiziellen Charakter dieser Wissenschaft.

„Der Staat als Maschine" war nicht nur eine der beliebtesten Metaphern jener Zeit, in ihr drückte sich auch das Selbstverständnis des absolutistischen Monarchen aus. Er war der Herr der „Maschine". Er bestimmte den Zweck und die „zweckgemäße" Ordnung der Einzelteile.

Die berühmteste Rechtfertigung absolutistischer Machtausübung lieferte 1651 der englische Philosoph Thomas Hobbes (1588-1679) in seinem Werk „Leviathan". Darunter versteht Hobbes den von Menschenhand „künstlich" geschaffenen Staat. Die Schlüsselrolle bei diesem Schöpfungsakt weist er dem sog. Gesellschaftsvertrag zu, der den Übergang der Menschheit aus einem fiktiven Naturzustand in den Staat markiert. Nach Hobbes hat der Mensch von Natur aus einen unwiderstehlichen Drang danach, Macht und Herrschaft über andere auszuüben. Infolgedessen findet im Naturzustand ein unausgesetzter „Krieg aller gegen alle" statt, der den einzelnen fortgesetzt mit Untergang und Tod bedroht. Da der Mensch aber zugleich mit der Machtgier das

starke Verlangen hat, sein Leben zu erhalten und in Frieden zu leben, sucht er nach einem Ausweg aus dem friedlosen Naturzustand. Hobbes sah den einzigen Ausweg darin, daß sich alle Menschen einigen, ihre Kraft und Macht einer Machtzentrale, die aus einem oder mehreren Menschen besteht, zu übertragen und sich dieser Machtzentrale zu unterwerfen. Dieser sog. Gesellschaftsvertrag stellte in zwei Schritten – dem Einigungs- und dem Unterwerfungsvertrag – sicher, daß der einzelne sein Recht auf persönliche Gewaltanwendung aufgab und dafür den Schutz der Machtzentrale erhielt. Hobbes wußte zwar, daß es den Gesellschaftsvertrag in Wirklichkeit nie gegeben hatte, forderte aber, daß sich alle so verhielten, als gäbe es ihn. Denn „auf diese Weise werden alle einzelnen eine Person und heißen Staat oder Gemeinwesen. So entsteht der große Leviathan oder, wenn man lieber will, der sterbliche Gott, dem wir unter dem ewigen Gott allein Frieden und Schutz zu verdanken haben. Dieses von allen und jedem übertragene Recht bringt eine so große Gewalt und Macht hervor, daß durch sie die Gemüter aller zum Frieden unter sich gern geneigt gemacht und zur Verbindung gegen auswärtige Feinde leicht bewogen werden. [...] Von dem Stellvertreter des Staates sagt man, er besitzt die höchste Gewalt. Die übrigen alle heißen Untertanen und Bürger" (Leviathan 2. T., 17. Kap.). Nach Einrichtung des Staates gab es für Hobbes keinen Fall mehr, der ein Widerstandsrecht von seiten der Untertanen gegen den Souverän rechtfertigte. Entschieden bestritt er vor allem, daß die Souveränität des Staatsoberhauptes von irgendwelchen moralischen Wahrheitspositionen her kritisiert werden dürfte: „In einem Staate hängt die Auslegung der natürlichen Gesetze nicht von den Lehrern und Schriftstellern der Moralphilosophie, sondern von dem Staat selbst ab. Jene Lehren sind vielleicht wahr; aber nicht durch Wahrheit, sondern durch die Autorität [des Monarchen] wird etwas zum Gesetz" (Leviathan, 2. T., 26. Kap.). Dies alles, so glaubte Hobbes, entzöge dem Bürgerkrieg in den Staaten die Grundlage, und nur darum könne es gehen.

Die Durchsetzung der absolutistischen Staatsgewalt löste in Frankreich 1648–53 noch einmal einen schweren Bürgerkrieg, den Fronde-Aufstand aus; dann aber bildete sich das politische System heraus, das als Absolutismus für Europa vorbildlich wurde: Die königliche Gewalt brach die Macht der Provinzstände, versammelte den hohen Adel in Versailles und Paris und machte ihn als Hofadel sozial und häufig auch finanziell vom Herrscher abhängig.

Selbst die Wirtschaft sollte in ihrer merkantilistischen Form der Zentrale unterstellt sein.

Das Beamten„heer", von dem im Zusammenhang mit dem Absolutismus häufig gesprochen wird, war allerdings aus heutiger Sicht recht klein, seine Wirksamkeit bei den damaligen Verkehrs- und Nachrichtensystemen begrenzt. Die Provinzen Frankreichs behielten ihre aus alten Traditionen her stammenden Eigenrechte, ihre besonderen Maße und Gewichte, Rechtstraditionen und Zollgrenzen. (Die Geschichtswissenschaft benutzt für das Frankreich der Zeit vor 1789 häufig den Plural „les France"!) Die Patrimonialgerichte des Adels über seine bäuerlichen Untertanen und die städtischen Gerichte blieben von der absolutistischen Bürokratie weitgehend unberührt. Letztlich wurden – im Vergleich mit heutigen Staaten – nur wenige Bereiche zentralisiert – das Militär, das Auswärtige, die hohe Justiz und Verwaltung (diese beiden noch ungetrennt) und die Finanzen, soweit sie den Hof, das Militär und die zentrale Verwaltung

sicherten. Unter der absolutistischen Spitze blieb die alte Ständegesellschaft erhalten; allerdings hatte der Herrscher alle wesentlichen Herrschaftsrechte aus ihr herausgezogen und sicherte innerhalb der Grenzen des Landes den Frieden.

Darin war er so erfolgreich, daß man nicht mehr vom „inneren Frieden", sondern von „öffentlicher Ruhe und Sicherheit" sprach. Die Bedeutung von Krieg wurde eingegrenzt auf den gewalttätigen Konflikt zwischen Staaten. Solche Kriege hielt man im Zeitalter des Absolutismus für notwendig. Es lag im Verständnis des Souveränitätsbegriffs des absolutistischen Fürsten, daß er es als sein Recht ansah, gegen andere Fürsten Krieg zu führen. Denn da der absolutistische Souverän keinen Höheren außer Gott über sich anerkannte und es daher ein überstaatliches Gerichtswesen – dem innerstaatlichen vergleichbar – gar nicht geben konnte, galt der Krieg als das Mittel, Konflikte zwischen Souveränen auf gewaltsame Weise zu lösen. In der Völkerrechtslehre drückte sich dies so aus, daß die Frage des „gerechten Krieges" nicht mehr die frühere Bedeutung hatte. Unter dem Leitstern der Souveränitätsidee gestand man allen kriegführenden Parteien gerechte Gründe zu und das Recht, politische Entscheidungen zwischen Staaten durch Krieg herbeizuführen.

Der „absolutistische Krieg" in einer zeitgenössischen Allegorie zum Siebenjährigen Krieg: Links Kaiserin Maria Theresia von Österreich, rechts König Friedrich II. von Preußen, in der Mitte der Kriegsgott Mars, hinter den Herrschern die hohen Kabinettsbeamten, dahinter die Kriegsvölker.

Kriege 1700–1789 in Europa

Erb-/Thronfolgekriege	Sonstige
1701–1714 Spanischer Erbfolgekrieg (Frankreich gegen England, Österreich, Preußen)	1700–1721 Nordischer Krieg (Schweden gegen Rußland, Polen, Dänemark)
1733–1735 Polnischer Thronfolgekrieg (Frankreich gegen Österreich, Rußland)	1716–1718 3. Türkenkrieg Österreichs
	1737–1739 4. Türkenkrieg Österreichs
1740–1748 Österreichischer Erbfolgekrieg (Frankreich, Preußen gegen Österreich, England)	1741–1743 Russisch-schwedischer Krieg
	1768–1774 Russisch-türkischer Krieg
1756–1763 Siebenjähriger Krieg (England, Preußen gegen Frankreich, Österreich, Rußland; u.a. Fortsetzung des Österreichischen Erbfolgekrieges)	1787–1792 Russisch-türkischer Krieg
1778–1779 Bayrischer Erbfolgekrieg (Preußen gegen Österreich)	

Der Grundzug des Rationalismus, der den Absolutismus insgesamt prägte, beeinflußte auch sein Verständnis des Krieges. Der absolutistische Herrscher war bestrebt, Krieg nach rationaler Kosten-Nutzen-Erwägung mit seinem engen politischen Beraterstab, seinem „Kabinett" (svw. Arbeitszimmer des Fürsten), als Instrument zur Erreichung begrenzter Ziele einzusetzen. Der preußische General und Kriegstheoretiker Karl von Clausewitz (1780–1831) hatte diese „Kabinettskriege" des 17. und 18. Jahrhunderts vor Augen, als er in seinem Werk „Vom Kriege" (1832 posthum erschienen) das Wesen des Krieges in die berühmte Formel brachte: „Der Krieg ist eine bloße Fortsetzung der Politik mit anderen Mitteln" (Buch 1.24).

Es ist nicht leicht festzustellen, inwieweit die Aussage von Clausewitz politische Wirklichkeit im Zeitalter des Absolutismus gewesen ist. Allerdings ist davon wohl auch eher die Art der Kriegführung als die Häufigkeit von Kriegen beeinflußt gewesen. An Kriegen war die Zeit wahrlich nicht arm; aber sie waren in Zahl und Umfang gegenüber dem 16. Jahrhundert eingegrenzt. Besonders konfliktträchtig blieb, daß der territoriale Zusammenhalt der Staaten von den Dynastien (Herrscherfamilien) abhängig war. Insofern eine Vereinheitlichung des Staatsgebietes noch nicht gelang – erst Ende des 18. Jahrhunderts begann vielfach die Entwicklung einheitlicher Untertanenverbände – und die Ständeversammlungen von den absolutistischen Herrschern nach Kräften geschwächt wurden, drohten Zufälle wie das Aussterben einer Dynastie stets zu Kriegsanlässen zu werden. Fiel mithin durch den Tod eines Monarchen die dynastische Klammer fort, durch die eine Ländermasse zusammengehalten wurde, so wurden damit die einzelnen Territorien zur Disposition rivalisierender Erbberechtigter gestellt.

3.2 Militärwesen und Kriegführung

Neben dem Beamtenapparat war die Einrichtung des stehenden Heeres, die sich überall in Europa durchsetzte, die zweite wichtige Säule der Macht des absolutistischen Monarchen als stets verfügbares Instrument gegen innere Opposition und äußere Feinde. Im Staatshaushalt des Fürsten war es neben dem Hof der kostenträchtigste Faktor. Es wurde unbeabsichtigt zur Triebfeder der Modernisierung, da es zu einer planvollen Wirtschafts- und Finanzpolitik zwang, die dem Staat die nötigen Einnahmen einbrachte.

Das in den Glaubenskriegen so verbreitete private militärische Unternehmertum mußte dem auf Zentralismus bedachten absolutistischen Monarchen ein Dorn im Auge sein. Der Staat nahm daher das Militärwesen weitgehend in seine eigene Regie, und wo er noch auf private Zulieferer angewiesen war (z. B. für Kleidung, Verpflegung, Bewaffnung), da übte er durch seine zivile Militärverwaltung eine strikte Kontrolle aus.

Hatte es in den alten Söldnerarmeen noch so etwas wie eine ständeübergreifende Kameradschaft gegeben, so wurde die klare hierarchische Trennung zwischen Offizierskorps und „Mannschaften" zum Kennzeichen der absolutistischen Heere.

Der bis zur Exklusivität gehenden Bevorzugung des Adels im militärischen Führungskader entsprach die genauso weitgehende Freistellung des Bürgertums von der militärischen Dienstpflicht. Die absolutistischen Monarchen waren sich im klaren darüber, daß die wirtschaftliche und finanzielle Stärke des Staates von der Leistungsfähigkeit und -bereitschaft des Bürgertums abhing. Die Produktivität des Bürgertums schuf der Armee erst die Grundlagen.

Trotz aller Verschiedenheiten bei den Rekrutierungsverfahren (Anwerbung Freiwilliger oder Zwangsrekrutierung von Einheimischen oder Fremden) stellten letztes Endes Angehörige von gesellschaftlichen Unterschichten und Randgruppen das Gros der Mannschaften. Der Comte de Saint-Germain (1707–1778), langjähriger französischer Kriegsminister, gibt in einem bekannten Ausspruch präzise die Funktion dieser gesellschaftlichen Gruppen im absolutistischen Staat an:

„Es würde zweifellos wünschenswert sein, wenn wir eine Armee von zuverlässigen und auserlesenen Männern vom besten Schlag schaffen könnten. Aber um eine Armee aufzustellen, dürfen wir die Nation nicht zerstören; und es hieße, die Nation zerstören, wenn wir sie ihrer besten Elemente beraubten. So, wie die Dinge stehen, muß die Armee unweigerlich aus dem Abschaum des Volkes bestehen und aus all denen, für die die Gesellschaft keine Verwendung hat."[1]

Daß die absolutistischen Armeen trotzdem funktionstüchtige Machtinstrumente waren,

1 Zit. nach: M.S. Anderson, Europe in the Eighteenth Century 1713–1783, London 1976[2], S. 180f.

Ein Gefechte von 4 Colonnen gegen eine 4 mahl stärckere Macht, nebst ihren Vortheilen.

Die hohe Kunst des Formationskampfes: Linienaufstellung gegen Kolonne

lag an einem rücksichtslosen Drill und einer erbarmungslosen Disziplinierung der Rekruten. Hier wurde die Metapher vom Staat als Maschine Realität. Die Rekruten wurden „geschliffen", bis sie roboterhaft Handgriffe an den Waffen und Formationsbewegungen ausführen konnten. Fehlverhalten und Ungehorsam wurden drakonisch bestraft. Freilich hatte der mechanistische Drill eine Kehrseite: War die kunstvolle „menschliche Maschine", die bei aller Kompliziertheit reibungslos funktionierte, einmal geschaffen, dann mußte ihr Einsatz genau erwogen werden. Denn Verluste waren kurzfristig kaum gleichwertig ersetzbar. Die Vermeidung von offenen Feldschlachten, die aufgrund der automatenhaften Kampfesweise und auch der mangelhaften Verwundetenversorgung fast immer sehr verlustreich waren, wurde geradezu zu einem strategischen Prinzip. Der Krieg wurde daher vorzugsweise defensiv geführt, wobei Festungen eine dominierende Rolle spielten.

Aus dem preußischen Exerzierregelement von 1756: Handgriffe beim Laden des Gewehrs

Jahr	Ort der Schlacht	Gefallene und Verwundete (in 1000)	Stärke der Armeen (in 1000)	Gefallene und Verwundete (in %)
1709	Malplaquet	36	183	20
1704	Blenheim	26,5	102	26
1708	Oudenaarde	12	170	7
1703	Speierbach	8	40	20
1704	Schellenberg	8	36	22

Verluste in den offenen Feldschlachten des Spanischen Erbfolgekrieges. Verhältnis Verwundete : Gefallene im 18. Jh. etwa 2,4 : 1

Aus: Z. Urlanis: Die Menschenverluste Europas vom 17. Jahrhundert bis zur Gegenwart, Berlin 1965, S. 61

Die Zivilbevölkerung – auch des fremden Landes – hielt man weitgehend aus dem Kampfgeschehen heraus. Allerdings waren die Belastungen durch Kontributionen und Einquartierung hoch. Selbsthilfen von Soldaten durch Plünderungen waren Ausnahmen und entsprachen nicht dem Geist des Absolutismus. Scheu vor offenen Feldschlachten und Abscheu vor Plünderungen hatten auch sehr praktische Gründe. In beiden Situationen ergaben sich für den einzelnen Soldaten Gelegenheiten zum Desertieren. Die Verluste der absolutistischen Armeen durch Desertion kamen denen durch blutige Schlachtenverluste fast gleich, ja übertrafen sie manchmal sogar. In der Friedensperiode von 1713 bis 1740 verlor z. B. die preußische Armee auf diese Weise 30 000 Mann, im Siebenjährigen Krieg (1756–1763) gar 80 000 Mann.

All das führte dazu, daß die absolutistischen Fürsten und ihre Generäle sorgfältig überlegen mußten, wann und wie sie ihr anfälliges Kriegsinstrument am vorteilhaftesten einsetzen konnten. Während der Militarismus, die Wertschätzung militärischer Formen, an den Höfen Europas zunahm – z. B. wurde die Uniform zum höfischen Festkleid –, war man andererseits bestrebt, den Krieg als Mittel der Interessendurchsetzung zwar unbedenklich, wo man es für angebracht hielt, aber doch „dosiert" zu verwenden.

3.3 Diplomatische Friedenssicherung

Die Diplomatie hatte sich als ein fest geordnetes System zwischenstaatlicher Beziehungen seit dem 16. Jahrhundert entwickelt; im Zeitalter des Absolutismus sollte sie zu einem der wichtigsten Instrumente der Politik werden. In der Hand des Fürsten konnte es je nach Bedarf geheim und skrupellos oder repräsentativ zur Darstellung der Macht verwendet werden. Allein nach den Geboten der Vernunft und der Staatsräson eingesetzt, von keiner Instanz außer dem König und seinen engsten Beratern im „Kabinett" beeinflußt, eignete es sich am besten zur Steuerung der Politik und ihrer kriegerischen Fortsetzung. In einer radikal bereinigten internationalen Szene mit vier oder fünf größeren und noch einem Dutzend nennenswerter Mittelmächte ließ sich erstmals ein Staatensystem denken und – in gewissen Grenzen – so steuern, daß Kriege kalkulierbar und begrenzbar wurden. Das machte friedlichere Phasen der Politik möglich, ohne allerdings größere Kriege auszuschließen.

Einen wichtigen neuen Impuls gab es in der Entspannungsphase, die vom Ende der beiden großen Kriege (vgl. Abs. 3.4) bis zum Ende der 1720er Jahre dauerte. Damals fanden – 1722–25 in Cambrai, nach einer Pause bis 1729 in Soissons – zwei große internationale Kongresse statt. Freimütig wurden die anstehenden europäischen Streitfragen gemeinsam diskutiert und friedliche Lösungen gesucht. Bewußt wich man von der sonst üblichen Geheimdiplomatie ab. Auch wenn man nach Soissons wieder dahin zurückkehrte, lieferte die kurze Phase vorher dennoch ein zukunftsträchtiges Modell präventiver diplomatischer Friedenswahrung.

Eine unmittelbar praktische Wirkung auf die Umgangsformen, mit denen die Konflikte zwischen den Staaten Europas behandelt wurden, hatten die Grundanschauungen und Leitvorstellungen, die sich im Verlauf des 18. Jahrhunderts durchsetzten und zum Gemeingut von Politikern und Diplomaten wurden. Eine der wichtigsten Neuerungen war, daß sich nach den Wirren der Glaubenskämpfe allmählich (wieder) ein gesamteuropäisches Bewußtsein herausbildete, das bei aller Rivalität zwischen den Staaten eine grundlegende Verständigungsbasis herstellte. Äußerlich

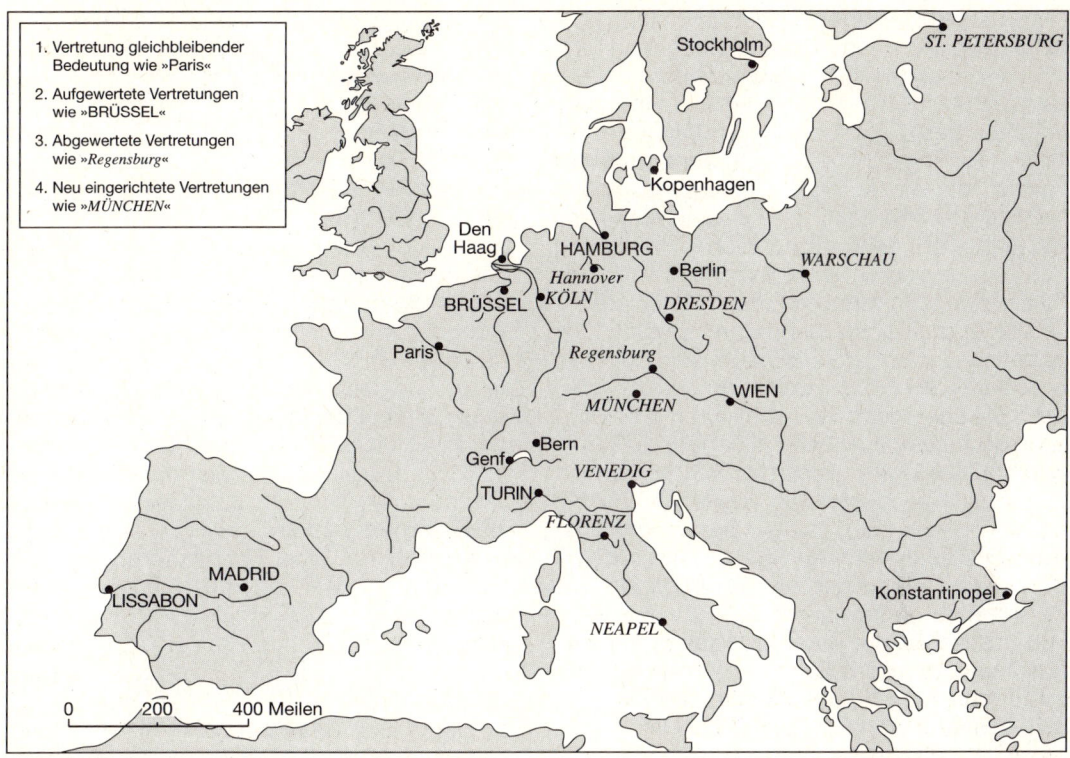

1. Vertretung gleichbleibender Bedeutung wie »Paris«
2. Aufgewertete Vertretungen wie »BRÜSSEL«
3. Abgewertete Vertretungen wie »Regensburg«
4. Neu eingerichtete Vertretungen wie »MÜNCHEN«

Übersicht über die Entwicklung der Ständigen Vertretungen Großbritanniens im Ausland zwischen 1689 und 1789

Aus: D. B. Horn: The British Diplomatic Service 1689–1789, Oxford 1961, S. 10

zeigte sich der Wandel etwa darin, daß der Begriff „Europa" den alten der „universitas christianorum" (Gemeinschaft der Christen) verdrängte. Getragen wurde der Prozeß von der teils zum Adel, teils zum Bildungsbürgertum gehörigen Führungselite in Politik, Wissenschaft und Kunst. In der dichter werdenden innereuropäischen Kommunikation und durch die rasche Zunahme von Kenntnissen über andersartige außereuropäische Kulturen wuchs das Bewußtsein, daß es Gemeinsamkeiten der Lebensformen und Werthaltungen gab, die die europäischen Völker miteinander verbanden und zu einer Schicksalsgemeinschaft machten. Im Sprachgebrauch der Zeit schlug sich das in der Vorliebe nieder, das europäische Staatensystem mit einer „Familie" zu vergleichen, in der sich die Hausgenossen zwar anfeinden, aber nicht mehr zerfleischen konnten (so der Historiker und Dichter Friedrich Schiller 1789). Der Göttinger Historiker Heeren faßte 1817 die Einflüsse der Entwicklung für den politisch-diplomatischen Stil in seinem viel gelesenen „Handbuch der Geschichte des europäischen Staatensystems" zusammen:

Sie erzeugten „ein Völkerrecht, das, nicht bloß auf ausdrücklichen Verträgen, sondern auf stillschweigenden Conventionen beruhend, die Beobachtung gewisser Maximen, sowohl im Frieden als auch besonders im Kriege, zur Pflicht machte und, wenn auch oft verletzt, doch höchst wohltätig wurde."[1]

Es waren im wesentlichen drei Prinzipien, über die im späten 18. Jahrhundert bei Politikern und Diplomaten Übereinstimmung bestand: 1. Nachdem sich ein Kreis von fünf

---

[1] Zit. nach G.A. Craig/A.L. George: Zwischen Krieg und Frieden, München 1988, S. 35

Großmächten gebildet hatte (Frankreich, England, Österreich, Preußen, Rußland), fand man es wünschenswert, ihn zu erhalten. In der Verteilung der Macht auf mehrere Zentren sah man die beste Garantie dafür, daß es nicht mehr zur Hegemonie einer Macht kommen konnte, die die politische Handlungsfreiheit der Staaten bedrohte. 2. Konsequenterweise war daher bei jeder territorialen Veränderung das Prinzip vom „Gleichgewicht der Macht" zu beachten. Es verlangte, daß Gebietsgewinne der einen Macht durch kompensatorische Gewinne der anderen Mächte ausgeglichen werden mußten. Mehr und mehr wurde dabei auch die überseeische Expansion mit berücksichtigt. 3. Krieg galt zwar als erlaubtes Mittel der Konfliktlösung, aber die Kriegführenden hatten sich an bestimmte Regeln zu halten, die die Schäden begrenzten. Sie betrafen insbesondere das Verfügungsrecht über Kriegsbeute, die Behandlung von Gefangenen und Verwundeten sowie die Trennung von zivilem und militärischem Bereich. Kriege, so soll Friedrich II. von Preußen gesagt haben, sind so zu führen, daß der Bauer hinter dem Pflug und der Handwerker in der Werkstatt nichts davon spüren.

Zu dieser Mentalität gehörte allerdings auch noch ein anderer Bewußtseinsinhalt: der Glaube, Europa sei das Zentrum der Welt und seine Zivilisation der der anderen Völker überlegen.

3.4 Die großen Kriege des 18. Jahrhunderts und ihre Auswirkungen auf das System der Mächte

Hatte die Herausbildung eines internationalen Systems auch die Zahl der Kriege gemindert und ihre Auswirkungen auf die Mehrheit der Bevölkerung etwas gemildert, so blieb ein Rest von Konflikten, der mit großem Einsatz an Mitteln und oft hohen Menschenopfern ausgetragen wurde. Es waren die „Staatenkriege" und ihr Gegenstand, die Mächtebalance in Europa. In ihrem Mittelpunkt standen die stärkste Landmacht – erst Habsburg, seit 1648 Frankreich – und die stärkste Seemacht – seit dem späten 16. Jahrhundert England – mit ihren Versuchen, eine Vorherrschaft zu erlangen bzw. die des Rivalen zu verhindern. Dieser Kampf durchzog – von kurzen

Entspannungsphasen abgesehen – wie ein Leitmotiv die großen Kriege des 18. Jahrhunderts (ausgenommen den Nordischen Krieg), nämlich den Spanischen Erbfolgekrieg, den Österreichischen Erbfolgekrieg, den Siebenjährigen Krieg, den amerikanischen Unabhängigkeitskrieg. Zwar bildete der englisch-französische Gegensatz in keinem dieser Kriege den direkten Kriegsgrund, aber er war ein Tatbestand, auf den die kriegführenden Mächte rechnen konnten. Wer gegen Frankreich war, durfte englischer Hilfe ziemlich sicher sein – und umgekehrt.

Die unter diesen Vorzeichen ausgefochtenen Kriege hatten Folgen, die bis ins 20. Jahrhundert die Entscheidungen über Krieg und Frieden in Europa und in der Welt maßgeblich bestimmten: die Herausbildung eines Systems von Großmächten und die Entstehung eines Leitprinzips für eine Friedensordnung zwischen ihnen, das sog. „Gleichgewicht der Macht".

Der Spanische Erbfolgekrieg (1701–1713/14)

Die Entstehung des Spanischen Erbfolgekrieges stellt ein hervorragendes Beispiel für die Konflikthaftigkeit des absolutistischen Systems dar. Das Königreich Spanien hatte zwar am Ende des 17. Jahrhunderts längst den Höhepunkt seiner Macht überschritten, war aber territorial mit seinen Außenbesitzungen in Europa (Italien, Niederlande) und Übersee (Amerika) immer noch ein Riesenreich. Es war also vorauszusehen, daß der Tod Karls II. von Spanien, dessen körperliche Hinfälligkeit keine eigenen Nachkommen erwarten ließ, zu einem europäischen Problem ersten Ranges werden würde. Um es vorab zu entschärfen, traten die beiden Haupterbberechtigten, Ludwig XIV. und Kaiser Leopold I. (1658-1705), ab 1698 in Verhandlungen über eine mögliche Teilung des Erbes ein. Von Anfang an nahmen auch die beiden Seemächte England und die Niederlande daran teil. Der vielversprechende Plan, den Hauptanteil des spanischen Erbes dem Vertreter einer Mittelmacht aus der zweiten Reihe der Erbberechtigten zu übertragen (Joseph Ferdinand von Bayern), scheiterte an dessen frühem Tod. Die Überlegungen konzentrierten sich nun auf eine Regelung, die eine Teilung des spanischen Erbes zwischen dem Enkel Ludwigs XIV. und dem zweiten

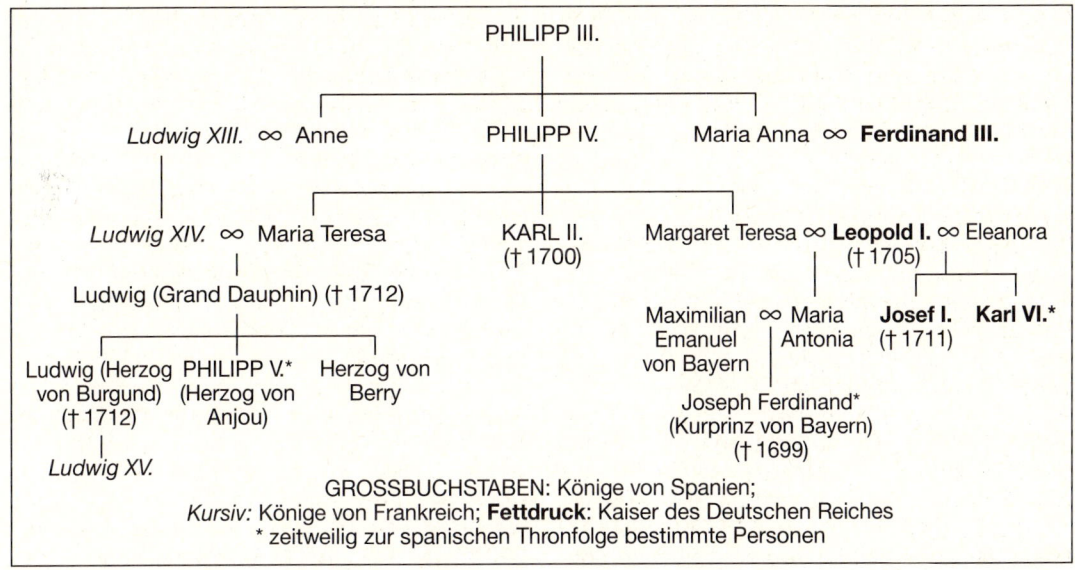

Die genealogische Seite der spanischen Erbfolge

(Aus: W. Roosen: The Origins of the War of the Spanish Succession; in: J. Black (Hg.), The Origins of War in Early Modern Europe, Edinburgh 1987, S. 158)

Sohn von Kaiser Leopold vorsah. Beide waren nach dem in Frankreich und Österreich geltenden Erstgeburtsrecht nicht thronfolgeberechtigt. Dadurch glaubten die Verhandlungspartner ihrer Schreckensvision – Entstehung einer europäischen Hegemonialmacht durch ein in Personalunion regiertes Spanien-Frankreich oder Spanien-Österreich – die Grundlage entzogen zu haben. Doch eine Teilungsregelung kam nicht mehr zustande.

Als der Erbfall eintrat, nahm Ludwig XIV. ohne Rücksicht auf die schwebenden Teilungsverhandlungen ein fragwürdiges Testament Karls II. für seinen Enkel an und ließ ihn in Madrid krönen. Zugleich ließ er die spanischen Niederlande besetzen und eröffnete den Krieg gegen Leopold I. in Norditalien. Gegen Holland und England verhängte er ein Handelsembargo und traf sie damit an der empfindlichsten Stelle, nämlich am Handel als Basis ihres nationalen Reichtums. Die Angegriffenen, Kaiser und Seemächte, antworteten mit einem gegen Frankreich gerichteten Allianzvertrag (1701), dem 1702 die förmliche Kriegserklärung folgte. Das Kriegsgeschehen spielte sich hauptsächlich in den südlichen Niederlanden, in Norditalien und in Spanien ab. Die Kämpfe selber zeigten – von einigen großen Feldschlachten abgesehen – den typischen Charakter hinhaltender, zermürbender Defensivtaktik, mit Vorteilen für die Alliierten in den Niederlanden und in Norditalien, für Frankreich in Spanien. Spätestens seit 1706 fanden parallel dazu diplomatische Geheimverhandlungen statt. Doch weder die militärischen noch die diplomatischen Aktionen gaben dem Krieg die entscheidende Wende, sondern ein (weiteres) dynastisches Ereignis: 1711 starb Kaiser Joseph I. (1670–1711) ohne leibliche Erben, und Karl, der alliierte Anwärter auf die spanische Königskrone, wurde sein Nachfolger. England und Holland, die gegen die französische Vorherrschaft in Europa in den Krieg gezogen waren, fanden sich plötzlich in der Rolle von Vorkämpfern für die von ihnen genauso ungewollte habsburgische Hegemonie. Unter diesen Umständen drängte England auf ein schnelles Kriegsende, und da Frankreich nach den jahrzehntelangen Kriegen Ludwigs XIV. völlig erschöpft war, kam 1713 in Utrecht der Frieden (in Form der damals üblichen zweiseitigen Verträge) zwischen Frankreich, Spanien, England und den Niederlanden zustande, ein Jahr später in Rastatt der zwischen Frankreich sowie Kaiser und Reich.

England war der uneingeschränkte Sieger des Krieges. Frankreich blieb zwar Großmacht, hatte aber seinen Rang als kontinentale

Hegemonialmacht verloren. Nicht Ludwig XIV., sondern die englische Regierung diktierte die Bedingungen des Friedens. Ludwigs Enkel wurde als König von Spanien bestätigt. Doch mußte Ludwig XIV. garantieren, daß Frankreich und Spanien niemals in Personalunion regiert werden würden. Der englisch-französische Friedensvertrag vom 13. Juli 1713 kommentierte die Bedeutung des Ereignisses aus englischer Sicht: Es sei damit „die Gefahr, die der Freiheit und dem Heil ganz Europas durch die Vereinigung der Königreiche Spanien und Frankreich drohte, durch ein gerechtes Gleichgewicht der Macht zur Festigung und Sicherung von Frieden und Ruhe im christlichen Erdkreis" gebannt worden. Die Vorstellung vom „Gleichgewicht der Macht" war als Grundregel für das Zusammenleben der Staaten in Europa nicht neu, aber hier wurde sie zum erstenmal – und das im Kontext einer vertraglich festgelegten Friedensordnung – formuliert, und von hier aus setzte sich bei den Staatsmännern des 18. Jahrhunderts die Anschauung durch, daß die beste Friedensordnung für die Staatenwelt Europas in einem ausbalancierten System der Mächte bestünde. Das verlieh dem Utrechter Friedenswerk richtungweisende Bedeutung.

Der Nordische Krieg (1700–1721)

Im Nordosten Europas wurden die Machtverhältnisse durch den Nordischen Krieg dauerhaft neu geordnet. Seit seinen Erfolgen im Dreißigjährigen Krieg (1618–1648) übte Schweden die Vormacht an der Ostsee aus, die freilich durch die ständigen Konflikte mit den übrigen Anrainerstaaten immer wieder auf die Probe gestellt wurde. Dänemark strebte selber nach der Vorherrschaft, zwischen Polen und Schweden sorgten die schwedischen Ansprüche auf die polnische Krone für Spannungen, Brandenburg und besonders Rußland wurden durch die schwedische Herrschaft in Vorpommern sowie im gesamten Küstengebiet des Rigaischen und Finnischen Meerbusens am Zugang zur Ostsee gehindert. Das militärische Dauerengagement überforderte die wirtschaftliche und finanzielle Leistungsfähigkeit des Landes bei weitem. Der bedeutende Feldherr König Karl XII. (1697–1718) schien das Schicksal Schwedens noch einmal zu wenden – bis zu seiner katastrophalen Niederlage gegen den russischen Zaren Peter d. Gr. (1689–1725) bei Poltawa (Ukraine) 1709. Gegen das angeschlagene Schweden formierte sich eine neue Koalition von Gegnern (Dänemark, Brandenburg-Preußen, Hannover, Rußland). England und vor allem Frankreich, die die Machtverschiebung im (Nord-)Osten Europas mit Mißtrauen beobachteten, suchten Schweden zu entlasten, indem sie einen Frieden mit den drei Mittelstaaten vermittelten (1720). Aber Schwedens Abstieg war nicht aufzuhalten. Im Frieden von Nystad (1721) sah es sich gezwungen, die russischen Forderungen (Baltikum, Ingermanland, Karelien) restlos zu erfüllen. Damit hatte sich sichtbar ein Machtwechsel vollzogen. Die Folgezeit zeigte, daß Rußland anders als vorher Schweden zu einer eigenständigen, weiträumig ausgreifenden Großmachtpolitik imstande war, deren Hauptrichtungen im Westen auf Polen und im Südwesten auf das Osmanische Reich zielten. Mit der Entstehung der neuen Großmacht zeichneten sich neue Konfliktzonen ab.

Preußen wird Großmacht

Der Aufstieg Preußens erfolgte im Österreichischen Erbfolgekrieg (1740-1748) und im Siebenjährigen Krieg (1756-1763). Er zeigte, daß das europäische Mächtesystem elastisch genug war, eine neue Großmacht aufzunehmen und ihre Ansprüche zu verkraften, ohne daß das Kriegsrisiko wuchs.
Der Österreichische Erbfolgekrieg wurde vom preußischen König Friedrich II. (1740–1786) praktisch „vom Zaune gebrochen", indem er 1740 ohne Kriegserklärung das zu Österreich gehörende Schlesien von preußischen Truppen besetzen ließ. In seiner Autobiographie, wo er Ruhmesstreben, Lust, sich einen Namen zu machen, und die Vergrößerung seiner Macht als Motive anführte, gab er das auch unumwunden zu. Die Gelegenheit schien günstig. Die Herrschaft Maria Theresias von Österreich (1740-1760) war noch nicht gefestigt. Rußland war durch eine akute Führungskrise außenpolitisch fast handlungsunfähig. England und Frankreich befanden sich im Kolonialkrieg, und eines der Länder würde sich – damit rechnete Friedrich II. fest – auf die preußische Seite schlagen, wenn das andere Österreich unterstützen sollte.

Die preußische Rechnung ging auf. Allerdings dauerte der Krieg erheblich länger, als der König vorausgesehen hatte. Die englisch-französische Kolonialrivalität verband sich mit dem preußisch-österreichischen Konflikt und gab ihm über Europa hinausgehende Dimensionen. Der Friede von Aachen (1748) löste keines der großen Probleme. 1756 ging der Krieg weiter, allerdings in veränderter Bündniskonstellation. Preußen, vorher mit Frankreich verbündet, kämpfte nun mit England zusammen, Österreich – entsprechend – nun mit Frankreich. Rußland entschied sich in beiden Kriegen für Österreich, gegen Preußen. Preußen stand den Krieg gegen die Festlandsgroßmächte durch. Im Frieden von Hubertusburg (1763) wurde ihm der schon im Frieden von Aachen zugesprochene Besitz von Schlesien und damit der Rang einer europäischen Großmacht bestätigt. Damit war das System der fünf Großmächte, das in die Geschichte als Pentarchie (Fünferherrschaft) eingegangen ist, vollendet.

Der amerikanische Unabhängigkeitskrieg (1775–1783)

Von den Zeitgenossen zunächst kaum bemerkt entwickelte sich aus einem der Konflikte des 18. Jahrhunderts – der britisch-französischen Kolonialrivalität – ein Krieg, der in mehrfacher Hinsicht über das Staatensystem und die Kriege des Absolutismus hinausführte.
Als England nach über 20 Jahren (Kolonial-)

Krieg 1763 mit Frankreich und Spanien in Paris Frieden schloß, konnte es einen der größten Triumphe seiner Geschichte feiern. Die beiden Verlierer mußten ihm große Teile ihrer Kolonialreiche abtreten. Nordamerika wurde bis auf die spanischen Territorien westlich des Mississippi britisch. Aber der Krieg und die anschließenden militärischen Sicherungsmaßnahmen in den neuen Gebieten hatten auch bei England Spuren hinterlassen: Staatsschulden in Höhe von 133 Millionen Pfund. Regierung und Parlament beschlossen, die Staatseinnahmen durch eine zusätzliche Besteuerung seiner 13 nordamerikanischen Siedlungskolonien zu erhöhen. Doch die Kolonisten weigerten sich, die Beschlüsse eines Parlaments anzuerkennen, in dem sie nicht vertreten waren. Alle englischen Besteuerungsversuche (Steuern auf Zucker, amtliche Beurkundungen, Tee) schlugen ebenso fehl wie die Versuche, den Schmuggelhandel der Kolonien mit den Nachbarkolonien auf dem Festland und in der Karibik zu unterbinden, der gegen das Handelsmonopol des britischen Mutterlandes mit seinen Kolonien verstieß. Der Widerstand steigerte sich; er äußerte sich in Zeitungen, Reden und Pamphleten, von denen bis 1776 allein 400 kursierten. Man boykottierte englische Waren. In den politischen Protest mischten sich soziale Töne. Eine wichtige Rolle spielten dabei die zahlreichen Wanderprediger der kalvinistischen Erneuerungsbewegung des „Great Awakening". Ein beliebtes Thema ihrer Predigten

„Amerika' soll den Tee schlucken". Am. Karikatur auf die Vorfälle in Boston 1773–1775, dem Zentrum des Widerstands. 1773 hatten als Indianer verkleidete „Patrioten" unverzollten Tee im Wert von 10 000 Pfund ins Hafenbecken geworfen. Die britische Regierung verfügte die Schließung des Hafens bis zur Wiedergutmachung (Boston Port Bill 1774). Bittschriften der Bürgerschaft (Boston Petition) waren vergeblich. Bei Boston fand am 17.6.1775 unter Beteiligung der englischen Flotte die erste Schlacht des Krieges statt.

Eine „Tochter der Freiheit". Titelseite der amerikanischen Flugschrift „A New Touch of the Times" (1777)

war die Kritik der amerikanischen Oberschicht, die in englischen Diensten reich geworden war und ein Leben nach englischem Stil führte. Ihr gegenüber beschwor man das moralische Übergewicht des einfach und gottesfürchtig lebenden amerikanischen Patrioten. Seit 1765 bildeten sich militante patriotische Vereinigungen, die „Söhne der Freiheit" und „Töchter der Freiheit". Sie trugen mit dazu bei, daß die Auseinandersetzungen ab 1770 immer radikalere Formen annahmen. Auf dem sog. Ersten Kontinentalkongreß in Philadelphia 1774 versammelten sich erstmals die Vertreter aller 13 Kolonien, 1775 begannen die offenen Feindseligkeiten. Der englische König erklärte die Aufständischen zu Rebellen. Diese antworteten am 4. Juli 1776 mit der Unabhängigkeitserklärung.

In den Anfangsjahren standen die Aufständischen allein den Streitmächten Englands und seiner amerikanischen Parteigänger, der „Loyalists", gegenüber. Erst der spektakuläre amerikanische Sieg bei Saratoga 1777 veranlaßte Frankreich, 1778 an der Seite der Aufständischen in den Krieg einzutreten. 1779

trat auch Spanien der Koalition bei. 1781 brachten amerikanische Truppen mit starker Unterstützung französischer Land- und Seestreitkräfte den englischen Truppen bei Yorktown die kriegsentscheidende Niederlage bei. Der Krieg ging noch einige Jahre weiter, und erst 1783 wurde in Versailles Frieden geschlossen. Frankreich erhielt einige kleine Kolonien und sah es als eine Revanche für seine Niederlage von 1763 an, daß England die Unabhängigkeit der USA anerkennen mußte. Tatsächlich aber hatte Frankreich diesen Triumph zu einem allzu hohen Preis errungen: Die Staatsfinanzen waren ruiniert; die unzulänglichen Versuche, sie zu sanieren, sollten wesentlich zum Ausbruch der Revolution von 1789 beitragen. Zahlreiche Offiziere – d. h. viele Adlige – hatten in Amerika Vorstellungen von der Volkssouveränität kennengelernt, die sie zu Gegnern der absoluten Monarchie machten, und die öffentliche politische Diskussion hatte das Vorbild einer gelungenen Revolution von Bürgern gegen einen ungerechten Monarchen gefunden. Eine der wichtigsten Bedingungen der absolutistischen Ordnung – das Machtmonopol des Herrschers – war erfolgreich verletzt worden. Daneben war eine neue Macht in die politische Welt getreten, die USA, und hatte eine europäische Großmacht besiegt.

3.5 Die Kritik des absolutistischen Systems durch die Aufklärung

Die wirtschaftliche und gesellschaftliche Entwicklung im Zeitalter des Absolutismus führte zu Erscheinungen, die sicherlich nicht im Sinne der Verteidiger uneingeschränkter Fürstenmacht lagen. Der Aufstieg des Bürgertums weckte bei diesem kulturellen und politischen Ehrgeiz, der sich in England schon im 17. Jahrhundert durchsetzte und als Vorbild auf den Kontinent wirkte. In Frankreich war es erstaunlicherweise aber vor allem ein Teil des Adels, der zum Träger eines neuen aufgeklärten Bewußtseins wurde. Hier wandelte sich die „Vernunft" des Absolutismus in eine „Aufklärung", die öffentlich und politisch wurde. Sie machte dem Fürsten die Alleinherrschaft auf dem Gebiet der Politik streitig und stellte die Grundlagen des inneren und äußeren Friedens zur Diskussion, als sie die Trennung von

Politik und Moral in Frage stellte. Innerhalb weniger Jahre wurde die „öffentliche Meinung" zu einer Macht, die bis heute Begleiter und Antrieb der Demokratisierung geblieben ist. Krieg und Frieden wurden wieder zur Sache vieler Menschen, auf die die Regierenden Rücksicht nehmen mußten.

Die öffentliche Meinung

Entscheidende Anstöße zu der Entwicklung hatte der englische Philosoph John Locke (1632–1704) in seiner Schrift „Essay Concerning Human Understanding" (1690) gegeben, wo er drei Arten von Gesetzen und Gesetzgebern unterschied: 1. Das Gesetz Gottes als Maßstab für Sünde und Pflicht, 2. das Gesetz des Staates als Maßstab für Verbrechen und Unschuld, 3. das philosophische Gesetz oder Gesetz der öffentlichen Meinung als Maßstab von Tugend und Laster. Der Gesetzgeber des philosophischen Gesetzes ist für Locke die „Gesellschaft". Damit war eine wegweisende Neuerung formuliert. Dem Staat wurde die Gesellschaft als gleichberechtigter Gesetzgeber gegenübergestellt, dessen moralisches Urteil als öffentliche Meinung mit dem Gesetz des Staates in Konkurrenz trat. Von Lockes Theorie zur Praxis war es zwar noch weit, aber ein Weg war angedeutet. Wenn das moralische Urteil der Gesellschaft öffentliche Macht werden wollte, mußte es die

private Sphäre verlassen und sich in der Öffentlichkeit dauerhaft Gehör verschaffen. Das gelang in mehreren Schritten: Den Anfang bildeten geheime Gesprächszirkel. Mit Diskussionskreisen an „unpolitischen" Orten (Börse, Salons, Clubs) fand „Aufklärung" erstmals öffentlich statt. Der entscheidende Schritt erfolgte über die öffentlichen Medien, damals Zeitschriften, Flugschriften, Bücher usw. Ihre Verbreitung und Auflagenhöhe nahm im Verlauf des 18. Jahrhunderts gewaltig zu. Hinter der Bewegung verbarg sich eine Elite aus Adel und erfolgreichem Bürgertum, das im absolutistischen Staat – besonders, was Außenpolitik und Entscheidungen über Krieg und Frieden anging – keinen angemessenen Tätigkeitsbereich gefunden hatte. Als außerstaatliche Interessengemeinschaft, eben als die „gute Gesellschaft", kritisierte sie diesen Staat nun, indem sie ihn an ihren moralischen Kategorien von „Vernunftgemäßheit", „Naturgemäßheit", „Humanität" usw. maß. Sie kritisierte, indem sie über den Staat „aufklärte". Das Handeln seiner Repräsentanten wurde aus dem Geheimen des Kabinetts in die Öffentlichkeit geholt, „veröffentlicht" und der öffentlichen Meinung, d. h. der Be- und Verurteilung im Streit der Meinungen, preisgegeben. Damit war sozusagen in Gestalt der öffentlichen Meinung bzw. des argumentativen Streites der Meinungen der von Hobbes gefürchtete „Krieg aller gegen alle" (vgl. S. 72) zur

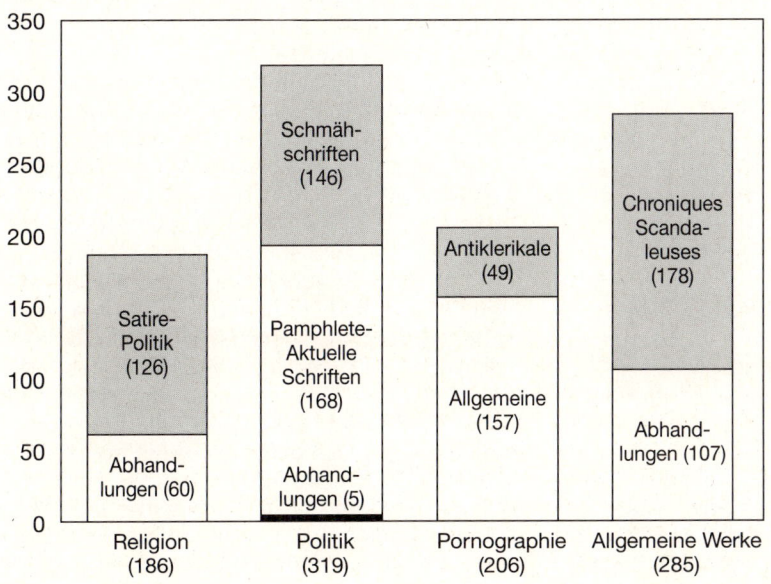

Konsum von Aufklärungsliteratur in der französischen Stadt Troyes 1783–1785: Buchbestellungen bei dem Buchhändler Mauvelain, darunter keine Schrift eines der großen Philosophen der Aufklärung

Aus: Robert Darnton: Literaten im Untergrund. Lesen, Schreiben und Publizieren im vorrevolutionären Frankreich, (c) 1985 Carl Hanser Verlag, München/Wien, S. 124

alltäglichen Institution geworden. Die Vertreter der Aufklärung waren überzeugt, daß die hier gefällten Urteile einen höheren Wahrheitsgehalt hatten als die aus den Geheimkabinetten der absolutistischen Fürsten.

Kritik des Absolutismus mußte Kritik an dessen Friedensordnung sein, weil diese ein zentrales Bauelement seines Systems war. Innerstaatliche Konfliktlösung gehörte zum Monopol der Staatsmacht beim absolutistischen Herrscher, in dessen Namen die Gerichte entschieden und dessen Organe notfalls Gewalt anwendeten. Ein moralisches Widerstandsrecht sah die absolutistische Staatsauffassung nicht vor. Absolutistische Herrschaft war so gesehen eine Zwangsordnung, aber sie schien gerechtfertigt, weil sie im Inneren Frieden garantierte und den Krieg als Erscheinung zwischen Staaten nach außen verlegte. Aber gerade sein Erfolg wurde dem Absolutismus zum Problem. Als der innerstaatliche Frieden zur Selbstverständlichkeit geworden war, verschwand sein Zusammenhang mit dem Staatenkrieg und der inneren Zwangsordnung aus dem Bewußtsein. Die Aufklärung lieferte einen neuen Zusammenhang der beiden Größen: Danach war die innere Zwangsordnung kein wirklicher Frieden, sondern der Grund dafür, warum die absolutistischen Monarchen die Widersetzlichkeit ihrer Untertanen in Staatenkriege ableiten mußten. Das absolutistische System verhindere also nicht Krieg, sondern sei seine Ursache. Erst wenn aus dem hierarchisch strukturierten Untertanenstaat ein Gemeinwesen freier und gleicher Bürger – nicht ständisch, sondern als Gegenbegriff zum Untertanen verstanden – geworden sei und wenn die politischen Angelegenheiten unter den Leitsternen von Gedankenfreiheit und Toleranz im öffentlichen Streit der Meinungen entschieden würden, dann sei eine gerechte innere Ordnung geschaffen, die – einmal überall verbreitet – auch zum Ende der Staatenkriege führe. Weil die Entmachtung des absolutistischen Staates, also der Bürgerkrieg, diese Aussichten eröffne, sei er der einzig gerechte Krieg.

Der „experimentelle Ernstfall"

Die Aufklärung war ein – regional freilich sehr unterschiedlich ausgeprägtes – gesamteuropäisches Phänomen. In Frankreich mündete sie in die Revolution von 1789. Damit begann für die Friedens-„Hypothesen" der Aufklärung der „experimentelle Ernstfall". Es zeigte sich schnell, daß der Bürgerkrieg nicht nur ein Mittel zur Entmachtung des absolutistischen Systems war. Er wurde auch – anstelle des „friedlichen Streits" der Meinungen – zum Mittel, mit dem die einzelnen Parteien ihre Vorstellungen eines Gemeinwesens der freien und gleichen Bürger (von der konstitutionellen Monarchie bis zur radikalen Demokratie) durchzusetzen suchten. Gleichzeitig zeigte sich, daß in enger Wechselwirkung mit dem Strukturwandel im Inneren der Krieg gegen auswärtige Feinde (Österreich, Preußen, England) Züge annahm, die ihn von den absolutistischen Staatenkriegen grundlegend unterschieden. Sie bestanden – auf einen kurzen Nenner gebracht – darin, daß viele der Hemmschwellen, die das Ausmaß des absolutistischen Krieges begrenzt hatten, aufgehoben wurden. Das betraf insbesondere die Zielsetzung und Legitimation des Krieges, die Trennung von zivilem und militärischem Bereich, das Rekrutierungsverfahren, die Taktik im Kampf, und nicht zuletzt veränderten die revolutionären Ereignisse die psychische Bereitschaft zum Kampf. Eine wichtige Rolle spielte dabei die Entstehung des modernen Begriffs der „Nation". Die „Nation", das war – in Frankreich wenigstens – der Inbegriff für das neue Gemeinwesen der freien und gleichen Bürger, für den moralisch legitimierten neuen Souverän. Das Bewußtsein, für den Ruhm der neuen Nation oder – ein ebenfalls neu besetzter Begriff – des (neuen) Vaterlands zu kämpfen, konnte beim kämpfenden Soldaten, wie die Erfahrung der Revolutionskriege (1792–1800) zeigte, ungeheure Energien wecken.

Im Zeichen des neuen Krieges errang das revolutionäre Frankreich erneut die Hegemonie auf dem europäischen Kontinent. Als der Hegemonialkampf zwischen dem napoleonischen Kaiserreich Frankreich und England, Österreich, Preußen und Rußland fortgesetzt wurde (1805–1815), zeigte es sich, daß „revolutionärer Krieg" auch unter anderen politischen Vorzeichen geführt werden konnte. Für das kaiserliche Frankreich war das nicht verwunderlich, da seine politisch-militärische Führungsschicht und seine Institutionen revolutionäre Tradition verkörperten. Aber auch die absolutistischen Mächte konnten durch Reformen nach revolutionärem Vorbild neue Widerstandskräfte mobilisieren. Am weitesten ging damit Preußen in den politischen Reformen unter Stein und Hardenberg bzw. den militärischen durch Scharnhorst und Gneisenau. Der Krieg war aus der Ordnung des Absolutismus entwichen; mit der Durchdringung von Bürgerkrieg und äußeren Konflikten war der Krieg wieder zu einer Sache vieler und unkalkulierbar geworden. Auf dem Wiener Kongreß 1814/15 sollte ein letzter Versuch unternommen werden, ihn noch einmal in einem monarchisch bestimmten Europa zu begrenzen.

Gefallene und Verwundete in den größten Kriegen zwischen 1700–1815

Spanischer Erbfolgekrieg	700 000
Nordischer Krieg	300 000
Österreichischer Erbfolgekrieg	450 000
Siebenjähriger Krieg	550 000
Revolutionskriege	1 100 000
Napoleonische Kriege	3 105 000

Aus: Urlanis: a.a.O., S. 367

3.6 Frauen und Militärdienst

Daß Frauen als Herrscherinnen über Krieg und Frieden entschieden, hat es mehr oder weniger zu allen Zeiten gegeben. Die großen „Gegenspieler" Philipps II., die französische Regentin Maria von Medici und die englische Königin Elisabeth I., waren Frauen. Rußland wurde im 18. Jahrhundert nach dem Tode Peters d. Gr. fast ausschließlich von Zarinnen regiert, von denen Katharina II. (1762–1796) maßgeblichen Einfluß auf ganz (Süd-)Osteuropa ausübte. Doch der Krieg selber war damals wie heute eine Domäne des Mannes. Das gilt sowohl für die operative und strategische Planung als auch für den Dienst mit der Waffe. Nur ganz vereinzelt und meist in Situationen, die „patriotisch aufgeladen" waren, sind Frauen offen als Kriegerinnen aufgetreten, Jeanne d'Arc im 15. Jahrhundert in Frankreich, Kenau Simonsdochter Hasselaer 1575 bei der Verteidigung von Haarlem oder die „Töchter der Freiheit" in der amerikanischen Revolution.

„Der imperiale Sprung", zeitgenössische französische Karikatur auf Lebenswandel und Expansionspolitik Katharinas II.

All das ist bekannt. Weniger bekannt ist ein Tatbestand, der von der niederländischen Historikerin Lotte van de Pol und ihrem Kollegen Rudolf Dekker in einer Untersuchung[1] aufgedeckt worden ist, die sich vornehmlich auf das Zeitalter des Absolutismus erstreckt: Im 17./18. Jahrhundert dienten Frauen auf der niederländischen Flotte und im niederländischen Heer als Matrosen und Soldaten. Sie mußten sich dafür als Mann verkleiden; denn sie übten damit eine Tätigkeit aus, die Frauen verboten war. Entdeckt, drohte ihnen Gericht, Zuchthaus, Verbannung. Vornehmlich aus Gerichtsakten konnten die Forscher daher auch ihre ca. 90 Fälle zusammenstellen. Da sich hier aber nur die entdeckten Fälle niedergeschlagen haben, vermuten sie, daß die Erscheinung zahlenmäßig viel verbreiteter und keineswegs auf die Niederlande beschränkt war.

Was konnte Frauen zu einem so ungewöhnlichen Schritt veranlassen? Sie mußten ihre Identität als Frau verleugnen; sie begaben sich in ein Leben, in dem es selbst im Frieden rauh zuging und im Krieg der Tod drohte. Die Untersuchung zeigt, daß die Frauen, die das alles in Kauf nahmen, durchweg aus ärmlichsten Verhältnissen kamen. Meist hatten sie früh ihre Eltern verloren und mußten selbst für ihren Lebensunterhalt aufkommen. Das war in der damaligen Gesellschaft, die außer für den Beruf der Hebamme fast keine weiblichen Lehrberufe kannte, schwierig und oft demütigend. Für manche Frau war deshalb der ge-

GEERTRUID TER BRUGGE.

Geertriud ter Brugge, um 1705 als Soldat bei den niederländischen Dragonern, zeitgenöss. Darstellung

sellschaftliche „Neuanfang als Mann" der letzte Ausweg vor dem Absinken in sog. „unehrliche Tätigkeiten" wie die Prostitution. Dafür den Weg ins Militär zu wählen hatte bei der damaligen Praxis der Rekrutenwerbung etwas Verlockendes. Es winkte zunächst einmal bei der Einschreibung ein kräftiges Handgeld. Die harte Wirklichkeit folgte, wenn es aufgezehrt war. Aber immerhin ermöglichte der Militärdienst auch dann noch eine leidlich sichere Existenz, für Frauen freilich nur in Form einer kriminalisierten Verkleidung als Mann.

Weiblicher Militärdienst war kein ernsthaftes Thema im Zeitalter des Absolutismus. Das wurde etwas anders in Frankreich zur Zeit der großen Revolution. Mit der Vorstellung der „Nation" als Inbegriff einer Ansammlung von Menschen, die politisch und rechtlich gleich sein sollten, gerieten die ungleichen Geschlechterbeziehungen in die Kritik. Frauen machten geltend, daß sie ebenso Teil der Nation seien wie Männer, daß Menschenrechte und politische Rechte für sie gleichermaßen zu gelten hätten. Besonders in den revolutionären Vorgängen sahen Frauen wie Olympe de Gouges (1748–1793), Verfasserin zahlreicher Streitschriften zur Frauenfrage, die Gelegenheit, gleiche Rechte zu fordern. Letztlich hätte das bedeutet, auch Frauen militärisch einzusetzen, und in der Tat wurde diese Frage auch von der Seite der Frauenrechtlerinnen nicht ausgeklammert. Die Abgeordneten des Revolutionsparlaments, des Nationalkonvents, jedoch haben den Dienst von Frauen an der Waffe selbst in den militärischen Krisenzeiten von 1792/93, als die Revolution durch Aufstände im Landesinneren und feindliche Invasionstruppen von außen bedroht war, nicht in Erwägung gezogen. Zwar wurden die Frauen durch das Dekret über die Massenerhebung von 1793 wie ausnahmslos alle Franzosen militärisch dienstverpflichtet, aber ausschließlich für Näharbeiten und Lazarettdienst.

[1] R. Dekker / L.v.d.Pol: Daar was laatst een meisje loos, Baarn 1981

Überlegungen zur weiteren Arbeit

Der Darstellungsteil konzentrierte sich darauf, die Struktur des absolutistischen Herrschaftssystems und Machtapparates unter dem leitenden Gesichtspunkt „Krieg und Frieden" zu erfassen. Dabei wurde vor allem auf die hervorragende Bedeutung der Trennung von Politik und Moral, von öffentlich-politischer Sphäre der Staatsräson und privat-gesellschaftlicher Sphäre des „Moralischen" hingewiesen. Gleichfalls wurde herausgestellt, daß der Absolutismus, nachdem er erfolgreich „innere Sicherheit" geschaffen hatte, sich die Frage gefallen lassen mußte, ob sein innenpolitisches Zwangssystem und außenpolitisches Konkurrenzsystem nicht schwerwiegende Systemfehler seien, die den weiteren Fortschritt der innen- und zwischenstaatlichen Organisation hinderten. Angesprochen wurden dabei, das ergab sich aus der Natur der Sache, vorwiegend politik- und kulturgeschichtliche Dimensionen historischer Erfahrung.

Für die Kritik am absolutistischen System wurde dabei nur der Rahmen aufgezeigt, in dem sie sich entfaltete. Dieser Rahmen soll nun im Materialteil gefüllt werden. Im Mittelpunkt stehen zeitgenössische Veröffentlichungen von Kritikern des absolutistischen Systems. Insgesamt lassen sie sich den drei großen Geschehenskomplexen „Aufklärung", „Amerikanische Revolution" und „Französische Revolution" zuordnen. Für die Bearbeitung bieten sich zum einen vergleichende Untersuchungsformen an, wobei einmal kontrastiv absolutistische und aufklärerische Standpunkte und dann die Entwicklung aufklärerischer Positionen verglichen werden können. Zum anderen lassen sich bei einer Vielzahl der Materialien perspektivisch-ideologiekritische Verfahren anwenden, bzw. die Materialien verlangen geradezu nach Untersuchungsverfahren dieser Art.

Materialien zu Kapitel 3

Gesellschaft und Krieg im Zeitalter des Absolutismus

M 3.1 **1698 – Der galante Ludwig XIV., höfisches Leben und Militärmanöver**

Louis de Saint-Simon, ein hochadliger Gegner des Königs, beschreibt dessen Vorliebe fürs Militär:

Der König fand großes Vergnügen daran, seine Truppen zu sehen und sie den Damen vorzuführen: ihren Anmarsch, den Aufbau ihres Lagers, ihre Aufstellung, kurz alle Einzelhei-
5 ten eines Heerlagers wie Einsatz einzelner Abteilungen, Märsche, Proviantbeschaffung, Exerzieren, kleine Gefechte und Bewegungen des Trosses. [...]
Der König wollte Kostproben von allen Zwei-
10 gen des Kriegshandwerks geben. So veranstaltete man die Belagerung von Compiègne nach allen, wenn auch etwas abgekürzten Regeln der Kunst, mit Belagerungstruppen, Gräben,

Artillerie, Sappen usw. Crenan verteidigte die
Festung. Ein alter Wall schützte das Schloß 15
nach dem offenen Feld hin; er war auf gleicher
Höhe mit den Gemächern des Königs, lag also
recht hoch, so daß man von ihm aus das ganze
Gelände überblicken konnte. An seinem Fuß
befand sich eine alte Mauer, und eine Wind- 20
mühle stand in geringer Entfernung von den
königlichen Gemächern auf dem Wall, der weder Bankette noch Brüstung besaß. Auf den
13. September, einen Samstag, wurde der
Sturm der Festung angesetzt: bei allerschön- 25
stem Wetter begab sich der König, gefolgt von
allen Damen, auf diesen Wall; ebenso zahlreiche Höflinge und alle Ausländer von Rang
und Namen. Man konnte von da aus die ganze
Ebene sowie die Aufstellung der Truppen 30
überschauen. Ich befand mich ganz in der
Nähe des Königs, nicht mehr als drei Schritte
von ihm entfernt in dem Halbkreis, der sich
gebildet hatte, und hatte keinen vor mir. Sie
boten den schönsten Anblick, den man sich 35
denken kann, diese ganze Armee und die riesige Menge der Zuschauer jeglichen Standes, die

sich, zu Pferd oder zu Fuß, in respektvoller Entfernung von den Truppen hielten, um sie
40 nicht zu behindern; ein glänzendes Schauspiel auch diese Angreifer und Verteidiger, die völlig ungedeckt blieben, da es ja nicht Ernstfall war, sondern es nur um die Vorführung der Truppen ging und beide nur auf die Genauig-
45 keit zu achten hatten, mit der die Bewegungen ausgeführt wurden. Aber ein Schauspiel ganz anderer Art, das ich in vierzig Jahren beschreiben könnte wie heute, so erstaunlich war es, gab von seinem Wall herab der König selbst
50 seiner ganzen Armee und den zahllosen Zuschauern aus allen Ständen, denen in der Ebene sowohl wie auch denen auf dem Wall.
Frau von Maintenon nämlich war dort, und alle Leute in der Ebene sowie auch die Truppen
55 konnten sie sehen. Sie saß in ihrer Sänfte, hinter ihren drei Glasscheiben; die Träger waren zurückgetreten. Auf der vorderen Stange links saß die Herzogin von Bourgogne; auf der gleichen Seite hinten standen im Halbkreis Ma-
60 dame la Duchesse, die Prinzessin von Conti und die übrigen Damen, hinter ihnen einige Herren. Neben dem rechten Fenster der Sänfte stand der König und etwas zurück die vornehmsten Herren in einem Halbkreis. Der Kö-
65 nig war fast die ganze Zeit über barhäuptig, und jeden Augenblick beugte er sich zum Fenster hinab, um mit Frau von Maintenon zu sprechen und ihr alles, was sich da abspielte, zu erläutern und ihr zu erklären, was es damit auf
70 sich habe. Bei jedem Mal war sie so höflich, die Scheibe vier oder fünf Fingerbreit herunterzulassen, nie aber auch nur halb: ich habe darauf genau geachtet, und ich gestehe, daß ich diesem Schauspiel mehr Aufmerksamkeit
75 schenkte als den Truppen. Zuweilen öffnete sie, um dem König irgendwelche Fragen zu stellen, aber fast immer war er es, der, ohne abzuwarten, daß sie ihn anspreche, sich ganz zu ihr hinabneigte, um sie zu belehren, und
80 manchmal, wenn sie nicht aufpaßte, klopfte er gegen die Scheibe, damit sie öffne.

Louis de Sant-Simon: Erinnerungen, ausgewählt u. übers. von N. Schweigert, (Kohlhammer) Stuttgart S. 60ff.

M 3.2 **um 1740 – Regieren wie militärisch gedrillt**

Anweisung Friedrichs II. von Preußen in seinem ersten Amtsjahr:

Es müssen alle Ordres, welche S. K. M. dem Kammerpräsidenten oder der Kammer zusenden, sogleich prompt und accurat executiert werden; insonderheit sollen die, so Höchstdieselbe aus Dero Cabinet schicken, mit der 5 größesten Exactitude und Redlichkeit, auch Promptitude executiert werden.
Überall lieget dem Kammerpräsidenten besonders auf, darauf zu sehen und zu wachen, daß die ihm untergebene Membra der Kammer zur 10 Activité und zur Intégrité in allen ihren Amtsverrichtungen angehalten werden und daß dabei alle Connexiones, so sie bisher mit Monopolisten und Wucherern gehabt, rein unterbrochen, auch sonsten keine Durchstechereien 15 mit denen Beamten geduldet werden; maßen denn der Präsident davor, sowie überhaupt vor alles, Sr. K. M. besonders responsable bleibet, mithin einen jeden von seinen Untergebenen zu seiner Schuldigkeit anhalten muß. 20

Preußen – Versuch einer Bilanz (Ausstellungskatalog). (Rowohlt) Hamburg. Bd. 3, S. 122

M 3.3 **1789 – Der Fürst als Offizier, das Land als Exerzierplatz**

Hier bin ich wie in eine ganz neue Welt versetzt unter eine zahlreiche Kolonie von Bürgern und Soldaten, die kein Reisender auf einem so öden und undankbaren Boden suchen würde; alles um mich her wimmelt von Unifor- 5 men, blinkt von Gewehren und tönt von kriegerischer Musik. Hier, wo ehemals nichts als Wald und Sandwüste war, wo ein einsames Jagdhaus bloß zum Aufenthalt einiger Förster diente und die ganze Gegend umher von nie- 10 mand als einigen Räuberhorden besucht wurde, da legte der regierende Fürst von Hessen-Darmstadt mancherlei Wohnungen an, pflanzte Einwohner darein, versetzte den Kern seiner Kriegsvölker dahin und erkor sich den 15 Ort, der sechzehn deutsche Meilen von seinem größeren Lande und seiner eigentlichen Residenz liegt, zu seinem künftigen Aufenthalt. Eine solche Wahl und einen solchen Entschluß kann nur eine ganz besondre Stimmung des 20 Gemüts und eine ungewöhnliche Richtung des Charakters bei diesem Fürsten erregt haben, da er sich dadurch von seinem eigentlichen Lande ganz losriß, den Augen seiner Untertanen gänzlich entzog und bloß sich selbst, sei- 25 nen wenigen Gesellschaften und seiner Lieblingsneigung, dem Soldatenwesen, lebt.

Pirmasens liegt in dem Teil des hessen-hanau-
lichtenbergischen Amtes Lemberg, der unter
30 deutscher Hoheit stehet, zwei Meilen von Bitsch
und zweieinhalb Meilen von Zweibrücken. Der
Ort ist von mittlerer Größe, hat einige gut ge-
baute Häuser, aber keine vorzüglichen Straßen.
Seine schnelle Aufnahme hat er dem hier resi-
35 dierenden Landgrafen und seinem zahlreichen
Militär zu verdanken. Ohne dieses alles wäre
Pirmasens ein elender Ort, da kaum eine or-
dentliche Straße durch diesen Winkel des Was-
gaus zieht. Der Landgraf wohnt in einem wohl-
40 gebauten Hause, das man weder ein Schloß
noch ein Palais nennen kann und das, genau genommen, nur aus einem Geschoß besteht. Nahe
bei demselben, nur etwas höher, liegt das Exer-
zierhaus, welches freilich dem zu Darmstadt an
45 Größe und Schönheit manches nachgeben muß,
aber doch in allem Betracht ein schönes Gebäude ist. Die Länge desselben beträgt 130 Pariser
Fuß, die Breite 86. Hierin exerziert nun der
Fürst täglich sein ansehnliches Grenadierregi-
50 ment, das aus 2040 Mann bestehen soll.

Zit. nach: E. Stahleder (Hg.): Absolutismus und Aufklärung. (Goldmann) München o.J., S. 103f.

M 3.4 **18. und 19. Jahrhundert – Preußen,
ein Staat in militärischer Uniform
und militärischem Geist**

Der Generalmusikdirektor Spontini in Dienstuniform

König Friedrich Wilhelm III. in Militäruniform

Der Steuereintreiber in Beamtenuniform

Über Frieden und Krieg in Schriften und Dokumenten des 18. Jahrhunderts

M 3.5 **1713 – Abbé de Saint-Pierre: Entwurf zu einem ewigen Frieden in Europa**

Der Abbé de Saint-Pierre, 1658–1743, war Mitglied der französischen Delegation auf dem Utrechter Kongreß. Sein Entwurf unterscheidet Grundartikel und wichtige Artikel. Erstere sind nur einstimmig, letztere mit Dreiviertel-Mehrheit veränderbar.

Der in Vorschlag gebrachte Europäische Bund gibt allen christlichen Herrschern hinreichende Sicherheit für einen dauernden inneren und äußeren Frieden. [...]

5 *Grundartikel*

1. Die durch ihre anwesenden unterzeichneten Bevollmächtigten vertretenen Herrscher sind über Folgendes übereingekommen: Es besteht von diesem Tage an zwischen den 10 unterzeichneten Herrschern und, wenn möglich, zwischen allen christlichen Herrschern ein dauerndes, ewiges Bündnis zum Zweck der Erhaltung eines ununterbrochenen Friedens in Europa. Zu diesem Zweck wird der 15 Bund bestrebt sein, mit den benachbarten mohammedanischen Herrschern Schutz- und Trutzbündnisse abzuschließen, damit jeder innerhalb seiner Grenzen den Frieden wahrt, auch alle hierzu nötigen Sicherheiten von ih-20 nen fordert und sie seinerseits gibt. Die in dem Bunde vereinigten Herrscher werden dauernd durch Bevollmächtigte in einem ständigen Bundesrat vertreten, der seinen Sitz in einer freien Stadt hat.

25 2. Der Europäische Bund mischt sich nicht in die Regierung der einzelnen Staaten. Er sorgt nur für die Erhaltung ihrer Verfassung im Ganzen und leistet den Herrschern und den Behörden der Freistaaten Beistand ge-30 gen Aufruhr und Umwälzungen. [...]
4. Alle europäischen Mächte bleiben stets in ihrem jetzigen Besitzstand und in ihren heutigen Grenzen. [...]
7. Die Bundesbevollmächtigten bearbeiten 35 dauernd alle Bestimmungen über den Handel im allgemeinen und den Handel zwischen den einzelnen Völkern, und zwar so, daß die Handelsgesetze für alle Völker gleich und gegenseitig sind und auf Billigkeit beruhen. [...]

8. Kein Herrscher greift zu den Waffen und 40 unternimmt Feindseligkeiten gegen einen anderen, der nicht zum Feind des Völkerbundes erklärt ist. Hat er sich über ein Mitglied des Bundes zu beschweren oder Forderungen an dasselbe, so läßt er dem 45 Bundesrat durch seinen Bevollmächtigten in der Friedensstadt eine Denkschrift überreichen. Der Bundesrat bemüht sich, die Sache auf dem Vermittlungswege gütlich zu schlichten. Gelingt dies nicht, so fällt er einen 50 Schiedsspruch, vorläufig mit Stimmenmehrheit, endgültig mit Dreiviertelmehrheit. [...]

Wichtige Artikel

[...]
4. Hat der Bund einem Herrscher den Krieg erklärt und tritt eine seiner Provinzen auf 55 seiten des Bundes, so bleibt sie selbständig und wird als Freistaat regiert oder erhält nach ihrer Wahl einen Prinzen von Geblüt oder den Bundesfeldherrn zum Herrscher. [...] 60
Zweihundert Minister, Offiziere und hohe Beamte des Feindes, die nicht bei Kriegsbeginn auf das Bundesgebiet übergetreten sind, werden dem Bunde ausgeliefert und als Friedensstörer mit dem Tode oder mit lebens-65 länglichem Kerker bestraft. [...]
8. Erlischt in einem Staate, der Mitglied des Bundes ist, das Herrscherhaus der regierenden Fürsten, so bestimmt der Bund, um Unruhen vorzubeugen, dessen Nachfolger. [...] 70

Aus: H. J. Schlochauer: Die Idee des ewigen Friedens. Bonn 1953, S. 87-99

M 3.6 **1758 – Abbé Bonnot de Mably: Rechte und Pflichten des Bürgers**

Der Abbé Bonnot de Mably, 1709–1785, war bis 1758 Sekretär im französischen Außenministerium und brach dann mit der Regierungspolitik.

[...] Man hat mir gesagt, warum der Bürgerkrieg – sogar mehr als der Staatenkrieg – manchmal aus strengsten moralischen Gründen gerechtfertigt ist. Ist etwa ein auswärtiger Feind, der ein Volk unterwerfen will oder 5 der sich weigert, die Schäden, die er ihm angetan hat, wiedergutzumachen, schuldiger als ein innerer Feind (ennemi domestique), der es knechten will oder seine Gesetze öffentlich verachtet? Begehen beide nicht ein 10

Unrecht? Wenn die Vernunft beide gleichermaßen verurteilt, warum sollte sie es erlauben, den einen mit Gewalt wegzutreiben, und es ablehnen, dem anderen zu widerste-
15 hen?
Ein tugendhafter Bürger kann einen gerechten Bürgerkrieg führen, weil es Tyrannen geben kann, d.h. Amtspersonen (magistrats), die eine Autorität auszuüben verlangen, die
20 nur Gesetzen zukommen kann und darf, und die zur gleichen Zeit mächtig genug sind, um ihre Untertanen zu unterdrücken. Ständig den Bürgerkrieg als ein Unrecht anzusehen, die Bürger aufzufordern, nur ja nicht die Ge-
25 walt mit Gewalttätigkeit zu erwidern, das ist eine den guten Sitten und dem öffentlichen Wohl völlig entgegengesetzte Doktrin.

Eigene Übers. nach der Ausgabe von J.-L. Lecercle, (Librairie Marcel Didier) Paris 1972, S. 68f.

| M 3.7 | 1770 – Abbé Guillaume Thomas François Raynal: Philosophische und politische Geschichte der Einrichtungen der Europäer in den beiden Indien |

Raynal, 1713–1796, war einer der einflußreichsten Aufklärer. Seine Schrift erschien anonym.

[...] die Verbrechen der Könige und das Unglück der Völker ergeben auch universal jene schicksalhafte Katastrophe, die eine Welt von der anderen losreißen muß. Die Mine
5 unter den Fundamenten unserer schwankenden Königreiche ist vorbereitet; die Bestandteile ihres Verderbens sammeln und häufen sich in den Trümmern unserer Gesetze, im Abscheu und in der Gärung unserer Meinun-
10 gen, in der Umkehrung unserer Rechte, die unser Mut waren, [...] im unversöhnlichen Haß unter treulos verlassenen Menschen, die alle Reichtümer besitzen, und starken Menschen, tugendhaften sogar, die nichts zu ver-
15 lieren haben als ihr Leben. [...] Vergeblich [...] unter (diesen) Bedingungen einen Friedensvertrag zu schließen. [...] Hüten wir uns, in der Tat den Widerstand, den die englischen Kolonien ihrem Mutterland (métropole) ent-
20 gegensetzen müssen, mit der Wut eines Volkes zu verwechseln, das sich durch das Übermaß einer langen Unterdrückung gegen seinen Souverän erhebt. Wenn ein Sklave

des Despotismus einmal seine Kette gebrochen hat, wenn er sein Schicksal einmal 25 der Entscheidung des Schwertes anvertraut hat, wird er gezwungen sein, seinen Tyrannen zu massakrieren, dabei dessen Geschlecht und Nachkommenschaft auszutilgen, die Form der Regierung, deren Opfer er 30 seit Jahrhunderten gewesen ist, zu wechseln. Wenn er weniger wagt, wird er früher oder später dafür bestraft werden, halbherzig gewesen zu sein. [...]

Zit. nach: R. Koselleck: Kritik und Krise. (Suhrkamp) München 1979, S. 150f.

| M 3.8 | 1795 – Immanuel Kant: Zum Ewigen Frieden |

Kant, 1724–1804, der berühmte Philosoph der deutschen Aufklärung, gliedert seine Schrift in Form der damals üblichen Friedensverträge. Der erste Teil enthält die „Präliminarartikel", d. h. die dem eigentlichen Friedensvertrag vorausgehenden Vereinbarungen, der zweite Teil die „Definitivartikel", d. h. die Vereinbarungen des eigentlichen Friedensvertrages. Nur diese werden nachfolgend in Auszügen wiedergegeben.

Der Friedenszustand unter Menschen, die nebeneinander leben, ist kein Naturzustand (status naturalis), der vielmehr ein Zustand des Krieges ist, d. i. wenngleich nicht immer ein Ausbruch der Feindseligkeiten, doch im- 5 merwährende Bedrohung mit denselben. Er muß also *gestiftet* werden.

1. Die bürgerliche Verfassung in jedem Staat soll republikanisch sein

Die erstlich nach Prinzipien der *Freiheit* der 10 Glieder einer Gesellschaft (als Menschen); zweitens nach Grundsätzen der *Abhängigkeit* aller von einer einzigen gemeinsamen Gesetzgebung (als Untertanen); und drittens, die nach dem Gesetz der *Gleichheit* 15 derselben (als *Staatsbürger*) gestiftete Verfassung [...] ist die *republikanische,* [...] und nun ist nur die Frage: ob sie auch die einzige ist, die zum ewigen Frieden hinführen kann. 20
Nun hat aber die republikanische Verfassung, außer der Lauterkeit ihres Ursprungs, aus dem reinen Quell des Rechtsbegriffs entsprungen zu sein, noch die Aussicht in die

25 gewünschte Folge, nämlich den ewigen Frieden; wovon der Grund dieser ist. – Wenn, (wie es in dieser Verfassung nicht anders sein kann) die Beistimmung der Staatsbürger dazu erfordert wird, um zu beschließen, ob
30 Krieg sein solle, oder nicht, so ist nichts natürlicher, als daß, da sie alle Drangsale des Krieges über sich selbst beschließen müßten, [...] sie sich sehr bedenken werden, ein so schlimmes Spiel anzufangen. Dahingegen in
35 einer Verfassung, wo der Untertan nicht Staatsbürger, die also nicht republikanisch ist, es die unbedenklichste Sache von der Welt ist, weil das Oberhaupt [...] das mindeste einbüßt, diesen also wie eine Art von
40 Lustpartie aus unbedeutenden Ursachen beschließen, und der Anständigkeit wegen dem dazu allezeit fertigen diplomatischen Korps die Rechtfertigung desselben gleichgültig überlassen kann [...].

45   2. Das Völkerrecht soll auf einen Föderalismus freier Staaten gegründet sein

Da die Art, wie Staaten ihr Recht verfolgen, nie, wie bei einem äußeren Gerichtshofe, der Prozeß, sondern nur der Krieg sein
50 kann, durch diesen aber und seinen günstigen Ausschlag, den *Sieg,* das Recht nicht entschieden wird, und durch den *Friedensvertrag* zwar wohl dem diesmaligen Kriege, aber nicht dem Kriegszustande (immer zu
55 einem neuen Vorwand zu finden) ein Ende gemacht wird (den man auch nicht geradezu für ungerecht erklären kann, weil in diesem Zustande jeder in seiner eigenen Sache Richter ist), [...] indessen daß doch die Ver-
60 nunft vom Throne der höchsten moralisch gesetzgebenden Gewalt herab, den Krieg als Rechtsgang schlechterdings verdammt, den Friedenszustand dagegen zur unmittelbaren Pflicht macht, welcher doch, ohne
65 einen Vertrag der Völker unter sich, nicht gestiftet oder gesichert werden kann: – so muß es einen Bund von besonderer Art geben, den man den *Friedensbund* (foedus pacificum) nennen kann, der vom *Friedens-*
70 *vertrag* (pactum pacis) darin unterschieden sein würde, daß dieser bloß *einen* Krieg, jener aber *alle* Kriege auf immer zu endigen suchte. [...]

Zit. nach der Ausgabe von Th. Valentiner, (Reclam) Stuttgart 1973, S. 23–33 passim

Amerikanische Revolution

| **M 3.9** | **1776 – „Common Sense"** |

Seit dem 9. Januar 1776 in Philadelphia verbreitete anonyme Flugschrift. Sie wurde mit einer Auflage von 120 000 Stück der erste amerikanische Bestseller. Ihr Verfasser war der Journalist Thomas Paine, 1737–1809.

Einige Schriftsteller haben so sehr Gesellschaft mit Regierung verwechselt, daß sie wenig oder gar keinen Unterschied zwischen beiden gelassen haben; obwohl sie doch nicht allein verschiedene Dinge, sondern auch ver- 5
schiedenen Ursprungs sind. Gesellschaft entspringt aus unseren Bedürfnissen und Regierung aus unserer Bosheit. Erstere fördert unsere Glückseligkeit positiv, indem sie unsere Neigungen zueinander knüpft, letztere ne- 10
gativ, insofern sie unsere Laster im Zaum hält. Jene ermuntert Umgang und Gemeinschaft; diese bringt Unterscheidungen hervor. Die erste ist ein Freund, der sich unserer annimmt; die letzte ein Vorgesetzter, der bestraft. 15
Gesellschaft ist in jedem Zustand ein Gut; Regierung ist, selbst in ihrem besten Zustand nur ein notwendiges, in ihrem schlimmsten Zustand aber ein unerträgliches Übel. [...]
Hier also haben wir den Ursprung und die 20
Entstehungsart von Regierung; nämlich ein Verfahren, das notwendig wurde durch das Unvermögen von sittlicher Tugendhaftigkeit, die Welt zu regieren. Hier haben wir auch die Absicht und den Zweck aller Regierun- 25
gen, nämlich Freiheit und Sicherheit. [...]
Da die Menschen nach der Ordnung der Schöpfung ursprünglich alle gleich waren, so konnte diese Gleichheit nur durch einen späteren Umstand vernichtet werden. Den Grund 30
für den Unterschied zwischen Reichen und Armen kann man ziemlich genau angeben. [...]
Aber es gibt einen anderen und größeren Unterschied, für den kein wahrer Grund weder aus der Natur noch der Religion angege- 35
ben werden kann. Das ist der Unterschied zwischen Königen und Untertanen. Männlich und weiblich sind die Unterscheidungen der Natur, gut und böse die Unterscheidungen des Himmels. [...] 40
Monarchie und Thronfolge haben nicht nur dieses oder jenes Königreich, sondern die

ganze Welt in Blut und Asche gelegt. Sie ist eine Regierungsform, gegen die das Wort
45 Gottes Zeugnis ablegt, und Blutvergießen ist ihr unzertrennlicher Gefährte. [...]
Unsere Sache ist der Handel, und wenn wir den nur gut besorgen, wird er den Frieden und die Freundschaft mit ganz Europa si-
50 chern, weil es im Interesse ganz Europas liegt, Amerika als Freihafen zu haben. Sein Handel wird jederzeit ein Schutz sein, und seine Armut an Gold und Silber werden es vor feindlichen Eindringlingen bewahren.
55 Ich fordere den hitzigsten Verfechter der Aussöhnung auf, nur einen einzigen Vorteil zu zeigen, der diesem Kontinent aus der Verbindung mit England erwächst. Ich wiederhole die Herausforderung; nicht ein einziger
60 Vorteil kann daraus hergeleitet werden. Unser Getreide wird auf jedem europäischen Markt seinen Preis bringen, und für importierte Waren müssen wir bezahlen, wo immer wir sie kaufen. [...]
65 Es ist das wahre Interesse Amerikas, sich aus allen europäischen Zänkereien herauszuhalten, was es nie tun kann, solange es durch seine Abhängigkeit von Britannien zum entscheidenden Gewicht in der Waagschale bri-
70 tischer Staatskunst gemacht wird. Europa ist zu dicht mit Königreichen besetzt, als daß es lange in Frieden leben könnte, und so oft ein Krieg zwischen England und einer fremden Macht ausbricht, wird der Handel Amerikas
75 ruiniert, und zwar wegen seiner Verbindung mit Großbritannien. [...]
Alles, was richtig oder vernünftig ist, spricht für eine Trennung. Das Blut der Erschlagenen, die jammernde Stimme der Natur ru-
80 fen überlaut: Es ist Zeit, voneinander zu scheiden. [...]
Nichts kann unsere Sache so schnell in Ordnung bringen wie eine offene und entschlossene Unabhängigkeitserklärung. [...]

Aus: W.P. und A.M. Adams: Die amerikanische Revolution in Augenzeugenberichten. (dtv) München 1976, S. 221–231 passim

M 3.10 **4. Juli 1776 – Unabhängigkeitserklärung der Vereinigten Staaten von Amerika**

Der Kontinentalkongreß, d. h. die Delegiertenversammlung der nordamerikanischen Kolonien, hatte folgende Personen in das Verfasserteam gewählt:

Thomas Jefferson, John Adams, Benjamin Franklin, Roger Sherman, Robert R. Livingstone.

Einstimmige Erklärung der dreizehn Vereinigten Staaten von Amerika

Wenn es im Zuge der menschlichen Geschichte für ein Volk notwendig wird, die politischen
5 Bande zu lösen, die es mit einem anderen Volke verbunden haben, und unter den Mächten der Erde den selbständigen und gleichen Rang einzunehmen, zu dem Naturrecht und göttliches Gesetz es berechtigen, so erfordert
10 eine geziemende Rücksichtnahme auf die Meinung der Menschheit, daß es die Gründe darlegt, die es zur Trennung veranlassen.
Folgende Wahrheiten halten wir für selbstverständlich: daß alle Menschen gleich geschaffen
15 sind; daß sie von ihrem Schöpfer mit gewissen unveräußerlichen Rechten ausgestattet sind; daß dazu Leben, Freiheit und das Streben nach Glück gehören; daß zur Sicherung dieser Rechte Regierungen unter den Menschen ein-
20 gesetzt werden, die ihre rechtmäßige Macht aus der Zustimmung der Regierten herleiten; daß, wann immer irgendeine Regierungsform sich als diesen Zielen abträglich erweist, es Recht des Volkes ist, sie zu ändern oder abzu-
25 schaffen und eine neue Regierung einzusetzen und diese auf solchen Grundsätzen aufzubauen und ihre Gewalten in der Form zu organisieren, wie es ihm zur Gewährleistung seiner Sicherheit und seines Glückes geboten zu sein
30 scheint. Gewiß gebietet die Weisheit, daß von alters her bestehende Regierungen nicht aus geringfügigen und vorübergehenden Anlässen geändert werden sollten; und demgemäß hat jede Erfahrung gezeigt, daß die Menschen
35 eher geneigt sind, zu dulden, solange die Mißstände noch erträglich sind, als sich unter Beseitigung altgewohnter Formen Recht zu verschaffen. Aber wenn eine lange Reihe von Mißbräuchen und Übergriffen, die stets das
40 gleiche Ziel verfolgen, die Absicht erkennen läßt, sie absolutem Despotismus zu unterwerfen, so ist es ihr Recht und ihre Pflicht, eine solche Regierung zu beseitigen und neue Wächter für ihre künftige Sicherheit zu bestellen.
45 So haben diese Kolonien geduldig ausgeharrt, und so stehen sie jetzt vor der zwingenden Notwendigkeit, ihre bisherige Regierungsform zu ändern. Die Regierungszeit des ge-
50 genwärtigen Königs von Großbritannien ist

von unentwegtem Unrecht und ständigen Übergriffen gekennzeichnet, die alle auf die Errichtung einer absoluten Tyrannei über diese Staaten abzielen. [...]

55 Wir haben es auch nicht an Aufmerksamkeit gegenüber unseren britischen Brüdern fehlen lassen. Wir haben sie von Fall zu Fall warnend auf die Versuche ihrer Gesetzgeber verwiesen, eine ungerechtfertigte Rechtsgewalt über

60 uns zu erlangen. Wir haben sie an die Umstände gemahnt, unter denen unsere Auswanderung und Ansiedlung erfolgten. Wir haben an ihr natürliches Gerechtigkeitsgefühl und ihre Hochherzigkeit appelliert und sie bei den

65 Banden unserer gemeinsamen Herkunft beschworen, von diesen Übergriffen abzulassen, die unvermeidlich zum Abbruch unserer Verbindungen und Beziehungen führen müßten. Auch sie sind der Stimme der Gerechtigkeit

70 und der Blutsverwandtschaft gegenüber taub geblieben. Wir müssen uns daher mit der notwendigen Folgerung aus unserer Trennung abfinden und sie wie die übrige Menschheit behandeln: als Feinde im Krieg, als Freunde

75 im Frieden.
Daher tun wir, die in einem gemeinsamen Kongreß versammelten Vertreter die Vereinigten Staaten von Amerika, unter Anrufung des Obersten Richters über diese Welt als

80 Zeugen für die Ehrlichkeit unserer Absichten namens und im Auftrag der rechtschaffenen Bevölkerung dieser Kolonien feierlich kund und zu wissen, daß diese Vereinigten Kolonien freie und unabhängige Staaten sind und es

85 von Rechts wegen bleiben sollen; daß sie von jeglicher Treuepflicht gegen die britische Krone entbunden sind, und daß jegliche politische Verbindung zwischen ihnen und dem Staate Großbritannien vollständig gelöst ist und blei-

90 ben soll, und daß sie als freie und unabhängige Staaten das Recht haben, Krieg zu führen, Frieden zu schließen. Bündnisse einzugehen, Handel zu treiben und alle anderen Handlungen vorzunehmen und Staatsgeschäfte abzu-

95 wickeln, zu denen unabhängige Staaten rechtens befugt sind. Und zur Erhärtung dieser Erklärung verpflichten wir uns gegenseitig feierlich in festem Vertrauen auf den Schutz der göttlichen Vorsehung zum Einsatz unseres

100 Lebens, unseres Gutes und der uns heiligen Ehre. [...]

Aus: W.P. und A.M. Adams: (M 3.9) S. 262–266

Die Französische Revolution: Revolutionärer Krieg und Frieden

M 3.11   **29. November 1791 – Der Abgeordnete Isnard in der Debatte um die Kriegserklärung gegen Österreich**

Rede vor der Gesetzgebenden Versammlung; Isnard gehörte dem demokratischen „linken" Flügel und dort der großbürgerlichen Gruppe der „Girondisten" an.

[...] Der Franzose wird sich zum erhabensten Volk der Welt entwickeln. Geknechtet, war er unerschrocken und stolz; frei, sollte er furchtsam und schwach sein? Alle Völker als Brüder zu behandeln, niemand zu kränken, 5 aber sich auch von niemand kränken zu lassen, das Schwert nur für die Sache der Gerechtigkeit zu ziehen und es erst als Sieger wieder in die Scheide zu stecken, schließlich, immer bereit zu sein, für die Gerechtigkeit 10 zu sterben und lieber ganz von der Erde zu verschwinden, als sich wieder Ketten anlegen zu lassen: das ist der Charakter des französischen Volkes.

Glaubt nicht, unsere augenblickliche Lage 15 verwehre es uns, jene entscheidenden Schläge zu führen! Ein Volk im Zustand der Revolution ist unbesiegbar. Die Fahne der Freiheit ist die Fahne des Siegers. [...]

Erheben wir uns in dieser Situation zur 20 ganzen Höhe unserer Sendung! Sprechen wir zu den Ministern, zum König, zu Europa mit der Festigkeit, die uns ansteht! [...] Sagen wir Europa, daß, wenn die Kabinette die Könige in einen Krieg gegen die Völker verwickeln, 25 wir die Völker in einen Krieg gegen die Könige verwickeln werden. Sagen wir ihm, daß alle Schlachten, die die Völker sich liefern werden, weil die Tyrannen es so wollen (Applaus). Klatscht nicht, klatscht nicht, achtet 30 meine Begeisterung, sie ist die Begeisterung der Freiheit!

Sagen wir ihm, daß alle Schlachten, die die Völker sich liefern werden, weil die Tyrannen es so wollen, wie die Schläge sind, welche 35 zwei Freunde sich, aufgestachelt von einem heimtückischen Intriganten, in der Dunkelheit zufügen; sobald es heller Tag wird, werfen sie ihre Waffen beiseite, umarmen sich

40 und nehmen Rache an dem, der sie täuschte; ebenso werden die Völker, wenn mitten im Kampf zwischen den feindlichen und unseren Armeen das Licht der Philosophie ihre Augen trifft, sich im Angesicht der entthronten 45 Tyrannen, der getrösteten Erde, des befriedigt zuschauenden Himmels umarmen.

Aus: W. Grab: Die Französische Revolution. Eine Dokumentation, (Nymphenburger Verlagsbuchhandlung) München 1973, S. 94f.

M 3.12   2. Januar 1792 – Robespierre in der Debatte um die Kriegserklärung gegen Österreich

Rede im Pariser Jakobinerklub. Robespierre war nicht mehr Mitglied der seit dem 1. Oktober 1791 amtierenden Gesetzgebenden Versammlung; daher wählte er für seine Entgegnung den Jakobinerklub, wo die „Girondisten" bis zu ihrem „Untergang" im Herbst 1792 noch genauso eingeschrieben waren wie Robespierre und seine Anhänger.

[...] Es ist verdrießlich, daß die Wahrheit und der gesunde Menschenverstand diese glänzenden Voraussagungen Lügen strafen; es liegt in der Natur der Dinge begründet, daß 5 der Gang der Vernunft langsam fortschreitet. Die lasterhafteste Regierung findet in den Vorurteilen, in den Gewohnheiten, in der Erziehung der Völker eine mächtige Stütze. Der Despotismus selbst verdirbt den Geist 10 der Menschen so weit, daß er sich anbeten läßt und die Freiheit auf den ersten Anblick verdächtig und fürchterlich macht. Die ausschweifendste Idee, die in dem Kopfe eines Politikers entstehen kann, ist die, zu glauben, 15 daß es für ein Volk genüge, mit bewaffneter Hand bei einem fremden Volke einzubrechen, um es zu zwingen, seine Gesetze und seine Verfassung anzunehmen. Niemand liebt die bewaffneten Missionare; der erste 20 Rat, den die Natur und die Klugheit geben, ist der, sie als Feinde zurückzuschlagen. [...]

Aus: P. Fischer: Reden der Französischen Revolution, (dtv) München 1974, S. 147

M 3.13   25. Juli 1792 – Aus dem Manifest des Herzogs von Braunschweig an die Bewohner Frankreichs

Der Herzog von Braunschweig war Oberbefehlshaber der preußisch-österreichischen Invasionstruppen, die nach der französischen Kriegserklärung an Österreich vom 20. April 1792 zunächst siegreich in Frankreich einmarschierten.

[...] Überzeugt, daß der gesunde Teil des französischen Volks die Ausschweifungen der herrschenden Partei verabscheut und daß der größere Teil der Bewohner mit Ungeduld den Augenblick der Hilfe erwartet, 5 um sich offen gegen die verhaßten Maßregeln seiner Unterdrücker zu erklären, fordern ihre Majestäten (von Österreich und Preußen) dieselben auf, ohne Verzug zur Vernunft, zur Gerechtigkeit, zur Ordnung 10 und zum Frieden zurückzukehren. [...] Die Stadt Paris und alle ihre Bewohner ohne Unterschied sind schuldig, sich sogleich ihrem König zu unterwerfen, ihn in volle Freiheit zu setzen, und ihm, so wie allen Mit- 15 gliedern seiner Familie, die Unverletzlichkeit und die Achtung zu versichern, auf welche nach dem Vernunft- und Völkerrechte die Fürsten gegenüber ihren Untertanen Anspruch zu machen haben. [...] Ihre Majestä- 20 ten erklären ferner auf ihr kaiserliches und königliches Ehrenwort, daß, wenn das Schloß der Tuilerien gestürmt oder sonst verletzt, wenn die mindeste Beleidigung dem Könige, der Königin und der ganzen königli- 25 chen Familie zugefügt, nicht unmittelbar für ihre Sicherheit, ihr Leben und ihre Freiheit gesorgt wird, sie eine beispiellose und für alle Zeiten denkwürdige Rache nehmen und die Stadt Paris einer militärischen Exekution 30 und einem gänzlichen Ruine preisgeben, die Verbrecher selbst aber dem verdienten Tode überliefern werden. [...]

Aus: W. Grab: (M 3.11) S. 109ff.

M 3.14   15. Dezember 1792 – Dekret des Nationalkonvents über die Politik der republikanischen Armeen in den besetzten Ländern

Der Nationalkonvent löste die Gesetzgebende Versammlung am 20. September 1792 ab.

Artikel 1. In den Ländern, die von den Armeen der Französischen Republik besetzt sind oder noch besetzt werden, proklamieren die Generäle unverzüglich im Namen der französischen Nation die Abschaffung der 5 bisher dort geltenden Abgaben und Steuern,

des Zehnten, der widerruflichen und der un-
widerruflichen Feudalrechte, der dinglichen
und persönlichen Leibeigenschaft, des allei-
nigen Jagdrechts des Adels und überhaupt
aller Privilegien. Die Generäle erklären dem
Volke, daß sie ihm Frieden, Beistand, Brüderlichkeit, Freiheit und Gleichheit bringen.
Artikel 2. Sie proklamieren die Souveränität
des Volkes und die Aufhebung aller bisher
bestehenden Gewalten. Sodann rufen sie das
Volk in Ur- oder Gemeindeversammlungen
zusammen, um eine vorläufige Verwaltung
ins Leben zu rufen und zu organisieren. [...]
Artikel 9. Die vom Volk ernannte vorläufige
Verwaltung sowie die Tätigkeit der National-
kommissare endet, sobald das Volk seine
Souveränität, seine Freiheit und Unabhängigkeit erklärt und eine freie, demokratische
Regierung gebildet hat.

Aus: W. Grab: (M 3.11) S. 127

**M 3.15   23. August 1793 – Dekret des
Nationalkonvents über das
Massenaufgebot**

Der Nationalkonvent beschließt nach An-
hörung des Berichtes seines Wohlfahrtsaus-
schusses:
Artikel 1. Ab sofort bis zu dem Augenblick,
in dem die Feinde vom Territorium der Republik verjagt sein werden, unterliegen alle
Franzosen der ständigen Einberufung zum
Heeresdienst.
Artikel 2. Die jungen Männer gehen an die
Front, die verheirateten schmieden Waffen
und übernehmen den Verpflegungstransport;
die Frauen nähen Zelte, Uniformen und tun
in den Hospitälern Dienst; die Kinder zupfen
aus altem Leinenzeug Scharpie[1], die Greise
lassen sich auf öffentliche Plätze tragen, um
den Soldaten Mut und Haß gegen die Könige zu predigen und ihnen die Einheit der Republik einzuschärfen.
Die nationalen Gebäude werden in Kaser-
nen, die öffentlichen Plätze zu Rüstungs-
werkstätten umgewandelt, die Kellerfußbö-
den ausgelaugt, um Salpeter zu gewinnen.
[...]
Artikel 8. Die Aushebung ist allgemein; die
unverheirateten oder kinderlos verwitweten
Männer von achtzehn bis fünfundzwanzig

Jahren marschieren als erste; sie begeben
sich unverzüglich in den Kreisort ihres
Distrikts, wo sie bis zum Erhalt des Ab-
marschbefehls sich täglich in der Handha-
bung der Waffen ausbilden. [...]
Artikel 11. Das in jedem Distrikt aufgestellte
Bataillon sammelt sich unter einem Banner
mit folgender Aufschrift: Das französische
Volk erhebt sich gegen die Tyrannen. [...]

Aus: W. Grab: (M 3.11) S. 171ff.

---

[1] Verbandsmaterial

**M 3.16   Aus Reden Robespierres vor
dem Nationalkonvent**

Seit dem Amtsbeginn des Nationalkonvents war
Robespierre wieder Abgeordneter; spätestens seit
der ersten unten wiedergegebenen Rede galt er im
In- und Ausland als Vordenker und Wortführer der
Revolution.

**a) 17. November 1793 – Über die außenpo-
litischen Prinzipien der Revolution**

O!, wer von uns fühlt nicht jede Kraft in sich
veredelt, wem schlägt nicht das Herz höher,
wer glaubt sich nicht über die Menschheit
selbst erhaben, wenn er bedenkt, daß es
nicht nur ein Volk ist, für welches wir streiten, sondern das Weltall, nicht nur die jetzt-
lebenden Menschen, sondern auch alle die,
die noch je werden sollen. Ach!, wollte der
Himmel, daß eben jetzt alle Völker unsere
Stimme hören könnten! Im nämlichen Augenblick würden alle Fackeln des Kriegs er-
löschen, alle Stützen des Betrugs schwinden,
alle Ketten der Welt zerbrochen, alle Quellen des Elends verstopft sein; alle Völker
würden nur ein Brudervolk ausmachen, und
wir würden so viele Freunde haben, als diese
Erde Bewohner zählt. Wenn Sie aber auch
nicht vermögen, diese Wahrheit der ganzen
Welt zu verkünden, so ist es wenigstens unsere Pflicht, sie so viel und so weit zu verbreiten, als es in Ihrer Macht steht. Dieses Manifest der Vernunft, diese feierliche Proklamation Ihrer Grundsätze wird mächtiger als die
niedrigen Kunstgriffe der Höfe [wird uns vielleicht so viel wert sein als eine Armee].
Übrigens, sollte auch ganz Europa sich gegen
uns erklären, wir sind stärker als Europa.
Die Frankenrepublik ist unüberwindlich wie

die Vernunft, unsterblich wie die Wahrheit.
Wenn die Freiheit eine solche Eroberung gemacht hat wie Frankreich, so vermag keine
menschliche Macht sie daraus zu vertreiben.
[...]
Aber Ihr großmütigen Monarchen! Ihr emp-
findsamen Despoten! Ihr verschwendet, wie
Ihr sagt, so viele Menschen und so viele Schätze nur, um Frankreich Glück und Frieden wie-
derzugeben. Es ist Euch so wohl gelungen,
Eure eignen Untertanen glücklich zu machen,
daß Eure königlichen Seelen sich nur noch mit
unserm Glück zu beschäftigen haben! Hütet
Euch! Nur allzulange haben die Könige die
Völker gezüchtigt; die Völker könnten ihrerseits auch die Könige züchtigen. [...]

Aus: P. Fischer: (M 3.12) S. 323f.

b) 5. Februar 1794 – Über die innenpoliti-schen Prinzipien der Revolution

Robespierre verstand diese Rede ausdrücklich als
Fortsetzung der vorigen.

Das Fundamental-Prinzip der demokratischen oder populären Verfassung, das heißt,
die wesentliche Triebfeder, welche sie erhält
und in Bewegung setzt, ist die Tugend; ich
meine hier die öffentliche Tugend, welche in
Griechenland und Rom so viele Wunder er-
zeugte und im republikanischen Frankreich
noch weit erstaunlichere hervorbringen muß;
nämlich die Tugend, welche nichts anders als
die Liebe zum Vaterland und zu den Gesetzen desselben ist.
Da nun aber die Gleichheit das Wesen der
Republik oder der Demokratie ist, so folgt
daraus, daß die Liebe zum Vaterland auch
notwendig die Liebe zur Gleichheit in sich
begreife. [...]
Die Franzosen sind das erste Volk in der
Welt, welches die wahre Demokratie eingeführt hat, indem es allen Menschen die
Gleichheit und den völligen Genuß der
Rechte eines Staatsbürgers gestattet; und
dieses ist, nach meiner Meinung, der wahre
Grund, warum alle gegen die Republik verbündeten Tyrannen besiegt werden müssen.
[...]
Hier würde die ganze Entwicklung unserer
Theorie geendigt sein, wenn Ihr das Schiff
der Republik bloß in der friedlichen Ruhe zu
leiten hättet; aber der Sturm brüllt, und der

Revolutionszustand, in welchem Ihr Euch
befindet, schreibt Euch eine andere Lauf-
bahn vor. [...]
So wie im Frieden die Triebfeder der Volks-
regierung die Tugend ist, so ist es in einer
Revolution die Tugend und der Schrecken
zugleich; die Tugend, ohne welche der
Schrecken verderblich, der Schrecken, ohne
den die Tugend ohnmächtig ist. Der
Schrecken ist nichts anders als eine schleuni-
ge, strenge und unbiegsame Gerechtigkeit; er
fließt also aus der Tugend; er ist also nicht
ein besonderes Prinzip, sondern eine Folge
aus dem Hauptprinzip der Demokratie, auf
die dringendsten Bedürfnisse des Vaterlandes angewendet. [...]
Dieser fürchterliche Krieg, welcher die Freiheit gegen die Tyrannei empört, ist er nicht
unteilbar? Die Feinde von innen, sind sie
nicht mit den Feinden von außen verbunden? Die Mörder, welche das Vaterland im
Innern zerreißen; die Ränkemacher; die Verräter, welche sich verkaufen; die Libellisten,
welche besoldet werden, um die Sache des
Volkes zu entehren, die öffentliche Tugend
zu töten, das Feuer der bürgerlichen Zwietracht anzufachen und die politische Gegenrevolution durch eine moralische vorzubereiten: sind alle diese Leute weniger strafbar
und weniger gefährlich als die Tyrannen, denen sie dienen? Alle diejenigen, welche ihre
mörderische Sanftmut als Vermittlerin zwischen diesen Bösewichtern und dem rächen-
den Schwert der Nationalgerechtigkeit gebrauchen, gleichen denen, welche sich
zwischen die Trabanten der Tyrannen und
die Bajonette unserer Soldaten werfen
möchten. [...]

Aus: P. Fischer: (M 3.12) S. 344–350

M 3.17 **Undatiert – Frauen fordern gleiche Rechte**

Anonymes, undatiertes Gesuch von Frauen an die
Adresse der Nationalversammlung

Die Nationalversammlung, die den größten
und verbreitetsten aller Mißstände abstellen
und die Fehler einer sechstausend Jahre
währenden Ungerechtigkeit wiedergutma-
chen will, hat beschlossen und verfügt folgendes:

1. Alle Privilegien des männlichen Geschlechts sind in ganz Frankreich vollständig und unwiderruflich aufgehoben.
10 2. Das weibliche Geschlecht wird für immer die gleiche Freiheit, die gleichen Vorteile, die gleichen Rechte und die gleichen Ehren genießen wie das männliche Geschlecht. [...]
15 5. Die [Knie-] Hose [culotte] wird nicht mehr das alleinige Vorrecht des männlichen Geschlechts sein, beide Geschlechter werden das Recht haben, sie zu tragen.
6. Wenn ein Soldat durch Feigheit die fran-
20 zösische Ehre kompromittiert, wird man nicht mehr, wie es oft vorgekommen ist, ihn herabsetzen, indem man ihn zwingt, Frauenkleider anzuziehen; da beide Geschlechter vor den Augen der Menschheit
25 gleichermaßen würdig sind, wird man sich von nun an damit zufriedengeben, ihn zu bestrafen, indem man ihn zum neutralen Geschlecht erklärt. [...]
8. Sie[1] können auch in hohe Staatsämter er-
30 nannt werden [...]. Es gibt kein geeigneteres Mittel, um die Öffentlichkeit mit den Justizbehörden auszusöhnen, als die Schönheit dort ihren Einzug halten zu lassen und die Grazien präsidieren zu sehen.
35 9. Das gleiche gilt für alle militärischen Anstellungen, Auszeichnungen und Würden [...]. Der Franzose wird dann wahrhaftig unbesiegbar sein, wenn sein Mut durch den doppelten Beweggrund des Ruhms
40 und der Liebe belebt wird. Selbst die Ernennung zum Marschall von Frankreich nehmen wir nicht aus, und der Gerechtigkeit halber ordnen wir gleichfalls an, daß dieses so nützliche Instrument (der Mar-
45 schallstab) abwechselnd in die Hände der Männer und der Frauen gelangen kann. [...]

Aus: E. und H.-Chr. Harten: Frauen – Kultur – Revolution. 1789–1799, (Centaurus Verlag) Pfaffenweiler 1989, S. 103f.

––––––––––

[1] Sie, die Frauen, ...

| **M 3.18** | **Undatiert – Brief der Bürgerin Dubois an den Nationalkonvent** |

Der Nationalkonvent amtierte vom 1. Oktober 1792 an. In ihm gab die „Montagne", die „Bergpartei", den Ton an.

Gesetzgeber,

Habet die Güte, die Glückwünsche und Danksagungen von der Mutter eines Vaterlandsverteidigers für Euer kostbares Dekret entgegenzunehmen, das verkündet, daß das 5 französische Volk das Höchste Wesen und die Unsterblichkeit der Seele anerkennt. Ja, Citoyens, in diesem Augenblick der Genugtuung wollte ich meine unbedeutenden Fähigkeiten nutzen, um republikanische Gebete in 10 Form von Hymnen zu komponieren, um der Gottheit unsere Verehrung zu erweisen. Gesetzgeber, Ihr werdet hierin nicht die Kunst der großen gewählten Worte finden, denn ich kenne nur die Sprache der Natur, die die der 15 Sansculotten ist; das heißt so, wie mein Herz sie mir eingibt und nicht mehr.
Gesetzgeber, da nun einmal die Gesetze mir nicht erlauben, hinzueilen und unseren Brüdern dabei zu helfen, mit dem Schwert die 20 Bösewichte, die unserer Freiheit entgegentreten, niederzuschlagen, nicht etwa, weil es mir an Mut fehlte; aber wenigstens entwirft meine Feder, geführt von den Gefühlen meines Herzens patriotische Lieder, um unsere Fein- 25 de vor Wut erbleichen zu lassen und um meine Brüder und Schwestern zu unterrichten. Ich wäre zu glücklich, Gesetzgeber, wenn Ihr sie gleichwohl als nützlich für mein Vaterland im Innern entgegennehmen möget, während 30 mein Sohn es nach außen verteidigt, und ohne Unterlaß möchte ich ausrufen: Es lebe die französische Republik und die Montagne.

Aus: Harten: (M 3.17) S. 151

| **M 3.19** | **1792 – Aus einer Rede der Madame Peutat** |

Madame Peutat war Präsidentin der Bürgerinnen von Avallon. Sie hielt die Rede an der Spitze der mit Piken bewehrten Bürgerinnen von Avallon anläßlich der Enthüllung einer Büste von Mirabeau vor den sog. Freunden der Verfassung.

Als Französinnen werden wir niemals dulden, daß die Ehre der heiligen Lade der Verfassung von Unwürdigen angetastet wird, und wir weihen diese Piken der Verteidigung der Freiheit und der Gleichheit der Rechte, 5 die diese Verfassung uns verbürgt. [...]
Als Mütter schwören wir, ohne Unterlaß dafür zu arbeiten, daß unsere Kinder diese

Verfassung lieben, die die Nationalversammlung der Wachsamkeit der Familienväter, der
Gattinnen, der Mütter, der Liebe der jungen
Citoyens und dem Mut aller Franzosen über-
antwortet hat; wir geloben, ihnen jene lei-
denschaftliche Begeisterung einzuprägen, die
zu ihrer Verteidigung nötig ist; und wenn die
französischen Frauen bis heute nur Kinder
zur Welt gebracht haben, so werden sie sich
vom Beginn dieser Revolution an daran machen, nur noch Männer zu schaffen: Das sind
zumindest unsere besonderen Fähigkeiten.
Als Gattinnen schwören wir, unseren Männern Rückhalt zu geben, wenn sie dem Feind
gegenüberstehen; ihnen eine zusätzliche
Kraft zu sein, die sie dann nahezu unbesiegbar machen wird, wenn sich der Aufschrei
des Vaterlandes mit dem Aufschrei der Natur vereint. [...]
Was! Wir haben von schwächlichen Feiglin-
gen vernommen, andere Pflichten riefen uns
ins Haus, unsere Hände seien nur dazu da,
um mit der Spindel und nicht mit dem
Schwert umzugehen!
Niederträchtige Geschöpfe! Zweifellos
gehört ihr zur Zahl der Verräter, wenn ihr
nicht zugebt, daß in dem Augenblick, wo das
Vaterland in Gefahr ist, Frauen, Kinder,
Greise, alle ohne Unterschied ihm zu Hilfe
eilen müssen; alle müssen ihre Hütten verlassen, um den Feind, der mit seinen Ketten
und mit seiner Rache droht, zurückzustoßen.
Seht euch vor, ihr niederträchtigen Männer
oder ihr gemeinen Egoisten, die ihr auf die
Tugenden, die aus der Begeisterung und der
Erhebung der Seele erwachsen, nur spötti-
sche Worte im Verborgenen zu werfen wißt,
die sie nicht erschüttern können; seht euch
vor, denn es geht hier um nichts Geringeres
als die Rettung der ganzen Welt, denn die
Freiheit Frankreichs hängt von der Freiheit
aller anderen Nationen ab, wie von dem Beispiel einer Mutter die Tugenden ihrer Töchter abhängen.
Wenn ihr hierin mit uns einer Meinung seid,
wie könnt ihr es dann wagen, über unsere
Bemühungen, uns zu bewaffnen, zu murren?
Auf denn, wir kennen unsere Pflichten, und
wir werden sie dem Rang entsprechend erfüllen, den sie in einer rechten moralischen Ordnung haben müssen. Geleitet von einer wohl-
verstandenen Empfindung für die Menschheit
fassen wir heute einen kraftvollen Beschluß.

Aber lassen wir jene Kreaturen hinter uns,
die durch eine Gleichgültigkeit, die der Armut ihres Wesens entspringt, mitten in den
Stürmen untätig verharren: Nur für euch allein, Patrioten, schüren wir unsere großen
Leidenschaften: Genau wie ihr wollen wir
den Sieg oder den Tod. [...]

Aus: Harten: (M 3.17) S. 237f.

M 3.20   30. Juli 1794 – Aus dem Brief des 21jährigen Soldaten Alexandre Brault an seine Familie

[...] Wir setzen unseren Marsch auf Maas-
tricht und Breda ohne Aufenthalt fort; die
Holländer könnten vielleicht etwas Widerstand leisten, aber mit Hilfe unserer republikanischen Methode, also im Sturmangriff mit
aufgepflanztem Bajonett, werden wir sie
schließlich über den Rhein treiben; dort werden wir, denke ich, ins Winterquartier gehen.
Wenn die Nordarmee unaufhörlich Siege er-
ringt, so hat sie trotzdem den anderen Armeen der Republik nichts vorzuwerfen. Alle
in gleicher Weise, jede auf ihrem Platz, sind
siegreich und verjagen den Feind mit der
gleichen Kühnheit; mit welcher Genugtuung
haben sie aber auch ihr Verdienst um das Vaterland gewürdigt gesehen! Wie könnte man
nicht der wackere Soldat einer Nation sein,
die so großmütig ist, und nicht mit Vergnügen alle seine Kräfte zu ihrer Verteidigung
anspannen! Selbst das Opfer des Lebens, des
Liebsten, was wir in der Welt haben, zählt
nichts für eine so schöne Sache! Das Vaterland ist in großer Gefahr gewesen; daran waren aber nur Verräter und nicht seine Verteidiger schuld; sowie ihr Kopf zum Preis ihres
Verrates geworden ist, hat man gesehen, daß
es sie bald los sein konnte. Welche reichen
Schätze wird das Vaterland aus all diesen
Ländern holen, in denen alle Städte nach
ihren Mitteln tributpflichtig sind, ohne das
Korn zu rechnen, das wir einbringen, und die
Ochsen und Kühe, die wir requirieren, um
die Armee zu verpflegen. Zur Zeit des niederträchtigen Dumouriez[1], da mußten Lebensmittel aller Art aus Frankreich hinausgehen; das war ein Beweis des Verrats, weil
ein erobertes Land seinen Besiegern nach

seinen Kräften Lebensmittel liefern muß, ohne das Geld zu rechnen, mit dem es ihre Kassen füllen muß; das ist schon mal eine Anzahlung auf die Kriegskosten, die sie später zahlen müssen.

Diese stolzen Engländer und Hannoveraner, diese Preußen, die sich rühmen, die besten Soldaten von Europa zu sein, und die man im letzten Jahr sogar noch zu fürchten schien, fliehen in völliger Auflösung vor denen, die sie die „Jakobinerjacken" nennen. Als Grund geben sie an, wir hätten keine militärische Taktik, und so dürfe man den Krieg nicht führen. Sie wollen uns gewiß vorwerfen, wir sollten rücksichtsvoller sein, wenn wir ihre Städte erobern; sie wollen uns zu verstehen geben, daß wir sie zu scharf verfolgen und ihnen keine Rast gönnen – so dürften wir doch nicht vorgehen. Aber wenn man den Krieg ehrlich führt, darf man sich nicht schonen und muß sich immer selber übertreffen wollen, und mit dieser republikanischen Taktik haben wir Belgien, die Pfalz und das Piemont erobert, Landrecies befreit,

und mit dieser Methode werden wir Condé und Valenciennes wieder französisch machen und die Besatzungen für ihren Widerstand bestrafen.

Als der Kommandant der Festung Condé sich nach unserer Aufforderung, daß die Garnison sich binnen vierundzwanzig Stunden ergeben müsse oder nicht ein einziger verschont werden würde, auf der Stelle ergab, konnte er sich nicht enthalten, zu sagen: „Ich kann wirklich nicht begreifen, wie man auf die Art Krieg führen kann." Es ist sehr hart für so hochmütige Männer, der ersten Aufforderung der Republikaner zu gehorchen; aber sie haben gut reden, gerade unsere republikanische Art wird uns zum Sieg führen. Als freie Männer, die zu siegen oder zu sterben geschworen haben, kennen wir keine andere. [...]

Aus: U.F. Müller: Die Französische Revolution, (Goldmann) München o.J., S. 79ff.

1 General der franz. Nordarmee, lief nach seiner Niederlage gegen österreichische Truppen im März 1793 auf die österreichische Seite über.

M 3.21   1794/1812 – Europa unter französischer Vorherrschaft

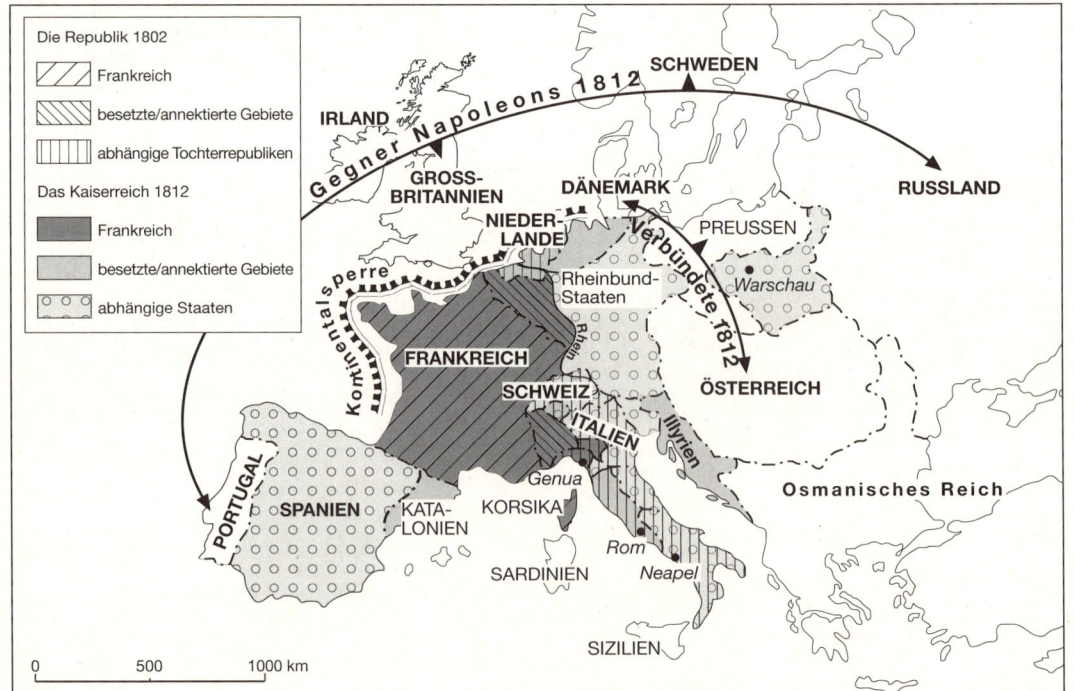

Die Republik 1802
- Frankreich
- besetzte/annektierte Gebiete
- abhängige Tochterrepubliken

Das Kaiserreich 1812
- Frankreich
- besetzte/annektierte Gebiete
- abhängige Staaten

0   500   1000 km

Aufgaben zu Kapitel 3

1 Untersuchen Sie die systembedingte Friedensfähigkeit und Konfliktanfälligkeit des absolutistischen Staates (vgl. dazu S. 71–74). – Exemplifizieren Sie die ideologischen Grundlagen und Strukturmerkmale des absolutistischen Systems (S. 72ff.) an den Erscheinungsformen seines Militär- und Kriegswesens (S. 74ff.). – Stellen Sie fest, welche Rolle dynastisch bedingte Konflikte (S. 74) bei den großen Kriegen des 18. Jahrhunderts (S 78ff.) gespielt haben.

2 Zeigen Sie die Entstehung des Fünfersystems (Pentarchie) der europäischen Großmächte auf (S. 78–81), und bestimmen Sie genauer, welche friedensförderlichen und -gefährdenden Wirkungen von ihm ausgingen.

3 Legen Sie die Funktion der außenpolitischen bzw. diplomatischen Grundsätze des 18. Jahrhunderts (S. 76ff.) für das damalige Mächtesystem offen. – Überlegen Sie im Anschluß daran, welche Kriege von einem absolutistischen Politiker des 18. Jahrhunderts als gerechtfertigt angesehen werden konnten.

4 Konfrontieren Sie das Verhältnis von Moral und Politik in Absolutismus und Aufklärung (S. 71ff.; S. 82ff.; M 3.6-M3.9; M 3.16) und die damit zusammenhängenden Auffassungen vom „gerechten Krieg" und „wirklichen Frieden". – Veranstalten Sie ein Rollenspiel, in dem Vertreter beider Seiten die eigene Position als friedensförderlich zu rechtfertigen suchen.

5 Vergleichen Sie Erscheinungsformen und Auswirkungen des absolutistischen und revolutionären Kriegs (S. 74ff.; S. 84f.; M 3.11–M 3.16; M 3.20). – Nehmen Sie Stellung zu der Behauptung, daß sich mit dem Revolutionskrieg zum erstenmal die Tore zum „totalen Krieg" geöffnet hatten.

6 Hinterfragen Sie die Friedensprojekte (M 3.5; M 3.8) im Hinblick auf die ideologische Position des jeweiligen Verfassers, und begutachten Sie ihre Realisierbarkeit im jeweiligen historischen Kontext und die Realitätsnähe der Erwartungen, die die Verfasser an die Realisierung knüpfen.

7 Untersuchen Sie die Zusammenhänge zwischen dem amerikanischen Unabhängigkeitskrieg (S. 81f.; M 3.9–3.10) und den zwischenstaatlichen Konflikten (S. 78–81) einschließlich der Absolutismuskritik (S. 82ff.; M 3.6–3.7) in Europa. – Die Niederlande waren der erste Staat, der die USA als unabhängigen Staat anerkannte. Darin lag auch ein Bekenntnis zu ihrem eigenen Unabhängigkeitskampf. Versetzen Sie sich in die Rolle eines niederländischen Gesandten, der der amerikanischen Regierung die Botschaft der Anerkennung mitzuteilen hat, und verfassen Sie sozusagen zu diesem Anlaß auf der Grundlage der Ausführungen (S. 81f.) und der Materialien M 2.17–2.18 sowie M 3.9–3.10 eine Rede, in der Sie die Gemeinsamkeiten der Staatswerdung betonen möchten.

8 Setzen Sie sich anhand der Darstellung (S. 85f.) und der Materialien (M 3.17–3.19) mit dem Thema „Frauen und Militärdienst" auseinander: Zeigen Sie Beweggründe auf, die Frauen im 17./18. Jahrhundert zu einem bejahenden Verhältnis zum Militärdienst für Frauen veranlassen konnten. – Überlegen Sie, ob die Gründe als geschlechtsspezifisch anzusehen sind. – Betrachten Sie die in den Materialien dokumentierten Frauenansichten zu Militärdienst und Krieg unter dem Gesichtspunkt, welche Auswirkungen der Revolution auf die politische Emanzipation der Frau hier faßbar werden.

4 Das 19. Jahrhundert: Europäische Ordnungspolitik zwischen Französischer Revolution und Erstem Weltkrieg

1814 (6. April)	Abdankung Napoleons; am 30. Mai erster Friede von Paris: Frankreich bleibt in den Grenzen von 1792 erhalten
(Nov.)	Beginn des Wiener Kongresses
1815 (1. März)	Rückkehr Napoleons von Elba nach Frankreich („100 Tage")
(8. Juni)	Wiener Kongreßakte: Neuordnung des europäischen Staatensystems
(20. Nov.)	Zweiter Friede von Paris. Quadrupelallianz
1818	Deklaration von Aachen: „Ruhe der Welt" als Ziel europäischer Solidaritätspolitik proklamiert
1819	Karlsbader Beschlüsse des Deutschen Bundes
1821	Beginn des griechischen Unabhängigkeitskampfes gegen die osmanische Oberherrschaft
1830	Juli-Revolution in Frankreich, November-Revolution in Polen
1831–33 und 1839–41	Orientkrisen um Ägypten
1848 (Feb.)	Revolution in Frankreich
(März)	Revolution in Preußen, Österreich und anderen deutschen Staaten; Rücktritt Metternichs
	Beginn des italienischen Nationalkrieges (unter Führung Piemonts) gegen die österreichische Herrschaft in Italien
1854–56	Krimkrieg und Pariser Kongreß (März 1856)
1859–61	Mit französischer Hilfe Sieg des italienischen „Risorgimento" (nationale Wiedergeburt) gegen Österreich; Ausrufung Viktor Emanuels II. zum „König von Italien"
1863	Gründung des Roten Kreuzes in Genf (Henri Dunant)
1864–71	Deutsche Einigungskriege
1875–78	Große Orient-Krise; Berliner Kongreß verhindert 1878 europäischen Krieg
1879	Zweibund Deutsches Reich – Österreich-Ungarn; Ende der Bündnisfreiheit zwischen den Großmächten
1882	Großbritannien besetzt die Suezkanalzone und beginnt die Okkupation Ägyptens
1884/85	Gründung deutscher Kolonien in Afrika
1884	Kongo-Konferenz in Berlin. Die 1885 verabschiedete Kongo-Akte wird richtungsweisend für Absprachen zwischen den imperialistischen Mächten
1890	Entlassung Bismarcks
1892	Französisch-russische Militärkonvention (bis 1894 Ausbau zur Allianz)
1898	Spanisch-amerikanischer Krieg (Ausweitung US-amerikanischer Einflußzonen in Amerika und Asien)
	Faschoda-Krise; Kriegsgefahr zwischen Frankreich und Großbritannien
	China wird in Interessensphären der imperialistischen Mächte aufgeteilt
1899–1901	„Boxeraufstand" in China; multinationales Interventionskorps
1899	1. Haager Friedenskonferenz
1904	Entente cordiale: britisch-französischer Interessenausgleich
1904/05	Russisch-Japanischer Krieg: Japan wird Vormacht im Fernen Osten
1907	Englisch-Russisches Abkommen über Persien: Interessenausgleich
	2. Haager Friedenskonferenz
1908/09	Bosnische Annexionskrise zwischen Österreich-Ungarn und Rußland; Europa am Rande des Krieges
1912/13	Balkankriege: Zurückdrängung des Osmanischen Reiches in Europa

Die Französische Revolution von 1789 stellt einen der tiefsten Einschnitte in der Geschichte Europas dar. Sie leitete ein Jahrhundert ein, das Europa und die ganze Welt radikal veränderte: Die industrielle Revolution, die sich zur gleichen Zeit von England aus entfaltete und das Tempo der Veränderungen beschleunigte, vervielfachte die menschlichen Produktivkräfte und schuf völlig neue Gesellschaftsstrukturen. In der Politik reichte das Spannungsfeld des 19. Jahrhunderts von einer fast noch absolutistischen Monarchie bis zur Demokratie, von der Wiederherstellung des Gottesgnadentums bis zur Revolution. Die Industrialisierung vervielfältigte auch die Handlungsfähigkeit der Staaten nach innen und ihre militärischen Mittel nach außen. Ganze Kontinente wurden dem wirtschaftlichen und politischen Zugriff weniger Großmächte geöffnet. Trotz dieser Umbrüche, trotz der sehr unterschiedlichen Entwicklungsstadien der Großmächte und ihrer vielfältigen und weiträumigen Interessengegensätze aber kam es zwischen 1815 und 1914 nicht zu Kriegen, die sich mit den napoleonischen messen können, von den Weltkriegen ganz zu schweigen.

Daß das 19. Jahrhundert trotz seiner Umbrüche eine relativ friedliche Epoche der europäischen Geschichte war, hat immer wieder die Neugierde der Nachwelt geweckt. Zu seinem Verständnis werden wir uns weniger mit den sozio-ökonomischen Fragen der Industrialisierung beschäftigen müssen als vielmehr mit dem 1814/15 etablierten „europäischen Konzert" der Mächte, einem außenpolitischen Denk- und Handlungsmodell, das sich an einem Gleichgewicht der Kräfte zur Sicherung des Friedens orientierte.

Auch das 19. Jahrhundert ist nicht von militärischen Konflikten verschont geblieben. Kriege waren und blieben – in einem immer enger werdenden Rahmen – ein Mittel der Politik. Anders aber als die Kriege des 20. Jahrhunderts blieben die des 19. begrenzt und unter der Kontrolle der Regierenden. In der zweiten Hälfte des Jahrhunderts ließen mit dem Krimkrieg und dem deutsch-französischen Krieg, aus dem der deutsche Nationalstaat hervorging, die stabilisierenden Wirkungen des Mächtegleichgewichts nach. Der wachsende Einfluß nationalistisch aufgeputschter Volksmassen auf die Politik gab den Blick frei auf die Kriege des 20. Jahrhunderts.

Wir fragen uns aus der Perspektive unserer weniger friedlichen Gegenwart, wie die Politiker des Wiener Kongresses eine internationale Ordnung schaffen konnten, an deren Erhalt offenbar alle Mächte ein gleich großes Interesse hatten, und mit welchen Regelungen die unvermeidlichen Interessengegensätze bewältigt wurden. Im Hinblick auf die Weltkriege ist von besonderem Interesse, wie das besiegte Frankreich integriert wurde. Dabei ist auch zu betrachten, welchen Preis dieser Friede gekostet hat; und früh werden wir uns den Faktoren zuwenden müssen, die das System am Ende doch zerstört haben.

4.1 Der Wiener Kongreß

Nach den Kriegen Napoleons und gegen Napoleon, die eine Millionenzahl von Toten gekostet hatten, nach 20 Jahren fortwährender Grenzverschiebungen, dem Ende Dutzender mittlerer und Hunderter kleiner Staaten galt es, eine neue Ordnung zu finden, die für die Menschen akzeptabel war und zugleich für längere Zeit Frieden versprach.

Die Männer, die auf dem Wiener Kongreß die internationale Ordnung des neuen Industriezeitalters schufen, waren sämtlich Vertreter des Ancien régime, durchweg Aristokraten, von der Welt vor 1789 geformt. Die drei wichtigsten Persönlichkeiten waren der österreichische Staatskanzler Metternich, seit 1809 Außenminister seines Kaisers, Talleyrand, der vor 1789 Bischof von Autun und unter Napoleon Außenminister gewesen war, und der Brite Castlereagh, seit 1805 Minister und Motor antinapoleonischer Politik.

Man hat diesen Männern lange den Vorwurf gemacht, daß sie nur nach rückwärts gedacht hätten und die vorrevolutionäre Ordnung wiederherstellen wollten. Tatsächlich dürfte das Urteil über sie nicht so leicht zu fällen sein, wie es auf den ersten Blick scheint. Selten sind Siegermächte gründlicher, ja sogar vorurteilsfreier an eine Aufgabe herangegangen: Sie luden alle europäischen Staaten – mit Ausnahme des Osmanischen Reiches – zu den Friedensverhandlungen ein. Ungeachtet der Verwüstungen Europas, die es unter Napoleons Herrschaft zu verantworten hatte, wurde Frankreich als gleichberechtigter Partner zu den Verhandlungen zugelassen. Wenn

Der Wiener Kongreß 1814/1815. Von links sitzend: Hardenberg (Preußen). Hinter ihm stehend: Wellington (England). Vorn links stehend: Metternich (Österreich). Vorn links sitzend: Palmella (Portugal), daneben: Castlereagh (England). Vorn rechts am Tisch sitzend: Talleyrand (Frankreich), hinter ihm stehend: Wilhelm von Humboldt (Preußen). Vorn rechts im Vordergrund sitzend: Stackelberg (Rußland).

die Öffentlichkeit in Deutschland die Bestrafung Frankreichs und seine Schwächung verlangte, so hatte das keine Auswirkungen auf die Verhandlungen. Die Logik der Macht stand über moralischen Kategorien; und damit ist wohl auch zum Teil die Wirksamkeit des Wiener Friedens zu erklären. Nur zwei Voraussetzungen waren von allen Staaten zu akzeptieren: Die Sicherheit der einzelnen Mächte – auch der größten – konnte nicht mehr von ihnen selbst oder einer festen Koalition von Staaten garantiert werden, sondern nur von einem Mächtesystem, in dem alle Mitglieder das eine gemeinsame Interesse hatten, zu verhindern, daß eines von ihnen die Vorherrschaft erlangte. Zu diesem Zweck mußte jede Macht bereit sein, geradezu mechanisch mit jeder beliebigen anderen ohne Rücksicht auf deren Verfassung oder innere Verhältnisse zeitweilige Bündnisse einzugehen. Als diese Voraussetzung mit dem Krimkrieg 1854–56 in Frage gestellt wurde, begann der langsame Verfall des alten europäischen Systems.

Das einzige inhaltliche Prinzip des Wiener Kongresses war, daß die innere politische Ordnung aller Staaten eine monarchische sein mußte, um so die Folgen der Französischen Revolution zu beseitigen. Der Ausschluß der Völker aus der Politik – gewöhnlich der schärfste Punkt der Kritik am Wiener Kongreß – war ironischerweise seine größte Stärke und seine größte Schwäche zugleich: Er erlaubte

eine internationale Politik ohne die Einflüsse unkalkulierbarer Massenbewegungen – wie etwa dem Nationalismus; er konnte aber nicht die sozialen Folgen der Industrialisierung durch politische Beteiligung der Menschen bewältigen. Metternich sah dies nicht nur mit aller Klarheit, sondern benannte auch mit dem Zynismus eines Aristokraten des Ancien régime als Ziel des Kongresses den Versuch, die unvermeidliche neue Revolution um die Dauer der Lebenszeit der Beteiligten aufzuschieben. Trotzdem verdient die Leistung dieser Männer, eine Friedensordnung geschaffen zu haben, die fast ein Jahrhundert tragfähig blieb, höchste Bewunderung.

Es war weniger erstaunlich, daß alle Staaten auf dem Wiener Kongreß ausgeprägte Eigeninteressen verfolgten als daß es gelang, diese in zähen Verhandlungen auszugleichen.

– Großbritannien wollte sich nur zur Erhaltung des Gleichgewichts der Kräfte in Europa verpflichten, sich aber ansonsten aus den „europäischen Händeln" heraushalten, um seine Rolle als führende Seemacht für den Ausbau seines weltumspannenden Kolonialreichs zu nutzen.

– Österreich war neben Rußland am stärksten an der Restauration der Monarchie interessiert: Gerade seine Gebietsgewinne in Polen, auf dem Balkan und in Italien machten es verletzlich für nationale und demokratische Tendenzen. Es wuchs „aus Deutschland heraus" und konnte dieses Gebilde aus 34 Mittel- und

Kleinstaaten um so unbefangener als politische Manövriermasse benutzen.

– Rußland beanspruchte ganz Polen und suchte Einfluß nach Westen zu gewinnen; sein erklärter Wunsch, Zugang zum Mittelmeer zu erhalten, blieb unerfüllt, aber gleichwohl wirksam.

– Preußen blieb zwischen Frankreich und Rußland eine Macht zweiten Ranges; mit seinen großen Gebietsgewinnen – besonders mit Westfalen und dem Rheinland – wuchs es „nach Deutschland hinein" und auf die Grenzen Frankreichs zu.

Der Preis, um den die Kompromisse zu erzielen waren, war die konsequente Unterdrückung aller demokratischen und der mit diesen eng verbundenen nationalen Bestrebungen. Diese Politik traf besonders Deutschland.

Nach dem Ende des Heiligen Römischen Reiches (1803/06) hatte der Kampf gegen die napoleonische „Fremdherrschaft" auch in den deutschen Staaten ein starkes Nationalgefühl entstehen lassen. Der vom Kongreß geschaffene „Deutsche Bund" enttäuschte die natio-

nalen Hoffnungen bitter. Statt dessen lieferte er den Nährboden für den wachsenden Dualismus Österreichs und Preußens in der deutschen Frage. Für das internationale System stellte er dagegen die Ideallösung dar: als eine „Art Stoßdämpfer" (Craig, S. 46) minderte er die Reibungen zwischen den Großmächten, und das Machtvakuum im Herzen Mitteleuropas förderte das Gleichgewicht der Kräfte. Die überraschende Rückkehr Napoleons nach Frankreich im März 1815 ließ weitere Sicherungen der europäischen Neuordnung notwendig erscheinen. Die von Zar Alexander I. vorgeschlagene „Heilige Allianz" der Monarchen sollte der Gefahr eines revolutionären Bundes der Völker den Bund der christlichen Monarchen entgegensetzen.

Der österreichische Kaiser und der König von Preußen unterzeichneten das Bündnis, das zum Symbol für die Restauration wurde. Wichtiger war aber die im November zwischen Großbritannien, Rußland, Österreich und Preußen abgeschlossene Quadrupelallianz. Sie war als Sicherung bei einem Wiederaufleben der Revolution in Frankreich ge-

Europa nach dem Wiener Kongreß

(nach: Heinrich Pleticha (Hg.), Deutsche Geschichte, Bd. 8. (c) Verlagsgruppe Bertelsmann GmbH/Lexikothek Verlag GmbH, Gütersloh, Sonderausgabe 1987, S. 366)

dacht, sah aber auch – höchst modern anmutende – regelmäßige Konsultationen zwischen den Großmächten vor. Der Kongreß von Aachen löste 1818 diesen Anspruch ein, wobei Frankreich als nun völlig gleichberechtigtes Mitglied in den Kreis der Führungsmächte aufgenommen wurde.

Bevölkerung wichtiger europäischer Staaten um 1815

Rußland	über 30 Mio.
Frankreich	27 Mio.
Österreich-Ungarn	23,5 Mio.
Gesamtitalien	18 Mio.
Großbritannien und Irland	16 Mio.
Osmanisches Reich (europ. Teil)	15 Mio.
Bev. in den Grenzen des Dt. Bundes	23 Mio.

4.2 Das „europäische Konzert" zwischen Restauration und Revolution

Die historische Epoche, die mit dem Wiener Kongreß begonnen hatte, fand scheinbar mit dem Revolutionsjahr 1848 ihr Ende. In der Tat stellte das Jahr eine wichtige Zäsur dar, weil in ihm die Gegensätze und Widersprüche, welche die vorangegangenen Jahrzehnte geprägt hatten, offen zu Tage traten.

Von der Peripherie Europas her – Labilität des Osmanischen Reiches – und vom Zerfall des spanischen Kolonialreichs drohten schon in den 1820er Jahren Konflikte zwischen den fünf Großmächten. In West- und Mitteleuropa ließ die industrielle Revolution das Bürgertum, den Träger von Demokratie und Nationalgedanken, an Zahl und sozialem Gewicht rasch anwachsen. Die Arbeiterschaft wuchs noch schneller und neigte im Elend der frühen Fabriken nicht nur zu radikalen demokratischen Forderungen, sondern deutlich auch zu neuen revolutionären Ausbrüchen. Aus den ungelösten sozialen und den nationalen Fragen in Deutschland und Italien erwuchsen dem europäischen System vielfältige Gefahren.

Am erfolgreichsten konnte das System die Risiken in Deutschland abwenden; das gemeinsame Interesse aller Mächte – kein deutscher Nationalstaat – erleichterte Metternich seine konservative Sicherungspolitik. Beispielhaft für diese internationale Stabilität auf Kosten demokratischer Kräfte sind die Karlsbader Beschlüsse, die Zensurvorschriften, Überwachung der Universitäten, die Entlassung

liberaler Professoren, Untersuchungskommissionen und andere Maßnahmen gegen „demagogische Umtriebe" vorsahen. Damit waren vornehmlich liberale und nationale Bestrebungen gemeint, und mit der Wiener Schlußakte (1820) wurde das monarchische Prinzip im Deutschen Bund festgeschrieben. Metternichs Ziel war es, die europäische Politik nach 1815 – soweit sein Einfluß reichte – den Bedürfnissen Österreichs gemäß zu bestimmen.

Er konnte aber nicht verhindern, daß das europäische Mächtesystem in den zwanziger Jahren erste Risse bekam. Ursache dafür waren die nationalen und revolutionären Bewegungen in Spanien, Portugal, Neapel und Piemont-Sardinien. Besonders in Spanien verlangte der russische Zar, um die für ihn zentrale Legitimität der monarchischen Herrschaft zu sichern, die militärische Intervention der Heiligen Allianz.

1823 formulierte der Präsident der USA, James Monroe, die nach ihm benannte Doktrin, die jegliche Intervention europäischer Mächte auf dem amerikanischen Doppelkontinent ausschloß. Als England sich bereitfand, diese zu respektieren und 1825 die Unabhängigkeit der früheren spanischen Kolonien in Amerika anerkannte, stellte es sich erkennbar gegen das Legitimitätsprinzip des Wiener Kongresses. Es kam darüber aber nicht zu militärischen Konflikten in Europa. Daß die Verärgerung Rußlands sich in Grenzen hielt, lag auch daran, daß es zur gleichen Zeit gegen seine eigenen Grundsätze verstieß und in den Kampf der Griechen um Unabhängigkeit eingriff und damit das Osmanische Reich (nicht ohne Hintergedanken, Konstantinopel betreffend) weiter schwächte. Rußland eröffnete damit den gefährlichsten und vor allem den dauerhaftesten Krisenherd Europas, den Balkan, an dem außer Rußland mindestens noch Österreich und Großbritannien vital interessiert waren. Die Orientkrise der dreißiger Jahre sollte nur die erste einer bis heute reichenden Reihe von Erschütterungen Europas sein, deren Kern im Balkan lag; aber es kam nicht zum Krieg.

Die zeitweiligen Verstimmungen und Spannungen zwischen den Mächten dürfen jedoch bei der Beurteilung des europäischen Systems nicht überbewertet werden; denn das System war nicht auf eine Harmonie der Mächte hin angelegt, sondern sollte ein kalter

Mechanismus sein, der zwangsweise jeder Einzelmacht zeigte, bis zu welchem Punkt die anderen Beteiligten ihre Politik zu dulden bereit waren. Bis 1854, solange noch kein für eine der Mächte wichtiger Punkt (etwa der Besitz der Verbindung vom Schwarzem Meer zum Mittelmeer) berührt war, bewältigte die europäische Diplomatie diese Spannungen ohne Krieg.

Die Revolution von 1830

Die inneren Spannungen der europäischen Staaten ließen sich nicht so gut unter Kontrolle halten wie die internationalen. Die Härte, mit der die Monarchen die demokratischen und nationalen Kräfte verfolgten, verriet eine klare Wahrnehmung der wachsenden Risiken, aber keinen Weitblick der Regierenden. Im Juli 1830 führte in Frankreich die Verständnislosigkeit, mit der das 1814 wiedererrichtete französische Königtum den sozialen Folgen der Industrialisierung begegnete, zur Revolution. Der „legitime" Herrscher, der Bourbonenkönig Karl X., stürzte; binnen weniger Wochen breitete sich die Bewegung in mehrere deutsche Mittelstaaten aus, erfaßte die Niederlande, Teile Italiens und im November Polen, das in Personalunion mit Rußland verbunden war. Die innere Uneinigkeit des französischen Bürgertums und das Militär verhinderten weitergehende Veränderungen; aber die neue konstitutionelle Monarchie in Frankreich (mit dem Wahlrecht für die reichsten 3 Prozent der männlichen Bevölkerung) war nur ein Scheinsieg für die restaurativen Kräfte. In Deutschland, wo noch 1832 das Hambacher Fest die Stärke und Popularität der liberalen Bewegung aufgezeigt hatte, sorgte Metternich bis 1834 für die Wiederherstellung der alten Ordnung.

Nur Großbritannien reagierte weitsichtiger auf die sozialen Herausforderungen: Der König setzte eine liberale Regierung ein, die eine Wahlrechts- und Verfassungsreform durchführte. Der Druck des Volkes sorgte für eine Reformpolitik, und das britische Regierungssystem hatte sich damit als so flexibel erwiesen, daß revolutionäre Erhebungen hier nicht mehr zu befürchten waren.

Ein weiteres Ergebnis der Revolutionswelle war der Abfall der Südprovinzen von den Vereinigten Niederlanden. Mit englischer und auch französischer Hilfe erreichte der belgi-

sche Nationalstaat schon 1831 seine internationale Anerkennung und einen neutralen Status. Dagegen blieb die Revolution in Polen erfolglos. Rußland konnte den Aufstand ungestört niederschlagen, trotz aller Sympathien, die die Polen im liberalen Europa besaßen.

Wirtschaftliche Entwicklungen konterkarierten den politischen Unterdrückungsprozeß und ließen die Zukunft Deutschlands vorausahnen: 1834 wurde nach mehreren Vorstufen der Deutsche Zollverein gegründet – Preußen setzte als treibende Kraft die wirtschaftliche Einigung Deutschlands in Gang.

Diese wenigen Facetten zeigen, welche Bedeutung schon das Revolutionsjahr 1830 für das internationale System hatte. Die Aufspaltung des „Europäischen Konzerts" in einen reformwilligen und -fähigen Westblock (England, Frankreich) sowie einen konservativen Ostblock (Rußland, Österreich, Preußen) war signifikanter geworden, hatte sich allerdings noch nicht so sehr verfestigt, daß der Grundkonsens verschwand.

Das Jahr 1848

Welche Bedeutung hatte das europäische Revolutionsjahr 1848 für die internationale Ordnung?

Wieder ging die revolutionäre Erschütterung von Frankreich aus, aber im Gegensatz zur Großen Revolution von 1789 überzog sie Europa nicht mit Krieg. Das Wiener System wurde einschneidend verändert, doch nicht zerstört. Wo sich die Revolution mit Nationalbewegungen verband, drohte sie die europäische Ordnung an der Basis, dem Gleichgewichtsprinzip, zu treffen; eine Gefahr, die besonders von Deutschland ausging. Die Revolution war zu erwarten gewesen, da der Widerspruch zwischen der ökonomisch-sozialen Entwicklung und der politischen Erstarrung 1830 nicht aufgehoben wurde. Der Reformdruck war eher noch gewachsen, Wirtschaftskrisen und Mißernten verstärkten 1846/47 den Autoritätsverlust der Regierungen. Entsprechend groß waren die Erfolge der Revolutionäre in Europa – mit Ausnahme Englands und Rußlands wurden alle Großmächte erfaßt.

Frankreich wurde schon im Februar Republik. Nach dem Juni-Aufstand der Armen setzte sich hier das Bürgertum durch. Louis

Napoleon, ein Neffe des großen Kaisers, profitierte von der napoleonischen Legende und wurde als Garant von Ruhe und Ordnung zum Präsidenten gewählt.

Noch frappierender waren zunächst die Erfolge der Revolutionäre in *Österreich*. Metternich, der die europäische Politik mehr als drei Jahrzehnte kontrolliert hatte, trat im März zurück, der Kaiser versprach eine Verfassung. Auch in Österreich leitete die Polarisierung zwischen Arbeiterschaft und Bürgertum das Ende der Revolution ein.

In *Preußen* und den übrigen deutschen Staaten flaute die revolutionäre Bewegung schon im März zu einem Reformkurs ab. Der preußische König behielt seinen Thron, ins Zentrum der Bewegung rückte die Frankfurter Nationalversammlung, die eine Einheit aller deutschen Staaten anstrebte. Zwischen Reform und Revolution steckengeblieben, scheiterte sie an der Doppelaufgabe, einen deutschen Nationalstaat zu schaffen und diesem gleichzeitig demokratische Strukturen zu geben.

Weder in Österreich noch in Preußen wurden die alten Machtstrukturen zerschlagen. Fehlende Einheitlichkeit und mangelnde Kon-

sequenz der Revolutionäre ermöglichten es den alten Gewalten, sich von dem Schock zu erholen. Mit dem Sieg der Gegenrevolution scheiterte 1849 der letzte Versuch des Bürgertums, Veränderung durch Revolution zu erzwingen. Im Verbund mit der Angst vor dem sichtbar gewordenen Druck der Arbeiterschaft führte dies zu einer Änderung der Strategie: zusammen mit den alten Eliten, auf der Basis gemeinsamer Interessen, wollte das Bürgertum eine Beteiligung an der politischen Macht erreichen.

Europa um 1850

In der Gesamtschau bietet der europäische Kontinent zur Jahrhundertmitte ein merkwürdiges Bild. Die Anpassung der politischen Strukturen an die ökonomischen und gesellschaftlichen Realitäten war nur wenig vorangekommen. England und Frankreich hatten stillgehalten, als die Reaktion in Preußen und Österreich, hier sogar mit russischer Hilfe gegen die Ungarn, die Revolution zerschlug. Die Beibehaltung des Gleichgewichtsprinzips war ihnen wichtiger gewesen, obwohl dadurch

Der Kristallpalast auf der Londoner Weltausstellung 1851, ein glanzvolles Symbol der technischen Möglichkeiten der Zeit

das gut funktionierende Konferenzsystem der Pentarchie nicht wiederbelebt werden konnte; dazu war die Distanz zwischen den West- und Ostmächten zu groß geworden.

Die „offene Rechnung" der Zeit war das ungelöste Einigungsproblem in Italien und Deutschland, wo Preußen, mit Österreich um die Führung im Deutschen Bund rivalisierend, in die Rolle eines „Agenten der deutschen Einheit" hineinwuchs.

Im Gegensatz zu den wenig zukunftsträchtigen politischen Perspektiven stand der Fortschrittsoptimismus, der das Bürgertum zur Jahrhundertmitte beherrschte. Die Bevölkerung Europas war seit 1800 um 80 Millionen Menschen – mehr als vierzig Prozent – gestiegen, die unteren Schichten litten unter Massenarmut, im ökonomischen Bereich aber schien das „bürgerliche Zeitalter" – politische Frustrationen aufhebend – Wirklichkeit zu werden.

Russisch-türkische Kriege vor dem Krimkrieg	
1710–1711	Rußland verliert im Frieden von Pruth die 1696 unter Zar Peter I., dem Großen, eroberte Festung Asow am Schwarzen Meer.
1735–1739	Rußland gewinnt mit der Rückeroberung Asows den Zugang zum Schwarzen Meer.
1768–1774	Rußland nimmt erstmals die Halbinsel Krim ein.
1787–1792	Rußland sichert sich die Krim.
1806–1812	Rußland gewinnt Bessarabien und die untere Moldau hinzu.
1828–1829	Rußland erhält die Inseln an der Donau-Mündung. Die Donaufürstentümer Moldau und Walachei erhalten eine halbsouveräne Stellung im Osmanischen Reich.

4.3 Die deutsche Reichsgründung und das europäische Gleichgewicht

Nach der Zäsur des Revolutionsjahres 1848 wurde die nächste Entwicklungsphase des europäischen Mächtesystems von der Begründung des italienischen und besonders des deutschen Nationalstaates geprägt. Bismarck wurde 1862 preußischer Ministerpräsident, und durch seine Politik erfuhr das europäische Konzert eine tiefgreifende Umgestaltung. Mit den USA und auch Japan traten in der zweiten Hälfte des 19. Jahrhunderts zwei außereuropäische Staaten in den Kreis der Mächte ein, die die Weltpolitik bestimmten; noch aber war Europa der Mittelpunkt der Welt.

Der Krimkrieg

Neben anderen politischen und ökonomischen Faktoren war der Krimkrieg von großer Bedeutung für den Erfolg der Nationalbewegungen in Italien und Deutschland. Er markiert darüber hinaus definitiv das Ende der ersten Entwicklungsphase des europäischen Systems.

Auslöser für den Krieg war ein erneuter Vorstoß Rußlands gegen das schwache Osmanische Reich. Zar Nikolaus I. sah sich als „Gendarm Europas" auf dem Höhepunkt seiner Macht und wollte nun ein altes Ziel russischer Politik erreichen: die Kontrolle über den Zugang zum Mittelmeer durch die Meerengen. 1841 war im Dardanellenvertrag, abgeschlossen auf Betreiben der europäischen Großmächte, allen nichttürkischen Kriegsschiffen die Durchquerung der Meerengen untersagt worden. Damit war die russische Schwarzmeerflotte aktionsunfähig und dem Zaren der „Schlüssel seines Reiches" im Süden aus der Hand genommen worden.

Unter dem Vorwand, das Protektorat über die orthodoxen Christen im Osmanischen Reich sichern zu müssen, besetzten russische Truppen im Juli 1853 die Donaufürstentümer Moldau und Walachei. Bei den nachfolgenden militärischen Auseinandersetzungen erlitt das Osmanische Reich eine Reihe schwerer Niederlagen. England und Frankreich hatten die russische Expansion mit Unruhe beobachtet und schlossen nach vergeblichen Vermittlungsversuchen im März 1854 einen Allianzvertrag mit der Pforte (▷ Hohe Pforte), um ihre Interessen zu wahren.

Die Entscheidung Großbritanniens, gegen Rußland militärisch einzugreifen, war noch primär machtpolitisch und handelspolitisch begründet und fügte sich in die Tradition der Gleichgewichtspolitik ein. (Die Sperrung des Mittelmeers für die russische Flotte war eine zentrale Machtfrage.) Die Kriegsentscheidung Napoleons III. dagegen, der sich gerade erst 1852 durch einen Staatsstreich vom Präsidenten zum französischen Kaiser gemacht

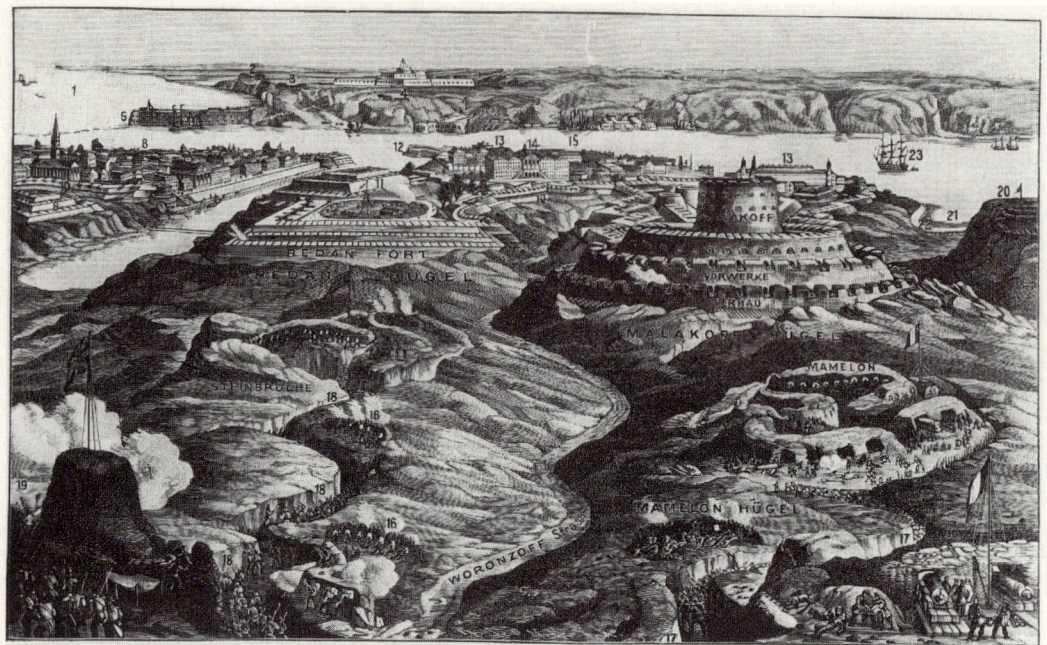

Vogelschau der Festungswerke von Sewastopol während der Belagerung durch Engländer, Franzosen und Italiener 1856 (zeitgenössische Lithographie von. J. Veith)

hatte, wies starke innenpolitische Motive auf, die dem Mächtesystem fremd waren und seine Funktionsfähigkeit bedrohten. Das galt in noch höherem Maße von der Intervention Piemont-Sardiniens, die allein darauf abzielte, die nationale Einigung Italiens auf die politische Tagesordnung Europas zu setzen. (Auch Österreich mobilisierte seine Truppen, um seine Ansprüche auf dem Balkan zu sichern, griff aber nicht ein; nur Preußen blieb neutral.) Man hat diesen Krieg mit seiner industriellen Ausstattung, seiner Härte und seinen hohen Menschenverlusten als den ersten Krieg des Industriezeitalters bezeichnet. Trotz der Mobilisierung der Öffentlichkeit in Frankreich und Italien blieb der Krieg aber diplomatisch unter Kontrolle; die militärische Niederlage Rußlands (Fall der Festung Sewastopol auf der Krim 1856) erlaubte noch formal eine Friedenslösung in der Tradition des europäischen Konzerts der Mächte.

Dabei wurden jedoch die Machtverhältnisse in Europa einschneidend verändert. Die Sieger garantierten erneut die Unverletzlichkeit des Osmanischen Reiches, die „orientalische Frage" wurde damit internationalisiert. Rußland mußte die eroberten Gebiete räumen und der

Neutralisierung des Schwarzen Meeres zustimmen. Damit wurden die Hegemoniebestrebungen des Zaren aufgehalten. Neben England wurde Frankreich neue Vormacht in Europa. Auch Österreich profitierte von der Eindämmung Rußlands, das nun als Garantiemacht des Systems von 1815 wegfiel und verstimmt in das Lager der Revisionsmächte wechselte. Frankreich setzte mit der Unterstützung Piemont-Sardiniens gegen Österreich eine weitere tiefgreifende Veränderung des Status quo in Gang: Nach den Siegen bei Magenta und Solferino 1859 über Österreich war die italienische Einigungsbewegung trotz taktischer Winkelzüge Napoleons III. kaum noch zu bremsen.

Der Krimkrieg hatte also das europäische Konzert tiefgreifend gestört, und die Kommunikationskrise zwischen den sich nun feindlich gegenüberstehenden Großmächten verhinderte ein gemeinsames Handeln in den unruhigen fünfziger und sechziger Jahren.

Auch die innenpolitischen Verhältnisse machten die Berechenbarkeit und Beherrschbarkeit des europäischen Kräftesystems zunehmend schwieriger – vier Kriege bis 1870 waren die Folge dieser Kommunikationskrise.

Die deutsche Reichsgründung

Österreich, das 1848 nur dank der Unterstützung Rußlands die ungarische Revolution hatte niederwerfen können, hatte diesem nicht gedankt, sondern offen seine Machtrivalität gezeigt. Rußland fühlte sich getäuscht und strebte nach einer Revision der Machtverhältnisse in Osteuropa, wofür sich allein Preußen (dank seiner Haltung im Krimkrieg) als Partner anzubieten schien. Napoleon III. hatte mit seiner Unterstützung der nationalen Einigung Italiens zwangsläufig auch die Frage der deutschen Nation auf die Tagesordnung gesetzt. Zugleich hatte sein Kaisertum, das nicht durch das dynastische Prinzip und Gottesgnadentum, sondern nur durch eine Volksabstimmung legitimiert war, die Rolle der öffentlichen Meinung auch in der internationalen Politik verstärkt. Das Machtvakuum des kleinstaatlichen Deutschlands lag nicht mehr im gemeinsamen Interesse aller europäischen Mächte.

Es war Preußen, dessen machtstaatliche Eigeninteressen die nationale Frage neu stellten. Als Otto von Bismarck auf dem Höhepunkt eines schweren Verfassungskonfliktes, der König Wilhelm I. schon an Abdankung hatte denken lassen, zum Ministerpräsidenten ernannt wurde, stellte er sogleich die nationale Frage in den Mittelpunkt seiner Politik. Als ein großer, ja geradezu virtuoser Außenpolitiker suchte Bismarck unvereinbare Gegensätze zu verbinden, indem er die Vormacht Preußens in Deutschland mit den Mitteln des europäischen Mächtesystems durchsetzte.

Er nutzte eine eher zweitrangige politische Frage, um den Prozeß der Einigung in Gang zu setzen. 1863 versuchte Dänemark, die beiden Herzogtümer Schleswig und Holstein, die mit ihm nur durch Personalunion (d. h. die Person des Fürsten) verbunden waren, völlig in seinen Staatsverband zu integrieren. Damit brach es das Londoner Protokoll von 1852, das der deutschen Bevölkerung die Autonomie unter dänischer Oberhoheit gesichert hatte. Bismarck nutzte im Innern Deutschlands die Empörung der Nationalbewegung, um die Bundesexekution (vgl. M 4.7) aller Mitgliedsstaaten des Deutschen Bundes – Österreich eingeschlossen – gegen Dänemark auszulösen. Nach außen aber berief er sich auf das Völkerrecht und das Legitimitätsprinzip, um sich die Unterstützung der europäischen Mächte zu sichern. Großbritannien gewährte ihm diese um so bereitwilliger, als es dem unruhigen, nach kontinentaler Hegemonie strebenden Frankreich ein relativ starkes Preußen entgegensetzen wollte. Rußlands Rückendeckung für Preußen war im Gefolge des Krimkriegs leicht zu gewinnen.

Nachdem die deutschen Truppen den Krieg 1864 in wenigen Monaten und mit auch für damalige Verhältnisse geringen Opfern an Menschenleben siegreich abgeschlossen hatte, befand sich Österreich als Besatzungsmacht in dem abgelegenen Holstein in einer militärisch und politisch schwierigen Lage, und: Bismarck konnte Österreich in die Zwangslage bringen, entweder die preußische Politik der deutschen Einigung zu dulden oder eine diplomatische und militärische Niederlage zu riskieren. Im April 1866 brachte Preußen den Antrag ein, das deutsche Bundesparlament künftig in direkter Wahl von allen Deutschen bestimmen zu lassen. Das hätte eine massive Stärkung der nationalen Einheit bedeutet und zugleich das Übergewicht Preußens als des bevölkerungsreichsten

Allegorische Darstellung zum »Deutschen Krieg«

Staates darin gesichert. Österreich konnte darauf nicht anders reagieren, als das Bundesheer gegen diesen Verfassungsbruch aufzubringen, d. h. es erklärte Preußen den Krieg. Die geringe Popularität dieses „Bruderkrieges" in Deutschland und die ausgezeichnete diplomatische Vorbereitung – vor allem durch die politische Lähmung Frankreichs – erlaubten es Bismarck, den Krieg nicht nur rasch zu gewinnen (praktisch in einer einzigen Schlacht, der von Königgrätz), sondern auch ohne Druck der Öffentlichkeit schnell und weitsichtig zu beenden. Österreich erlitt keine Gebietsverluste und brauchte keine Entschädigungen zu leisten; es mußte sich aber aus Deutschland zurückziehen, der 1815 gegründete Deutsche Bund wurde aufgelöst. An seine Stelle trat für vier Jahre der von Preußen dominierte „Norddeutsche Bund". Mit dem schnell abgeschlossenen Frieden wurde eine Intervention Napoleons III. verhindert, und eine zukünftige Kooperation mit Österreich blieb im Rahmen des Möglichen.

Das letzte und zugleich größte Hindernis auf dem Weg zu einem deutschen Nationalstaat war nun die kontinentaleuropäische Vormacht Frankreich. Napoleon III. stand unter erhebli-

chem innenpolitischen Druck, zudem heizte der preußische Machtzuwachs antideutsche Stimmungen in Frankreich an. Beiden Staaten schien eine militärische Auseinandersetzung unausweichlich zu sein; ein Anlaß dazu fand sich, als ein Prinz aus dem Hause Hohenzollern sich um die spanische Thronfolge bewarb.

König Wilhelm I. entschärfte den Konflikt zunächst, indem er den Verzicht des Hohenzollern auf die Kandidatur förderte. Als der französische Botschafter ihn in Bad Ems aufforderte, diesen Verzicht für alle Zeiten zu garantieren, was einer Demütigung Preußens gleichgekommen wäre, lehnte der König ab. Einer telegraphischen Nachricht aus Bad Ems über diesen Vorfall verlieh Bismarck durch Streichungen eine wesentlich schärfere Form und gab sie an die Presse.

Die französische Kriegserklärung war nach dieser öffentlichen Brüskierung durch die „Emser Depesche" unausweichlich; nach den Maßstäben der Zeit hatte Napoleon III. unter dem Druck der öffentlichen Leidenschaften nur die Wahl zwischen Rücktritt oder Krieg. Mit der Kriegserklärung setzte sich Frankreich aber vor den Augen der europäischen

Satirische Landkarte Europas von 1870

Die Begeisterung, mit der Paris und Berlin die Nachricht vom Ausbruch des Deutsch-Französischen Krieges im Sommer 1870 aufnahmen, war nahezu einmalig. Das einfache Volk liebte ihn. Als die Pariser am 19. Juli erfuhren, daß Gelder für den Krieg von der Kammer bewilligt worden waren, erzitterte die Stadt von nächtlichen Rufen: „Vive la guerre!" Der Krieg sollte den im Schwinden begriffenen Ruhm und Glanz Frankreichs wiederherstellen. Le Figaro eröffnete einen Fonds, durch den jeder Soldat eine Zigarre und

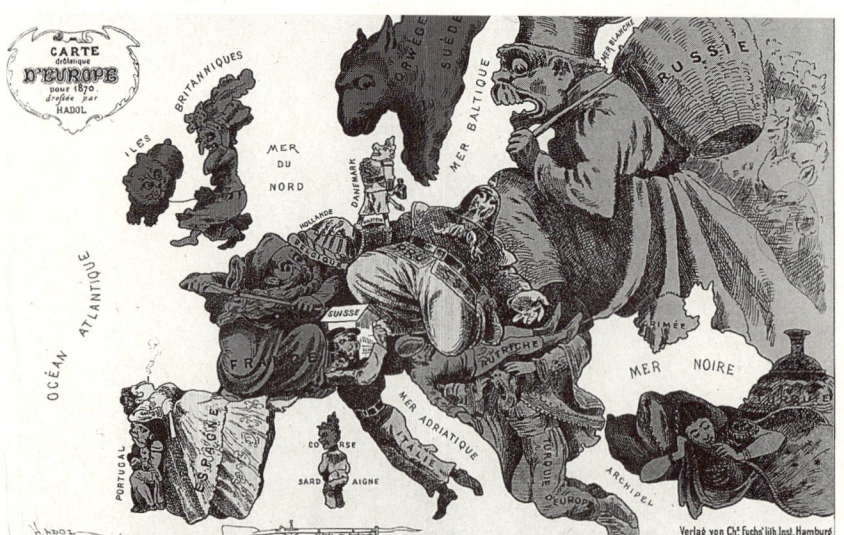

ein Glas Branntwein erhalten sollte, und eine Gruppe farbenprächtiger Zuaven zog über die Boulevards mit einem Papagei, der laut kreischte: „Nach Berlin."

In Berlin lautete der Ruf: „Auf nach Paris!" Die Studenten der Universität Bonn rückten geschlossen ein, und die Menschen drängten sich in den Kirchen, um für den Sieg zu beten – und um Rache herabzuflehen für frühere Demütigungen von seiten Frankreichs.

Öffentlichkeit ins Unrecht, so daß es der preußischen Politik gelang, die Einigungspolitik hinter der scheinbar notwendig gewordenen machtpolitischen Auseinandersetzung zwischen zwei Großmächten zu verstecken. Die süddeutschen Staaten traten auf preußischer Seite in den Krieg ein, und die schnellen deutschen Erfolge lösten einen Sturm nationaler Begeisterung aus.

Die sorgfältige diplomatische und militärische Vorbereitung des Krieges und die Überlegenheit der preußischen Armee führten innerhalb von sechs Wochen zur Entscheidung: Napoleon III. kapitulierte am 2. September 1870 in Sedan mit dem größten Teil seiner Armee; zwei Tage später wurde in Paris die Republik ausgerufen.

Es wäre ganz im Sinne Bismarcks gewesen, hätte er jetzt den Konflikt ähnlich dem österreichischen 1866 ohne Annexionen beenden können. Aber die nationalen Leidenschaften erwiesen sich, nachdem sie einmal geweckt waren, als politisch nicht mehr beherrschbar. Die deutsche Öffentlichkeit verlangte, daß Elsaß und Lothringen – die bis zum 17. Jahrhundert Gebiete des Deutschen Reichs gewesen, inzwischen aber in Frankreich integriert waren – wieder deutsch werden müßten. Als Bismarck sich diese Forderung zu eigen machte, verlor der Krieg seinen ursprünglichen Charakter und seine Berechenbarkeit. Nationale Leidenschaften verdrängten das rationale diplomatische Kalkül und gefährdeten das System durch einen neuen Konflikttyp. Die erst drei Tage alte französische Republik erklärte die revolutionäre „Levée en masse",

und der Kampf um die Festung Paris, die sich erst Ende Januar 1871 ergab, wurde als Krieg der Völker mit der ganzen Gewalt ausgefochten, die moderne Waffen ermöglichten. Noch vor dem Waffenstillstand fand am 18. Januar im besetzten Versailles die Proklamation Wilhelms I. zum deutschen Kaiser statt; das neue Reich war gegründet.

Die Folgen der Reichsgründung

Mit der Reichsgründung war eine wesentliche Grundlage des Systems von 1815, das Mächtegleichgewicht um das Vakuum im Herzen Europas herum, in Frage gestellt. Zwar wurde den meisten Politikern erst allmählich klar, welche militärische und wirtschaftliche Potenz das Deutsche Reich entwickeln konnte, doch vermehrte allein das Verschwinden der Pufferzonen die Reibungsgefahr zwischen den Mächten. Dazu kam die Forderung der Franzosen nach der Wiedergewinnung von Elsaß und Lothringen, der sich vor 1914 keine Regierung entziehen konnte.

Die Entscheidung über eine Fortsetzung des europäischen Konzerts, über Krieg und Frieden in Europa, hing ab von dem politischen Kurs, den das de facto auf dem Kontinent bereits 1871 hegemoniale Deutsche Reich einschlagen würde.

Jeder Gewinner eines internationalen Konflikts möchte sich nach seinem Erfolg gern wieder die Vorteile des internationalen Systems sichern, das er zuvor zu seinem Nutzen destabilisiert hat. Ein solches Vorhaben hat gewöhnlich die Logik und die bitteren

Europäisches Konzert zur Zeit Bismarcks

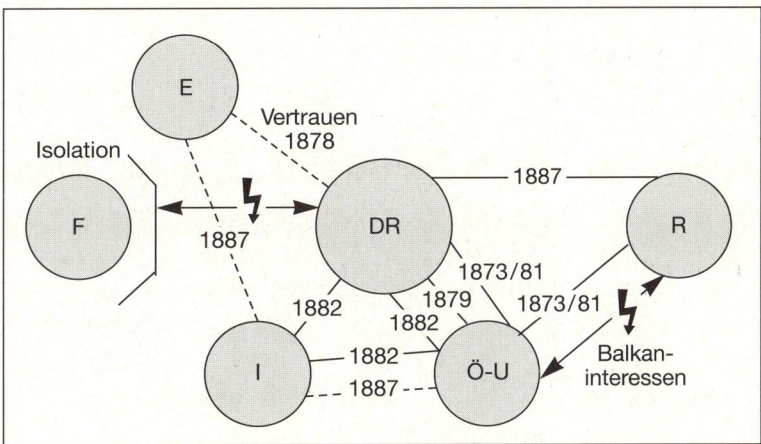

Erfahrungen der anderen Mächte gegen sich. Auch Bismarck versuchte die knapp zwei Jahrzehnte, die ihm nach seinem größten Triumph noch im Amte verblieben, dazu zu verwenden, das europäische System wieder zu stabilisieren, um damit die deutschen Machtgewinne abzusichern. Es war ein Kampf gegen die Kräfte, die die preußische Politik selbst geweckt hatte, gegen einen aggressiv gewordenen Nationalismus in Deutschland und anderswo und gegen das Sicherheitsbedürfnis, das die deutsche Militärmacht im übrigen Europa hervorgerufen hatte. Schon während Bismarcks Amtszeit verringerte sich die Kompromißfähigkeit der Mächte fortlaufend – auch in Deutschland selbst. Bismarck versuchte, Spannungen an die koloniale Peripherie Europas abzuleiten. Insofern er aber bei allen Strategien zusehen mußte, daß Frankreich außenpolitisch isoliert und Deutschland im Bündnis mit zwei anderen Mächten blieb, um übermächtige Koalitionen gegen das Reich zu verhindern, zerstörte er endgültig eine zentrale Grundlage des Systems Metternichs, daß sich nämlich jede Macht mit jeder anderen ohne Vorbehalte gegen einen Aggressor verbünden konnte.

Der Berliner Kongreß

Der Berliner Kongreß von 1878 mußte zeigen, ob das labile Gleichgewicht des europäischen Staatensystems noch einmal zu festigen war und der europäische Frieden wieder gesichert werden konnte. Erneut hatte eine Orientkrise für Kriegsgefahr in Europa gesorgt. Rußland hatte in einem Konflikt auf dem Balkan mit Zustimmung der anderen Großmächte die Partei der Aufständischen gegen das Osmanische Reich ergriffen und die Gelegenheit genutzt, ihm eine verheerende militärische Niederlage beizubringen.

In diesem achten russisch-türkischen Krieg war die Armee des Zaren bis zum Marmarameer vorgestoßen und näherte sich Konstantinopel. Wie 1854 intervenierte England; Österreich-Ungarn, das seine eigenen Expansionsziele gefährdet sah, schloß sich an, während Frankreich als Interventionsmacht ausfiel. Obwohl die beiden Großmächte mit Krieg drohten, zwang Rußland im März 1878 den Sultan zum Diktatfrieden von San Stefano. Das Osmanenreich sollte eine gewaltige Kriegskostenentschädigung von 1400 Millionen Rubeln zahlen, Serbien, Montenegro und ein vergrößertes Rumänien sollten unabhängig werden, das stark vergrößerte Bulgarien tributpflichtiges und russisch besetzes Fürstentum.

Diese Ausdehnung des russischen Einflusses verschärfte die Konfrontation zwischen England und Rußland, doch angesichts eines drohenden europäischen Krieges lenkten beide ein und entschieden sich für eine europäische Konferenz. Hatte man aus dem Krimkrieg gelernt? Oder war es nur die Sorge vor einer Einmischung des Deutschen Reiches, die den Konflikt zugunsten einer Seite entschieden

Berliner Kongreß 1878 (Gemälde von Anton von Werner)

hätte? Da das Reich (noch) keine machtpolitischen Interessen auf dem Balkan hatte, konnte Bismarck als „ehrlicher Makler" seine Vermittlung anbieten. Ziel des in Berlin tagenden
Kongresses war es, die orientalische Frage
durch einen Interessenausgleich zwischen
England, Rußland und Österreich-Ungarn zu
entschärfen und damit den Frieden in Europa
zu erhalten.
Nach vier Wochen einigte man sich im Frieden
von Berlin am 13. Juli 1878 auf eine Abände-
rung der Bedingungen von San Stefano: Rußland behielt lediglich einen Teil Bess-
arabiens, Bulgarien wurde wesentlich verkleinert, Serbien und Montenegro unabhängig,
und Österreich-Ungarn besetzte Bosnien-Her-
zegowina. Zwischen Österreich, Serbien und
Rußland zeichneten sich damit Konfliktlinien
ab, die bis 1914 verhängnisvoll werden sollten.
Der erzielte Kompromiß wurde in einem
glanzvollen diplomatischen Rahmen fixiert,
der Status quo schien wiederhergestellt, Bismarck – als Schiedsrichter über europäische
Streitfragen – auf dem Höhepunkt seiner
Macht zu sein. Unter seiner Führung hatte
das Konzert der Mächte augenscheinlich ein
weiteres Mal seine Fähigkeit zum Konflikt-
management bewiesen.
Trotz der umfangreichen Konferenzdiplomatie
bis 1884 begann das Bismarcksche System
aber bereits zu zerfallen. Rußland betrachtete
das Konferenzergebnis als Niederlage, und
die traditionell guten deutsch-russischen Beziehungen verschlechterten sich. Die Folge
war der 1879 abgeschlossene Zweibund zwischen Berlin und Wien (1882 mit Italien zum
Dreibund erweitert). Als Konsequenz der Op-
tionen für Österreich-Ungarn zeichnete sich
eine russisch-französische Annäherung ab,
die Bismarck durch ein System von Aushilfen
hinauszuzögern suchte. Der Dreikaiservertrag
schloß 1881 noch einmal die monarchischen
Ostmächte über ein Neutralitätsabkommen
zusammen, zerbrach aber bis 1887 an
Balkankrisen. Von da an sollte ein bilaterales
Abkommen, der umstrittene Rückversiche-
rungsvertrag, den „Draht" zwischen dem
Reich und Rußland erhalten, vor allem aber
eine französisch-russische Allianz weiter verhindern. Daß Teile dieses Vertrages (Unterstützung der russischen Meerengenpolitik) im
Gegensatz zu Zielen des Dreibundes standen,
nahm Bismarck dafür in Kauf.

Das im Rhein sein Unwesen treibende „Meeresun-
geheuer" Bismarck, das eine französisch-russische
Allianz zu verhindern trachtet (französisches Flugblatt)

Spätestens hier muß darauf hingewiesen werden, daß im Zeitalter der Industrialisierung
keine Außenpolitik mehr ohne eine wirtschaftliche Dimension denkbar ist, zu wichtig sind
die volkswirtschaftlichen Konsequenzen der
Waren- und Kreditströme zwischen den Ländern. Die Entscheidung des Deutschen
Reichs 1879 zur Schutzzollpolitik zugunsten
der deutschen Landwirtschaft erschwerte in
erster Linie die russischen Agrarexporte nach
Deutschland und damit die Finanzierung der
Industrialisierung und der Aufrüstung Rußlands. Als auch noch 1887, im Jahre des
Rückversicherungsvertrages, Rußland durch
ein Reichsgesetz vom Berliner Kapitalmarkt
verdrängt wurde, war Bismarcks Außenpolitik
bereits an den Widersprüchen ihrer Ziele und
Methoden gescheitert. Rußland mußte sich
umorientieren auf den Kapitalmarkt von Paris,
und das war nur um den Preis zu haben, daß
es Frankreichs außenpolitische Isolierung
beendete; 1892 wurde die erste Militär-

konvention zwischen Rußland und Frankreich abgeschlossen. Die von der deutschen Politik so gefürchtete Zwei-Fronten-Konstellation war da, ohne daß noch ein „Konzert der Mächte" Deutschland hätte absichern können.

Der Boden, der das europäische System bis dahin getragen hatte, zerbrach.

4.4 Die Zerstörung des internationalen Ordnungssystems im Imperialismus

Seit den achtziger Jahren des 19. Jahrhunderts wurde das Mächtesystem durch weitere Konfliktquellen belastet. Es begann die Phase des Hochimperialismus, in welcher die Großmächte – im Wettlauf miteinander – danach strebten, „sich Besitzungen bzw. wirtschaftliche oder politische Einflußsphären in der außereuropäischen Welt zu sichern" (Schöllgen). Zwar hatte die europäische Expansion – beginnend mit dem Kolonialismus des 15. Jahrhunderts – eine lange Tradition, und besonders Briten und Franzosen hatten bis zur Mitte des 19. Jahrhunderts ihre Kolonialreiche stetig weiter ausgebaut. Nun aber beschleunigte sich der Prozeß der Landnahme rapide, begleitet von zunehmenden Rivalitäten der Großmächte.

Den ökonomischen Antrieb dazu lieferte die Dynamik der kapitalistischen Industriewirtschaft, die sichere Rohstoffquellen, eine hohe Kapitalrendite und die Erschließung neuer Märkte anstrebte. Ganz besondere Chancen boten sich den Banken sowie den Schwer- und Rüstungsindustrien, denn vor allem mit Hilfe moderner Flotten und Eisenbahnlinien ließen sich immer weitere Regionen außerhalb Europas formell oder informell beherrschen. (Finanz-, Wirtschaftsimperialismus, s. auch Bd. 2, Kap. 7). Mit dem Ausgreifen in bisherige Machtvakuen (in Asien und Afrika) wuchs das europäische Mächtesystem zu einem echten Weltsystem, dessen Kriegsrisiken sich rasch vergrößerten, als gegen Ende des 19. Jahrhunderts mit Japan und den USA zwei neue, nicht-europäische Großmächte dazukamen und das Deutsche Reich von der Bismarckschen Kontinentalpolitik zur „Weltpolitik" Wilhelms II. überging.

Die Konflikte waren auch deshalb kaum zu entschärfen, weil der Imperialismus eine starke Massenwirksamkeit entwickelte, die sich innenpolitisch zu nationalen Sammlungsbewegungen nutzen ließ (Sozialimperialismus).

Die Gegensätze und Konflikte, die in dieser Zeit des Hochimperialismus auftraten, führten in den Ersten Weltkrieg und zur Selbstzerstörung des europäischen Weltsystems.

Im Rahmen unseres Themas lassen sich die vielfältigen Bedingungen, Formen und Ziele imperialistischer Politik allerdings nicht vollständig darstellen, deshalb sollen die Aspekte im Mittelpunkt stehen, die besonders aufschlußreich für den Weg in den Weltkrieg sind.

Der „Suez-Coup": Beginn des Wettlaufs um Afrika

Der imperialistische Wettlauf begann, als der britische Premierminister Disraeli 1875 mit einem von der Presse als „Jahrhundertcoup" bezeichneten Unternehmen die Mehrheit der Suezkanal-Aktien in britischen Besitz brachte und damit England die Kontrolle über die damals sensibelste strategische Position sicherte. Der türkische Vizekönig über Ägyp-

Zeitgenössische Karikatur des „Punch" zum Kauf des Suezkanals durch Benjamin Disraeli

ten, der Khedive Ismail Pascha, konnte den drohenden Staatsbankrott nur noch durch den Verkauf seines gewaltigen Aktienpaketes hinausschieben. Disraeli hatte vom Angebot des Khediven an ein französisches Finanzkonsortium erfahren und brachte das Geschäft mit einem vom Bankhaus Rothschild vermittelten Großkredit blitzschnell über die Bühne. Die englischen Zeitungen sprachen von einer neuen Phase britischer Orient-Politik und vom „Schlüssel für Indien", den man jetzt erst erworben habe.

Besondere Genugtuung empfand man darüber, daß man die französische Konkurrenz ausgespielt hatte. Trotz des hartnäckigen britischen Widerstandes hatte ja der französische Konsul in Ägypten, Ferdinand de Lesseps, den Kanalbau durchgesetzt und damit Erinnerungen an Napoleons Ägyptenfeldzug (1798) wachgerufen: wenn Frankreich den Kanal kontrollierte, hatte es Großbritannien an einer Achillesferse getroffen (Weg nach Indien). Nur sechs Jahre nach der feierlichen Eröffnung des Kanals war diese Gefahr mit dem Aktienkauf beseitigt worden.

1881 kam es in Ägypten zu einer Offiziersrevolte gegen die korrupte türkische Oberschicht („Ägypten den Ägyptern"), und im Zusammenhang mit fremdenfeindlichen Kundgebungen wurden in Alexandria auch Europäer ermordet. Daraufhin sicherte ein britisches Korps von 20 000 Soldaten die Kontrolle über ganz Ägypten. Offiziell gehörte das Land weiter zum Osmanischen Reich und wurde erst 1914 (Kriegseintritt der Türkei auf Seiten der Mittelmächte) britisches Protektorat. Allen Krisen zum Trotz brachte der Kanal Großbritannien allein bis 1930 über 40 Millionen Pfund ein.

Der Suez-Kauf illustriert beispielhaft die Verknüpfung weitgespannter machtpolitischer, wirtschaftlicher und militärischer Beweggründe imperialistischer Politik und macht die tiefe Verstrickung europäischer Staaten in die Nahostkonflikte des 20. Jahrhunderts deutlich.

Die Aufteilung Afrikas

Frankreich, das nach dem verlorenen Krieg von 1870/71 politische Erfolge dringend brauchte, errichtete 1881 ein Protektorat über

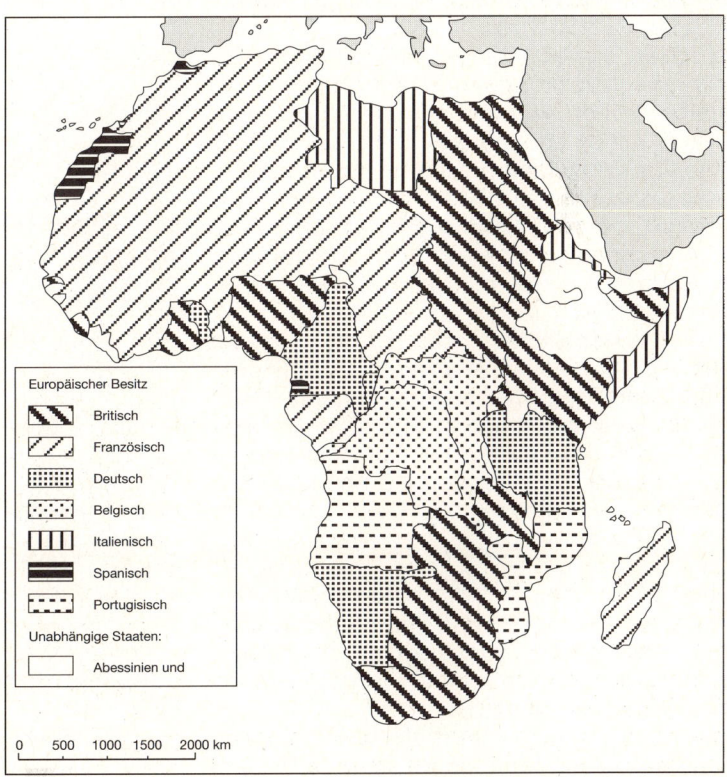

Koloniale Aufteilung Afrikas bis 1914

Tunesien und erweiterte damit sein Kolonialreich im Nordwesten Afrikas. Nun versuchten auch die beiden Neulinge im Kreis der imperialistischen Mächte, das Deutsche Reich und Italien, sich ein möglichst großes Stück des afrikanischen „Kuchens" zu sichern. Deutsche machten 1884/85 Südwestafrika, Togo, Kamerun und Ostafrika zu Kolonien; mit nachträglicher Zustimmung Bismarcks, der die Verschlechterung der deutsch-englischen Beziehungen durch eine französisch-deutsche Zusammenarbeit kompensieren wollte.

Die alte Grundregel „The flag follows the trade" wurde im Zeichen formeller Inbesitznahme großer Territorien umgekehrt: „The trade follows the flag". Waren 1875 erst zehn Prozent Afrikas in Besitz genommen worden, so stieg dieser Anteil bis zur Jahrhundertwende auf über 90 Prozent an. Mit zunehmender Verknappung „freier" Räume wuchs die Gefahr von Konflikten zwischen den rivalisierenden Großmächten. Ein Beispiel: in der Faschoda-Krise prallten 1898 die großen Kolonialmächte England und Frankreich zusammen. Die Franzosen dehnten damals ihren Herrschaftsbereich nach Osten, die Briten ihren nach Süden aus, und am oberen Nil trafen Expeditionen beider Staaten aufeinander.

Als der britische General Lord Kitchener den französischen Hauptmann Marchand zum Abzug aufforderte, obwohl dieser vor ihm die (französische) Flagge gehißt hatte, entspann sich um das abgelegene Gebiet in Afrika ein Konflikt, der die beiden Mächte in Europa an den Rand eines Krieges brachte. Erst im März 1899 gelang mit dem Sudanvertrag ein Interessenausgleich.

Die Faschoda-Krise zeigt zum einen, wie leicht sich ein kleiner Konflikt an der Peripherie zu einer kriegerischen Auseinandersetzung in Europa auswachsen konnte. Zum anderen demonstriert die Krise aber auch die Fähigkeit imperialistischer Mächte zur zumindest kurzfristigen Konfliktregelung.

Selbstdarstellung: Kaiser Wilhelm II. in Prachtuniform

Der „Neue Kurs" des Deutschen Reiches

Man hat nach 1890 drei Generationen lang gestritten, ob Bismarcks Entlassung die Situation noch verschärft hat. Insofern man die Nichterneuerung des Rückversicherungsvertrags mit Rußland durch seinen Nachfolger Caprivi beklagt hat, muß man sich heute eingestehen, daß hier nur besiegelt wurde, was ohnehin unvermeidlich war. Eine enge Bindung Deutschlands an Österreich-Ungarn war mit einer vertraglichen Verpflichtung gegenüber Rußland nicht mehr vereinbar. Andererseits war der Abgang Bismarcks, der in Europa auch unter seinen Gegnern ein hohes Ansehen genoß und dessen Friedenswille nicht angezweifelt wurde, eine Belastung der Gesamtlage. Das trat um so deutlicher hervor, als Wilhelm II., 1888 als 29jähriger zum Deutschen Kaiser gekrönt, einen radikalen Wechsel gegenüber der Generation des 73jährigen Bismarck

Wilhelm II. in der Karikatur

Amerikan. Karikatur von 1898: „Come and be saved" (Anspielung auf eine Äußerung Wilhelm II.: „Am deutschen Wesen soll die Welt genesen.")

Ungarische Karikatur von 1895

Karikatur einer amerikanischen Zeitschrift auf das deutsche Engagement in Ostasien

verkörperte. Sein Wille zu aktiven (aber meist spontanen) Interventionen in der Politik, denen keine genügend starken Kanzler entgegentreten konnten, verunsicherte Europa.

Die industrielle, soziale und politische Dynamik des Reiches suchte nach einem neuen Rahmen, den man dann 1896 gefunden zu haben schien. Zum 25. Jahrestag der Kaiserproklamation verkündete Wilhelm II.: „Aus dem Deutschen Reich ist ein Weltreich geworden." Die deutsche „Weltpolitik" bedeutete Expansion im Nahen Osten, in Afrika und Asien. Im Vertrauen auf die deutsche Stärke glaubte man auch, sich eine „Politik der freien Hand" leisten zu können und vernachlässigte die Suche nach einem starken Bündnispartner.

In den 90er Jahren hatte sich das Gefüge der Weltmächte deutlich verändert. Vor allem der rasche Aufstieg Deutschlands zum wirtschaftlich und militärisch stärksten Land auf dem europäischen Kontinent und die Entwicklung der USA zu einer ökonomischen Weltmacht, die zugleich politisch nach Asien auszugreifen begann, zwangen Großbritannien zu einer Neueinschätzung seiner Lage. Hatte es in der Ordnung von 1815 noch das Privileg besessen, unter den fünf Mächten diejenige zu sein, die dank ihres wirtschaftlichen Reichtums und ihrer Insellage häufig den Ausschlag zum Übergewicht gab, so verlor es nun diesen Vorteil: Es wurde relativ – im Verhältnis zur Gesamtheit aller Machtrivalen – schwächer.

Es war zugleich nicht länger möglich, Machtkonflikte dadurch zu mildern, daß man auch den Rivalen etwas mehr oder weniger von den „weißen Flecken" der Landkarte abgab. Entweder fanden die Staaten ein für alle gemeinsam vorteilhaftes System wie zu Beginn des 19. Jahrhunderts, oder man mußte versuchen, seine Interessen durch den Ausbau der eigenen Macht und feste Bündnisse abzusichern. Die politischen Eliten Großbritanniens zogen aus diesen Erkenntnissen erstaunlich realistisch den Schluß, die Politik der „splendid isolation" zu beenden und ein Einvernehmen mit einer anderen Macht zu suchen. Wer kam als Partner in Frage? Sicher zuerst Deutschland, mit dem auf dem Meer und auf dem Gebiete der Kolonien die geringsten Reibungsflächen bestanden.

Schon eine solche Zweierallianz hätte aber nicht mehr in das alte Konzert der Mächte gepaßt, da sie die beliebige Kombinierbarkeit aller Mächte von vornherein ausschloß. Erst recht entstand eine neue Lage, weil Deutschland die Verständigung so lange ablehnte, bis es die Bedingungen für ein Arrangement mit Großbritannien radikal zu seinen Gunsten verändert hatte. Ein im negativen Sinne entscheidendes Jahr wurde 1898, als Deutschland mit dem Flottengesetz den Bau einer weltweit einsetzbaren Kriegsflotte begann. Das gemeinsame Interesse von 1815 – die Verringerung der Kriegsgefahr durch wechselseitige

Zeitgenöss. Atelierbild
(„Deutschland zur See")

Fläche und Bevölkerung imperialistischer Staaten Europas

Land	Jahr	Mutterland		Abhängige Gebiete	
		Fläche in 1000 km²	Einwohner in Millionen	Fläche in 1000 km²	Einwohner in Millionen
Großbritannien	1881	314	34,5	22 136	257,3
	1899	314	38,1	27 781	347,4
	1909	314	45,1	29 557	349,1
Frankreich	1881	528	36,9	526	5,6
	1899	536	38,5	3 792	44,7
	1909	536	39,3	5 947	42,8
Deutsches Reich	1881	540	45,2	–	–
	1899	540	54,3	2 600	9,4
	1909	540	60,6	2 657	12,4

Sicherheitsgarantien aller Großmächte – war damit aufgekündigt.

Deutschland trat in direkten Wettbewerb mit Großbritannien um eine Position als Weltmacht. Zwar strebte das Reich schon allein aus wirtschaftlichen Gründen zunächst keine der britischen gleichrangige Flotte an, doch konnte es zumindest den britischen Grundsatz in Frage stellen, daß seine Flotte größer sein müsse als die beiden nächstgroßen zusammengenommen. Das deutsche Ziel einer „Risikoflotte" signalisierte deutlich, daß zumindest die Fähigkeit zu einer ernsthaften Schwächung der führenden Seemacht in der deutschen Absicht lag.

Der Planer und politische Motor der Flottenrüstung war Admiral Alfred von Tirpitz (1849–1930), der in dem militärischen Dilettanten Wilhelm II. einen begeisterten Förderer fand. Hinter der Entscheidung standen Kreise der Schwerindustrie, die die wirtschaftlichen Chancen einer solchen technologisch aufwendigen Rüstung zu nutzen entschlossen waren. Die Rolle der deutschen Öffentlichkeit (aber auch die anderer Länder) trug zu der verhängnisvollen Entwicklung bei. Sie wurde von Verbänden und von einer großen Gruppe von Professoren, Journalisten und Lehrern auf die aggressive neue Außenpolitik eingestimmt. 1898 wurde mit nachhaltiger Förderung der Firma Krupp, des mit Abstand größten deutschen Rüstungsunternehmens, der Deutsche Flottenverein gegründet. Mit seinen 1914 über 1 Million Mitgliedern und den damals modernsten Mitteln der Massenpropaganda mobilisierte er eine breite Öffentlichkeit für eine uneingeschränkte Flottenrüstung.

Der Wille Deutschlands, Weltmachtpolitik zu betreiben, wurde auch durch die Orientpolitik unterstrichen, die Deutschland ab 1888 im Osmanischen Reich verfolgte. Ein Firmenkonsortium unter Führung der Deutschen Bank sicherte sich die Konzession für den Bau der „Bagdadbahn" von Istanbul nach Bagdad und weiter an den Persischen Golf. Zusammen mit flankierender Militärhilfe versprach diese Politik eine Modernisierung und Stärkung des Osmanischen Reichs, die den Interessen Großbritanniens wie Rußlands gleichermaßen entgegenstand.

Als Wilhelm II. sich 1898 auf einem Staatsbesuch in Istanbul, Damaskus und Jerusalem mit markigen Worten als „Beschützer der 300 Millionen Moslems" bezeichnete, erhielt der Argwohn der konkurrierenden Großmächte eine Bestätigung.

Europa und die neuen Mächte

Nach der Aufteilung Afrikas richtete sich das Interesse der imperialistischen Mächte verstärkt auf den asiatischen und den pazifischen Raum. In Südamerika war dagegen kein Platz mehr für einen formellen Imperialismus der Europäer (Monroe-Doktrin 1823).

Die alte Weltmacht Großbritannien und die neue Weltmacht USA im Vergleich:

Anteile an der Weltindustrieproduktion 1860–1900 (in %)

Jahr	Großbritannien	USA
1860	36	17
1870	32	23
1880	28	28
1890	22	31
1900	18	31

Zeitgenössischer japanischer Holzschnitt zur Seeschlacht bei Tsuschima 1905 und Japans Sieg über die russische Flotte

Das Interesse der USA galt der Sicherung von Einflußsphären und der Erschließung von Absatzmärkten für die Produkte der amerikanischen Industrie. Als geeignetes Mittel dazu befürwortete man eine Politik der „offenen Tür", die die USA auch in China, für das sich alle Großmächte brennend interessierten, proklamierten.

Als zweite außereuropäische Macht betrieb Japan schon vor der Jahrhundertwende eine imperialistische Politik in Ostasien. Es wurde zum Hauptkonkurrenten Rußlands, das sich nach dem Scheitern der Expansionsversuche in Südosteuropa 1856 und 1878 verstärkt Ostasien zugewandt hatte. Nachdem Rußland, ohne die japanischen Warnungen zu beachten, nach Korea ausgriff, eskalierten die Spannungen 1904 im russisch-japanischen Krieg, der weitreichende Folgen hatte. Zur Überraschung der Großmächte siegte Japan zu Lande und vor allem zur See. Im Frieden von Portsmouth (USA), den der amerikanische Präsident Theodore Roosevelt 1905 vermittelte, mußte das schwer gedemütigte Rußland auf Korea und die Mandschurei verzichten. Zum ersten Male hatte eine neue – asiatische – Macht eine der „weißen" europäischen Großmächte besiegt, ein weltpolitisches Zeichen gesetzt. Japan wurde Vormacht im Fernen Osten, der russische Expansionsdrang für die Zukunft zurück nach Europa verwiesen. Noch weitreichender waren die innenpolitischen Folgen des Krieges für Rußland. Die militärischen Niederlagen lösten eine schwere Krise des Zarenregimes

Klein-Japan als Kulturförderer.

Karikatur auf das Regime Nikolaus II. nach 1905

aus: die erste russische Revolution von 1905/06 (vgl. Bd. 3, Kap. 4). Als machtpolitisch aktiver Faktor des Staatensystems fiel Rußland für einige Zeit aus.

Spätestens 1905 war sichtbar geworden, daß ein auf Europa ausgerichtetes System der Mächte nicht mehr der Realität der modernen Welt entsprach, weil es die USA und Japan nicht einbezog. Die Konfliktpotentiale wuchsen rasch, während zugleich die Mechanismen zur Konfliktbegrenzung wirkungslos wurden. Man kann der Staatengemeinschaft vor dem Ersten Weltkrieg vorwerfen, daß sie außerstande war, eine neue Ordnung des Machtausgleichs hervorzubringen; man muß besonders Deutschland vorwerfen, daß es als größte militärische Landmacht an einer solchen Ordnung demonstrativ nicht interessiert war.

Rückwendung nach Europa und Blockbildung

Der imperialistische Konkurrenzkampf der Mächte in Afrika, Asien und im Pazifik hatte, solange noch Raum zur Expansion verfügbar war, einen Teil der Spannungen von Europa nach Übersee hin abgelenkt. Nach der Jahrhundertwende wurde Europa selbst wieder zur Bühne der wirtschaftlichen und politischen Konflikte. Dabei war der britisch-deutsche Antagonismus der entscheidende

Sprengsatz für das europäische System. Die alte Weltmacht England wollte den weiteren Aufstieg des Deutschen Reiches zu einer ebenbürtigen Macht – besonders zur See – nicht hinnehmen und näherte sich daher Frankreich an.

Deutschland hatte einen Ausgleich zwischen Großbritannien und Frankreich wegen der kolonialen Spannungen für schlechthin ausgeschlossen gehalten und seine Politik fortgesetzt, die zumindest in den Augen der britischen Führung einem Erpressungsversuch gleichkam. Tatsächlich aber gelang es Großbritannien 1904, mit Frankreich seine kolonialen Fragen zu regeln und eine „Entente cordiale" zu schließen, ein völkerrechtlich wenig verbindliches, aber angesichts der deutschen Politik sehr wirksames Einvernehmen. Als 1907 auch noch ein ähnliches Abkommen zwischen Großbritannien und Rußland zustandekam, war die Konzeption der deutschen Außenpolitik gescheitert.

Die deutsche Führung gab sich als Opfer einer Einkreisungspolitik aus – und glaubte das am Ende selbst.

Die wirkliche Katastrophe für den Weltfrieden aber lag darin, daß an die Stelle des europäischen Kräftegleichgewichts die Rivalität zweier Mächtegruppen getreten war, deren Strategien immer zwanghafter darauf abzielten, für

Vor Kriegsausbruch und im Verlauf des Krieges vollendeten die Gegner die Einkreisung der Mittelmächte, die nur durch Bündnisse mit der Türkei und mit Bulgarien eine Durchbruchsmöglichkeit fanden.

Die Karte von 1937 zeigt, wie langlebig die Einkreisungsthese war (aus: „Schulungsbrief der NSDAP", Heft 9/1937, S. 348).

den als unvermeidlich geltenden Krieg die günstigsten Voraussetzungen zu schaffen.

Ins Zentrum der Politik rückte die orientalische Frage mit einer Fülle von Problemherden auf dem Balkan, die das sich auflösende Osmanische Reich hinterließ. Verstärkte Rüstungsanstrengungen aller Mächte zur See brachten immer größere und schwerer bewaffnete Schlachtkreuzer (Dreadnoughts) hervor, die Zahl der Soldaten und Kanonen wurde ständig vermehrt. Zwischen dem Reich und England erreichte der Rüstungswettlauf zur See volkswirtschaftlich ruinöse Größen.

Die letzten Chancen zu einer Verständigung mit Großbritannien, die der Reichskanzler von Bethmann Hollweg 1912 zu nutzen suchte (Haldane-Mission), scheiterten an der Machtlosigkeit des Kanzlers gegenüber dem deutschen Militär und dem Kaiser. Das Flottengesetz von 1912 steigerte die Größe der deutschen Flotte auf zwei Drittel der britischen und sicherte ihr – bei der weltweiten Verteilung der britischen Einheiten – Gleichrangigkeit in der Nordsee, ohne den strategischen Vorteil der Briten – die Beherrschung der Zugänge Deutschlands zu den Weltmeeren – damit wettmachen zu können. Das Militär hatte sich von der Überwachung durch die Politik befreit, die internationale Diplomatie damit zur Wirkungslosigkeit verurteilt, und die Dinge strebten nach der ihnen innewohnenden Logik zum Krieg.

Friedenspolitik im Imperialismus?

Der Imperialismus hatte die Gegensätze zwischen den Großmächten, die wirtschaftliche und politische Konkurrenz, extrem verschärft. In einem globalen Wettlauf hatten sie mit ungeheurer Energie versucht, ihren Machtbereich zu vergrößern und koloniale Imperien aufzubauen. Die außenpolitische Konkurrenz ging einher mit einer umfassenden innenpolitischen Mobilisierung, die die alten Eliten zur Stabilisierung ihrer Führungsrolle in Gang setzten. Unter Einschluß von Nationalismus und Militarismus hatte die imperialistische Ideologie ihre Massenwirksamkeit bewiesen; sendungsbewußt und missionswütig sah sich jede Nation als „auserwähltes Volk".

War es in einer derart konfliktgeladenen Epoche überhaupt möglich, an Friedenspolitik zu denken?

Das europäische Konzert des frühen 19. Jahrhunderts mit seinem Grundkonsens, seiner Flexibilität und den diplomatischen Fähigkeiten seiner Akteure war im Imperialismus zu einer Vorstellung konkurrierender Solisten verkümmert. Die vielen Krisen hatten die noch vorhandene Kompromißfähigkeit mehr und mehr aufgezehrt. Imperialistisches Gedankengut wurde von vaterländischen Vereinen und Interessenverbänden aufgenommen, die regen Zulauf fanden, und eine durchweg nationalistische Presse informierte wachsende Le-

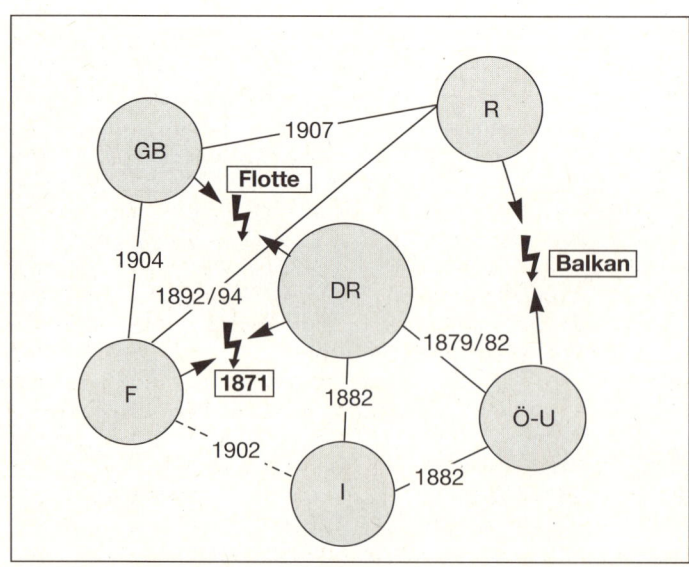

Europäisches Mächtesystem nach 1890

sergruppen über politische Erfolge und Mißerfolge. So standen die Politiker auch unter Erfolgszwang, und wenn eine diplomatische Niederlage die nationale Ehre bedrohte, mußte – im Glauben an die eigene Überlegenheit – Kriegsbereitschaft demonstriert werden, nicht zuletzt, um die aufgeheizten Leidenschaften zu beruhigen.

Obwohl Friedenspolitik vor diesem Hintergrund einen schweren Stand hatte, wurden mit der Genfer Konvention und auf den Haager Friedenskonferenzen Fortschritte in bezug auf eine „Humanisierung" des Krieges erzielt, soweit man diesen Begriff überhaupt verwenden kann.

Florence Nightingale, eine englische Krankenpflegerin, hatte während des Krimkrieges die katastrophalen Verhältnisse in den Lazaretten kennengelernt. Der von ihr geschaffene Organisations- und Arbeitsplan wurde zur Grundlage für eine verbesserte Krankenpflege. Der Schweizer Henri Dunant beschrieb in seiner 1862 erschienen Schrift „Eine Erinnerung an Solferino" die blutigen Folgen massiver Kriegführung mit modernen Waffen. Seine Aktivitäten führten 1863 zur Gründung des Internationalen Komitees vom Roten Kreuz und 1864 zum Abschluß der Genfer Konvention, die Abkommen zum Schutz der Verwundeten, der Kriegsgefangenen und der Zivilbevölkerung in Kriegszeiten beinhaltete.

Die Haager Konferenzen

1899 fand die erste Haager Friedenskonferenz statt. Sie kam zustande auf Grund einer aufsehenerregenden Abrüstungsinitiative ausgerechnet des Kriegsherren der größten Militärmonarchie der Welt, des Zaren Nikolaus II. Was waren seine Beweggründe? Einerseits eine idealistische Friedensliebe des Zaren, die er prestigeträchtig darstellen wollte, andererseits aber auch realpolitische Motive. Rußlands Industrialisierungspläne drohten unter dem Wettrüsten zu Lande (gegen Österreich-Ungarn) und zur See (gegen England) Schaden zu nehmen, und eine europäische Abrüstung hätte die ostasiatischen Expansionspläne Rußlands begünstigt.

Die 26 Teilnehmer – neben den Europäern auch die USA, Japan und China – konnten sich aber nicht auf eine verbindliche Abrüstungserklärung einigen; keine Regierung war

bereit, das militärische Potential zu schwächen und den Anspruch auf kriegerische Durchsetzung internationaler Vorhaben aufzugeben. Selbst eine internationale Schiedsgerichtsbarkeit kam infolge deutscher Widerstände nur eingeschränkt zustande. Konkrete Ergebnisse waren die Einrichtung des Ständigen Internationalen Schiedshofes in Den Haag und die Haager Landkriegsordnung (HLKO), welche Regeln des Landkrieges festlegte. Sie sollte die Unterzeichnerstaaten und Einzelpersonen binden; die Nichteinhaltung der Regelungen sollte als Kriegsverbrechen bestraft werden. Die HLKO traf Bestimmungen zur Kennzeichnung kriegführender Parteien, zur Behandlung von Wehrlosen, zu erlaubten Kriegshandlungen und -mitteln sowie zur Stellung von Besatzungsmächten.

Die Konferenz konnte auch als Erfolg für die internationale Friedensbewegung gezählt werden, die seit 1889 in der Weltfriedensunion und der Interparlamentarischen Union, einem Zusammenschluß pazifistisch gesonnener Abgeordneter, organisiert war.

Die zweite Haager Friedenskonferenz trat 1907, erneut auf russische Initiative hin, zusammen. Diesmal waren es hauptsächlich die Folgen des Krieges gegen Japan, die den Zaren zur Förderung der Konferenz aktiv werden ließen. Nunmehr nahmen bereits 44 Staaten teil, und die Delegationen erarbeiteten eine verbesserte Form der HLKO, außerdem wurden Regelungen zur Führung des Seekrieges ausgearbeitet. Obwohl so bedeutende Großmächte wie England und Frankreich schon 1903 das Schiedsverfahren für bilaterale Streitigkeiten eingeführt hatten, wurde in der internationalen Schiedsgerichtsbarkeit wieder kein konkreter Fortschritt erzielt; das Deutsche Reich und Österreich-Ungarn gerieten wegen ihrer destruktiven Haltung in die Isolation.

Die Haager Konferenzen bildeten trotz aller Kompromisse und der Geringschätzung ihrer Beschlüsse im konkreten Krisenfall die Grundlage dafür, daß völkerrechtliche Normen in beiden Weltkriegen in einem begrenzten Maße Beachtung fanden. Den Haag wurde neben Genf zu einem Zentrum des internationalen Pazifismus.

Weder die erste noch die zweite Konferenz brachte aber einen Durchbruch zugunsten einer wirksamen Friedenspolitik.

Überlegungen zur weiteren Arbeit

Das Kapitel 4 hat in einer mehr als 100 Jahre umfassenden Spanne die Entwicklung und die Probleme des europäischen Mächtesystems nachgezeichnet. Mit einer solchen diachronen Untersuchungsweise kann man den Prozeßcharakter einer historischen Entwicklung besonders deutlich machen und die Problematik von Krieg und Frieden vor dem Hintergrund sich wandelnder politischer, ökonomischer und sozialer Verhältnisse untersuchen.

Natürlich ist es, angesichts einer so langen Zeitspanne, nicht möglich, alle zentralen Ereignisse und Entwicklungen mit der nötigen Intensität zu betrachten. Die Materialien sollen Ihnen daher die Möglichkeit bieten, wichtige Ereignisse genauer zu analysieren und in ihrer Bedeutung für das Mächtesystem einzuschätzen. Ausführlicher dokumentiert werden auch die deutsch-britischen Beziehungen, da sie die Blockbildung in Europa bestimmten und letztlich die Konstellationen von 1914 festlegten. Die hier zusammengestellten Quellen können Sie auch bei der Diskussion der Kriegsschuldfrage heranziehen.

Materialien zu Kapitel 4

Der Wiener Kongreß

M 4.1	1814 – v. Hardenberg: Plan für die künftige Gestaltung Europas

Fürst Karl August v. Hardenberg (1750–1822) war einer der wichtigsten preußischen Staatsmänner der Zeit; mehrfach Minister und von 1810 bis 1822 Staatskanzler; Vertreter Preußens auf dem Wiener Kongreß.

Paris, 29. April 1814

Plan für die künftige Gestaltung Europas

Der Fall Bonapartes hat dessen ungeheuerliche Pläne einer Universalherrschaft zunichte
5 gemacht, und die Alliierten, deren edle Bemühungen dieses glückliche Ergebnis herbeigeführt haben, müssen nun das große Werk, zu dem sie sich vereint haben, vollenden, indem sie durch ein gerechtes Gleichge-
10 wicht und eine ausgewogene Machtverteilung Europa eine Ordnung geben, die geeignet ist, das Ziel zu sichern, das Gegenstand ihres glorreichen Unternehmens war.
Frankreich geht auf die alten Grenzen
15 zurück, die es vor der Revolution hatte. Um den Einfluß, den es in Europa besaß, wieder

zuerlangen, benötigt es darüber hinaus keine Vergrößerung, aber einige Veränderungen von wechselseitigem Interesse können sowohl ihm als auch seinen Nachbarn zuträg- 20 lich sein.
England – größer noch durch den männlichen und dauerhaften Widerstand, den es der Tyrannei ständig entgegengesetzt hat, und durch die Opfer, die es für das Allge- 25 meinwohl erbringen will, als durch seine Macht –, Spanien und Portugal behalten oder erhalten zurück, was sie in Europa besaßen.
Rußland, dessen edelmütiger Herrscher 30 und tapfere Armee so viel für die gemeinsame Sache getan haben, hat jedes Anrecht auf eine beträchtliche Vergrößerung.
Die intermediären[1] Mächte Österreich, Preußen, Holland und Sardinien sol- 35 len wiederhergestellt werden; sie sollen den Machtumfang und die Abrundung erhalten, die für die Aufrechterhaltung sowohl des Gleichgewichts als auch ihrer eigenen Unabhängigkeit notwendig sind. [...] 40
Deutschland endlich wird einen Bund souveräner, aber untereinander durch einen

---

[1] In der Mitte liegenden

Bundesvertrag wohl geeinter Staaten bilden. Dieser Vertrag wird vor allem ein militärisches System einrichten, das stark ist und die Unabhängigkeit der deutschen Gemeinschaft *(corps germanique)* aufrechterhalten kann; er wird die Verfügungen enthalten, die erforderlich sind für die Beziehungen der Herrscher untereinander, zu ihren Untertanen und zu den ausländischen Mächten sowie für das Vertragsrecht, die Gerichtsverwaltung, den Handel usw.: mit einem Wort, er wird als Verfassung dienen. Holland und die Schweiz wären zu einer ständigen Allianz mit dem Bund eingeladen. [...]

Es ist unerläßlich, daß sich die alliierten Großmächte untereinander vollkommen einigen, bevor sie mit Frankreich verhandeln, damit der von S. M. dem Kaiser aller Reußen für alle unsere militärischen und politischen Operationen mit soviel Weisheit aufgestellte Grundsatz keine Beeinträchtigung erfährt, nämlich „daß auf der einen Seite Europa spricht und handelt, Frankreich aber auf der anderen Seite".

Zit. nach: Müller, Klaus (Hrsg.): Quellen zur Geschichte des Wiener Kongresses 1814/1815. Darmstadt 1986. S. 33,34

M 4.2 1814 – Instruktion Zar Alexanders I. für Graf Nesselrode

Karl Robert Graf v. Nesselrode (1780–1862) stammte aus dem Rheinland. Er vertrat Rußland auf dem Wiener Kongreß und war von 1817 bis 1856 russischer Außenminister.
Die Instruktion war eine Handlungsdirektive für den Kongreß.

Kamennoy Ostroff, (13.) August 1814

Graf Nesselrode!

Entsprechend den in London beschlossenen Planungen habe ich mich entschieden, Sie nach Wien zu senden, damit Sie dort zusammen mit den Ministern Österreichs, Englands und Preußens alle auf die zukünftige Gestaltung Europas bezüglichen Pläne vorbereiten. [...]

Schon die Hauptfragen, die es zu lösen gilt, haben zwischen mir und meinen Verbündeten mehrere Diskussionen ausgelöst. In Paris hat mir der preußische Kanzler das beigefügte Memorandum[1] überreicht, in dem er die Grundlagen für eine allgemeine Neugestal-

tung vorlegte. Als ich dieses Schriftstück mit der Aufmerksamkeit prüfte, die Gegenstände von so großer Wichtigkeit verlangen, habe ich mich überzeugt, daß die darin enthaltenen Bestimmungen die Interessen Rußlands bei weitem nicht befriedigen. Das Herzogtum Warschau ist eine Eroberung, die ich im Reich Napoleons gemacht habe. Der gesamte europäische Kontinent hatte sich gegen mich verbündet, als ich den ganz ungerechten Angriff zurückwies. Dennoch habe ich ohne Zögern zur Befreiung dieser selben Mächte Anstrengungen unternommen, die nicht geringer waren als die, die Rußland gerettet haben. Jetzt, da die erzielten Erfolge es erlauben, die wichtigsten Staaten Europas in dem Umfang wiederherzustellen, in dem sie sich vor den letzten Kriegen Bonapartes befanden, und mehreren von ihnen sogar bedeutende Vergrößerungen zu verschaffen, ist es gerecht, daß meine Untertanen für so viele Opfer entschädigt werden und daß eine militärische Grenze sie auf immer vor dem Unglück einer neuen Invasion bewahrt. Wenn dieses Ziel erreicht ist, erkläre ich mich völlig zufriedengestellt. Es wird beweisen, daß in den Forderungen, die ich stelle, kein Prinzip enthalten ist, das für die zukünftige Ruhe Europas gefährlich ist, kein ehrgeiziger Plan, der die Beziehungen zwischen mir und meinen Verbündeten verschlechtern kann. Alles, was ich von ihnen fordere, ist, das Herzogtum Warschau zu behalten, und für diesen Preis bin ich bereit, Österreich und Preußen in allen Vorschlägen zu unterstützen, die sie machen werden, um für die Teile dieses Herzogtums, die ihnen früher gehörten, entschädigt zu werden.

Zit. nach: Müller: (M 4.1) S. 106, 107

[1] Hardenbergs Plan

M 4.3 1814 – Instruktion Ludwigs XVIII. für seine Gesandten

Ludwig XVIII. war von 1814 bis 1824 König von Frankreich.

Paris, 10. September 1914

Es erübrigt nun noch, die Gegenstände, welche dem Kongreß zu erledigen obliegen, vom Gesichtspunkt der französischen Interessen zu betrachten und zu zeigen, daß Frankreich in der glücklichen Lage ist, seinen Vorteil nur in der Gerechtigkeit zu suchen, welche allen zugute kommen wird.

Eine absolute Gleichheit der Macht zwischen allen Staaten kann nicht existieren, ist aber auch für das politische Gleichgewicht nicht erforderlich; sie würde ihm vielmehr in gewisser Beziehung unbedingt schaden. Dieses Gleichgewicht besteht in einem gewissen Verhältnis zwischen den Widerstands- und Angriffskräften der beiderseitigen politischen Körperschaften. Bestände Europa aus Staaten, die unter sich ein derartiges Verhältnis hätten, daß das Minimum der Widerstandskraft des kleinsten gleich wäre dem Maximum der Angriffskraft des größten, so würde dies ein wirkliches, das heißt, aus der Natur der Dinge hervorgehendes Gleichgewicht darstellen. Aber so ist die Lage Europas durchaus nicht und kann es auch niemals werden. Neben großen Länderstrecken, die einer einzigen Macht gehören, finden sich Länder von gleicher oder weit geringerer Größe, die aber in eine Anzahl mehr oder minder großer Staaten, oft von verschiedener Natur, geteilt sind. Dergleichen Staaten zu einem Bunde zu vereinigen, ist größtenteils unmöglich und wird es immer sein, weil man den also Verbündeten dieselbe Einheit des Willens und dieselbe Machtstellung nicht geben kann, wie wenn sie einen einzelnen Staatskörper bildeten. Sie können sich daher nur als unvollkommene Elemente der Bildung des allgemeinen Gleichgewichts zugesellen; sie haben als zusammengesetzte Körper ihr eigenes Gleichgewicht, das aber tausend Eventualitäten unterliegt, die notwendigerweise die großen Staatskörper nachteilig berühren müssen.

Bis zu jenen Ereignissen, welche die letzten Kriege veranlaßten, hat Frankreich das ganze vorige Jahrhundert hindurch eine konservative Politik befolgt, und der König will eine solche auch in Zukunft beobachten. [...]

Vorstehende Instruktionen sind den königlichen Bevollmächtigten keineswegs als eine Richtschnur erteilt, von der sie in keinem Punkte abweichen sollen. Sie können vielmehr einen kleineren Vorteil opfern, um einen größeren zu erlangen; sie mögen nur stets im Auge behalten, daß die für

Frankreich wichtigsten Punkte die folgenden sind:

1. Österreich nicht die geringste Aussicht zu lassen, die Staaten des Königs von Sardinien unter seine Botmäßigkeit zu bringen;
2. Neapel an Ferdinand IV. zurückzugeben;
3. ganz Polen nie und nimmer unter das Zepter Rußlands zu stellen;
4. Preußen nicht das Königreich Sachsen, wenigstens nicht das ganze, und ebensowenig Mainz, zu überlassen.

Wollen oder müssen die Gesandten des Königs Zugeständnisse machen, so dürfen diese sich nur auf Angelegenheiten von geringerer Bedeutung beziehen, einesteils, weil fast alle vom Kongreß zu regelnden Fragen nach einem und demselben Rechtsgrundsatz behandelt werden, anderenteils aber, weil es wichtig erscheint, durch derartige Konzessionen die unseligen Eindrücke der letzten Jahre möglichst zu verwischen. Frankreich ist ein so mächtiger Staat, daß die anderen Völker sich nur durch die Überzeugung von seiner Mäßigung beruhigt fühlen werden, und dies Ziel ist am leichtesten dadurch zu erreichen, daß man ihnen eine möglichst hohe Meinung von Frankreichs Gerechtigkeitsliebe beibringt. [...]

Zit. nach: Müller: (M 4.1) S. 134, 135, 143, 144

M 4.4   1814 – Aus einer Flugschrift, die an den Kongreß gerichtet war

Europens edelste Fürsten haben, mit göttlichem Beistande, Deutschland von dem schnödesten Joche befreit, das ihm je drohte, und nun sollen Repräsentanten seiner Staaten ratschlagen, wie das hohe heilige Gut der wiedererlangten Freiheit für das teure deutsche Vaterland zum Heil seiner Bürger, vielleicht auf Jahrhunderte, zu benutzen, wie zu bewahren sei. Erhabner Zweck! Welcher wahre Deutsche kann kalt und schläfrig abwarten, was werden wird? Wer fühlt sich nicht durch den Gedanken begeistert, daß der Zeitpunkt da ist, wo der Deutsche an der Donau und am Rhein den an der Elbe und Weser als seinen Mitbruder umarmen und einer für des andern Glück und Ruhe wie für seine denken, fühlen und, wenns not tut, sein Blut vergießen wird; der Zeitpunkt, wo die

Herrscher der Völker es nicht nur einsehen,
20 sondern auch bekennen, daß diese nicht um
ihretwillen, sondern sie um ihrer Völker willen da sind und daß nur dann von diesen Gut
und Blut nicht nur kann gefordert, sondern
von ihnen willig wird geopfert werden, wenn
25 sie wissen, daß sie ein Vaterland haben, in
welchem es ihnen und ihren Kindern bei
Fleiß und Frömmigkeit wohl gehet, wo nicht
weiter, wie sonst, mehr denn die Hälfte ihres
Arbeitsschweißes ihnen abgepreßt wird, um
30 elende Hofschranzen, Günstlinge, Buhlerin-
nen, Gaukler, Geiger und Pfeifer, schwelgeri-
sche Tafeln, kostbare Jagden, die Menge
unnützer Schlösser, hundertfache Liebhabe-
reien und endlich eine Kriegsmacht zu unter-
35 halten, nicht für des Vaterlandes Schutz, sondern des Herrschers Vergnügen, Ehrgeiz und
unbegrenzte Vergrößerungssucht. Diese Zeit
ist – wer zweifelt? – da gewesen, und nun
wird eine andere kommen, und ist großen-
40 teils schon da, das Gegenbild von jener; ein
Verein der menschlichsten Monarchen, beraten von weisen, verständigen, menschenlie-
benden Räten, verbürgt es [...]

Zit. nach: Dyroff, Hans-Dieter (Hrsg.): Der Wiener Kongreß 1814/15.
München 1966. S. 111

M 4.5 | 1814 – Instruktion Liverpools für Wellington

Robert Banks Jenkinson, seit 1808 Earl of Liver-
pool (1770–1828), war von 1812 bis 1827 Premierminister.
Arthur Wellesby, Herzog von Wellington
(1769–1852), britischer Feldherr und Politiker, vertrat England auf dem Kongreß.

London, 2. September 1814
[...]
Hinsichtlich Österreichs und Preußens muß
man immer mit einem gewissen Mißtrauen
5 von seiten jeder französischen Regierung
rechnen. Es ist jedoch für jedes Gleichgewicht der Kräfte wesentlich, daß diese beiden Monarchien ein bestimmtes Ansehen erhalten (to be made respectable). Der anfangs
10 dieses Jahres anerkannte Grundsatz, daß
Österreich eine Bevölkerung von insgesamt
27 000 000 und Preußen von 11 000 000 Seelen haben sollte, erscheint insgesamt vernünftig und sollte Frankreich keinen Anstoß
15 bieten, besonders wenn man die Ausdeh-

nung und die Vorteile des Französischen
Reichs auf der einen und die des Russischen
Reichs auf der anderen Seite bedenkt.
Bezüglich der deutschen Verfassung glaube
ich, daß man diese vernünftigerweise den 20
deutschen Mächten überlassen darf. Es muß
ebenso im Interesse Preußens wie dem Österreichs sein, wenn ihre Grenzen erst einmal
festgelegt sind, daß keine von beiden Mächten
die Rechte der deutschen Staaten von unter- 25
geordneter Bedeutung schmälert (subordinate
states); und Frankreich und Rußland werden
immer mächtig genug sein, jegliche Pläne zu
einer Aufteilung von seiten der vorherrschenden deutschen Staaten zu verhindern. Ich sehe 30
daher keine ernsthaften Schwierigkeiten für
eine gütliche Einigung über diese Fragen; und
ich würde mich sehr geneigt fühlen, in allen
diesen Fragen gegenüber Frankreich in völliger Offenheit zu handeln. 35
[...]

Zit. nach: Müller: (M 4.1) S. 337, übersetzt von Herbert Prokasky

M 4.6 | 1814 – Bericht Talleyrands an König Ludwig XVIII.

Fürst Talleyrand (1754-1838) war schon unter Napoleon I. französischer Außenminister. Er vertrat
Frankreich auch auf dem Kongreß.

Wien, 17. Oktober 1814
[...]
In Deutschland sind überall revolutionäre
Gärungsstoffe verbreitet; der Jakobinismus
herrscht hier nicht wie bei uns in Frankreich 5
vor 25 Jahren in den mittleren und untern
Klassen, sondern in dem höchsten und reichsten Adel; ein Unterschied, der bewirkt, daß
der Gang einer in Deutschland etwa ausbre-
chenden Revolution nicht nach dem Gange 10
der unserigen berechnet werden kann. Die,
welche durch die Auflösung des Reiches und
die Rheinbundsacte vor dem Range der Dy-
nasten zu der Klasse der Unterthanen herab-
gestiegen sind, ertragen mit Ungeduld die 15
Herrschaft derjenigen, die ihresgleichen
wirklich oder ihrer Meinung nach waren; sie
trachten, eine Ordnung umzustürzen, die
ihren Stolz empört, und alle Regierungen
dieses Landes durch eine einzige zu ersetzen. 20
Mit ihnen im Bunde sind die Männer der
Universitäten, die von ihren Theorien erfüllte

Jugend, und die, welche der Kleinstaaterei Deutschlands die Leiden zuschreiben, die
25 sich durch so viele Kriege, deren beständiger Schauplatz es ist, über das Land ergossen haben. Die Einheit des deutschen Vaterlandes ist ihr Geschrei, ihr Glaube, ihre bis zum Fanatismus erhitzte Religion, und dieser Fana-
30 tismus hat selbst einige der gegenwärtig regierenden Fürsten ergriffen. Diese Einheit aber, von der Frankreich nichts zu fürchten hätte, wenn es das linke Rheinufer und Belgien besäße, würde jetzt die bedenklichsten
35 Folgen für uns haben. Wer kann überdies die Folgen der Erschütterung einer Masse wie Deutschland vorhersehen, wenn die bisher getrennten Elemente in Bewegung kämen und sich verschmelzen? Wer weiß, wo der
40 einmal gegebene Anstoß innehält?

Zit. nach: Müller: (M 4.1) S. 366

M 4.7   1815 – Aus der Deutschen Bundesakte

Die Bundesakte wurde am 8. Juni 1815 in Wien unterzeichnet. 1820 wurde sie in der Wiener Schlußakte noch ergänzt.

Art. 1. Die souveränen Fürsten und freien Städte Deutschlands, mit Einschluß des Kaisers von Österreich und der Könige von Preußen, von Dänemark und der Nieder-
5 lande; und zwar der Kaiser von Österreich, der König von Preußen, beide für ihre gesamten vormals zum Deutschen Reiche gehörigen Besitzungen; der König von Dänemark für Holstein, der König der Niederlan-
10 de für das Großherzogtum Luxemburg, vereinigen sich zu einem beständigen Bunde, welcher der Deutsche Bund heißen soll.
Art. 2. Der Zweck desselben ist: Erhaltung der äußeren und inneren Sicherheit Deutsch-
15 lands und der Unabhängigkeit und Unverletzbarkeit der einzelnen deutschen Staaten.
Art. 3. Alle Bundesglieder haben als solche gleiche Rechte; sie verpflichten sich alle gleichmäßig, die Bundesakte unverbrüchlich
20 zu halten.
Art. 4. Die Angelegenheiten des Bundes werden durch eine Bundesversammlung besorgt, in welcher alle Glieder desselben durch ihre Bevollmächtigten teils einzelne,
25 teils Gesamtstimmen [...] führen. [...]

Art. 5. Österreich hat bei der Bundesversammlung den Vorsitz. [...]
Art. 9. Die Bundesversammlung hat ihren Sitz zu Frankfurt am Main. [...]
Art. 11. Alle Mitglieder des Bundes verspre-
30 chen, sowohl ganz Deutschland als jeden einzelnen Bundesstaat gegen jeden Angriff in Schutz zu nehmen, und garantieren sich gegenseitig ihre sämtlichen unter dem Bunde begriffenen Besitzungen.
35 Bei einmal erklärtem Bundeskrieg darf kein Mitglied einseitige Unterhandlungen mit dem Feinde eingehen, noch einseitig Waffenstillstand oder Frieden schließen.
Die Bundesglieder behalten zwar das Recht
40 der Bündnisse aller Art, verpflichten sich jedoch, in keine Verbindungen einzugehen, welche gegen die Sicherheit des Bundes oder einzelner Bundesstaaten gerichtet wären.
Die Bundesglieder machen sich ebenfalls
45 verbindlich, einander unter keinerlei Vorwand zu bekriegen, noch ihre Streitigkeiten mit Gewalt zu verfolgen, sondern sie bei der Bundesversammlung anzubringen. [...]
Art. 13. In allen Bundesstaaten wird eine
50 landständische Verfassung stattfinden.

Zit. nach: Görtemaker, Manfred: Deutschland im 19. Jahrhundert. Bonn, 3. Aufl. 1989. S. 76

M 4.8   Bewertung des Kongresses aus deutscher Sicht nach 1848

Gerd Eilers (1788-1863), Pädagoge und hoher Beamter im preußischen Kultusministerium, schreibt 1856 zum Wiener Kongreß:

Die Ergebnisse des Wiener Congresses standen hinter den Erwartungen der Nation und ihrer einzelnen Stämme, die so ungeheure Opfer gebracht hatten, um den Fürsten einen
5 Congreß zur Einrichtung einer neuen zeitgemäßen politischen Ordnung möglich zu machen, zu weit zurück, als daß sie die aufgeregten Gemüther hätten beschwichtigen können. Die Zollinien, die den Verkehr eines
10 jeden kleinen oder großen Staats mit dem benachbarten in ärgerlicher Weise erschwerten, brachten den Patrioten das Elend der arggetäuschten Nation recht fühlbar zum Bewußtsein. Die alten Patrioten hetzten die
15 jungen, zunächst Die, welche nach errungenem Siege die Waffen niedergelegt hatten

und zu ihren Studien zurückgekehrt waren, und durch diese dann auch Diejenigen, welche wegen ihrer Jugend an dem Kampfe
20 nicht hatten theilnehmen können, aber ebenfalls voll jugendlicher patriotischer Begeisterung waren. Noch in den Jahren 1819, 20 und 21 konnte ich als Gymnasialdirector dem Drange dieses fürsten- und adelsfeindlichen
25 Zuges bei meinen Primanern nur mit der größten Entschiedenheit und durch geschichtliche Belehrungen Schranken setzen. So entstanden die keineswegs ungefährlichen demagogischen Umtriebe; aber die unweisen
30 Maßregeln, welche man dagegen ergriff, machten das Uebel nur noch ärger und pflanzten eine Feindschaft, die, immer breitere und tiefere Wurzeln schlagend, sich wie Schlingkraut fortpflanzte, bis sie im Jahr
35 1848 zu Thaten überging, welche die Throne erschütterten. Hätten die Leiter damals nicht in unbesonnener Nachahmung der ersten französischen Revolutionsmanoeuvers das Heer der verdorbenen Handwerksburschen,
40 Vagabunden und Bettler zu ihrem Vorkämpfer gemacht, und dadurch den besitzenden Theil der Nation in Schrecken gesetzt, dann hätte man die Epigonen jener frühern in der That und Wahrheit edeln Männer, die nach
45 einer gesammtstaatlichen und volksthümlichen Organisation Deutschlands strebten, nicht so leichten Kaufs aus der Paulskirche wegjagen können.

Zit. nach: Pöls, Werner (Hrsg.): Historisches Lesebuch 1. 1815–1871. Frankfurt/Main 1966, S. 38

M 4.9 | **1982 – Ekkehart Krippendorff, Politikwissenschaftler und Friedensforscher, urteilt über die mit dem Wiener Kongreß beginnende Epoche:**

Die den Napoleonischen Kriegen folgende Periode erscheint rückblickend und nicht ganz zu unrecht als ein »Hundertjähriger Friede«. Wahrscheinlich war kein Jahrhun-
5 dert seit dem Zusammenbruch des Römischen Imperiums so friedlich wie das zwischen 1815 und 1914. In unserem Kontext scheint es jedoch treffender zu sein, von der Institutionalisierung der Instabilität zu spre-
10 chen, als die man die in diesen auf zwei Kriegsjahrhunderte folgenden Frieden eingebauten Widersprüche bezeichnen kann. Wiederum ist die Aufarbeitung der Struktur dieser spezifischen Phase oder Gestalt des internationalen Systems mehr als nur »historisch« 15 relevant. Nicht nur ist dies die Zeit, die unsere Großväter als die »guten alten Tage« zu erinnern glauben, sondern es ist dies auch jener Abschnitt, der gegenwärtig als so etwas wie ein erstrebenswertes Modell von Theoretikern der internationalen Beziehungen beschrieben wird, von dem unsere Außenpolitiker lernen sollten. Es genügt der Hinweis darauf, daß Henry Kissinger sein erstes und wissenschaftlichstes Buch der Restaurations- 25 diplomatie der Ära Metternich widmete und wesentliche Konzepte von »Ordnung« und »Stabilität«, wie sie dort praktiziert wurden, mit einigen Modifikationen zu übertragen versuchte auf das internationale System unse- 30 rer Zeit. In der Tat ist es so abwegig nicht, dieses System der Gegenwart ebenfalls auf den Begriff der institutionalisierten Instabilität zu bringen – mit anderen Akteuren, anderen Dimensionen, mit einem bei weitem 35 größeren Explosions- und Zerstörungspotential, aber doch mit vergleichbaren Strukturen. Die strukturelle Ähnlichkeit liegt in der Tatsache, daß wir uns noch immer in derselben historischen Epoche bewegen, der Epo- 40 che des Weltkapitalismus, konkreter gesagt, des Kapitalismus der Industriellen Revolution. [...]
Studium und Analyse des der Revolution und den Napoleonischen Kriegen folgenden 45 hundertjährigen Friedens haben sich etwas einseitig auf die inter-europäischen Aspekte dieser Periode konzentriert, die allerdings auch überaus relevant sind. Die Heilige Allianz der ersten Hälfte des 19. Jahrhunderts 50 re-integrierte ein Frankreich, in dem »Recht und Ordnung« wiederhergestellt worden waren mittels Intervention aller revolutionsbedrohten Mächte, ein Frankreich, das nur um den Preis gesellschaftlicher Rückentwicklung 55 als respektierter Partner der modernisierten kontinentalen Ancien régimes anerkannt wurde. Diese Heilige Allianz ist in der Sache eine Art Vorläufer der heutigen Vereinten Nationen. Darüber hinaus ist die strukturelle 60 Verwandtschaft der post-revolutionären Periode eines radikalen demokratischen Internationalismus mit der des besiegten sozialistisch-revolutionären Internationalismus

65 nach den zwanziger Jahren überaus deutlich. Die Periode des Friedens durch Kooperation der sich nach innen konsolidierenden großen Mächte war zugleich eine Periode systematischer innenpolitischer Repression zur Stabi-
70 lisierung dieses Friedens, zur Eliminierung des revolutionären Bazillus.

Krippendorff, Ekkehart: Internationales System als Geschichte. (Campus) Frankfurt/Main und New York, 2. Aufl. 1982, S. 104, 105

Der Krimkrieg

| M 4.10 | 1853 – Drohungen des Zaren gegen die Türken |

Graf Vitzthum v. Eckstädt (1819–1895) war als sächsischer Diplomat in Berlin, Wien und London tätig; er schreibt in seinen Erinnerungen:

[...] Es war am 23. Februar (1853) während eines großen Festes im Winterpalais, dem einzigen, welches der Kaiser in diesem Jahre gab: Die Oper „La figlia di regimento"[1] wur-
5 de in dem kleinen Schloßtheater [...] gegeben. [...] Nach der Vorstellung war Souper. [...] Nikolaus soupierte nicht, erschien aber im Speisesaal und stand plötzlich hinter dem Stuhle meines Nachbarn (des österreichi-
10 schen Grafen Franz Zichy). Dieser wollte sich erheben, wurde aber von zwei mächtigen Händen auf seinen Sitz zurückgedrückt. Als der Kaiser in deutscher Sprache zu reden anfing, glaubte ich mich auch erheben zu sol-
15 len, um ihn daran zu erinnern, daß ich deutsch verstehe. Ich wurde aber bedeutet, sitzen zu bleiben, und der Kaiser fuhr fort, ohne sich durch meine Gegenwart stören zu lassen, dem Grafen Zichy, welcher Tags dar-
20 auf nach Wien zurückreisen wollte, seine letzten mündlichen Aufträge an den Kaiser Franz Joseph zu erteilen. Während des Soupers sprach der Zar ununterbrochen, und Zichy hörte, wie ich, stumm zu. Von selbst
25 fiel Nikolaus bald in das ihm geläufigere Französisch und schüttete nun sein Herz aus, mit jener rücksichtslosen Offenheit, die ich schon bei meiner ersten Audienz zu beobachten Gelegenheit gehabt. Das Thema war
30 eine Strafpredigt gegen die Türken, „ces chiens de turcs"[2], wie der mehrmals wieder-

holte Ausdruck Seiner Majestät lautete. „Ihre Herrschaft in Europa könne nicht länger geduldet werden, und er rechne darauf, der Kaiser von Österreich, den er wie einen Sohn 35 liebe, werde mit ihm gemeinschaftlich der schmutzigen Wirtschaft am Bosporus und der Bedrückung der armen Christen durch diese verruchten Ungläubigen ein Ende machen."

Zit. nach: Schönbrunn, Günter (Hrsg.): Das bürgerliche Zeitalter 40 1815–1914. Geschichte in Quellen V. (bsv) München 1980, S. 268

[1] „Die Regimentstocher", von Donizetti.
[2] diese Türkenhunde.

| M 4.11 | 1853 – Die Reaktion der Türkei |

Aus dem Manifest des Sultans Abdul Medschid II. vom 14. Juli 1853.
Um auf die Türkei Druck auszuüben, hatte Zar Nikolaus I. am 2. Juli 1853 die Donau-Fürstentümer Moldau und Walachei besetzen lassen. Nach erfolgloser Vermittlung der Großmächte erklärte die Türkei am 9. Oktober 1853 Rußland den Krieg.

Infolge einer zwischen dem ottomanischen und russischen Kaiser schwebenden Streitfrage, welche das gute Einvernehmen beider Höfe beeinträchtigt, hat die letztere Macht die diplomatischen Verbindungen mit der ▷ Ho- 5 hen Pforte abgebrochen. Ihr Repräsentant wurde abberufen und zugleich die Aufstellung einer beträchtlichen Kriegsmacht zu Wasser und zu Lande angeordnet. Angesichts dieser außergewöhnlichen Vorbereitungen, 10 und um vor etwaigen Überraschungen sicher zu sein, hielt der Sultan es für seine Pflicht, eine imposante bewaffnete Macht unter die Fahnen zu rufen und hiervon die europäischen Kabinette in Kenntnis zu setzen. 15 Die Ursache dieses Mißverständnisses ist die Forderung Rußlands, die türkischen Untertanen griechischen Glaubens, ihre Religion und ihre Kirchen unter seine Protektion zu nehmen, ein Ansinnen, auf welches die Hohe 20 Pforte eine abschlägige Antwort erteilte. Schon unter der Regierung des Sultans Mahmud haben die Griechen den Ferman[1] für die Immunitäten ihrer Kirchen erhalten, und diese Privilegien wurden durch alle Nach- 25 folger, wie auch durch den Sultan Abdul Medschid bestätigt, und weder jetzt noch früher wurde der Ausübung des griechischen Kultes irgendein Hindernis in den Weg gelegt.

Dieser Stand der Dinge, durch Verträge und allgemeine Übung anerkannt, wurde durch den Kaiser von Rußland in Zweifel gezogen und bildet nun den Gegenstand seiner neuen Forderungen. Daraus muß geschlossen werden, daß der Kaiser von Rußland weder den Traktaten noch dem Sultan selbst Vertrauen schenkt. Die Protektion über so viele Millionen Untertanen des ottomanischen Reiches, welche einer anderen Macht anvertraut werden soll, wäre ein großer Eingriff in die Autorität des Sultans, und die Unmöglichkeit, sich einer solchen Forderung zu fügen, wurde bereits zu wiederholten Malen der russischen Regierung freundschaftlich auseinandergesetzt. [...] Der durch die russischen Truppen bewerkstelligte Übergang über den Pruth kann den Sultan nur in Erstaunen versetzen. Es ist dies eine Verletzung der Verträge und ein Gewaltschritt gegen unsere Grenzen, gegen welche die ▷ Pforte auch sogleich protestiert hat. Dieser Protest ist allen Großmächten mitgeteilt worden, denn es besteht unter diesen ein Vertrag, welcher wechselseitig die Unabhängigkeit und Unverletzlichkeit ihrer Gebietsteile garantiert. Es ist daher die Pflicht jeder dieser Mächte, die Verletzung ihrer Grenzen gegenseitig einander anzuzeigen und den in seinen Rechten Beleidigten Hilfe zu leisten. Der Kaiser Nikolaus erklärt, daß er einen Krieg mit der Türkei nicht beabsichtige – daß er nur eine Garantie für die Erfüllung seiner Forderungen zu haben wünsche. Der Sultan hat alle Großmächte von den versöhnenden Schritten, die er bereits getroffen, in Kenntnis gesetzt. England und Frankreich haben erklärt, die Türkei unterstützen zu wollen, sie haben ihre Flotten gesandt, und die ▷ Pforte hält ihre Verbindung mit den beiden Seemächten aufrecht.

Zit. nach: Schönbrunn: (M 4.10) S. 270

---

1 Erlaß bzw. Verordnung des Herrschers

| M 4.12 | 1854 – Die Haltung der Großmächte |

a) Österreich

Aus der Tagebuchaufzeichnung des Freiherrn Kübeck von Kübau vom 31. Januar 1854:

Um 12 Uhr Konferenz bei Sr. Mt. (Majestät) mit den Ministern Graf Buol, Bach, Baumgartner, dem F. Z. M. (Feldzeugmeister) Heß und dem Grafen Grünne, Meysenbug als Protokollführer. Es wurden die Papiere abgelesen, die Graf Orlow mitgebracht. Rußland begehrt von Österreich und Preußen eine Neutralität in dem Sinn, daß man Rußland im Oriente gewähren lasse, wogegen es verspricht, Österreich zu unterstützen, wenn es von Frankreich direkt oder indirekt angegriffen werden sollte, und mit Österreich das Protektorat zu teilen über jene Länder, welche sich in Folge des Krieges von der Türkei ausscheiden und selbständig sich gestalten sollten. Mündlich, bemerkte der Kaiser, habe Graf Orlow angedeutet, daß Rußland entschlossen sei, die christliche Bevölkerung des türkischen Europas zum Aufstande zu bringen, wenn der Krieg mit den Westmächten nicht verhindert werde. Graf Buol sprach zuerst gegen die russischen Anträge mit viel Klarheit und Ruhe. Baron Heß in demselben Sinne, etwas konfus, besser Graf Grünne. Die übrigen mit Buol, der noch die Mitteilung machte, daß Preußen die russischen Anträge abgelehnt habe oder abzulehnen entschieden sei und sich, wie man Ursache hat zu glauben, England sehr genähert habe. Der Kaiser beschloß, die russischen Anträge mit offener Darstellung unserer Gründe abzulehnen und einen Teil unserer Armee mobil zu machen, um Serbien und nach Umständen Bosnien zu besetzen, um unsere Grenzen zu sichern.

Zit. nach: Schönbrunn: (M 4.10) S. 271

b) Preußen

Aus dem Entwurf einer Antwort des Ministerpräsidenten von Manteuffel auf ein Handbillet des Königs vom 6. Februar 1854:

[...] Die richtige Stellung für Preußen ist diejenige, welche Ew. M. mit dem Ausdruck der souveränen Neutralität bezeichnen; in fortwährendem Verständnis mit und in freier Anlehnung an Österreich (wozu alle Einleitungen schon getroffen sind), in fortwährender Kampfbereitschaft und mit dem nichtausgesprochenen aber festen Vorsatze, im Moment der Krise das ganze übrige Deutschland mit uns fortzuziehen. So haben wir eine wirklich große Kraft. [...] Immerhin ist auch diese Stellung eine sehr gefährdete; sie wird es namentlich dann werden, wenn wir vergessen wollten, daß die Händel, welche jetzt die Welt erschüttern, von Rußland ausgegangen und angefangen sind, wenn wir uns prinzipiell von jeder ernsten Mahnung und Maßregel gegen Rußland zurückziehen, wenn wir den Seemächten von Hause aus Mißtrauen zeigen und eigensüchtige Absichten unterlegen, ohne daß wir offizielle Kenntnis davon haben. Durch ein solches Verhalten kommen wir vielleicht etwas später, darum aber nicht minder sicher in einen Konflikt mit den Seemächten und haben dessen Folgen zu tragen. Einen wahren Dienst leisten wir damit aber nicht einmal dem Kaiser von Rußland, welcher dadurch in seinem Widerstande bestärkt wird, und die Fakultät[1] erlangt, Preußen und Österreich in jedem Augenblicke in Streit mit den westlichen (Staaten) zu verwickeln, wobei diese Staaten und namentlich Österreich vielmehr exponiert sind und viel tiefere Schäden leiden können und werden als Rußland.

Zit. nach: Schönbrunn: (M 4.10) S. 272, 273

[1] Möglichkeit

c) England und Frankreich

Nachdem Zar Nikolaus I. ein britisch-französisches Ultimatum vom 27. Februar 1854 unbeantwortet gelassen hatte, schlossen die beiden Großmächte am 12. März eine Allianz mit der Türkei und traten am 28. März in den Krieg gegen Rußland ein. Im Vier-Punkte-Programm vom 8. August legten die beiden Mächte Bedingungen für einen Friedensschluß mit Rußland fest.

Die drei Mächte[1] sind gleichmäßig der Ansicht, „daß die Beziehungen der ▷ Hohen Pforte zum kaiserlichen Hof von Rußland auf fester und dauernder Grundlage nicht wiederhergestellt werden können:
1. wenn die vom kaiserl. Hof von Rußland bisher über die Fürstentümer Walachei, Moldau und Serbien geübte Schirmherrschaft nicht für die Zukunft abgeschafft wird; und wenn die von den Sultanen diesen Provinzen, welche entfernte Besitzungen ihres Reiches sind, gewährten Privilegien nicht unter die Gesamtgarantie der Mächte gestellt werden, kraft eines mit der ▷ Hohen Pforte zu schließenden Abkommens, dessen Stipulationen[2] zugleich jede Detailfrage regeln sollen;
2. wenn die Schiffahrt der Donau an ihren Mündungen nicht frei von jedem Hemmnis

befreit wird und die durch die Akte des Wiener Kongresses festgestellten Grundsätze darauf ihre Anwendung finden,
3. wenn der Vertrag vom 13. Juli 1841 nicht von den hohen kontrahierenden Teilen gemeinsam im Interesse des Gleichgewichts der Macht in Europa revidiert wird;
4. wenn Rußland nicht den Anspruch auf eine amtliche Schirmherrschaft über die Untertanen der ▷ Hohen Pforte, welchem Glaubensbekenntnis sie auch angehören mögen, aufgibt und wenn Frankreich, Österreich, Großbritannien, Preußen und Rußland nicht ihren wechselseitigen Beistand leihen, um als eine Initiative von der ottomanischen Regierung die Bestätigung und Beobachtung der religiösen Privilegien der verschiedenen christlichen Glaubensgenossenschaften zu erlangen, und im gemeinsamen Interesse ihrer Glaubensgenossen die edelmütigen, von Sr. Majestät dem Sultan bekundeten Absichten zunutze zu machen, zugleich jeden Angriff auf seine Würde und die Unabhängigkeit seiner Krone vermeidend.“

Zit. nach: Helmut K.G. Rönnefarth (Hrsg.): Vertrags-Ploetz/Konferenzen und Verträge, Teil II, 3. Band. Würzburg 1958, S. 311

[1] England, Frankreich und das Osmanische Reich
[2] Übereinkünfte

M 4.13   1854 – Rußland im Krimkrieg

a) Aus dem Bericht des bayerischen Gesandten in St. Petersburg, Graf Bray, vom 2. Mai 1854:

[...] Zu keiner Zeit hat Kaiser Nikolaus sich mit den Wünschen, den Hoffnungen, ja, mit den Leidenschaften seines Volkes mehr identifiziert, als in der jetzigen. Dem lange niedergehaltenen Drange der Russen nach Osten und nach Befreiung ihrer unter türkischem Joche schmachtenden Glaubensgenossen wurde plötzlich von der Regierung selbst Billigung und Unterstützung gewährt, und der Kaiser stellte sich, anfangs zögernd, zuletzt immer entschiedener an die Spitze der Bewegung. Es ist nicht zu verkennen, daß, wenn dieser nationale Aufschwung in dem gegenwärtigen Kriege ein mächtiger Helfer und Bundesgenosse ist, er gleichwohl für die Zukunft nicht ohne Mißstände und Gefahren bleiben kann, es mag nun das

vorgesetzte Ziel erreicht werden oder auf die
erregten Hoffnungen bittere Enttäuschung
folgen. In dem einen wie in dem anderen
Falle ist das Selbstgefühl der Massen geweckt, das Bewußtsein ihrer Kraft rege gemacht worden. Jetzt schon wird in der Rede,
und trotz aller Zensur selbst in der Schrift,
das Erwachen eines neuen Geistes bemerk-
bar [...]
Die Stimmung aller Klassen der Bevölkerung ist die bereits oben angedeutete, bei
manchen für die Zwecke des begonnenen
Krieges enthusiastisch, bei allen voll patriotischer Hingebung. Überhaupt ist ein ungemein lebhaftes, alle Stände umfassendes Nationalgefühl einer der schönsten Züge der
russischen Volkscharakters. Er artet aber
freilich, der Natur der Sache gemäß, häufig
in patriotischen Übermut aus und führt in
seinen weiteren Konsequenzen zum Haß der
Fremden, welchen doch gerade Rußland seine Größe zum großen Teile verdankt. Den
im russischen Reiche wohnenden, ganz besonders aber den dort dienenden Fremden
wird diese Richtung des Volksgeistes mehr
und mehr fühlbar und drückend. Sie hängt
mit dem exklusiven und beengenden Geiste
der russischen Nationalkirche zusammen,
oder vielmehr sie geht vorzugsweise von derselben aus. Deshalb erscheint auch der grie-
chische Klerus ganz besonders als der Träger
jener allem Fremden feindlichen Tendenz.

b) Zustände im russischen Heer während des Krimkrieges

„Versorgung" erkrankter Soldaten

Aus den Erinnerungen eines russischen Artillerie-
offiziers:

[...] Der Anfang des folgenden Jahres (1855)
verging ruhig, dagegen aber nahmen die
Krankheiten in den Regimentern in einem
gewaltigen Maße zu. Die Hospitäler in Lub-
lin, in Zamość, in Szczebrzeszyn wurden
überfüllt von Typhus- und Cholerakranken,
und in den Regimentslazaretten war auch
bald kein Platz mehr, um die Erkrankten un-
terzubringen. Der Ärzte waren wenige, auf
einen Feldscher kamen bis zu 200 Kranke.
Die erkrankten Soldaten baten, man möge
sie nicht in die Hospitäler schicken, in den
gewissen Tod. Man verfuhr dort in den

Hospitälern nach dem alten Testament! Hiob
sagt in seiner Betrübnis: „Nackt bin ich geboren aus dem Schoß meiner Mutter, nackt
kehr ich zurück in den Schoß der Erde!"
Diese Worte des Gerechten wendeten die
Kriegskommissare auf die sterbenden Soldaten an. Wozu auch wertvolles Material auf
die verschwenden? Wozu Särge und Hem-
den, wenn die Toten in ein gemeinsames
Grab gelegt werden, und noch dazu bei
Nacht? Es genügt vollkommen, wenn für einige Särge verabfolgt werden zum Transport
nach dem Grabe – und am Ende sind auch
Medikamente unnütz: es ist das Los des
Sterblichen – früher oder später, sterben
muß er doch! Diesem Prinzip gemäß verfuhr
man auch 1849 in den Hospitälern zu
Kaschau und Eperies. Nur im Alexanderhos-
pital in der Zitadelle von Warschau 1857 ging
man nicht sparsam mit den Heilmitteln um.
Dort spielten nämlich Diät und nasse
Leintücher die Hauptrolle, und da man das
englische System (der Abhärtung) der Gesundheit zuträglich fand, verschwendete man
auch nicht unnütz Holz darauf, die Räume
zu heizen.

Beide zit. nach: Schönbrunn: (M 4.10) S. 274, 275

M 4.14 | 1991 – Imanuel Geiss über den Krimkrieg

Der deutsche Historiker Imanuel Geiss (geb. 1931)
schreibt in seinem Buch über die Vorgeschichte
des Ersten Weltkriegs zum Krimkrieg:

Nach dem Abklingen der ökonomischen und
revolutionären Krise schürzte der Krimkrieg
in der wirtschaftlichen Aufschwungphase ab
1850 verschiedene Konfliktstränge neu. Seine historische Bedeutung geht weit über die
begrenzten Kriegshandlungen und die
scheinbar geringfügigen Territorialverände-
rungen durch den Pariser Kongreß von 1856
hinaus. Der Krimkrieg führte erstmals das
Szenario eines künftigen Weltkrieges vor –
gleichzeitiger Großkrieg aller fünf Großmächte gegeneinander, ausgelöst durch Re-
gionalkonflikte im Südosten. Ein »Weltkrieg« wäre jedoch zu diesem Zeitpunkt
wegen der noch anders verlaufenden Haupt-
konfliktlinien in einer anderen Mächtekonstellation als 1914 ausgebrochen. Trotzdem

erklären die Gründe für die Begrenzung des Konflikts 1854 besser, warum und wie die weiter eskalierenden Spannungen zwischen den Großmächten – in unterdessen veränderten Mächte- und Bündnisgruppierungen – 1914 schließlich in den Ersten Weltkrieg mündeten. Seinen überragenden welthistorischen Stellenwert erhält der Krimkrieg somit als Beinahe-Weltkrieg. [...]
Selbst für den Endkampf des deutschen Dualismus wurde der Krimkrieg zu einer wichtigen Etappe: Was sich für Österreich als außenpolitische Schwäche enthüllte, erwies sich für Preußen als Kräftesparen für die spätere innerdeutsche Entscheidung. In Preußen waren mit der Revolution 1848 bis dahin latente Spannungen zwischen agrarisch-junkerlich-konservativem Osten und sich industrialisierendem bürgerlich-liberalen Westen nach innen offen zutage getreten. Eine analoge Kluft zeigte sich erstmals im Krimkrieg nach außen: Sozioökonomisch zwischen Ost und West gespalten, sah sich Preußen 1854 außenpolitisch zerrissen mit der Option zwischen einem Anschluß an seine traditionelle Schutzmacht Rußland oder an die liberalen Westmächte England und Frankreich. Die alten konservativen Eliten Ostelbiens plädierten für Rußland, die modernen liberalen Eliten »Westelbiens« für den Westen. Hinter den scheinbar nur ideologischen Motiven beider Parteien stand schon die Frage nach der künftigen Verteilung der ökonomischen und politischen Macht in Deutschland. [...]
Insgesamt konnte Rußland die »Undankbarkeit« seiner beiden deutschen Schützlinge nie verwinden: Die demütigende Räumung der Donaufürstentümer unter Österreichs Kriegsdrohung empfand es als schnöden Undank des Hauses Habsburg für die »brüderliche Hilfe« zur Rettung der Monarchie 1849. So kreuzten sich seit 1854 Rußlands Expansionslinien auf dem Balkan offen mit den nur noch defensiven Verteidigungsinteressen Österreichs. Als neue Konstante im machtpolitischen Spiel der Kräfte brach zum ersten Mal seit der Heiligen Allianz die Rivalität zwischen Rußland und Österreich bis hin zur Kriegsdrohung sichtbar durch. Analog deutete Preußens Verweigerung der Gefolgschaft für das Zarenreich im Krimkrieg erstmals die spätere Emanzipation Preußen-Deutschlands nach der Reichsgründung vom bis dahin übermächtigen Rußland an.
1854 verhinderte die Neutralität der beiden deutschen Großmächte also noch die Ausweitung des begrenzten Krimkrieges zum »Weltkrieg«. Ihre tieferen strukturellen Gründe weisen jedoch schon auf die innere Logik des Europäischen Systems und des realen Weltkriegs. Solange die Deutsche Frage noch in der Schwebe war, solange unentschieden war, ob Deutschland politisch und unter wessen Führung geeint würde, solange konnte der Weltkrieg in der Konstellation von 1914 noch nicht stattfinden. Erst mußten sich alle Teilnehmer als (zum Krieg) handlungsfähige Großmächte konstituieren, bevor sie den großen militärischen Konflikt untereinander ausfechten konnten.

Geiss, Imanuel: Der lange Weg in die Katastrophe – Die Vorgeschichte des Ersten Weltkriegs. (Piper) München, 2. Aufl. 1991. S. 90–93

M 4.15 **Daten zur wirtschaftlichen Entwicklung der Großmächte**

Die Auslandsinvestitionen Großbritanniens, Frankreichs und des Deutschen Reiches von 1880 bis 1914

Jahr	Großbritannien	Frankreich		Deutsches Reich	
	in Millionen Pfund	in Milliarden Francs	= Mill. Pfund	in Milliarden Mark	= Mill. Pfund
1880	1 189	15	= 595	5	= 245
1890	1 935	203	= 780	10	= 983
1900	2 397	27	= 1 053	–	–
1914	4 004	44	= 1 766	25	= 1 223

Eisen-, Stahl und Kohle-produktion in England, Frankreich und Deutschland von 1860 bis 1913 (in Mill. Tonnen)

	1860	1880	1890	1900	1910	1913
Eisen						
England	3,9	7,9	8,0	9,1	10,1	
Frankreich	0,9	1,7	2,0	2,7	4,0	
Deutschland	0,5	2,7	4,6	8,5	14,8	
Stahl						
England	–	3,7	5,3	6,0	7,6	
Frankreich	–	1,3	1,4	1,9	2,8	
Deutschland	–	1,5	3,2	7,4	13,1	
Kohle	1870					
England	118	149	184	229	268	292
Frankreich	13	19	26	33	38	40
Deutschland[1]	33	53	80	129	187	235

Die Entwicklung des Welthandels 1870-1910 (in Mrd. Mark)

	1870	1880	1890	1900	1910
Großbritannien	9,2	12,0	14,0	16,6	20,5
Deutschland	4,2	6,0	7,5	10,4	16,4
Frankreich	4,5	7,4	6,6	7,1	10,7
USA	3,4	6,2	7,0	8,6	13,7
Brit. Kolonien	4,8	7,2	6,5	10.7	15,2

Zit. nach: Schönbrunn: (M 4.10) S. 890

[1] Für Deutschland einschließlich Braunkohle, die entsprechend ihres geringeren Heizwertes mit 50 Prozent der Menge eingerechnet wurde.

M 4.16   1879 – Rußland und das Deutsche Reich

Brief Zar Alexanders II. an Kaiser Wilhelm I. vom 3. August 1879:

Ermutigt durch die Freundschaft, die Sie nie aufgehört haben, mir zu bezeigen, bitte ich um die Erlaubnis, in aller Offenheit mit Ihnen über einen heiklen Gegenstand sprechen
5 zu dürfen, der mich unaufhörlich beschäftigt. Es handelt sich um die Haltung der verschiedenen deutschen diplomatischen Vertreter in der Türkei, die sich seit einiger Zeit leider in einer für Rußland feindlichen Weise kund-
10 gibt, was in vollem Widerspruch mit den Überlieferungen freundschaftlicher Beziehungen steht, die seit mehr als einem Jahrhundert die Politik unserer beiden Regierungen geleitet hatten, und die durchaus mit

ihren gemeinsamen Interessen überein- 15 stimmten. – Diese Überzeugung hat sich in mir nicht verändert; ich hege sie noch ganz unversehrt und schmeichele mir mit der Hoffnung, daß es auch die Ihrige ist. – Aber die Welt urteilt nach den Tatsachen. Wie soll 20 man also diese Haltung der deutschen Vertreter erklären, die im Orient eine uns immer feindlichere wird, wo nach den Worten des Fürsten Bismarck selbst Deutschland keine eigenen Interessen zu schützen hat, während 25 wir dort sehr ernste zu verteidigen haben. Wir haben soeben einen ruhmreichen Krieg beendet, der keine Eroberungen bezweckte, sondern einzig und allein die Verbesserung des Loses der Christen in der Türkei. Wir ha- 30 ben dies gerade jetzt durch Räumung der nach dem Kriege von uns besetzten Provinzen bewiesen, aber wir halten daran fest, daß die um den Preis unseres Blutes und unseres

35 Geldes errungenen Erfolge keine toten Buchstaben bleiben sollen. Es handelt sich nur noch um die Ausführung der auf dem Berliner Kongreß getroffenen Vereinbarungen, aber diese muß auf gewissenhafte Weise
40 erfolgen. Nun aber machen die Türken, unterstützt von ihren Freunden, den Engländern und Österreichern, welch letztere inzwischen festen Fußes zwei türkische Provinzen besetzt halten, in die sie in Friedenszeit ein-
45 gedrungen sind, um sie niemals ihrem rechtmäßigen Herrscher zurückzugeben, unausgesetzt Schwierigkeiten in Einzelheiten. [...] Die Mehrheit der Bevollmächtigten Europas hat darüber zu entscheiden. Die Bevollmäch-
50 tigten Frankreichs und Italiens treten fast in allen Fragen den unsrigen bei, wogegen diejenigen Deutschlands das Losungswort erhalten zu haben scheinen, stets die Ansicht der Österreicher, die uns planmäßig
55 feindlich ist, zu unterstützen und das bei Fragen, die Deutschland in keiner Weise angehen, für uns aber von sehr großer Bedeutung sind. Verzeihen Sie, mein lieber Oheim, die
60 Freiheit meiner Sprache, die auf Tatsachen beruht, aber ich halte es für meine Pflicht, Ihre Aufmerksamkeit auf die traurigen Folgen zu lenken, die dies für unsere Beziehungen guter Nachbarschaft haben könnte,
65 indem unsere beiden Völker dadurch gegeneinander aufgereizt werden, wie es bei der Presse beider Länder bereits der Fall zu sein beginnt. – Ich sehe darin das Werk unserer gemeinsamen Feinde, derselben, die das Drei-
70 Kaiser-Bündnis nicht verwinden konnten. [...] Ich verstehe vollkommen, daß Sie Ihre guten Beziehungen zu Österreich zu erhalten wünschen, aber ich sehe nicht ein, welches Interesse Deutschland haben könnte, das
75 Rußlands zu opfern. – Ist es eines wahren Staatsmannes würdig, einen persönlichen Zwist mit auf die Waagschale zu legen, wenn es sich um das Wohl zweier großer Staaten handelt, die dazu geschaffen sind, in gutem
80 Einvernehmen miteinander zu leben und von denen der eine dem andern im Jahre 1870 einen Dienst geleistet hat, den Sie nach Ihren eigenen Worten niemals zu vergessen erklärten?

Zit. nach: Stürmer, Michael: Die Reichsgründung – Deutscher Nationalstaat und europäisches Gleichgewicht im Zeitalter Bismarcks. (dtv) München 1984, S. 169-171

M 4.17   1887 – England und das Deutsche Reich

Brief Bismarcks an Salisbury vom 22. November 1887.
Robert Arthur Marquess of Salisbury (1830–1903) war mehrfach britischer Außenminister, zwischen 1885 und 1902 auch mehrfach Premierminister. Er vertrat die Politik der „splendid isolation".

[...] Was die englische Politik anbetrifft, so gewährt die Öffentlichkeit der parlamentarischen Regierungsform in England uns eine genügende Quelle von Informationen, während die weniger durchsichtige Weise, in 5 der bei uns die Geschäfte erledigt werden, der Anlaß zu schwer zu vermeidenden Irrtümern werden kann, wie z.B. zu demjenigen, welchen Ew. Exz. begehen, wenn Sie die Befürchtung aussprechen, daß der Prinz Wil- 10 helm, wenn er dermaleinst die Zügel in der Hand hielte, prinzipiell zu einer antienglischen Politik hinneigen könnte. Weder dieses noch das Gegenteil wäre in Deutschland möglich. [...] Beide Fürsten (Kronprinz 15 Friedrich wie S. K. H. Prinz Wilhelm) werden, wenn sie zur Regierung berufen sein werden, der eine wie der andere, dieselbe Richtschnur verfolgen: indem sie sowohl ihren persönlichen Gefühlen als auch dem 20 Zwange der monarchischen Tradition gehorchen, werden und können sie sich nur durch die Interessen des Deutschen Reiches beeinflussen lassen. [...] Es wäre widersinnig anzunehmen, daß die 25 Regierung einer Nation von 50 Millionen Einwohnern [...] diesem Lande die Leiden, welche ein jeder großer, auch ein siegreicher Krieg im Gefolge hat, auferlegen würde, ohne der Nation genügende schwerwiegende 30 und schlagende Beweise zu geben, um die öffentliche Meinung von der Notwendigkeit des Krieges zu überzeugen. Mit einem Heere [...], welches die Gesamtheit der Lebenskraft des Landes darstellt und nichts anderes 35 als ein Volk in Waffen ist, mit einem solchen Heere sind die Kriege der verflossenen Jahrhunderte, welche die Folge von dynastischen Stimmungen und Verstimmungen oder monarchischen Ehrgeizes waren, nicht mehr zu 40 führen. [...] Aber dieser große Kriegsapparat ist zu gewaltig, um selbst in unserem, vom monarchischen Gefühl erfüllten Lande willkürlich

45 durch den bloßen Willen des Königs in Bewegung gesetzt zu werden; es würde vielmehr der Übereinstimmung der Fürsten und Völker dieses Reiches in dem Glauben bedürfen, daß das Vaterland, seine Unabhängigkeit und seine neugeschaffene Einheit in
50 Gefahr schwebt, um eine so große Zahl von Leuten ohne Gefahr zur Aushebung zu bringen. Daraus folgt, daß unser militärischer Apparat in erster Linie defensiver Natur und
55 nur bestimmt ist, in Bewegung gesetzt zu werden, wenn die Nation die Überzeugung gewonnen hat, daß es sich um die Abwehr eines Angriffs handelt [...], so ergibt sich aus der Lage der Dinge in Deutschland, daß die
60 Reichsregierung gegenüber dem Volk die Verantwortung für einen Krieg nicht übernehmen könnte, in welchem andere als deutsche Interessen, z.B. orientalische Interessen, auf dem Spiel ständen. [...] Die Existenz
65 Österreichs als einer starken und unabhängigen Großmacht ist für Deutschland eine Notwendigkeit, an der die persönlichen Sympathien des Herrschers nichts zu ändern vermögen. [...] Frankreich und Rußland [...]
70 scheinen uns zu bedrohen: Frankreich, indem es den Traditionen der letzten Jahrhunderte treu bleibt, [...] und infolge des französischen Nationalcharakters; Rußland, indem es heute Europa gegenüber die für
75 den europäischen Frieden beunruhigende Haltung einnimmt, welche Frankreich unter den Regierungen Ludwigs XIV. und Napoleons I. kennzeichnete. Es ist auf der einen Seite der slawische Ehrgeiz, der die Verant-
80 wortung für diesen Zustand der Dinge trägt; andererseits muß man die Gründe für die herausfordernde Haltung Rußlands und seiner Armeen in den innerpolitischen Fragen suchen. [...] Angesichts dieser Sachlage
85 müssen wir die Gefahr, unseren Frieden von seiten Frankreichs und Rußlands getrübt zu sehen, als eine beständige erachten. [...] Wir wünschen, daß die befreundeten Mächte, welche im Orient Interessen zu beschüt-
90 zen haben, die nicht die unserigen sind, durch ihren Zusammenschluß und durch ihre Streitkräfte sich stark genug machen, um das russische Schwert in der Scheide zu halten oder um demselben Widerstand
95 leisten zu können, falls die Umstände zu einem Bruch führen sollten. Solange kein deutsches Interesse dabei auf dem Spiele

stände, würden wir neutral bleiben; aber unmöglich ist die Annahme, daß jemals ein deutscher Kaiser Rußland die Unterstützung 100 seiner Waffen leihen könnte, um ihm zu helfen, eine derjenigen Möchte niederzuwerfen oder zu schwächen, auf deren Bestand wir rechnen, sei es, um einen russischen Krieg zu verhindern, sei es, um uns zu helfen, ihm die 105 Stirn zu bieten. Von diesem Gesichtspunkt aus wird die deutsche Politik immer gezwungen sein, in die Reihe der Kämpfenden einzutreten, wenn die Unabhängigkeit Österreich-Ungarns durch einen russischen 110 Angriff bedroht wäre oder England oder Italien Gefahr liefen, durch französische Heere überflutet zu werden. Die deutsche Politik steuert daher gezwungenerweise einen Kurs, der ihr durch die politische Lage Europas 115 vorgeschrieben ist und von dem sie weder die Stimmungen noch Verstimmungen eines Monarchen oder eines leitenden Ministers abweichen lassen könnten.

Zit. nach: Rönnefarth: (M 4.12 c) S. 473–475

M 4.18 | **1890 – Helmuth v. Moltke: Der Volkskrieg**

Helmuth Graf v. Moltke (1800-1891) war preußischer Generalfeldmarschall und von 1858 bis 1888 Generalstabschef. 1866 und 1870/71 zeigte er außergewöhnliche strategische Fähigkeiten und nutzte auch die Möglichkeiten moderner Technik für den Krieg.

Die Zeit der Kabinettskriege liegt hinter uns, – wir haben jetzt nur noch den Volkskrieg, und einen solchen mit all seinen unabsehbaren Folgen heraufzubeschwören, dazu wird eine irgend besonnene Regierung sich 5 sehr schwer entschließen. Nein, meine Herren, die Elemente, welche den Frieden bedrohen, liegen bei den Völkern. Das sind im Innern die Begehrlichkeit der vom Schicksal minder begünstigten Klassen [...]. Von außer- 10 halb sind es gewisse Nationalitäts- und Rassenbestrebungen, überall die Unzufriedenheit mit dem Bestehenden. Das kann jederzeit den Ausbruch eines Krieges herbeiführen, ohne den Willen der Regierungen 15 und auch gegen ihren Willen; denn, meine

Herren, eine Regierung, welche nicht stark genug ist, um den Volksleidenschaften und den Parteibestrebungen entgegenzutreten, – eine schwache Regierung ist eine dauernde Kriegsgefahr [...].

Meine Herren, wenn der Krieg, der jetzt schon mehr als zehn Jahre lang wie ein Damoklesschwert über unseren Häuptern schwebt, – wenn dieser Krieg zum Ausbruch kommt, so ist seine Dauer und sein Ende nicht abzusehen. Es sind die größten Mächte Europas, welche, gerüstet wie nie zuvor, gegeneinander in den Kampf treten; keine derselben kann in einem oder in zwei Feldzügen so vollständig niedergeworfen werden, daß sie sich für überwunden erklärte, daß sie auf harte Bedingungen hin Frieden schließen müßte, daß sie sich nicht wieder aufrichten sollte, wenn auch erst nach Jahresfrist, um den Kampf zu erneuern. Meine Herren, es kann ein siebenjähriger, es kann ein dreißigjähriger Krieg werden, und wehe dem, der Europa in Brand steckt, der zuerst die Lunte in das Pulverfaß schleudert.

Zit. nach: Foerster, Roland G. (Hrsg.): Generalfeldmarschall v. Moltke – Bedeutung und Wirkung. München 1991. S. 112, 113

| **M 4.19** | **1898 – US-amerikanische „open door policy"** |

Aus einer Rede des Senators A.J. Beveridge:

„[...] Heute erzeugen wir mehr, als wir konsumieren können. Deshalb müssen wir neue Absatzmärkte für unsere Produkte finden [...] Die kommerzielle Suprematie[1] unserer Politik bedeutet, daß diese Nation der unumschränkte Faktor für den Frieden in der Welt sein soll. Denn die Konflikte der Zukunft werden Wirtschaftsstreitigkeiten sein – Kämpfe um Märkte –, handelspolitische Kriege um die Existenz. Und die goldene Regel für den Frieden ist Unüberwindlichkeit der Position und Unbesiegbarkeit der Bereitschaft. [...] So beschert uns Hawaii einen Seestützpunkt im Herzen des Pazifik, die Marianen-Inseln, nur eine Reise davon entfernt, einen weiteren, Manila einen dritten vor den Toren Asiens –

Asien, mit dem Abermillionen amerikanischer Kaufleute, Fabrikanten und Farmer mit gleichem Recht Handelsbeziehungen aufnehmen können wie die aus Deutschland oder Frankreich oder Rußland oder England; [...] Asien, dessen Türen sich dem amerikanischen Handel nicht verschließen dürfen. Innerhalb von fünf Jahrzehnten wird der Hauptteil des östlichen Handels unser sein."

Zit. nach: Christoph Bosse und andere (Hrsg.): Konfliktfelder im internationalen System-Kursheft Geschichte und Sozialwissenschaften. (Oldenbourg) Stuttgart 1984. S. 29

[1] Vorrang

| **M 4.20** | **1904 – Prinzipien US-amerikanischer Außenpolitik** |

Aus einer Rede des amerikanischen Präsidenten Theodore Roosevelt (1858-1919, 1901-1909 Präsident):

„Es ist nicht wahr, daß die Vereinigten Staaten landhungrig sind oder hinsichtlich anderer Nationen in der westlichen Hemisphäre irgendwelche Projekte planen, mit Ausnahme solcher, die für deren eigenes Wohlergehen notwendig sind. Alles, was dieses Land wünscht, sind Stabilität, Frieden und Gedeihen der ihm benachbarten Länder. Jedes Land, dessen Volk sich korrekt verhält, kann auf unsere herzliche Freundschaft rechnen. Wenn eine Nation zeigt, daß sie imstande ist, mit vernünftiger Effizienz und Anstand in politischen und sozialen Angelegenheiten zu handeln; wenn sie die Ordnung aufrechterhält und ihren Schuldverpflichtungen nachkommt, braucht sie keine Einmischung von seiten der amerikanischen Staaten zu fürchten. Chronische Rechtsverletzungen oder Unfähigkeit, die auf eine allgemeine Auflösung der Grundsätze der zivilisierten Gesellschaft hinauslaufen, mag in Amerika, ebenso wie anderswo, letzten Endes die Intervention einer zivilisierten Nation notwendig machen. [...] Nur als allerletzten Ausweg würden wir uns in ihre Angelegenheiten einmischen, und nur dann, wenn es offensichtlich würde, daß ihre Unfähigkeit und Unwilligkeit, im eigenen Land

für Recht und Ordnung zu sorgen und den
30 Rechten des Auslands Geltung zu verschaffen, zur Verletzung von Rechten der Vereinigten Staaten führen oder zum Schaden aller amerikanischen Nationen Anlaß für eine
ausländische Aggression abzugeben dro-
35 hen."

Zit. nach: Geschichte lernen, Heft 31. (Friedrich) Velber 1993. S. 58

M 4.21 — 1907 – Englands Einschätzung deutscher Weltpolitik

Aus dem Memorandum (Denkschrift) Sir Eyre
Crowes vom 1. Januar 1907. Crowe war Leiter der
westlichen Abteilung im Foreign Office.

Der unmittelbare Zweck der vorliegenden
Untersuchung wäre festzustellen, ob irgendein tatsächlicher und natürlicher Grund für
eine Gegnerschaft zwischen England und
5 Deutschland besteht. Es wurde dargelegt,
daß eine solche Gegnerschaft wirklich lange
Zeit in reichlichem Maße bestand, daß sie
aber durch eine gänzlich einseitige Aggressivität verursacht wurde und daß auf seiten
10 Englands die versöhnliche Gesinnung mit nie
versagender Bereitwilligkeit verbunden war,
die Wiederaufnahme freundlicher Beziehungen durch ein Zugeständnis nach dem andern
zu erkaufen.
15 Man könnte folgern, daß der Antagonismus
zu tief in der relativen Stellung der beiden
Länder wurzele, um sich durch die Art zeit-
weiliger Notbehelfe überbrücken zu lassen,
zu denen England so lange und so geduldig
20 seine Zuflucht genommen hat. Bei dieser
Auffassung müßte angenommen werden,
daß Deutschland bewußt eine Politik verfolgt, die vitalen britischen Interessen im wesentlichen entgegenläuft, und daß ein be-
25 waffneter Konflikt auf die Dauer nicht
vermieden werden kann, außer dadurch, daß
England entweder diese Interessen opfert,
wodurch es seine Stellung als unabhängige
Großmacht verlöre, oder daß es sich zu stark
30 macht, um Deutschland Erfolgsaussicht in einem Kriege zu bieten. Das ist die Ansicht derer, die in der ganzen Richtung der Politik
Deutschlands den schlüssigen Beweis dafür

erblicken, daß es bewußt die Errichtung einer deutschen Hegemonie, zuerst in Europa 35
und schließlich in der Welt, anstrebt. [...]
Sollte es möglich sein, auf diese vielleicht
nicht sehr schmeichelhafte Weise das andau-
ernd aggressive Verhalten der deutschen Regierung gegen England sowie den sich daraus 40
ergebenden Zustand fast fortwährender Rei-
bung – trotz der angeblichen Freundschaft –
zu erklären, so würde die im ganzen unruhi-
ge, explosive und verwirrende Tätigkeit
Deutschlands in bezug auf alle anderen 45
Staaten ihre Erklärung zum Teil in derselben
Haltung gegen sie und zum Teil in dem ange-
deuteten Mangel bestimmter politischer Ziele und Absichten finden. Ein kluger deutscher Staatsmann würde die Grenzen 50
erkennen, auf die sich jede Weltpolitik be-
schränken muß, wenn sie keinen feindlichen
Zusammenschluß sämtlicher Nationen in
Waffen herausfordern soll. Er würde sich
darüber klar sein, daß der Bau des All- 55
deutschtums mit seinen Außenbastionen in
den Niederlanden, in den skandinavischen
Ländern, in der Schweiz, in den deutschen
Provinzen Österreichs und am Adriatischen
Meer niemals auf einer anderen Grundlage 60
als den Trümmern der Freiheiten Europas
aufgeführt werden könnte. Es muß
anerkannt werden, daß eine deutsche
Vorherrschaft zur See mit dem Bestreben
des britischen Reiches unvereinbar ist, 65
und selbst wenn dies Reich verschwände,
würde die Vereinigung der größten
Militär- mit der großen Seemacht in einem
Staate die Welt zwingen, sich zur Beseitigung
eines solchen Alps zusammenzuschließen. 70
[...]
Solange England dem allgemeinen Grundsatz der Aufrechterhaltung des Gleichgewichts der Macht treu bleibt, wäre seinen
Interessen nicht damit gedient, wenn 75
Deutschland auf den Rang einer schwachen
Macht herabgedrückt würde, da dies leicht
zu einem französisch-russischen Übergewicht
führen könnte, was für das britische Reich
ebenso furchtbar, wenn nicht noch furchtba- 80
rer wäre. Es gibt keine bestehenden territorialen oder sonstigen deutschen Rechte, die
England vermindert zu sehen wünschen
könnte. Solange die Aktion Deutschlands
daher die Grenze eines berechtigten 85
Schutzes bestehender Rechte nicht über-

schreitet, kann es immer auf die Sympathie und das Wohlwollen, ja sogar auf die moralische Unterstützung Englands rechnen [...].

Zit. nach: Rönnefarth: (M 4.12 c) S. 482, 483

M 4.22 | 1908 – Tirpitz zur deutschen Flottenpolitik

Alfred v. Tirpitz (1849-1930) war Großadmiral und von 1897 bis 1916 Staatssekretär im Reichsmarineamt. Er setzte sich massiv für den Ausbau der deutschen Kriegsflotte ein und war Urheber des „Risikogedankens".

Berlin, 17. Dezember 1908.
Euer Durchlaucht richten die Frage an mich, „dem die fachmännische Verantwortung zufiele von dem Moment an, wo es zu einem
5 kriegerischen Zusammenstoß kommen sollte", ob Deutschland und das deutsche Volk einem englischen Angriff mit Ruhe und Vertrauen entgegensehen können.
Bei der großen Ueberlegenheit der engli-
10 schen Flotte muß ich diese Frage verneinen. Meine fachmännische Verantwortung dürfte aber nicht erst mit dem Moment beginnen, „wo es zu einem kriegerischen Zusammenstoß kommt"; ich habe es vielmehr vom er-
15 sten Tage meiner Amtsführung an für meine Pflicht gehalten, die Kriegsmarine für einen gegnerischen Zusammenstoß mit England so stark als möglich zu machen oder richtiger gesagt, durch Schaffung einer möglichst star-
20 ken Schlachtflotte England von einem Angriff abzuhalten. Letzteres ist der im zweiten Flottengesetz klar ausgesprochene Zweck unserer ganzen Flottenpolitik. Durch Erhaltung des Friedens sollen Handel und Küsten
25 geschützt und unsere Weltposition gesichert werden.

Daß bei dieser Flottenpolitik zeitlich eine Gefahrzone durchlaufen werden mußte, war von vornherein einleuchtend.
Der Botschafter in England zieht aus der 30 zurzeit noch stark gefährdeten militärischen Situation – wenn auch etwas verschleiert – die Folgerung, daß wir unser Flottenbautempo einschränken müssen, ich ziehe daraus die Folgerung, daß wir dasselbe so, wie es zurzeit 35 gesetzlich festgelegt ist, mit eiserner Energie durchführen müssen.
Das Motiv, welches den Botschafter zu seiner Ansicht bringt, ist die Tatsache, daß wir einem Kriege militärisch nicht gewachsen 40 sind. Das Motiv, welches mich leitet, ist die Ansicht, daß die mögliche Einschränkung unseres Flottenbaues unter die gesetzlichen Bestimmungen des Flottengesetzes hinaus an der politischen Situation selbst dann noch 45 nichts ändern würde, wenn diese Einschränkung den Charakter einer Demütigung vor England annähme. Ich teile durchaus die Ansicht Euerer Durchlaucht, daß unsere Lage in dem Moment noch kritischer würde, 50 wo wir unsere bisher geplanten Rüstungen einschränken.
Was im übrigen die Kriegsgefahr anbetrifft, so haben wir derselben vom ersten Flottengesetz an ins Auge gesehen. Sie ist durch den 55 fortschreitenden Ausbau unserer Flotte nicht größer, sondern kleiner geworden. Als Beweis führe ich an, daß sich große Kreise des englischen Volkes bereits heute vor unserer Flotte fürchten. 60
In wenigen Jahren wird unsere Flotte so stark sein, daß ein Angriff auf dieselbe auch für England ein großes militärisches Risiko bedeutet. Damit ist der Zweck der Flottenpolitik des letzten Jahrzehnts erreicht. 65

Zit. nach: Hohlfeld, Johannes (Hrsg.): Dokumente der deutschen Politik und Geschichte, Bd. II/1890-1918. Berlin u. München o. J.. S. 204, 205

| M 4.23 | **Kriegsflotten der Großmächte 1889–1914** |

Tonnage der Flotten der Großmächte 1.1.1889–1.8.1914 (Schlachtschiffe und Panzerschiffe jünger als 25 Jahre, Panzerkreuzer und geschützte Kreuzer jünger als 20 Jahre)

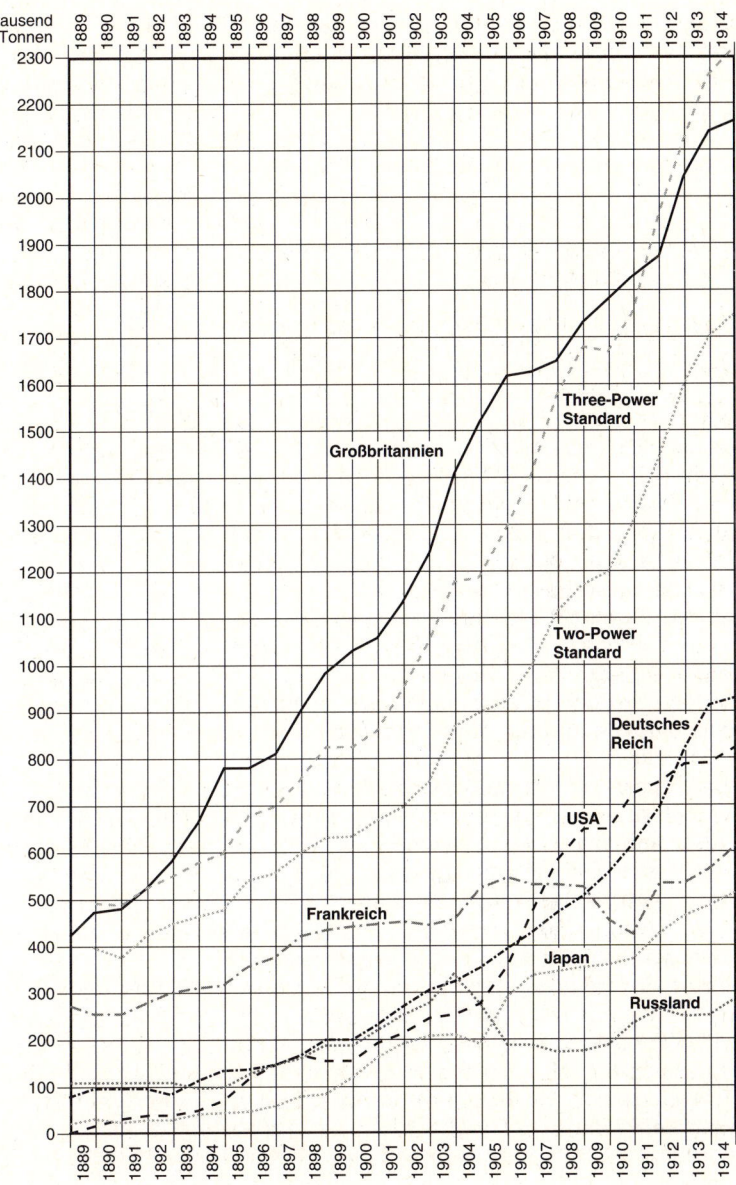

Nach: Potter/Nimitz/Rohwer: Seemacht – Eine Seekriegsgeschichte von der Antike bis zur Gegenwart. Herrsching 1982. S. 314

| M 4.24 | **1913 – „Berlin – Bagdad"** |

In einem Artikel der Zeitschrift „Deutsche Volkswirtschaftliche Correspondenz" vom 20. Juni 1913 wird – nach einleitenden Worten – aus einer anonym erschienenen Flugschrift zitiert.

In diesen Tagen erscheint eine Flugschrift im Umfange von etwa 4 Bogen unter dem Titel „Berlin-Bagdad"[1] unter einer Deckadresse, im Verlag von J.F. Lehmann in München. Wenn eingeweihte Leute bei Lautwerden dieser Verlagsfirma sofort alldeutsche Bestrebungen vermuten, so werden sie nicht ganz unrecht haben, aber doch vielleicht im einzelnen falsch raten. Die Flugschrift ist ein ebenso geistvoller als energischer Aufruf, bei dem in absehbarer Zeit bevorstehenden gänzlichen Zusammenbruch der Türkei die

deutschen Interessen im Orient zu wahren und sie nicht wieder den Engländern oder Franzosen preiszugeben. Einen Engländer, den Kolonialpolitiker Johnston, kann die Flugschrift als einen Wegweiser für die deutsche Politik im Orient zitieren. „Wäre ich ein Deutscher", so hat Johnston einmal gesagt, „so würde ich in meinen Zukunftsträumen ein großes deutsch-österreichisch-türkisches Reich sehen, mit vielleicht 2 Haupthandelshäfen, Hamburg und Konstantinopel, mit Häfen an der Ost- und Nordsee, im Adriatischen und Agäischen Meere, ein Reich, das seinen Einfluß durch Kleinasien und Mesopotamien bis über Bagdad hinaus geltend machen sollte, und dieses ununterbrochene Imperium, das von der Mündung der Elbe bis an den Euphrat und Tigris reichen würde, wäre doch gewiß ein stolzes Ziel, wie es eine große Nation nur anstreben kann." [...]
„Berlin-Bagdad, das wäre", so heißt es in unserer Flugschrift, „die Losung und das Ziel; viele, viele haben das Wort schon aufgenommen, Männer aller Parteien, aber es sollte wie ein Sturmruf durch die ganze Nation gehen, damit sie endlich ein festes Ziel hat und weiß, was sie wollen und tun soll. Es ist ja der Friede, der süße Friede, der uns so teuer ist, den diese Losung bringt. Kann die friedliche Einigung, der Zusammenschluß des Deutschen Reiches, Österreichs, der nördlichen Balkanstaaten und der Türkei zu einem politischen und wirtschaftlichen Bunde führen, und gelingt dieses Werk, so werden Europas Völker sich nicht mehr zerfleischen, die deutsche Macht ist unangreifbar. [...] Die Türkei muß, wie auch vor kurzem im ‚Fränkischen Kurier' von einem Sachverständigen ausgeführt wurde, militärisch und politisch ganz und gar in eine führende Hand genommen werden, wenn ihr asiatisches Reich bestehen soll. Da Rußland, England und Frankreich es lediglich auf deren Auszehrung abgesehen haben, muß die Türkei das Anerbieten dieser führenden Hand durch Mitteleuropa als das letzte Mittel zur Rettung unter allen Bedingungen annehmen. Unter dem Titel eines gleichwertigen Bundesgenossen würde sie angegliedert, ihr ganzes Gebiet aber der deutschen Arbeit offen, ihre militärische Macht Mitteleuropa zur Verfügung stehen, das ihrerseits der Türkei Schutz gewährt. [...]

Bauern-Neuland, ein großes Wirtschaftsgebiet, Rettung des Deutschtums in der Donaumonarchie, Rettung der Donaumonarchie selbst, Einigung des Gesamtdeutschtums, offene Türe im Südosten und freien Weg für das Deutschtum auf seinen alten Pfaden, Schutz den nichtslawischen Südostvölkern vor dem Panslawismus – kurzum Berlin-Bagdad, das Wort, das alles in sich birgt, das ist unsere Losung."

Zit. nach: Fenske, Hans (Hrsg.): Unter Wilhelm II. – 1890–1918. (Wissensch. Buchgesellschaft) Darmstadt 1982. S. 335, 336

[1] K. v. Winterstetten (= Albert Ritter), Berlin-Bagdad, München 1913, 7. Aufl. 1914. Der Verfasser war zweiter Geschäftsführer des Alldeutschen Verbandes.

M 4.25 1914 – Europa wenige Monate vor dem Krieg

Der US-amerikanische Oberst House, Vertrauter des amerikanischen Präsidenten Woodrow Wilson, berichtet wenige Monate vor Kriegsbeginn aus Deutschland:

Berlin, 29. Mai 1914
Ich war über die hiesige Lage reichlich gut unterrichtet, als ich in Deutschland ankam. Fürst Münster[1] und Graf Moltke[2] waren meine Reisegefährten, und ich konnte Moltke gut kennenlernen.
Münster ist das, was wir einen Reaktionär nennen würden; ich überließ ihm das Sprechen. Moltke ist im Gegenteil vielleicht der einzige deutsche Adlige, der ein unbefangenes Urteil hat und die Lage so wie wir ansieht. Er bot mir wertvolle Aufschlüsse, die nur dazu beitrugen, mich in der Ansicht zu bestärken, daß eine Besserung der Verhältnisse nahezu unmöglich sei.
Ich habe den Kaiser noch nicht gesehen, bin aber für Montag zum Frühstück nach Potsdam geladen. Es ist ungewiß, welche Gelegenheit zum Sprechen sich mir da bieten wird. [...]
Ich habe mit Jagow, dem Staatssekretär für auswärtige Angelegenheiten, und Admiral von Tirpitz lange Unterredungen gehabt. Jagow ist ein kluger Diplomat ohne viel Eigenart. Tirpitz ist der Vater der verstärkten Flotte, ist kraftvoll und angriffslustig. Keiner von beiden hat überragendes Talent.

Es war mir nahegelegt worden, mit Tirpitz
wegen seiner wohlbekannten Gegnerschaft
gegen Ansichten, wie wir sie hegen, nicht zu
30 sprechen; aber da ich fand, daß er, nach dem
Kaiser, die kraftvollste Persönlichkeit in
Deutschland ist, suchte ich ihn doch auf. Wir
verbrachten eine außerordentlich interessante Stunde, und ich glaube, einen gewissen
35 Eindruck hinterlassen zu haben; keinen zu
großen, aber doch genügend groß, um mir
die Aufnahme von Besprechungen in London zu ermöglichen. [...]
Die Lage ist ungewöhnlich. Es herrscht der
40 völlig toll gewordene Militarismus[3]. Wenn
nicht jemand, der in Ihrem Namen handelt,
eine Verständigung auf ganz neuem Grunde
zustande bringt, so wird es eines Tages zu einer fürchterlichen Katastrophe kommen.
45 Niemand in Europa vermag es zu vollbringen. Es herrscht hier zu viel Haß, zu viel Ei-
fersucht. Wenn England jemals damit einverstanden ist, werden Frankreich und Rußland
über Deutschland und Österreich herfallen[4].
50 England möchte Deutschland nicht gänzlich
zerschmettert sehen, denn es hätte dann mit
seinem alten Feinde Rußland zu rechnen;
aber wenn Deutschland auf einer überwälti-
genden Flotte besteht, wird England keine
55 Wahl haben.
Die beste Aussicht auf Frieden bietet eine
Verständigung Englands und Deutschlands
über die Flottenrüstungen, wenn auch eine
zu starke Annäherung zwischen den beiden
60 für uns einen gewissen Nachteil bedeutet. [...]

Zit. nach: Hölzle, Erwin (Hrsg.): Quellen zur Entstehung des Ersten
Weltkrieges. (Wissensch. Buchgesellschaft) Darmstadt 1978. S. 253,
254

[1] Früherer deutscher Botschafter in Paris
[2] Vetter des Generalstabschefs
[3] Im Original an Wilson in „jingoism" geändert
[4] will close

Materialien zur Friedensbewegung und Friedenspolitik vor 1914

M 4.26 **1891 – Beschluß des Internationalen Arbeiterkongresses über den Militarismus**

Am zweiten Kongreß der II. Internationale (Brüssel,
16.–22. August 1891) nahmen 374 Delegierte aus
16 Ländern teil. Neben der Arbeiterschutzgesetz-
gebung, Gewerkschaftsfragen, der Nutzung der
Parlamente, der Feier am 1. Mai und weiteren Fragen stand auch der Kampf gegen den Militarismus
auf der Tagesordnung.
Die nachfolgende Resolution wurde mit großer
Mehrheit angenommen.

In Erwägung, daß der Militarismus, welcher
auf Europa lastet, das notwendige Resultat
des permanenten – offenen und latenten –
Kriegszustandes ist, welcher durch das System der Ausbeutung des Menschen durch 5
den Menschen und den dadurch erzeugten
Klassenkampf der Gesellschaft auferlegt
wird, erklärt der Kongreß, daß alle die
ökonomischen Ursachen des Übels nicht
treffenden Bestrebungen auf Beseitigung 10
des Militarismus und auf Herbeiführung
des Friedens unter den Völkern ohnmächtig sind, so edel die Beweggründe sein
mögen;
daß allein die Schaffung der sozialistischen 15
Gesellschaftsordnung, welche die Ausbeutung des Menschen durch den Menschen beseitigt, dem Militarismus ein Ende machen
und den Frieden unter den Völkern herbeiführen kann; 20
daß demzufolge alle, welche dem Kriege ein
Ende machen wollen, die Pflicht haben, sich
der internationalen Sozialdemokratie, als der
einzigen wirklichen und grundsätzlichen
Friedenspartei, anzuschließen. 25
Angesichts der immer drohender werdenden
Lage Europas und der chauvinistischen Het-
zereien der herrschenden Klassen fordert der
Kongreß die Arbeiter aller Länder auf, gegen alle Kriegsgelüste und denselben dienen- 30
den Bündnisse unablässig und energisch zu
protestieren und zu wirken und durch Vollendung der internationalen Organisation des
Proletariats den Triumph des Sozialismus zu
beschleunigen. 35
Der Kongreß erklärt, daß dies das einzige
Mittel ist, die furchtbare Katastrophe eines
Weltkrieges abzuwenden, dessen unabsehbar
verhängnisvolle Folgen die Arbeiterklasse in
erster Linie zu tragen hätte, 40
und daß die Verantwortung für eine solche
Katastrophe vor der Menschheit und vor der
Geschichte einzig und allein den herrschenden Klassen zufällt.

Zit. nach: Wimmer, Ruth und Walter (Hrsg.): Friedenszeugnisse aus
vier Jahrtausenden. (Urania) Leipzig/Jena/Berlin 1987. S. 102, 103

M 4.27   1892 – „Die Waffen nieder!"

Der 1889 erschienene Roman Bertha von Suttners lieferte auch den programmatischen Titel für eine seit 1892 herausgegebene „Monatsschrift zur Förderung der Friedensidee". Die Zeitschrift war das Organ des „Internationalen Friedensbureaus" in Berlin und anderer Friedensgesellschaften.

„Die Waffen nieder!"

Mit dem Inslebentreten dieser Zeitschrift wird zum ersten Male einem großen Gedanken, der in den Gemütern unserer Zeitgenossen mächtig aber verborgen lodert, in sei-
5 ner Art Ausdruck gegeben.
Mitten unter dem Säbelgerassel der bewaffneten Großmächte, mitten in dem Erfindungstrubel der scharfsinnig erdachten Mordinstrumente, mitten in dem Bestreben, jener
10 falschen Humanität, welche dem verwundeten Krieger Hilfe und Schonung vorbereiten will, jener Humanität, die als grausame Prämisse ihres Daseins es dennoch als berechtigt anerkennt, daß Millionen gesunder Men-
15 schenkinder erst zerfleischt werden müssen, ehe sie den Anspruch auf Barmherzigkeit haben, mitten darin wächst und blüht, hebt sich und gedeiht der schönste Gedanke unseres sterbenden Jahrhunderts, der Friedensge-
20 danke.
Mächtiger als je zuckt er durch die Herzen und die Köpfe, und was seit Jahrtausenden als ein notwendiges Muß angesehen wurde, erscheint plötzlich in dem Lichte einer glück-
25 lichen Morgenröte als ein zu überwindender Standpunkt. – Die Besten der Nationen beginnen sich zu vereinigen, den Worten zur Tat zu verhelfen, Fürsten und Völker treffen sich gleichzeitig in dem heiligen Streben, und
30 der Gedanke, der bisher nur die Auserwählten krönte, zuckt in den Massen und krönt ihren mächtigen Willen.
Und dabei wollen wir helfen, dabei wollen wir den Leitungsdraht mit unserer Monats-
35 schrift bilden, vermittels dessen die Geistesfunken und die Wortesblitze von den Höhen der Menschheit in die Niederungen dringen sollen, wir wollen den Boten bilden, der von Stadt zu Stadt, von Land zu Land die An-
40 schauungen der Gesinnungsgenossen weitertragen, die Gedanken in zahlreiche Menschenherzen verpflanzen und dem Tage entgegenarbeiten soll, der kommen muß und

kommen wird, wo es in den Ländern der Kultur heißen wird: Die Waffen nieder!   45
[...]
Das ist unser Programm, dem die Ausführung auf dem Fuße folgen wird. – Frau Baronin Bertha von Suttner, die unermüdliche Kämpferin für Licht und Humanität, die   50
mit Begeisterung die Leitung unserer Zeitschrift übernahm, hat einen großen Kreis auserwählter Namen um sich geschart, deren Träger ihre Anhänglichkeit an die Sache durch ihre Beiträge beweisen werden.   55
Wir bitten jeden Freund der guten Sache, unser Unternehmen zu unterstützen und für die Verbreitung desselben in möglichst weiten Kreisen Sorge zu tragen.

Die Verlagshandlung   60

Zit. nach: Benz, Wolfgang (Hrsg.): Pazifismus in Deutschland – Dokumente zur Friedensbewegung 1890–1939. (Fischer) Frankfurt/Main 1988. S. 62, 63

M 4.28   1894 – Alfred H. Fried: Friedenskatechismus

Alfred Hermann Fried (1864-1921), Verleger, Redakteur und Publizist, 1892 Gründer der Deutschen Friedensgesellschaft, war außerdem ein Anhänger der Baronin von Suttner. 1911 erhielt er für seine Verdienste um die Friedensbewegung den Friedensnobelpreis. Sein „Friedenskatechismus" war Informationsschrift und Positionspapier zugleich. 1914–1918 bekämpfte er von der Schweiz aus die deutsche Politik.

90. Leben wir jetzt überhaupt im Frieden?
Nein! Unser Zustand des bewaffneten Friedens gleicht dem Erwarten vor der Schlacht, wo jeder Gegner den günstigsten Posten einzunehmen sucht. Die Schlacht hat zwar noch   5
nicht begonnen, aber der Krieg ist im fortwährenden Gange. Die Kräfte sammeln sich bloß und zaudern noch zur Entscheidung überzugehen.

91. Ist ein solcher Zustand für die kulturelle   10
und wirtschaftliche Entwicklung der Staaten nicht ebenso schädlich wie der Krieg selbst?
Ja! Unter dem steten Drucke der Lasten, die die neuen Rüstungen, die sich fortwährend durch Neuerungen überbieten, den Völkern   15
auferlegen, durch die stete Ungewißheit über den morgenden Tag, werden Industrie und Handel fortwährend und dauernd geschädigt, und sind in ihrer freien Entfaltung

gehindert. Da dieser Zustand schon Jahrzehnte andauert, ist er fast noch schlimmer und kostspieliger als ein Krieg und raubt den Völkern Europas ungeheure Millionen an verlorenen und nicht gehobenen Schätzen. [...]

95. Was wollen die Friedensfreunde aller Länder zunächst erreichen?
1. Daß die Staaten dem Grundsatze huldigen lernen, »si vis pacem para pacem[1]«. 2. Daß dieselben internationale Verträge schließen, einen zwischenstaatlichen Rechtszustand schaffen, was eine Abrüstung, das heißt Verminderung der stehenden Heere und Verkürzung der Dienstzeit zur Folge hätte. 3. Daß sie eine internationale Kommission einsetzen, die berufen ist, ein internationales Gesetzbuch zu entwerfen, das bestimmt ist, die gegenseitigen internationalen Angelegenheiten gesetzlich zu regeln. 4. Daß ein ständiger internationaler Völkergerichtshof in der Hauptstadt eines neutralen Staates für ständig zusammentritt. Es sind dies Wünsche, die nicht so unerreichbar sind, und deren Erfüllung uns schon die nächste Zukunft bescheren kann.

96. Wie können die Friedensfreunde ihre Ziele erreichen?
Durch unentwegtes Festhalten an ihren Ansichten, – durch fortwährende Propaganda in allen Kreisen, – durch Belehrung der Jugend, Aufklärung derselben im Gegensatze zu ihren blutigen Lehrbüchern der Geschichte und ihren schlachtenbegeisterten Lesebüchern. Fernhalten aller auf Rohheit basierenden Jugendschriften, Einfluß auf die Lehrerschaft, Einfluß auf die Presse. Besonders in letzter Hinsicht kann viel und segensreich gewirkt werden. Durch Aufklärung der Zweifler, Ansporn der Gleichgültigen und Förderung der Mitkämpfer, wird ein unzweifelhaft wirksamer Einfluß auf die öffentliche Meinung erreicht werden.

97. Sind die Ziele der Friedensbewegung durchführbar?
Jawohl! Der Rechtszustand unter den Staaten ist nicht nur möglich, er ist eine sich von selbst ergebende Konsequenz der historischen Entwicklung. Burg, Dorf und Stadt haben lange genug für sich das Recht in Anspruch genommen, ihre Interessen mit der

Waffe in der Faust zu erfechten. Sie sind dann alle nach und nach zu immer größeren Interessengemeinschaften zusammengewachsen und gehören heute alle einem ausgleichenden Verbande an. Sollte dieser Weg des Fortschrittes vor den Staaten Halt machen können oder mit leichtem Sprunge noch diese letzte Barriére überspringen? Wir glauben Letzteres. Und wenn es noch einige geben sollte, die dies nicht glauben, so nehmen sie die Rolle der Raubritter von damals ein, die an einen geordneten Rechtsstaat wohl auch nicht geglaubt haben dürften. [...]

100. Stehen die Friedensfreunde mit ihren Bestrebungen im Widerspruche mit den Regierungen?
Keineswegs! Auch diese wünschen den Frieden, wie ihre Vertreter so oft und an allen Orten versichern. Die Regierungen wollen den Frieden durch die Vermehrung der Armeen, die Friedensfreunde durch deren Verminderung erreichen.

Zit. nach: Benz: (M 4.27) S. 65ff.

---

[1] Wenn du den Frieden willst, bereite den Frieden vor.

M 4.29 1898 – Aufruf des Zaren zur I. Haager Friedenskonferenz

NIKOLAUS II.

Aufruf zu einer internationalen Konferenz für Frieden und Abrüstung

24. August 1898

Im Verlauf der letzten zwanzig Jahre hat der Wunsch nach einer allgemeinen Beruhigung in dem Gewissen der gesitteten Nationen besonders festen Fuß gefaßt. Die Erhaltung des Friedens ist als Ziel der internationalen Politik aufgestellt worden. Im Namen des Friedens haben die großen Staaten mächtige Bündnisse miteinander geschlossen. Um den Frieden besser zu sichern, haben sie in bisher unbekanntem Grade ihre Militärmacht entwickelt und fahren fort, sie noch zu verstärken, ohne vor irgendeinem Opfer zurückzuschrecken.
Alle ihre Bemühungen haben gleichwohl das segensreiche Ergebnis der ersehnten Friedensstiftung noch nicht zeitigen können. Die

finanziellen Lasten, die eine steigende Tendenz verfolgen, treffen die örtliche Wohlfahrt an ihrer Quelle; die geistigen und physischen Kräfte der Völker, die Arbeit und das Kapital werden zum größeren Teil von ihrer natürlichen Bestimmung abgelenkt und in unproduktiver Weise aufgezehrt. Man wendet Hunderte von Millionen auf, um furchtbare Zerstörungsmaschinen zu beschaffen, die heute als das letzte Wort der Wissenschaft betrachtet werden und morgen dazu verurteilt sind, infolge irgendeiner neuen Entdeckung auf diesem Gebiet jeden Wert zu verlieren. Die nationale Kultur, der wirtschaftliche Fortschritt, die Erzeugung von Werten sehen sich in ihrer Entwicklung gelähmt oder irregeführt. [...]
Diesen unaufhörlichen Rüstungen ein Ziel zu setzen und ein Mittel zu suchen, dem Unheil vorzubeugen, das die ganze Welt bedroht, ist die höchste Pflicht, welche sich heutzutage allen Staaten aufzwingt.

Durchgedrungen von diesem Gefühl, hat Seine Majestät der Kaiser geruht, zu befehlen, allen Regierungen, deren Vertreter am Kaiserlichen Hofe beglaubigt sind, den Zusammentritt einer Konferenz vorzuschlagen, die sich mit dieser ernsten Frage zu beschäftigen hätte.
Diese Konferenz wäre mit Gottes Hilfe ein günstiges Vorzeichen des demnächst kommenden Jahrhunderts. Sie würde in einer mächtigen Verbindung die Bestrebungen aller Staaten vereinigen, die sich aufrichtig darum bemühen, den großen Gedanken des Weltfriedens über alle Elemente der Unordnung und der Zwietracht triumphieren zu lassen. Sie würde zugleich ihre Eintracht durch eine solidarische Weihe der Grundsätze der Billigkeit und des Rechts festigen, auf denen die Sicherheit der Staaten und die Wohlfahrt der Völker beruhen.

Zit. nach: Peter, Karl-Heinz (Hrsg.): Proklamationen und Manifeste zur Weltgeschichte. München o. J., S. 92, 93

Aufgaben zu Kapitel 4

❶ Vergleichen Sie die Zielvorstellungen, die in den Plänen und Instruktionen für den Wiener Kongreß genannt werden (M 4.1–4.3)! Wo können Sie Übereinstimmungen, wo Gegensätze feststellen?

❷ Unterscheiden Sie an M 4.4–4.6, wie die „Deutsche Frage" 1814 gesehen wurde!

❸ Beurteilen Sie die Beschlüsse des Kongresses! Bewerten Sie dabei kritisch das Urteil des Zeitgenossen Gerd Eilers von 1856 (M 4.7, 4.8)!

❹ Fassen Sie mit Hilfe des Kapiteltextes (4.3) noch einmal kurz zusammen, wie sich aus dem russisch-türkischen Krieg von 1853 der Krimkrieg entwickelte! Untersuchen Sie die Entwicklung des Konfliktes, und überlegen Sie, wann und wie Möglichkeiten bestanden, den europäischen Krieg zu vermeiden (M 4.10–4.13)!

❺ Die deutsche Reichsgründung hat das europäische Mächtesystem einschneidend verändert. Zeigen Sie dies für den wirtschaftlichen (M 4.15) und für den politischen Bereich (M 4.16, 4.17)!

❻ Nennen Sie die außenpolitischen Ziele der neuen Großmacht USA! Welche Bedeutung haben sie für die imperialistische Außenpolitik der europäischen Großmächte?

❼ Die Entwicklung der deutsch-britischen Beziehungen entschied mit über Krieg und Frieden in Europa. Arbeiten Sie aus M 4.21–4.25 Gründe für den deutsch-britischen Gegensatz heraus!

❽ Stellen Sie in einer Liste die konfliktfördernden Faktoren in der europäischen Politik seit 1849 zusammen! Diskutieren Sie, ob und durch welche alternativen Entscheidungen das europäische System hätte stabilisiert werden können!

❾ Analysieren Sie die Materialien zur Friedensbewegung und -politik (M 4.26–4.29)!
  – Wie wird die politische Lage jeweils beurteilt?
  – Welche Vorschläge zur Sicherung des Friedens werden gemacht, welche Ziele werden gesetzt?
  – Wie beurteilen Sie die praktische Durchführbarkeit?

5 Weltkriege und kollektive Sicherheitssysteme

1914	(28.6.)	Ermordung des österreichisch-ungarischen Thronfolgerpaares in Sarajewo
	(23.7.)	Ultimatum Österreich-Ungarns an Serbien
	(28.7.)	Kriegserklärung Österreich-Ungarns an Serbien
	(1.8.)	Kriegserklärung des Deutschen Reiches an Rußland
	(3.8.)	Deutscher Einmarsch in Belgien und Kriegserklärung an Frankreich
	(4.8.)	Britische Kriegserklärung an das Deutsche Reich
1915	(Mai)	Kriegseintritt Italiens auf Seiten der Alliierten
1917	(März/Nov.)	Revolution in Rußland
	(April)	Kriegserklärung der USA an das Deutsche Reich
1918	(März)	Deutscher Friedensvertrag von Brest-Litowsk mit Sowjetrußland
	(Okt./Nov.)	Revolution in Österreich und im Deutschen Reich, Abdankung der Kaiser Karl I. und Wilhelm II.; Waffenstillstand
1919	(Jan.)	Eröffnung der Friedenskonferenz in Versailles
	(April)	Vollversammlung verabschiedet die Verfassung des Völkerbundes
	(Juni)	Unterzeichnung des Friedensvertrages durch die deutsche Delegation (Österreich, Bulgarien, Ungarn und die Türkei unterzeichnen bis August 1920)
1922	(April)	Vertrag von Rapallo zwischen dem Deutschen Reich und Sowjetrußland
1923	(Jan.)	Besetzung des Ruhrgebietes durch Frankreich, „Ruhrkampf" und Inflation
1924	(April)	Dawesplan (Neuregelung der deutschen Reparationen)
1925	(Okt.)	Konferenz von Locarno (Grenz- und Schiedsverträge des Deutschen Reiches mit Frankreich, Belgien, Großbritannien, Italien, Polen, der Tschechoslowakei)
1926	(Sept.)	Aufnahme des Deutschen Reiches in den Völkerbund
1927	(Mai)	Weltwirtschaftskonferenz in Genf
1928	(Aug.)	Briand-Kelloggpakt (Ächtung des Krieges; bis 1929 unterschreiben 54 Staaten)
1929	(Aug.)	Youngplan (Neuregelung der deutschen Reparationen. Versuch einer endgültigen Lösung mit Zahlungen bis 1988)
	(Okt.)	„Schwarzer Freitag" an der New Yorker Börse – Beginn der Weltwirtschaftskrise
1931	(Mai)	Bankenkrach und Finanzkrise in Europa
1932	(Juni/Juli)	Ablösung der deutschen Reparationsschuld auf der Konferenz von Lausanne
1933	(Jan.)	Adolf Hitler wird Reichskanzler
	(Okt.)	Austritt des Deutschen Reiches aus dem Völkerbund
1934	(Sept.)	Eintritt der Sowjetunion in den Völkerbund
1936	(Juli)	Beginn des Bürgerkrieges in Spanien
	(Okt.)	„Achse Berlin-Rom" im deutsch-italienischen Vertrag begründet
1938	(März)	„Anschluß" Österreichs an das Deutsche Reich
	(Apr./Sept.)	„Sudetendeutsche Frage" und Münchener Abkommen
1939	(Aug.)	Abschluß eines deutsch-sowjetischen Nichtangriffspaktes
	(1. Sept.)	Deutscher Angriff auf Polen – Beginn des II. Weltkrieges
1941	(Juni)	Deutscher Angriff auf die Sowjetunion
	(Dez.)	Japanischer Überfall auf Pearl Harbour. Eintritt der USA in den Krieg
1942	(Jan.)	Pakt der „Vereinten Nationen" in Washington von 26 Nationen unterzeichnet
1943	(Juni)	Beginn der alliierten Großoffensive im Pazifik („Inselspringen")
1944	(Juni)	Alliierte Landung in der Normandie
1945	(April)	Tod Roosevelts/Truman Präsident der USA
		Gründungskonferenz der „Vereinten Nationen" in San Francisco
	(7./8. Mai)	Deutsche Gesamtkapitulation
	(Juli/Aug.)	Potsdamer Konferenz
	(Aug.)	Abwurf amerikanischer Atombomben auf Hiroshima und Nagasaki
	(Sept.)	Bedingungslose Kapitulation Japans

5.1 Krieg der Völker und der Technik – der Erste Weltkrieg

Der Erste Weltkrieg steht am Schnittpunkt mehrerer historischer Entwicklungen. Er begann als Auseinandersetzung innerhalb des alten, noch im 18. Jahrhundert verwurzelten europäischen Staatensystems in seiner letzten, der imperialistischen Ausprägung. Er enthielt zugleich mit seinem Auslöser, dem Nationalismus der Völker auf dem Balkan, ein modernes, dem 19. Jahrhundert entstammendes Element. Auch die rasch beginnende emotionale Mobilisierung der Bevölkerung bedeutete eine gewisse Demokratisierung des Krieges, wie ihn die Vergangenheit schon in Ansätzen gekannt hatte, deren Gefährlichkeit den Politikern auch bewußt war. 1917 nahm der Krieg gleich in mehrfacher Hinsicht eine neue Wendung: Er wurde mit dem Kriegseintritt der USA zum echten Weltkonflikt; zugleich erweiterte ihn das Motiv der USA, die Demokratie als Basis für künftige Friedensordnungen durchzusetzen, ebenso wie die sozialistische Revolution in Rußland zu einem Krieg der Ideologien, den man als ersten „Weltbürgerkrieg" bezeichnet hat. Die epochale Bedeutung dieses Krieges liegt auch darin begründet, daß die militärische Auseinandersetzung mit zuvor nie erreichter Intensität geführt wurde. Das Scheitern der Strategien von 1914, die auf allen Seiten einen kurzen Krieg vorsahen, hatte zur Folge, daß erstmals die Potentiale moderner Industrien in vollem Umfang und für Jahre eingesetzt wurden.

Der bis dahin kalkulierte und kalkulierbare Einsatz militärischer Mittel zur Erreichung politischer Ziele wuchs sich aus zum blutigen Existenzkampf ganzer Völker, in dem die durch eine dynamische technische und industrielle Entwicklung verfügbar gewordenen Waffen die Zahl der Opfer vervielfachten. Nach einer langen Friedensphase – der letzte „große" Krieg, der Deutsch-Französische, lag nun über 40 Jahre zurück – erfaßte der Erste Weltkrieg die Menschen mit einer Totalität, die für die damals Lebenden nicht vorstellbar war. So groß wie die Opfer waren auch die für den Krieg mobilisierten nationalen Leidenschaften, und entsprechend schwierig war es, den Frieden wieder herzustellen. Friedensinitiativen während des Krieges scheiterten; allmählich wurde immer deutlicher, daß erst die Niederlage einer Seite die Voraussetzungen für die Wiederherstellung eines Friedens in Europa und der Welt schaffen würde.

Julikrise und Kriegsausbruch

Am 28. Juni 1914 wurde das österreichisch-ungarische Thronfolgerpaar in Sarajewo, der Hauptstadt der wenige Jahre zuvor von Österreich-Ungarn annektierten Balkanprovinz Bosnien, ermordet.

Welchen Hintergrund hatte dieses von Monarchen und Politikern aller Großmächte einhellig verurteilte Attentat, das die Julikrise auslöste und letztlich der Anlaß für den Ausbruch des Weltkrieges war?

Der Täter war ein bosnischer Student namens Princip; er gehörte zu einem hauptsächlich in Serbien operierenden Geheimbund, der „Schwarzen Hand". Serbien war aus den Balkankriegen von 1912/13 gestärkt hervorgegangen. Es wurde von Rußland unterstützt und bedrohte mit einer expansiven nationalistischen Politik den Zusammenhalt des Vielvölkerstaates Österreich-Ungarn. Dagegen wandte sich die Politik des Thronfolgers Franz Ferdinand (geboren 1863). Er zielte darauf ab, die Slawen gleichberechtigt neben Österreichern und Ungarn in den Staat zu integrieren. Damit war der Thronfolger zu einem bevorzugten Angriffsziel militanter slawischer Nationalisten geworden.

Die meisten Österreicher (und die Mehrheit der Europäer) betrachteten das Pulverfaß Balkan mit Herablassung als eine Zone chaotischer Verhältnisse zwischen halbzivilisierten Völkern. Eingriffe von außen in die dortigen Konflikte hatte es reichlich gegeben, und gewöhnlich hatten sie die Mitteleuropäer mit Genugtuung erfüllt. Der Durchschnittsbürger übersah dabei meist, in welchem Umfang sich die Balkankonflikte mit den Spannungen der Großmächte verbanden. Die österreichisch-ungarische Regierung, die ihren Bürgern und Europa Stärke demonstrieren wollte, mußte das Risiko kennen, das sie einging. Die entscheidende Frage war nun, wie die Großmacht Österreich-Ungarn auf diese Herausforderung durch den „Drahtzieher" Serbien reagieren würde, zumal mit der Ermordung des Thronfolgers der Bestand der Monarchie direkt in Frage gestellt war –

Kaiser Franz Joseph I. regierte seit 1848 und war bereits 84 Jahre alt.

Sicher schien auch, daß der Konflikt nicht allein zwischen Österreich-Ungarn und Serbien bereinigt werden konnte; schon 1912 und 1913 bedurfte es angestrengter Schlichtungsversuche der europäischen Großmächte, die Konflikte auf dem Balkan unter Kontrolle zu halten. Konnte das Krisenmanagement der Großmächte angesichts der Schärfe der Auseinandersetzungen und der verhärteten Fronten noch einmal erfolgreich sein? Eine entscheidende Rolle fiel dabei dem Verbündeten Österreich-Ungarns, dem Deutschen Reich, zu, da Wien ein militärisches Vorgehen gegen Serbien im Alleingang – angesichts dessen Schutzmacht Rußland – ohne volle deutsche Rückendeckung nicht wagen konnte. Die Antwort aus Berlin war eindeutig. Sowohl Wilhelm II. als auch Reichskanzler Bethmann Hollweg sicherten Österreich-Ungarn absolute Bündnistreue und Einverständnis auch mit militärischen Aktionen gegen Serbien zu, wenn man diese in Wien für erforderlich hielt.

Dies war der vielzitierte „Blankoscheck", der den Befürwortern einer scharfen Reaktion in Wien den Weg freimachte. Dementsprechend fiel auch das Ultimatum aus, für das sich die österreichische Seite viel Zeit ließ. Es wurde am 23. Juli in Belgrad übergeben und enthielt so weitgehende Forderungen, daß eine

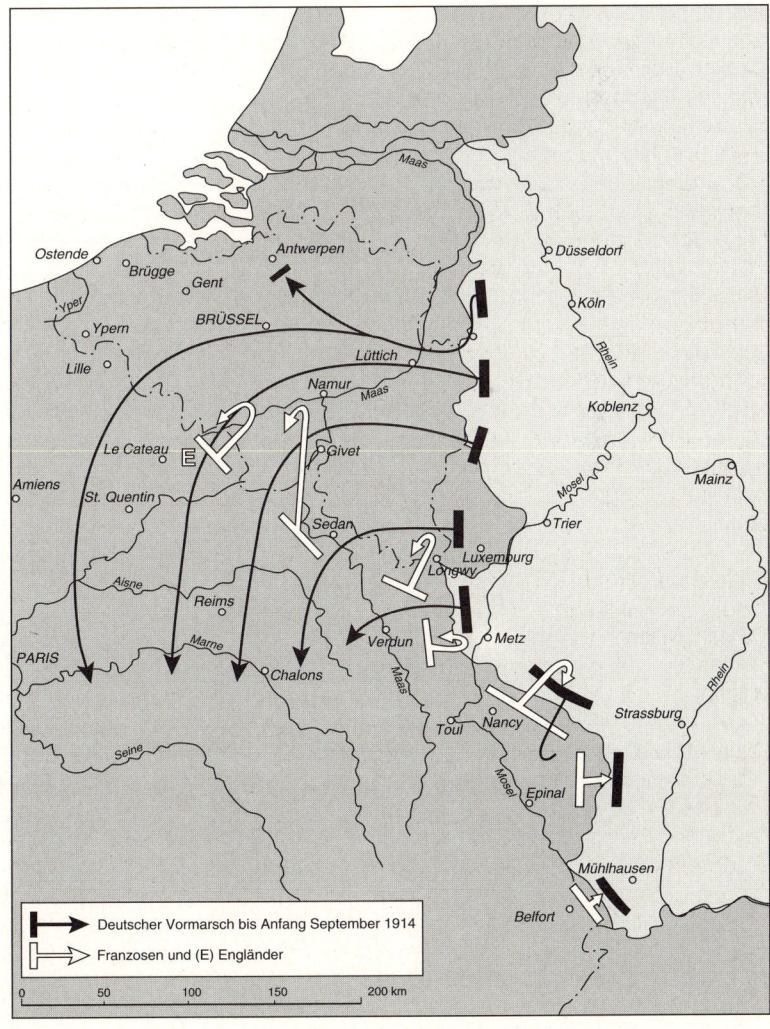

Aufmarsch der deutschen Armeen im Westen nach dem Schlieffen-Plan

Zurückweisung geradezu zu erwarten war. Serbien antwortete am 25. Juli entgegenkommend, machte aber Vorbehalte und mobilisierte am selben Tage, auf russische Hilfszusagen gestützt, seine Truppen. Damit war für Österreich-Ungarn der „casus belli" gegeben; am 28. Juli erfolgte die Kriegserklärung an Serbien.

Mit dieser Kriegserklärung verlagerte sich das Gewicht von der politischen auf die militärische Ebene, und der russische Entschluß zu einer Teilmobilmachung am folgenden Tag setzte einen verhängnisvollen Automatismus von Mobilmachungen in Gang, der anscheinend nicht mehr zu stoppen war.

Es zeigten sich die katastrophalen Folgen des einseitigen militärischen Denkens, mit dem die Politiker selbst in den voraufgegangenen Jahren ihre Handlungsmöglichkeiten verringert hatten. In Zugzwang gerieten nun vor allem die deutschen Militärs. Nachdem sie das Risiko eines Zweifrontenkrieges mit Frankreich und Rußland eingegangen waren, hatten sie sich der militärischen Logik des Schlieffen-Plans ausgeliefert, der vorsah, die beiden Gegner nacheinander zu schlagen – erst in einem raschen Feldzug Frankreich, dann Rußland, dem man nur eine langsame Mobilisierung seiner Armee zutraute. Diese verwegene Strategie hatte nur dann eine Chance auf Erfolg, wenn man die belgische Neutralität verletzte, um die französische Armee im Norden umfassen zu können. Daß dieser Schritt die

britische Kriegserklärung und damit eine radikale Verschiebung der Kräfteverhältnisse zuungunsten Deutschlands zur Folge haben mußte, konnte der deutschen Diplomatie nicht unbekannt sein. Man riskierte ihn trotzdem und erhielt am 4. August 1914 die britische Kriegserklärung.

So war aus einer Krise im „Hinterhof Österreich-Ungarns" ein europäischer Krieg entstanden, an dem sich alle Großmächte beteiligten.

Das Gesicht des Krieges

Der Krieg der Völker begann weithin mit Jubel, patriotischem Überschwang und „Kreuzzugseuphorie". Zusätzlich zu den Einberufenen meldeten sich Abertausende begeisterter Freiwilliger. Sie erwarteten und erhofften einen kurzen und heroischen Kampf, aus dem das eigene Vaterland als Sieger hervorgehen sollte. Politiker, Militärs, Journalisten und patriotische Vereinigungen hatten in den vergangenen Jahren imperialistische Ziele verfolgt und ein Klima voller Aggressivität und Feindseligkeit genährt. Warnende Stimmen wurden in den Hintergrund gedrängt oder gar als „Vaterlandsverräter" diskreditiert. Die Industrialisierung bot die Grundlagen für die Massenproduktion von militärischen Gütern. Der Krieg wurde folglich nicht nur auf den Schlachtfeldern entschieden; er war ebenso ein Krieg der Volkswirtschaften und der öffentlichen

Mittelmächte	gesamte Truppenstärke (in Mio.)	Feldheere bei Kriegsbeginn (in Mio.)
Deutschland	11,0	2,3
Österreich-Ungarn	7,8	1,4
Osman. Reich	2,8	–
Bulgarien	1,2	–
gesamt:	22,8	3,7

Ententemächte	gesamte Truppenstärke (in Mio.)	Feldheere bei Kriegsbeginn (in Mio.)
Frankreich	8,5	1,8
Rußland	12,0	3,4
Großbritannien	9,0	0,4
Italien	5,5	–
USA	4,8	–
Rumänien	0,75	–
Serbien	0,7	0,2
gesamt:	41,25	5,8

Truppenstärken im Ersten Weltkrieg

1916: Lähmenden Schrecken sollte Großbritanniens neueste Waffe, der „tank", während des Ersten Weltkriegs unter den deutschen Soldaten an der Westfront verbreiten. Der gepanzerte Kampfwagen sollte Stacheldrahthindernisse und Schützengräben einfach überrollen.

„Kampfmoral". Zwar hatten alle Seiten noch einmal auf Angriffsstrategien gesetzt, aber bald zeigte sich, daß eine Strategie der Verteidigung dem Angriff überlegen war. Die im Stellungskrieg erstarrenden Offensiven bewiesen, daß neue strategische Konzepte nötig waren. Nun setzten die Militärs gewaltige Materialschlachten in Gang, in denen die Artillerie mit Tausenden von Geschützen täglich ganze Güterzüge von Granaten verschoß. Divisionen von Soldaten rannten auf engstem Raum gegen die feindlichen Stellungen an, und in „Abnutzungsschlachten" sollte der Gegner „ausbluten". In Gräben, Stacheldrahtverhauen oder in befestigten Unterständen starben an manchen Tagen Zehntausende von Soldaten einen erbärmlichen und anonymen Massentod.

Maschinengewehre, in deren Schnellfeuer auch massierte Angriffe zusammenbrachen, wurde neben der Artillerie zur dominierenden Waffe. Außerdem wurden Flammenwerfer, „tanks" und Flugzeuge eingesetzt. Nicht einmal vor dem Gebrauch von Giftgas (zuerst 1915 durch die Deutschen) schreckte man zurück. Mit der Dauer des Krieges wuchsen Erbitterung, Haß und Grausamkeit. Dies galt nicht nur für die an der Front kämpfenden Soldaten, sondern auch für die zu immer größeren Anstrengungen aufgeforderte „Heimatfront".

Die Opfer, die die Regierungen von ihren Bürgern verlangten, waren nicht mehr mit traditionellen Mustern der Treue zum Vaterland zu gewinnen. Die Propagandamaschinerien bemühten sich, den Krieg zur nationalen Sache aller zu machen, indem sie den Feind als hassenswerten Unmenschen darstellten und die Bereitschaft zu Leiden und Tod zur höchsten Tugend stilisierten.

Die Bevölkerung hatte vor allem in Deutschland Sonder- und Notopfer zu erbringen, und Frau-en nahmen die Arbeitsplätze der eingezogenen Männer ein; auch in den Rüstungsbetrieben wurden sie unentbehrlich. Selbst Jugendliche und Kinder sollten ihr Scherflein zum Sieg beitragen: sie sammelten wiederverwertbares Altmaterial und Grundstoffe für die Nahrungsmittelproduktion. Während die Ententemächte die Ernährung der Bevölkerung sicherstellen konnten (mit Ausnahme von Rußland), wirkte sich die Blockade durch die englische Flotte mehr und mehr auf die Versorgung der deutschen Bevölkerung aus. Krankheiten, Seuchen und Unterernährung forderten fast ebensoviele Opfer wie die Front. Schon in den ersten Kriegsjahren wurde deutlich, daß am Ende dieses

Otto Dix:
Der Krieg
(Triptychon-
Mitteltafel,
1929/32)

	Gefallene	Verwundete	Gefangene	
Deutschland	1 808 000	4 247 000	618 000	**Gesamtverluste im Ersten Weltkrieg**
Frankreich	1 385 000	3 044 000	446 000	
Großbritannien	947 000	2 122 000	192 000	
Italien	460 000	947 000	530 000	
Österreich-Ungarn	1 200 000	3 620 000	2 200 000	
Rußland	1 700 000	4 950 000	2 500 000	
Osmanisches Reich	325 000	400 000	k. A.	
USA	115 000	206 000	4 500	

totalen Krieges ein zerrissenes, ausgeblutetes und verarmtes Europa stehen würde.

Das Ende des Krieges

Während Bulgarien und die Türkei im Herbst 1918 endgültig zusammenbrachen, Österreich-Ungarn sich innerlich auflöste, hielten die deutschen Armeen trotz schwerer Angriffe im Westen eine Frontlinie außerhalb der Grenzen des Reiches. Nach der Revolution in Rußland und dem Frieden von Brest-Litowsk im März 1918 hatte man in der Hoffnung auf eine letzte Offensive im Westen das Kriegsende weiter hinausgezögert. Als im Sommer 1918 jedoch die riesigen Reserven der USA auf dem Kriegsschauplatz wirksam wurden, war das Ende des Krieges unabwendbar. Hindenburg und Ludendorff, die militärischen Führer des Reiches, verlangten am 29. September ultimativ ein sofortiges Waffenstillstandsangebot der deutschen Regierung an die Alliierten. Sie hatten erkannt, daß der Zusammenbruch unmittelbar bevorstand. Mit der Abwälzung der Verantwortung auf die zivile Reichsführung vermieden sie das Eingeständnis der militärischen Niederlage, und die Basis für die „Dolchstoßlegende" war geschaffen.

Zwei weitere Faktoren förderten den Rückzug der Militärs: Der amerikanische Präsident verlangte in seiner Antwort auf das deutsche Gesuch eine durchgreifende Demokratisierung; Voraussetzung dafür war die Abdankung des Kaisers. Entscheidend wurde schließlich der dritte Faktor, der erwartete und nun erfolgende Zusammenbruch der „Heimatfront". Die deutsche Hochseeflotte, die noch in den letzten Kriegstagen in eine sinnlose Schlacht geschickt werden sollte, meuterte, und aus dem Matrosenaufstand wurde eine Revolution, die auf das ganze Reich übergriff. Am 9. November gab der Reichskanzler die Abdankung

des Kaisers bekannt, die Republik wurde ausgerufen, der Sozialdemokrat Friedrich Ebert übernahm die Regierung. Mit Unterzeichnung des Waffenstillstandes vom 11. November war der Erste Weltkrieg de facto beendet.

Die letzte der drei großen Monarchien Kontinentaleuropas war untergegangen, und die Auflösung des europäischen Staatensystems markierte das Ende einer Epoche. Die Vormachtstellung des alten Kontinents war verloren, die weltpolitische Initiative ging über auf die USA.

5.2 Von Versailles zu Hitler – der brüchige Frieden

Wer sich mit den Jahren zwischen 1919 und 1939 befaßt, tut dies häufig mit der Frageperspektive, wieso nur zwanzig Jahre nach dem Ende des Ersten Weltkrieges wieder ein globaler Konflikt ausgekämpft wurde. Die beiden Jahrzehnte werden oft als „Zwischenkriegszeit" bezeichnet. Andere Autoren sprechen sogar von einem „verlängerten Waffenstillstand". Auch das Urteil über die Pariser Vorortverträge ist, besonders in der deutschen Geschichtsschreibung, noch lange nach dem Zweiten Weltkrieg eindeutig negativ gewesen. Sie wurden für den Aufschwung des Nationalsozialismus verantwortlich gemacht: „Die Geburtsstätte der nationalsozialistischen Bewegung ist nicht München, sondern Versailles gewesen", urteilte der erste Bundespräsident der Bundesrepublik, Theodor Heuss.

In diesem Abschnitt soll vorrangig zwei Fragestellungen nachgegangen werden, nämlich
1. unter welchen Grundbedingungen und mit welchen Zielsetzungen die neue Friedensordnung konzipiert wurde und
2. welche Probleme und Entwicklungen zum Verfall und letztlich zur Zerstörung der Nachkriegsordnung führten.

Die Ausgangslage

Der Krieg hatte mit der Niederlage der Mittelmächte und einem vollständigen militärischen Sieg der Entente geendet. Es war jedoch nicht zu übersehen, daß die Sieger – abgesehen von den USA – den Krieg nur unter gewaltigen Opfern hatten gewinnen können. So groß wie die Friedenssehnsucht der Menschen waren die Erwartungen, unter deren Druck die Politiker in die Friedensverhandlungen eintraten.

Fortschreitende Demokratisierung und nationalistische Propaganda hatten breite Schichten der Gesellschaft mobilisiert und dazu bewegt, im Volkskrieg für ihr Vaterland auch die schwersten Opfer zu bringen. Nun war der Zeitpunkt gekommen, den aufgestauten Haß zu entladen und zugleich – wenn schon nicht große Belohnungen einzuholen – seine materiellen Forderungen einzutreiben. Die Kosten des Krieges überstiegen alle Dimensionen früherer staatlicher Aktivitäten. Aufzubringen waren z. B. Mittel für Opfer und Hinterbliebene, für den Wiederaufbau des zerstörten Nordfrankreich und Belgien und für die Finanzierung der ungeheuren Schuldenlasten.

Die Kriegsschuldfrage

Die Frage nach der Kriegsschuld wurde 1914 schnell und – so merkwürdig das klingen mag – in allen Ländern gleich beantwortet. Deutsche, Franzosen und Engländer waren gleichermaßen davon überzeugt, Opfer einer Aggression geworden zu sein und für eine gute und gerechte Sache in den Kampf zu ziehen. Der Artikel 231 des Versailler Vertrages sprach allerdings „Deutschland und seinen Verbündeten" die ungeteilte Kriegsschuld zu und begründete darauf umfangreiche Forderungen. Mit dieser Festlegung begann, besonders in Deutschland, eine hochemotionale und erbittert geführte Auseinandersetzung. Während das Ausland nach 1918 die Politik des Deutschen Reiches für den Kriegsausbruch verantwortlich machte, bestand schon in der frühen Weimarer Republik die Tendenz, den deutschen Anteil zu verschleiern oder gar zu leugnen. Besonders die rechten politischen Gruppierungen profitierten von ihrem Feldzug gegen das „Versailler Schanddiktat", so auch die Nationalsozialisten, die als außenpolitisches Leitziel eine Revision des Versailler Vertrages verkündeten.

Auch nach 1945 blieb eine Versachlichung der nationalzentrierten Kriegsschuldanalysen weitgehend aus. Als 1961 der Historiker Fritz Fischer in seinem Buch „Griff nach der Weltmacht" der deutschen Reichsführung eindeutig den „entscheidenden Anteil der historischen Verantwortung für den Ausbruch des allgemeinen Krieges" zusprach (Fischer S. 82), löste er damit eine Welle oft polemischer Kritik von Historikern und auch Politikern aus. Die „Fischer-Kontroverse" belegt, wie emotional die Kriegsschuldfrage bis in unsere Zeit diskutiert wurde.

Ein neues Europa?

Die Besiegten wurden behandelt, wie es in Europa seit Jahrhunderten keiner größeren Macht mehr widerfahren war: Sie wurden zu den Verhandlungen der Sieger nicht zugelassen und mußten am Ende das Ergebnis unter der Drohung der Wiederaufnahme des Krieges entgegennehmen – in ihren Augen ein Diktat. Der Genugtuung der einen Seite über die als gerecht verstandene Strafe stand auf der anderen Seite die kompromißlose Verweigerung jeder Einsicht gegenüber. Ein Vergleich mit der Neuordnung Europas von 1815 zeigt grundlegende Unterschiede auf. Der Konflikt hatte mit dem Zerfall einer europäischen Großmacht geendet (Österreich-Ungarn), durch die bolschewistische Revolution war mit Rußland eine zweite aus dem Kreis der Großmächte ausgeschieden und mit den USA eine außereuropäische Weltmacht dazugekommen. Im Friedensvertrag gab man der Sicherung von Entschädigungsansprüchen den Vorrang vor einer langfristigen Systemstabilisierung. Zwischen den USA und Frankreich bestanden erhebliche Meinungsverschiedenheiten; obwohl Wilson bereits von seinen idealistischen Vorstellungen von einer „neuen Ordnung der Dinge" abgerückt war, wurde ihm zu große Milde gegenüber dem Deutschen Reich vorgeworfen. Frankreich dagegen war als neue kontinentale Vormacht mit der Aufgabe, das internationale System zu tragen, deutlich überfordert.

Die mit großen Erwartungen begonnenen und mit gewaltigem Aufwand durchgeführten Verhandlungen zur Schaffung einer neuen

Friedensordnung gerieten so zum Schauplatz von nationalen Interessenkämpfen.

Wie sollte die neue Ordnung nun aussehen? Rußland, durch die Oktoberrevolution entscheidend verändert, war schon Interventionsziel der Entente, obwohl der Sieg der „Roten" über die „Weißen" nicht zu verhindern war. Es wurde weniger als militärischer Gegner denn als ideologischer Konkurrent gefürchtet. Dazu trug auch die Gründung der III. Internationale der kommunistischen Parteien im März 1919 bei. Die Angst vor der Ausbrei-

tung der Revolution – speziell auf das Deutsche Reich – wurde zum ständigen Diskussionsgegenstand, Sowjetrußland blieb isoliert. Das Deutsche Reich wurde territorial verkleinert, militärisch auf den Status einer Mittelmacht zurückgeführt, hatte sämtliche Kolonien und die Handelsflotte abzugeben und wurde wirtschaftlich durch eine unendlich scheinende Liste von Sachleistungen und hohe Reparationssummen gebunden. In den Augen der Deutschen war der Vertrag von brutaler Härte, seine (erzwungene) Unter-

Europa 1919–37

zeichnung schien den Untergang des Reiches zu bedeuten. Besonders die mit der Wiederherstellung Polens als Staat neu festgelegte deutsche Ostgrenze führte zu einem äußerst gespannten Verhältnis der Weimarer Republik zu Polen. 1920 bezeichnete der Chef der deutschen Heeresleitung, Generaloberst von Seeckt, die Existenz Polens als „unerträglich" – für Deutschland und für Rußland. Zu schnell hatten Militärs und Politiker vergessen, welche Bedingungen man selbst im Falle eines Sieges vorgesehen oder im Frieden von Brest-Litowsk im März 1918 gegen Rußland durchgesetzt hatte. Kaum ein Politiker oder Publizist auf deutscher Seite machte sich die Mühe zu bedenken, was es bedeutete, daß die Sieger weder die deutsche Einheit, noch die deutsche Souveränität angetastet hatten und daß der Vertrag Deutschland eine Reihe von Möglichkeiten beließ, wieder eine herausragende Stellung im Kreis der europäischen Mächte zurückzugewinnen.

Auch andere Entscheidungen der Friedensverträge von 1919 gerieten zu dauerhaften Streitobjekten zwischen den europäischen Staaten – besonders in Ost- und Südosteuropa, wo Wilson mit der Forderung nach dem Selbstbestimmungsrecht der Völker Erwartungen geweckt hatte, die angesichts der komplizierten Wirklichkeit nicht zu erfüllen waren. Mit fast einem Dutzend neuer Staaten, die meisten ohne demokratische, ja sogar ohne politische Traditionen, und einer noch größeren Zahl an akuten Konfliktherden war auch die klassische Diplomatie mit dem neuen Frieden überfordert.

Letztendlich waren beide Seiten, Besiegte und Sieger, mit dem Frieden unzufrieden.

Der Völkerbund

Neben den Friedensverträgen sollte ein internationaler Bund der Völker der zweite Tragpfeiler der neuen Ordnung sein. Dem Konzept des amerikanischen Präsidenten Wilson lag der faszinierende Gedanke zugrunde, Frieden und Sicherheit durch eine Art „Parlament der Nationen" zu sichern; durch ein Forum also, das die Zusammenarbeit der Staaten intensivieren bzw. organisieren half und schon dadurch Konfliktsituationen verringern konnte. Eine allgemeine Abrüstungspolitik sollte außerdem die kollektive Sicherheit garantieren. Für den Fall, daß es dennoch zu internationalen Konflikten kam, fiel dem Völkerbund die Rolle des Schlichters zu.

Mit Hilfe von Sanktionen, die bis zu militärischen Interventionen reichen konnten, sollten Aggressionen geahndet werden. Völkerbund-Truppen wurden allerdings nie aufgestellt. Dieses zweifellos zukunftsorientierte Konzept schloß den Krieg als Mittel der Politik eines einzelnen Mitgliedsstaates aus und versuchte die neue Ordnung auf den Prinzipien des friedlichen Ausgleichs und der internationalen Kooperation zu etablieren.

Auf der ersten Vollversammlung im November 1920 zeigte sich die große Kluft zwischen Idee und Wirklichkeit. Deutschland und Rußland waren nicht zugelassen, und durch den Nichtbeitritt der USA wurden die Möglichkeiten des Völkerbundes beträchtlich reduziert. Wilson hatte im Kongreß keine Mehrheit für sein „Lieblingskind" finden können, außerdem gewann 1920 mit dem Republikaner Harding ein Mann die Präsidentschaftswahlen, der sowohl den Eintritt in den Völkerbund als auch die Aufnahme von Beziehungen zu Sowjetrußland ablehnte. Mit dem Slogan „back to normalcy" zogen sich die Amerikaner aus Wilsons „Kreuzzug für die Demokratie" zurück. Angesichts der politischen und vor allem der ökonomischen Bedeutung der USA war die isolationistische Politik widersinnig und wirkte als destabilisierender Faktor auf das System. Nun dominierten die europäischen Siegermächte England und vor allem Frankreich die Politik des Völkerbundes.

Durch den nationalen Egoismus und die kurzsichtige Politik der Mitglieder verlor das Modell internationaler Kooperation viel von seiner Überzeugungs- und Wirkungskraft. Ein Blick auf die Aktivitäten des Völkerbundes bestätigt diese Einschätzung. Lediglich Konflikte, in die kleinere Staaten verwickelt waren, konnten erfolgreich gelöst werden; so etwa der Grenzstreit zwischen Griechenland und Bulgarien im Jahre 1925. Sobald eine größere Macht gegen die Satzung verstieß, wie Italien 1923 und 1935, sank die Bereitschaft der Mitglieder, Sanktionen durchzuführen, angesichts der militärischen Risiken.

Diese kurze Skizzierung der Nachkriegsordnung läßt deutlich erkennen, daß sie angesichts der immanenten Widersprüche und der Fülle ungelöster Probleme nur im Falle einer besonders günstigen Entwicklung der internationalen Politik den Frieden sichern konnte.

Entwicklungslinien der zwanziger Jahre

Bestimmend für die Entwicklung waren die Beziehungen zwischen Frankreich, Großbritannien und Deutschland. Obwohl die USA weiterhin eine Politik des Disengagements verfolgten, blieben sie als Hauptgläubigerland und Kreditgeber von eminenter Bedeutung für das wirtschaftlich geschwächte Europa. Für die Sowjetunion galt, trotz der von der III. Internationalen formulierten Zielsetzung der Weltrevolution und trotz einer „sozialistischen" Außenpolitik, der Primat der Innenpolitik. Der Aufbau des Sozialismus nötigte Lenin 1921 zur „Neuen Ökonomischen Politik" (NEP) und Stalin sogar zur Postulierung eines „friedlichen Zusammenlebens" mit den kapitalistischen Staaten.

Bis Mitte 1923 standen sich besonders Frankreich und Deutschland unversöhnlich gegenüber. Während Frankreich Kürzungen der Reparationen ablehnte und jeden angeblichen oder echten Verstoß gegen den Versailler Vertrag mit scharfen Sanktionen ahndete, war die Revision dieses Vertrages das zentrale Ziel der deutschen Politik. Nachdem jedoch die Konfrontation für keine der beiden Seiten wirkliche Erfolge erbracht hatte, setzten in Deutschland Stresemann und in Frankreich Briand – beide als Außenminister – auf eine Politik der Annäherung und des Abbaus von Spannungen.

Voraussetzung für die Verständigungspolitik waren die Wiederherstellung der Stabilität der deutschen Währung (nach dem Höhepunkt der Inflation im Herbst 1923) und der Dawesplan, in dem die deutsche Zahlungsfähigkeit als Grundlage für die Reparationshöhe festgesetzt wurde. Das erfolgreiche Ende dieses Prozesses markierten die Konferenz von Locarno 1925, die das Verhältnis zu den Weststaaten entspannte, und die Aufnahme Deutschlands in den Völkerbund.

Die Wiederaufnahme Deutschlands in die internationale Ordnung schien das Nachkriegssystem entscheidend stabilisieren zu können. Auch in den USA und Großbritannien stärkte Stresemanns Realpolitik die Befürworter eines „peaceful change", obgleich diese Politik keineswegs revisionistischen Zielen abschwor.

Auch Stresemann wollte die Frage der deutschen Ostgrenze offenhalten.

Die Weltwirtschaftskrise und ihre Bedeutung für die Nachkriegsordnung

Die katastrophalen Auswirkungen der im Oktober 1929 als Konjunkturkrise von den USA ausgehenden Entwicklung auf die Weltwirtschaft sind bekannt. Bis weit in die 30er Jahre beeinflußte sie als Konjunktur- aber auch als Strukturkrise fast alle wichtigen Volkswirtschaften; der Welthandel ging stark zurück, nationalwirtschaftliche Maßnahmen torpedierten die internationale Zusammenarbeit. Besonders betroffen waren die mit hohen Schulden bei den USA belasteten europäischen Staaten, denn die Reparationszahlungen Deutschlands, der Schuldendienst Frankreichs und Großbritanniens wurden weitgehend mit US-Krediten finanziert. Auch die Prosperität der Jahre 1925 bis 1928 ging wesentlich auf diese Finanzierungsquelle zurück.

In unserem Zusammenhang ist die Frage von größerem Interesse, welche politischen Auswirkungen die Krise auf die internationale Ordnung hatte, die zwischen 1925 und 1929 zu relativer Stabilität gefunden zu haben schien. Sichtbar werden die Folgen zunächst in Regierungswechseln. Roosevelt siegte 1933 bei den Präsidentschaftswahlen in den USA mit dem Versprechen des „New Deal". In Großbritannien bildete James R. MacDonald ein „Kabinett der nationalen Konzentration", in Frankreich stürzte ein Kabinett nach dem anderen über Mißerfolge in der Wirtschaftspolitik. In Deutschland schien es keine Alternative mehr zu Präsidialkabinetten zu geben. Brünings unverstandene Deflationspolitik nahm nicht nur mehr als 6 Millionen Arbeitslose in Kauf, sondern begünstigte auch ein starkes Wachstum bei Links- und noch mehr bei Rechtsradikalen. Das Amt des Reichskanzlers rückte für Hitler in greifbare Nähe.

Eigenartigerweise blieben die zwischenstaatlichen Beziehungen auch auf dem Höhepunkt der Wirtschaftskrise zunächst friedlich. Deutschland erzielte im Sommer 1932 seinen größten Triumph, als die Sieger von Versailles in Lausanne auf die Zahlung weiterer Reparationen verzichteten.

Mit der Zerstörung der Demokratie sah ein großer Teil der deutschen Eliten die Möglichkeit, an die eigentliche Revision des Vertrages von Versailles heranzugehen, um die Machtverhältnisse in Europa im deutschen Sinne zu verschieben. Von 1933 drängte die Führung der Reichswehr nicht weniger als Hitler zur Aufrüstung und Vorbereitung des Krieges. Zugleich erwies es sich als nicht schwierig, nach den Friedensbedingungen des Ersten Weltkriegs und der Agitation der Nachkriegszeit breite Gruppen der Bevölkerung für eine aggressive Außenpolitik zu mobilisieren.

5.3 Die dreißiger Jahre – der Weg in den Krieg

Es spricht also vieles dafür, die Weltwirtschaftskrise nicht nur als ein Ereignis zu sehen, das die weltwirtschaftlich stabileren zwanziger von den depressiven dreißiger Jahren trennt. Sie bildet den deutlichsten Einschnitt in der Zeit zwischen den Kriegen; Ende einer Nachkriegszeit und Beginn einer Vorkriegszeit.

Die folgenden Abschnitte werden deutlich machen, was die Vorgeschichte des Zweiten von der des Ersten Weltkrieges unterscheidet. Im Mittelpunkt aber soll weiterhin die Frage stehen, wie es zum Zusammenbruch des internationalen Sicherheitssystems kommen konnte:
– Waren die Schrecken und Leiden des Ersten Weltkrieges so schnell in Vergessenheit geraten?
– Gab es damals keine Möglichkeit, Hitler vor dem Beginn des Krieges aufzuhalten?
Oder anders gefragt:
– Wäre der Zweite Weltkrieg bei einer entschiedeneren Politik vor allem der Westmächte vermeidbar gewesen?
Besonders die beiden letzten Fragen werden bis heute unterschiedlich beantwortet.

Kriegspolitik der Revisionsmächte

Den sogenannten „Status-quo-Mächten" Frankreich, Großbritannien und den USA war es in den zwanziger Jahren gelungen, die von ihnen geschaffenen Rahmenbedingungen trotz aller Erschütterungen zu erhalten. Nun, als sie in eine „politisch-ökonomische Doppelkrise" (Rohe) geraten waren, verbesserten sich die Aussichten ihrer „Gegenspieler", eine

auf Veränderung der bestehenden Weltordnung abzielende Politik durchzusetzen. Damit ist die Gruppe der Revisionsmächte Italien, Japan und Deutschland gemeint.

Italien hatte aus dem Frontwechsel im Ersten Weltkrieg (1915) nicht den erwarteten Gewinn ziehen können. Statt dessen hatten die Mißerfolge und Kriegsopfer zum Niedergang des Parlamentarismus geführt und 1922 den Sieg des Faschismus ermöglicht. Dem „Duce" Mussolini war es bis zum Ende der zwanziger Jahre gelungen, die faschistische Herrschaft zu stabilisieren und die Verhältnisse in seinem Sinne zu ordnen. Vom Ausland anerkannt, spielte er eine zunehmend wichtigere Rolle in der internationalen Politik. Aus seiner gesicherten Position heraus glaubte Mussolini mit der Realisierung der italienischen Expansionspolitik beginnen zu können: Der Traum von einem „Imperium" um das Mittelmeer, den Italien als „zu spät gekommene" Nation im Zeitalter des Imperialismus nicht hatte verwirklichen können, sollte nun Wahrheit werden.

Im Oktober 1935 überfielen italienische Einheiten Abessinien (Äthiopien) – ein Mitglied des Völkerbundes. Das militärisch weit unterlegene Land wurde bis zum Sommer 1936 in einem grausamen Krieg, in dessen Verlauf die Italiener sogar Giftgas einsetzten, besiegt und annektiert. Der Völkerbund erklärte Italien zum Aggressor, und Wirtschaftssanktionen wurden eingeleitet, die aber – auch wegen deutscher Rohstofflieferungen – wenig Wirkung zeigten. Entschiedene Maßnahmen der Großmächte blieben aus. Mit der Hinnahme des Annexion Abessiniens erlosch praktisch die Autorität des Völkerbundes.

Japan hatte schon lange vor dem Abessinienkonflikt durch seine Expansionspolitik im asiatischen Raum ein den Weltfrieden gefährdendes Spannungsfeld geschaffen. Das Ziel der japanischen Politik war die Wiedergewinnung des nach dem Ersten Weltkrieg verlorengegangenen Einflusses auf China und die Erringung einer hegemonialen Position in Ostasien. Dieser Zielsetzung dienten die Besetzung der Mandschurei 1931 und ihre Neuordnung als japanisch beherrschtes Mandschukuo 1932, der Austritt aus dem Völkerbund 1933 und der japanisch-chinesische Krieg 1937 bis 1945.

Mit der 1938 erfolgten Ankündigung einer „neuen Ordnung Ostasiens" spitzte sich der

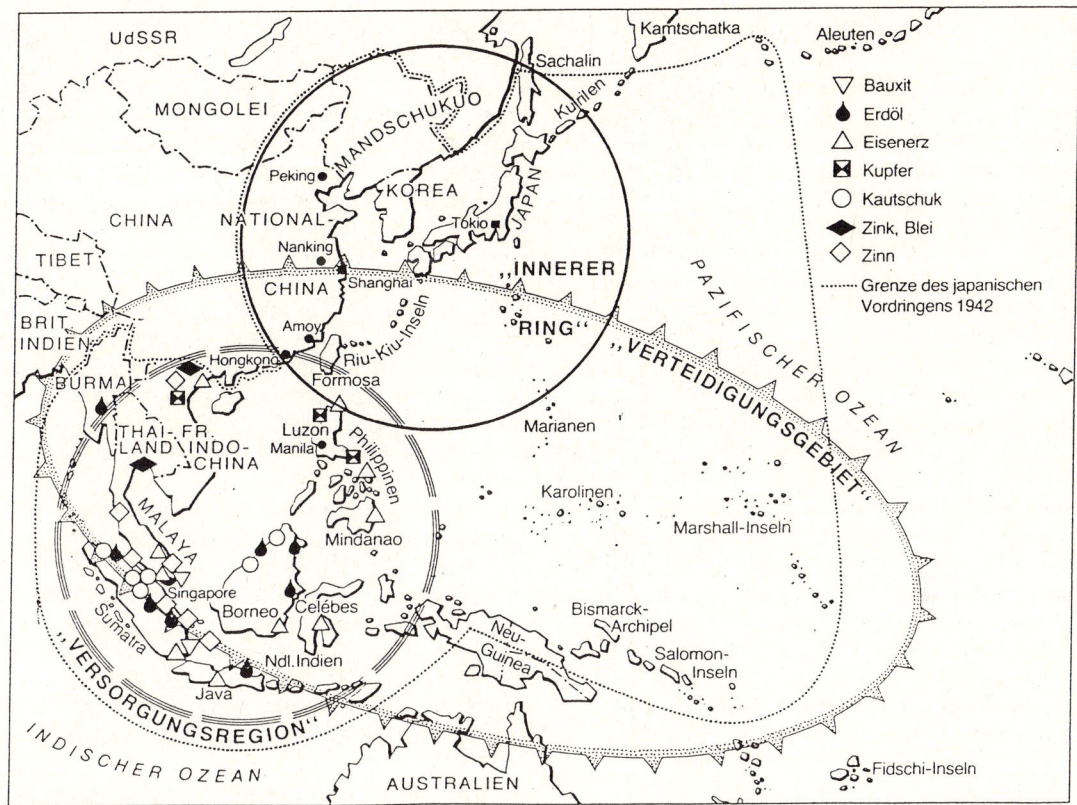

Die Expansion Japans

Konflikt zwischen Japan auf der einen Seite und den USA und Großbritannien auf der anderen Seite zu, da die Großmächte an ihren Interessen in China festhalten wollten. Ein Krieg zwischen Großbritannien und Japan blieb nur aus, weil den Briten die Situation in Mitteleuropa zu konfliktgeladen erschien. Hier fiel letztendlich auch die Entscheidung über Krieg und Frieden.

Das nationalsozialistische Deutschland

Zum Verständnis der deutschen Außenpolitik von 1933 bis zum Krieg ist die Kenntnis von Hitlers außenpolitischem „Programm", wie er es schon in „Mein Kampf" darlegte, notwendig.

Dieser Ausgangspunkt darf aber nicht zu dem Mißverständnis führen, daß nur dieses Programm und primär die Persönlichkeit Hitlers die Außenpolitik ab 1933 geprägt hätten. Tatsächlich findet sich unter seinen Vorstel-

lungen kaum eine, die nicht schon in der Tradition des Alldeutschen Verbandes vor dem und im Ersten Weltkrieg aufgetreten wäre. Das erklärt, warum seine Propaganda an vertraute Muster und Vorurteile in allen Gesellschaftsschichten anschließen konnte. Es ist daher für unser Thema keine offene Frage mehr, warum das nationalsozialistische Deutschland die Revision der Machtverhältnisse in Europa betrieb, sondern es ist nur zu untersuchen, wie es die politischen Sicherungen des Versailler Vertrages aus einer Position der militärischen Schwäche heraus ausschalten konnte.

Die nationalsozialistische Außenpolitik dominierte von Anfang an die Innenpolitik, die ihr quasi funktional zugeordnet war. Sie stand unter dem Motto „Revision von Versailles" und konnte damit der Zustimmung einer breiten Mehrheit sicher sein. Das Umfeld für eine solche Politik war ungleich günstiger als für die Weimarer Politiker – befreit von belastenden Reparationen nutzten die Nationalsozialisten die Schwäche Frankreichs und das zunehmende Verständnis für deutsche Revisionswünsche in Großbritannien geschickt aus. Begleitet wurde die Revisionspolitik von einer „Friedensoffensive" und ständig betonter Verhandlungsbereitschaft. Durch bilaterale Abkommen konnte das multinationale Sicherheitssystem ausgehöhlt werden (Nichtangriffspakt mit Polen, Flottenabkommen mit Großbritannien).

Die hegemoniale Zielsetzung der deutschen Politik wurde so weitgehend verschleiert, und selbst eklatante Verstöße gegen den Versailler Vertrag blieben ungeahndet (Wehrpflicht 1935, Remilitarisierung des Rheinlandes 1936). Mit dieser Taktik überstand der Nationalsozialismus die Phase der Konsolidierung (innenpolitisch: Durchsetzung des totalitären Systems) und der vertragswidrigen Aufrüstung. Hitler selbst gab zu, daß der Einmarsch ins Rheinland, aus seiner Sicht die Nagelprobe für das Versailler System, ein Vabanquespiel mit ungewissem Ausgang gewesen war. Eine militärische Reaktion Frankreichs hätte für sein Regime das Ende bedeuten können.

Statt dessen war es ihm unter Ausnutzung der Abessinienkrise gelungen, die französische Sicherheitszone zu beseitigen und den Versailler Vertrag zu einem wertlosen Stück Papier zu machen. Darüber hinaus leitete er aus der zeitweisen Schwäche der Westmächte die Maxime für sein zukünftiges Handeln ab: bei einer „dosierten Taktik der Erpressung" (Bracher) würden die Westmächte keinen Krieg beginnen, sondern Konzessionen machen und die deutschen Forderungen akzeptieren. Tatsächlich war diese Strategie bis zum Münchener Abkommen erfolgreich; weiterhin wurde die deutsche Friedensbereitschaft unablässig betont und als schlagendes Argument das Recht auf nationale Selbstbestimmung angeführt.

Mit der Zerstörung eines souveränen Staates, der Tschechoslowakei im März 1939, überschritt Hitler den vielzitierten „Rubikon" – der Krieg kam in Sicht.

Die britische Appeasement-Politik: Frieden um jeden Preis?

Die Appeasement-Politik der britischen Regierung gegenüber Deutschland Ende der 1930er Jahre gehört zu den historischen Ereignissen, die auch in unserer Gegenwart stets genannt und diskutiert werden. Hilft gegen Aggressoren nur die konsequente Ablehnung von Krieg (und stattdessen eine Mischung von Sanktionen und internationalem politischem Druck), oder bleibt auch der friedlichsten Völkergemeinschaft am Ende nur die Wahl des Krieges? Hat nicht – wie auch Winston Churchill in seinen Kriegsmemoiren meint – die lange Nachgiebigkeit und fast bedingungslose Friedensbereitschaft der übrigen europäischen Mächte den Ausbruch des Zweiten Weltkriegs und seine Ausdehnung mitverursacht?

Wenn man berücksichtigt, wie kraß Hitlers Verstöße gegen geltende Verträge und von welcher Dreistigkeit seine Forderungen waren, scheint es auch im nachhinein unglaublich, daß sich demokratische Staatsmänner bereitfanden, in Friedenszeiten der Zerstückelung eines Staates (der Tschechoslowakei) zuzustimmen, ja sogar die Regierung dieses Staates mit massivem Druck zur Selbstauflösung zu bewegen. War das eine Politik der freien Hand für Hitler in Osteuropa? Wollte man die deutsche Expansionskraft in Richtung des Bolschewismus kanalisieren? Diese Schlußfolgerung zog Stalin, und die Sorge, von den kapitalistischen Westmächten geopfert zu werden, bestimmte die sowjetischen Überlegungen beim Abschluß des Nichtangriffspaktes mit dem Deutschen Reich mit.

Es lohnt sich also, die Beweggründe für die scheinbar unverständliche Haltung der Westmächte herauszuarbeiten.

Die britische Außenpolitik war geleitet von dem Ziel, den Frieden in Europa – auch um einen hohen Preis – zu erhalten. Sie basierte auf der im Volk stark verbreiteten „no more war"-Stimmung, sowie auf wirtschaftspolitischen und globalstrategischen Notwendigkeiten: Großbritannien war einfach nicht in der Lage, massiv mitzurüsten und gleichzeitig das sich allmählich auflösende Weltreich zusammenzuhalten. Man konnte und wollte sich „die Bedingungen der Innenpolitik nicht vom Zwang zum Wettrüsten mit dem Nationalsozialismus diktieren" lassen (Rohe). Anders als im 19. Jahrhundert gab es keine Möglichkeit, größere Bündnisse gegen das Reich zusammenzubringen.

Der Appeasement-Politik lag also nicht etwa eine naive Fehleinschätzung des Nationalsozialismus zugrunde. Sie war letztlich Entspannungs- bzw. Friedenspolitik und ein Versuch, die Spannungen, die in dem instabilen internationalen System auftraten, zu neutralisieren. Notwendig war sie aus britischer Sicht auch deshalb, weil das von innenpolitischen Krisen geschüttelte Frankreich durch „Nichtpolitik" ausfiel; vor allem aber deswegen, weil die stärkste westliche Macht, die USA, nicht bereit war, die Aufgabe des Krisenmanagements zu übernehmen.

Das Ende der britischen Konzessionsbereitschaft war erreicht, als deutlich wurde, daß Hitler die Hegemonie in Europa auch um den Preis eines Krieges anstrebte und die britische Großmachtstellung existenziell bedrohte. Folgerichtig stand Großbritannien – in seinem Gefolge auch Frankreich – zu der Grenze, die man Hitlers Expansionspolitik mit der Garantie für Polen bezogen hatte. Zwei Tage nach dem deutschen Angriff auf dieses Land erklärten Großbritannien und Frankreich dem Deutschen Reich den Krieg.

5.4 Der Zweite Weltkrieg – Entgrenzung des Krieges

Unser Bild vom Krieg ist in den vergangenen Jahrzehnten weitgehend von der Vorstellung des Atomkrieges bestimmt worden; das hat dazu geführt, daß „konventioneller" Krieg häufig unterschätzt, ja geradezu als noch hinnehmbar verstanden wurde. Tatsächlich aber ist der „konventionelle" Zweite Weltkrieg der bis heute grausamste Konflikt der Weltgeschichte – und das nicht nur durch die Waffen, die in ihm verwendet wurden. Seine Furchtbarkeit beruhte in erster Linie auf einer Entgrenzung des Krieges, die aufhob, was mehrere Jahrhunderte vor allem in Europa geleistet hatten, um den Krieg wenn schon nicht unmöglich, so doch wenigstens beherrschbar zu machen. Schon der Erste Weltkrieg hatte mit seiner emotionalen Mobilisierung breiter Massen der Brutalität Vorschub geleistet und mit seiner Fixierung auf ideologische Ziele die Beendigung erschwert. Der Zweite Weltkrieg wurde endgültig „Weltbürgerkrieg" von globalen Ausmaßen; er weckte allerdings auch den Willen, Kriege dieses Ausmaßes für die Zukunft unmöglich zu machen.

Mächtekonstellation und Ausgangslage

Der Zweite Weltkrieg begann scheinbar wie ein traditioneller Konflikt um begrenzte Ziele, mit Deutschlands Absicht, seine 1919 festgelegte Ostgrenze gegen Polen zu revidieren. Seit dem Ende des Ersten Weltkriegs waren erst zwei Jahrzehnte vergangen, und 1939 konnte noch nicht einmal die Propagandamaschinerie der NSDAP in Deutschland Kriegsbegeisterung produzieren. Noch weniger wollten die anderen Völker Europas Krieg, ihre Politiker handelten ganz im Sinne der Bürger, als sie ihn zu verhindern suchten. In Deutschland war es ein kleiner Kreis von Personen, die die kurzzeitige deutsche Rüstungsüberlegenheit in einem schnellen Krieg ausnützen wollten. Selbst ein Teil der Generalität und die alte Schwerindustrie an der Ruhr hatten Angst vor diesem Abenteuer.

Italien und Japan, die beiden anderen Revisionsmächte, waren 1939 nicht kriegsbereit. Das am 22. Mai zwischen Rom und Berlin abgeschlossene Militärbündnis, der „Stahlpakt", konnte nicht darüber hinwegtäuschen, daß Mussolini einen Krieg frühestens 1942 wünschte. Japan traf in seinem seit 1937 andauernden Krieg gegen China auf unerwartet zähen Widerstand und fühlte sich zudem durch den deutsch-sowjetischen Nichtangriffspakt brüskiert, da er im Widerspruch zu dem 1936 geschlossenen Antikominternpakt mit dem Deutschen Reich stand. Der Waffenstillstand vom 15. September 1939 mit der Sowjetunion besiegelte die japanische Politik der Nichteinmischung in den europäischen Krieg und die Konzentration auf den asiatisch-pazifischen Raum. Die Entscheidung über Krieg oder Frieden in Europa fiel daher ausschließlich in Berlin.

Im Gegensatz zum Kriegsbeginn 1914 erübrigt sich für 1939 eine Diskussion der Kriegsschuldfrage, denn darüber, daß dieser Krieg vom nationalsozialistischen Deutschland entfesselt wurde, besteht Einigkeit. Er war als Mittel zur Durchsetzung politischer Ziele einkalkuliert, von einer gewissen Stufe an (Eroberung von „Lebensraum") für die Nationalsozialisten sogar unvermeidbar. Es war lediglich eine Frage des politischen und strategischen Kalküls, wann die deutsche Führung ihn beginnen würde.

Mit dem Abschluß des deutsch-sowjetischen Nichtangriffspaktes hatte Hitler sich die notwendige Rückenfreiheit verschafft, und den damit verbundenen ideologischen „Salto" nahm er ohne Bedenken in Kauf.

Konnten die Vereinigten Staaten Deutschland von einem Krieg abhalten? Die Äußerungen des amerikanischen Präsidenten Roosevelt, beginnend mit der berühmten „Quarantäne-Rede" vom 7.10.1937, ließen keinen Zweifel daran, daß die USA im Falle eines Krieges früher oder später für Großbritannien Partei ergreifen würden. Bis 1939 folgten weitere Warnungen an die „Aggressoren" Deutschland und Japan.

Allerdings gelang es Roosevelt trotz der verbreiteten Sympathien für Großbritannien nicht, ein stärkeres amerikanisches Engagement gegen die neutralistisch gesonnene Mehrheit der Wähler und des Kongresses durchzusetzen. Wie 1919 (Nichtbeitritt zum Völkerbund) hatten die Amerikaner zu diesem Zeitpunkt kein Interesse daran, zu stark in „europäische Händel" verstrickt zu werden. Langfristig sah Roosevelt aber eine Auseinandersetzung mit Deutschland und Japan als unvermeidbar an, und sein machtpolitisches Ziel war es, die globale Position der USA durch einen Sieg über diese beiden Mächte zu stärken.

Hitler dagegen war sich, aus seinen Erfahrungen von 1935 bis Frühjahr 1939 schlußfolgernd, auch diesmal des „feigen Pazifismus" der Garantiemächte Polens (Großbritannien und Frankreich) sicher und gab am 31. August den endgültigen Befehl zum Angriff auf Polen.

Der europäische Krieg

Der Verlauf des Ersten Weltkrieges hatte Militärs und Politikern gezeigt, daß ein Krieg in der Mitte des 20. Jahrhunderts mit neuen Strategien geführt und mit grundlegenden politischen Entscheidungen vorbereitet werden mußte:

– schon im Frieden hatte eine totale Erfassung der nationalen Kräfte zu Rüstungszwecken zu erfolgen

– die gesamte Volkswirtschaft war auf die Bedürfnisse des Militärs auszurichten

– eine Trennung von Front und Heimat gab es angesichts der ständigen Weiterentwicklung der Waffentechnik nicht mehr

– die Alternative zu einem jahrelangen Material- und Abnutzungskrieg lag in einem mit modernsten Waffen (Panzer, Luftwaffe) zu führenden Angriffskrieg, in dem eine schnelle Entscheidung gesucht werden mußte.

Keine Staatsführung – auch die Nationalsozialisten nicht – hatte es allerdings in den dreißiger Jahren gewagt, das Volk zu einer totalen Rüstungsanstrengung zu zwingen. Daher reichte der deutsche Rüstungsvorsprung nur für einen Krieg von kurzer Dauer. Er war bis spätestens 1945 zu führen, weil danach Deutschlands Gegner im Rüstungswettlauf überlegen sein würden. Diese Überlegung bestimmte die militärischen Planungen der deutschen Führung.

In der ersten Phase des Krieges gelang es den deutschen Armeen, eine Reihe von Gegnern in „Blitzkriegen" nacheinander anscheinend mühelos und in kürzester Zeit zu besiegen: Polen, Dänemark, Norwegen, Belgien, die Niederlande. Auch Frankreich, der Hauptgegner im Ersten Weltkrieg, wurde in wenigen Wochen besiegt; ein triumphaler Erfolg für den „Feldherrn" Hitler persönlich. Nur wenige sahen, daß Hitler und seine Umgebung Ziele verfolgten, die jede Vernunft sprengten und den Krieg in Dimensionen ausweiten würden, die die Welt noch nicht kannte.

Mitte 1940 war die deutsche Hegemonie auf dem Kontinent verwirklicht, schon 1914 formulierte Kriegsziele erreicht (September-Programm Bethmann Hollwegs), und die deutsche Industrie entwickelte Pläne zur Beherrschung und Ausbeutung eines Wirtschaftsraumes von 200 Millionen Menschen. Vom letzten verbliebenen Gegner, Großbritannien, erwartete Hitler – nach den Traditionen europäischer Politik – die Bereitschaft zum Frieden auf der Basis der gegebenen Verhältnisse. Der britische Entschluß, den Krieg mit der Hilfe der USA im Rücken weiterzuführen, gefährdete die deutschen Pläne, nach einem Ende des Krieges im Westen mit ganzer Kraft das Hauptziel – Eroberung von „Lebensraum" im Osten – zu realisieren. Nach dem Mißerfolg in der „Luftschlacht um England" fällte Hitler den folgenschweren Entschluß, erst die Sowjetunion in einem weiteren „Blitzkrieg" niederzuwerfen. Das war für ihn die scheinbar

Der Krieg in Europa bis 1942

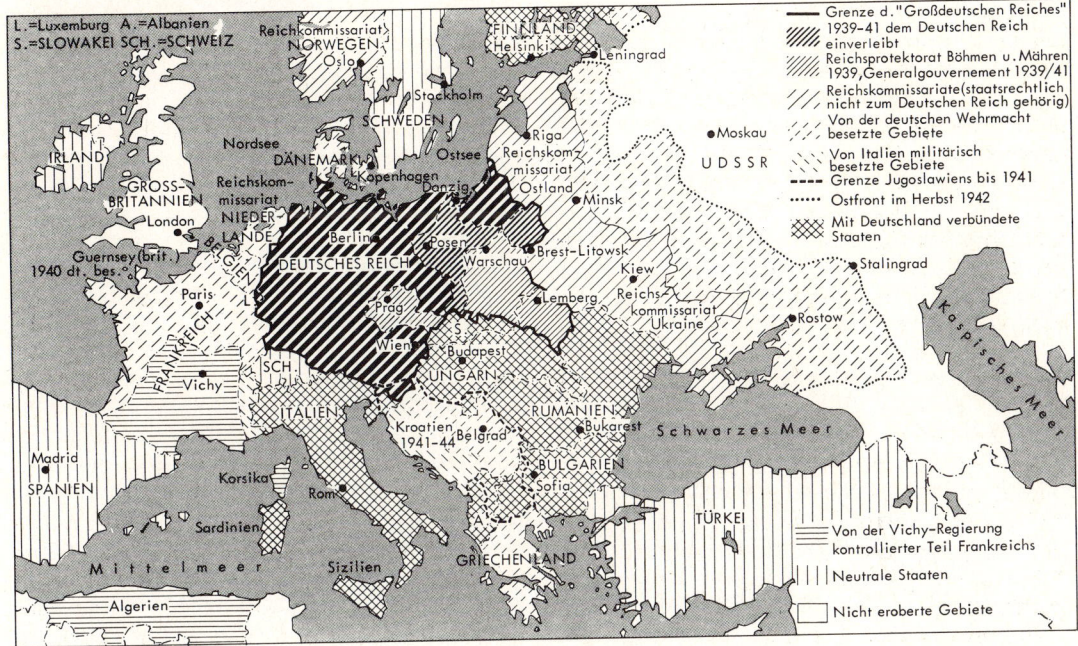

Der Krieg im Pazifik

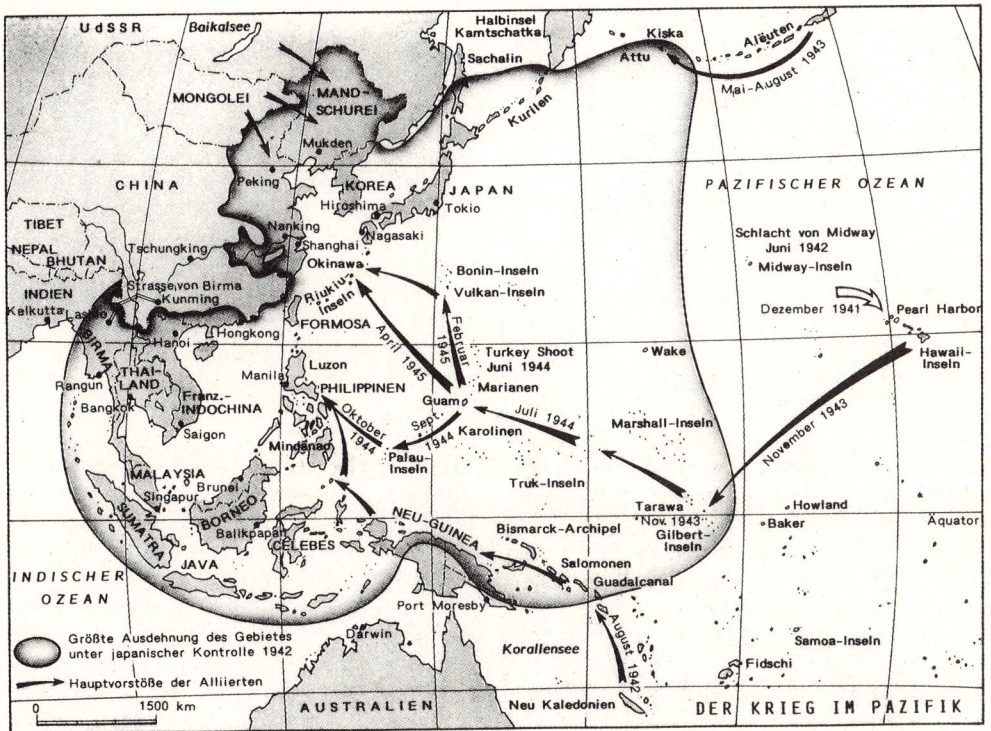

einfache Lösung des Problems; soweit man seine Gedankengänge überhaupt nachvollziehen kann: Lebensraum zu erobern, obwohl Großbritannien im Rücken stand, damit dessen Hoffnung auf einen kontinentalen Verbündeten zu zerstören und gleichzeitig die nötige kontinentale Basis für den wirklichen Weltkrieg gegen die USA, deren stärker werdendes Engagement nicht mehr zu übersehen war, zu erlangen.

Ausweitung zum Weltkrieg und Wende des Krieges

Im Jahr 1941 fielen Entscheidungen, die den Krieg endgültig zum Weltkrieg machten und grundlegende Veränderungen der Mächtekonstellation mit sich brachten.

Großbritannien erhielt durch die im März nach Geheimverhandlungen mit den USA beschlossene Strategie „Germany first" im Verein mit dem Pacht- und Leihgesetz die Möglichkeiten, den Krieg gegen das übermächtige Deutsche Reich weiter durchzustehen. Die USA waren damit de facto „nichtkriegführender Verbündeter" Großbritanniens geworden.

Der deutsche Überraschungsangriff auf die Sowjetunion am 22.6. führte zur Entstehung der zunächst sehr zerbrechlichen, dann aber immer wirksamer werdenden „Anti-Hitler-Koalition" Großbritannien – USA – Sowjetunion. Japan hatte die Niederlage Frankreichs und der Niederlande sowie die Bindung der britischen Kräfte an den europäischen Kriegsschauplatz bereits zu einer Verstärkung seiner Expansion im asiatisch-pazifischen Raum genutzt. Mit dem Angriff auf die USA (Pearl Harbour, 7.12.) begann der Krieg im Pazifik.

Die USA und Großbritannien führten also einen Zwei-Ozeanen-Krieg von globalen Dimensionen, während die Sowjetunion an einer gewaltigen Landfront auf eigenem Staatsgebiet um ihr Überleben kämpfte. Italien spielte nach den Niederlagen in Afrika, Albanien und Griechenland keine Rolle mehr, es wurde nur noch mit deutscher Waffenhilfe im Krieg gehalten.

Diese Ereignisse bestimmten nicht nur den weiteren Verlauf des Krieges, sondern kündigten gleichzeitig auch schon die Wende im Zweiten Weltkrieg an. Nachdem das „Unternehmen Barbarossa", der Feldzug gegen die Sowjetunion, 1941 nicht bis zum Einbruch

Kriegsmateriallieferungen Großbritanniens und der USA an die Sowjetunion (in Tonnen)

1941	360 778
1942	2 453 097
1943	4 794 545
1944	6 217 622
1945	3 673 819
Summe	17 499 861

des Winters beendet werden konnte, war das deutsche Blitzkriegkonzept im Osten gescheitert. Mit dem Stillstand der deutschen Armeen vor Moskau stand fest, daß keiner der deutschen Gegner schnell besiegt werden konnte und der Krieg sich noch über Jahre hinziehen würde. Daran änderten die Erfolge des Jahres 1942, in dem der deutsche Machtbereich seine größte Ausdehnung erreichte, nichts mehr. Die Initiative ging – ungeachtet auch der japanischen Anfangserfolge – mehr und mehr auf die Anti-Hitler-Koalition über, deren Überlegenheit an Menschen, Material und Moral sich allmählich auswirkte.

Die Entgrenzung des Krieges

Die uns bekannten Quellen lassen den Schluß zu, daß auch Hitler und seine Umgebung schon 1942 erkannt hatten, daß der Krieg nicht mehr zu gewinnen war. Nach allen Traditionen der europäischen Politik war das der Zeitpunkt, von dem ab man einen Frieden suchte. Daß das nationalsozialistische Deutschland zu einer solchen Rationalität nicht fähig war, lag an den Zielen seiner Kriegführung, auch an der Unfähigkeit der Deutschen, sich von der Diktatur zu befreien. Deutschland setzte den Krieg fort und mobilisierte um so mehr Mittel, je aussichtsloser der Kampf wurde.

Kriegswirtschaft

Wie im Ersten Weltkrieg – jetzt aber schon in der Vorkriegszeit durch Vierjahresplan und andere Maßnahmen intensiv vorbereitet – wurde die deutsche Wirtschaft in enger Zusammenarbeit zwischen Staat und Industrie für die Bedürfnisse des Krieges organisiert. Alle ökonomischen Kriterien wurden außer Kraft gesetzt, wenn es um die Bereitstellung von Treibstoff und Gummi und den Bau von Panzern und Flugzeugen ging. Die Kosten wurden durch eine Staatsverschuldung finanziert, die entweder in eine katastrophale Inflation führen mußte oder die Ausbeutung des übrigen Europas nach einem militärischen Sieg bedeutete. Schon vor dem Kriegsausbruch stritten Fachleute in der Wirtschaft darüber, ob Deutschland den Krieg – wie vorgesehen – mit modernsten Waffensystemen in eine Folge kurzer „Blitzkriege" zerlegen und gewinnen konnte, oder ob es eine „Tiefenrüstung" benötigte, um eine längere Kriegsdauer durchzustehen. Es setzten sich die Verfechter der Blitzkriege durch. (Sie kamen vorwiegend aus den modernen Industrien Chemie, Fahrzeug- und Flugzeugbau.) Die Vertreter der Tiefenrüstung – hauptsächlich Industrielle aus der Eisen- und Stahlindustrie des Ruhrgebietes – waren skeptischer hinsichtlich der Chancen des Krieges. Die Kette kurzer Kriege zwischen September 1939 und Juni 1940 brachte Deutschland zwar eindrucksvolle Siege, aber keine Chance eines Friedens. So löste Hitler mit dem Angriff auf die Sowjetunion 1941 doch den Weltkrieg aus, der Jahre dauern mußte. Um die Arbeitskraft der Männer zu ersetzen, die als Soldaten eingezogen wurden, rekrutierten die Nationalsozialisten Millionen Männer und Frauen aus den besetzten Ländern Europas, und damit begann eine neue Welle von Deportationen.

Arbeiterin in der Rüstungsindustrie

Frauen im Krieg

Fast alle kriegführenden Mächte setzten Frauen ein; unterschiedlich waren jedoch Art und Umfang des Einsatzes. Bei den Westmächten arbeiteten Frauen im Nachrichten-, Behörden- und Sanitätsdienst. Besonders für Großbritannien waren die Arbeitskraft und die Leistungen der Frauen von erheblicher militärischer Bedeutung.
Die Sowjetunion wies der Frau im sozialistischen System eine noch weiter reichende Aufgabe zu. Frauen taten als bewaffnete und Waffen bedienende Soldatinnen in allen Waffengattungen Dienst. Es gab Panzerfahrerinnen, weibliche Kanoniere und Pilotinnen; außerdem noch zahlreiche weibliche Polit-Offiziere.
Im Deutschen Reich dagegen entschied man bis zum Kriegsbeginn weniger nach pragmatischen als nach ideologischen Gesichtspunkten. 1936 gab Hitler persönlich in einer Rede

vor der NS-Frauenschaft die Richtschnur vor: solange wehrfähige Männer zur Verfügung ständen, sollte es keine Soldatinnen geben. Die nationalsozialistische Ideologie maß den sogenannten „besonderen fraulichen Aufgaben" eine größere Bedeutung bei: Als Mutter von möglichst vielen Kindern erfülle die Frau ihre höchste Bestimmung. Zwar gab es als Pendant zum Reichsarbeitsdienst für die männliche Jugend den „Deutschen Frauenarbeitsdienst", er war jedoch bis 1939 freiwillig und erfaßte pro Jahr nur 40-50 000 sogenannte „Arbeitsmaiden".
Nach dem Kriegsbeginn wuchs der Personalbedarf der Wehrmacht gewaltig. Vor allem zum Aufbau von Militärverwaltungen in den besetzten Gebieten setzte man gern weibliches Hilfspersonal ein. Mit zunehmender Kriegsdauer rückte die NS-Propaganda vorsichtig von der bisher vertretenen Position ab, da die Menschenverluste, in erster Linie an der Ostfront, zu groß waren. Im Januar 1943 wurde die Meldepflicht für Frauen von 17 bis 45 Jahren ohne Kinder eingeführt; 1944 wurde Goebbels als „Sonderbevollmächtigter für den totalen Kriegseinsatz" von Hitler beauftragt, für den „restlos rationellen Einsatz von Menschen und Mitteln" zu sorgen. Daß es

trotzdem nicht gelang, einen maximalen Anteil der Frauen zu mobilisieren, lag unter anderem an der schlechten Bezahlung, die sie gegenüber Männern in gleicher Position erhielten. Immerhin stellten Frauen 1941 35 % der gesamten Arbeitskräfte. Bei 10 Millionen Soldaten 1944 waren rund 500 000 Wehrmachtshelferinnen im Einsatz.

Ihr Schicksal war, obwohl nur verschwindend wenige mit der Waffe kämpften, oft schlimmer als das der Männer, wenn sie in Gefangenschaft gerieten. In der Sowjetunion wurden für ca. 25 000 Frauen besondere Arbeitslager eingerichtet. Da sie nicht als Kriegsgefangene, sondern als „Zivilinternierte" behandelt wurden, mußten sie gegen geringen Lohn härteste Arbeitsnormen erfüllen, und die Sterblichkeitsrate war extrem hoch. Nur ein kleiner Teil dieser Frauen kehrte aus der Gefangenschaft zurück. Die Mehrzahl der Wehrmachtsfrauen wurde allerdings durch die Kommandostellen zum Kriegsende aus den besetzten Gebieten abgezogen; Anfang April 1945 empfahl das Oberkommando der Wehrmacht die Entlassung aller Frauen, am 7. Mai wurde sie generell befohlen.

Krieg und Zivilbevölkerung

In den Kriegen des 19. Jahrhunderts war die Zivilbevölkerung nur dann von den Kriegsereignissen behelligt worden, wenn sie unmittelbar in den Weg der Armeen geriet; mit gewisser Vorsicht konnte man auch 1870 noch als Deutscher in Frankreich reisen, ja sogar als „Schlachtenbummler" Kampfhandlungen beobachten. Im Ersten Weltkrieg erfaßte der Krieg durch die riesige Zahl der Soldaten und die Ausdehnung der Fronten Millionen Menschen – vorwiegend in Belgien, Nordfrankreich, Polen und Rußland. Die Blockade der Seewege bedeutete für die Deutschen und Österreicher Jahre des Hungers (mit ihren Folgen der Mangelkrankheiten und erhöhten Kindersterblichkeit); aber prinzipiell blieb doch die Trennung zwischen kämpfender Truppe und nicht beteiligter Zivilbevölkerung erhalten. Das alles änderte sich mit dem Zweiten Weltkrieg, und auch hier ging die Entgrenzung des Krieges von Deutschland aus. Mit der Internierung und Ermordung vor allem von Angehörigen der geistigen und politischen Eliten

Polens nach Ende der Kampfhandlungen begann eine neue Dimension der Gewalt jenseits der Kampfhandlungen der traditionellen Streitkräfte. Sie löste aber auch die Gegengewalt von Partisanen aus.

Schließlich war es eine Waffengattung, die im Ersten Weltkrieg noch eine Nebenrolle gespielt hatte, dann aber infolge der technischen Fortschritte der Zwischenkriegszeit die Möglichkeit bot, mit wachsenden Teilen des Gebietes des Kriegsgegners immer größere Teile seiner Zivilbevölkerung zu treffen: die Luftwaffe.

Bis zum Beginn des Zweiten Weltkrieges waren Strategien ausgearbeitet worden, nach denen die Luftwaffe nicht nur die Fronten, sondern auch die „innersten Kraftquellen" des Gegners angreifen sollte: Industrie, Verkehrswege, Arbeitskräfte. Angriffe auf Millionenstädte sollten die Wehrkraft des Gegners zersetzen.

Von großer Bedeutung für den weiteren Kriegsverlauf war, wie bereits erwähnt, die „Schlacht um England", in der es der deutschen Luftwaffe nicht gelang, die Luftherrschaft zu erringen und damit eine Landung auf der Insel vorzubereiten.

Deutsche Bombenabwürfe auf Großbritannien

1940	36 800 t	1943	2298 t
1941	21 860 t	1944	9151 t (einschl. V-Waffen)
1942	3 260 t	1945	761 t (einschl. V-Waffen)

1942 begann der britisch-amerikanische Luftkrieg gegen Deutschland in großem Maßstab. Die britische Luftwaffe versuchte, mit Flächenbombardements vor allem gegen die 50 größten deutschen Städte die Moral der Zivilbevölkerung zu untergraben. An diesem Konzept des „dehousing" hielt man bis zum Ende des Krieges fest. Terrorangriffe auf das mit Flüchtlingen überfüllte Dresden im Februar 1945 forderten so mindestens 40 000 Opfer.

Dagegen verlegte sich die US-Luftwaffe stärker darauf, die deutsche Rüstungsindustrie entscheidend zu schwächen.

Die Zahl der meist zivilen Opfer von Luftangriffen wird insgesamt auf 700 000 geschätzt, über 400 000 Wohngebäude wurden zerstört. Die militärische Bedeutung der Luftwaffe wird in einer alliierten Studie als „kriegsentscheidend" eingestuft, da sie die Voraussetzungen

Alliierte Bombenabwürfe auf deutsches Reichsgebiet und deutsch besetzte Gebiete

1940	14 600 t	1943	226 500 t
1941	35 500 t	1944	1 188 580 t
1942	53 755 t	1945	477 000 t

für die Landung in Frankreich schuf und die deutsche Rüstungswirtschaft schwer beeinträchtigte. Trotz der Bombardements erreichte die deutsche Rüstungsproduktion aber 1944 infolge umfangreicher organisatorischer Verbesserungen ihren höchsten Stand.

Im Pazifik war die Luftwaffe angesichts der geographischen Gegebenheiten und der Weite des Raumes von noch größerer Bedeutung; Luftwaffe und Marine arbeiteten eng zusammen, Flugzeugträger bewiesen eine höhere Kampfkraft als die größten Schlachtschiffe. Im August 1942 markierte die katastrophale Niederlage der Japaner in der Luft-See-Schlacht bei den Midway-Inseln die Wende im pazifischen Krieg zugunsten der Amerikaner.

Rassenideologie und totaler Krieg

Seit Anfang 1943 – nach dem endgültigen Scheitern des Blitzkriegkonzepts – wurde von der nationalsozialistischen Propaganda immer häufiger die Parole „totaler Krieg ist totaler Sieg" ausgegeben und auf dem Höhepunkt der Kampagne von Goebbels im Berliner Sportpalast am 18. Februar suggestiv eingefordert.

In Wahrheit hatte der totale Krieg schon viel eher begonnen. Weit mehr als im Ersten Weltkrieg überlagerten und bestimmten ideologische Fixierungen die militärisch-strategischen Entscheidungen. Die Rassenideologie und das Gewaltprinzip sollten die Gewinnung von „Lebensraum" im Osten legitimieren.

Der Krieg gegen Juden und „minderwertige slawische Völker" wurde mit skrupelloser Brutalität geführt; sein Ziel ging über den eines militärischen Sieges hinaus: Deutschland strebte einen riesigen Landerwerb in Osteuropa an, der durch eine deutsche Besiedlung die Basis für eine dauerhafte deutsche Weltmachtrolle bilden sollte. Hatte man in früheren Kriegen zuweilen den Tod von Teilen der nicht kriegführenden Bevölkerung in Kauf genommen, so wurde gerade dies eines der Ziele der Kriegführung.

Der Krieg, den Deutschland am 20. Juni 1941 gegen die Sowjetunion eröffnete, nahm Dimensionen an, die die Weltgeschichte noch nicht gekannt hatte. Schon bei der Behandlung der Millionen Gefangenen, die das deutsche Heer 1941 machte, zeigte sich die Absicht, den massenhaften Tod auch wehrloser Menschen zum Mittel der Umgestaltung Osteuropas zu machen. Die Entnahme großer Mengen an Nahrungsmitteln für die deutsche Ernährung mußte zu massenhaftem Hungertod führen. Die Arbeitsbedingungen für die polnischen, russischen und ukrainischen Arbeiter in den deutschen Rüstungsbetrieben (in den eroberten Gebieten ebenso wie im Reichsgebiet) waren nicht nur auf Leistung, sondern ebensosehr auf Erschöpfung und Tod vieler von ihnen angelegt – sosehr das auch der Logik der deutschen Rüstungswirtschaft widersprach.

Während es in den von Deutschland eroberten Gebieten Westeuropas nicht selten zur Kollaboration vieler Menschen mit der Besatzungsmacht kam, war dies in Polen und Rußland so gut wie ausgeschlossen. Der Widerstand der polnischen „Heimatarmee" und der sowjetischen Partisanen war umfangreich und wirksam und stützte sich auf eine breite Unterstützung der Bevölkerung. Der deutschen Besatzungsmacht allerdings gaben sie den Anlaß für groß angelegte Verfolgungsaktionen. So absurd die Ziele Hitlers uns heute erscheinen mögen, so beweist die Zahl der Opfer, daß ihre Realisierung sehr konsequent angestrebt wurde, und dies nicht nur von der SS und anderen Organisationen der NSDAP, sondern auch von der Wehrmacht, die nach dem Kriege lange die Legende von ihrer Nichtbeteiligung am Völkermord aufrechterhielt. Das moralische Verantwortungsbewußtsein und der Widerstand einer Minderheit von Offizieren und Mannschaften kann nicht darüber hinwegtäuschen, daß die Führung der Wehrmacht sich mit Hitlers Zielen identifizieren konnte.

Als Bestandteil des Krieges muß schließlich auch der Völkermord an den Juden gesehen werden. Es gehört zu den „Entgrenzungen" des Krieges, die das nationalsozialistische Deutschland vornahm, daß der Gegner sich nicht mehr nur in Staaten darstellte und die Ziele des Krieges – so verbrecherisch er auch sein mochte – sich in materiellen Gewinnen ausdrücken ließen. Hitler sah als den größten Feind Deutschlands die Juden, die er für die widersprüchlichsten Dinge verantwortlich machte – für die Niederlage im Ersten Weltkrieg und die wirtschaftlichen Krisen Deutschlands, für den amerikanischen Kapitalismus und für den sowjetischen Kommunismus. Dieser Irrationalität der Schuldzuweisung entsprach diejenige der Begründung: In der Tradition des Antisemitismus des 19. Jahrhunderts sah Hitler das Judentum in dem biologischen Merkmal der Rasse angelegt, eine Vorstellung, die von der wissenschaftlichen Biologie in bezug auf den Menschen schon im 19. Jahrhundert zurückgewiesen worden war. Für Hitler wie für Millionen Menschen in Deutschland war die wissenschaftliche Unhaltbarkeit des Antisemitismus kein Argument.

Schon die Diskriminierung der deutschen Juden ab 1933, ihre pogromartige Verfolgung und Vertreibung und – mit Kriegsbeginn – ihre Deportation war ein Rückfall einer modernen europäischen Gesellschaft in barbarische Zeiten. Die Massenmorde der Sondereinsatzkommandos 1939 hinter der Front und die fortschreitende Sammlung der polnischen Juden in Ghettos wiesen dann auf Schlimmeres voraus, und mit dem Beginn des Krieges gegen die Sowjetunion begann die planmäßige Ermordung der Juden. Wird auch heute noch vereinzelt gestritten, inwieweit Hitler oder andere persönlich für diesen Völkermord verantwortlich sind, so steht doch außer Frage, daß die Dimensionen dieses Mordens die bewußte und durchdachte Mitarbeit Abertausender Menschen und große Behörden erforderten. Für die nationalsozialistische Führung war dieser Teil des Krieges, dem die Mehrheit des europäischen Judentums zum Opfer fiel, eine Art militärischer Erfolg, der Niederlagen an den Fronten kompensierte. Der Krieg hatte einen Charakter angenommen, der einen Frieden zwischen den Völkern im bisherigen Sinne unmöglich machte.

Die Chancen der Alliierten Großbritannien, USA und Sowjetunion, den Krieg für sie siegreich zu beenden, sahen zunächst nicht gut aus. Während im Frühjahr und Sommer 1942 die deutsche Eroberung der Sowjetunion weiterging, eroberte Japan im Pazifik und Südostasien einen riesigen Herrschaftsraum, den es mit seinen Menschenmassen und Rohstoffreserven auf Dauer zu behalten strebte. Das Denken vieler Japaner war ebenfalls stark von rassistischen Gesichtspunkten bestimmt. Mit der Vorstellung, ein „auserwähltes" Volk zu sein, rechtfertigte es eine Politik, die vor allem in China von unerhörter Grausamkeit war und auch neben den militärischen Kämpfen Millionen von Menschenleben forderte. Außerhalb Chinas betrieb Japan allerdings eine geschickte Werbung mit anti-„weißem" Akzent: Die „Großostasiatische Wohlstandssphäre" sollte, mit eng begrenzten Möglichkeiten der Selbstverwaltung ausgestattet, von Japan wirtschaftlich genutzt und auf Dauer von kolonialer weißer Herrschaft freigehalten werden. „Asien den Asiaten" hieß der Leitspruch, mit dem die Japaner 1943, angesichts der amerikanischen Erfolge, kooperative Kräfte in den besetzten Gebieten ermutigen wollten. Da die europäischen Kolonialmächte ihre Ansprüche auf die asiatischen Besitzungen nicht aufgaben, zeigte die japanische Ideologie durchaus Wirkung und führte zu einer kritischen Einschätzung der anglo-amerikanischen „Atlantik-Charta" von 1941.

Kriegsziele der Alliierten

Die Kriegsjahre 1943-45 waren in Europa gekennzeichnet durch die aussichtslose Verteidigung von Hitlers „Festung Europa". Mit der Landung alliierter Truppen auf Sizilien (Juli 1943), der Invasion der Normandie (Juni 1944) und sowjetischen Offensiven wurde das Ende eingeleitet. Anfang 1943 begannen die Verhandlungen über die Nachkriegsordnung. Beim Treffen in Casablanca gaben Roosevelt und Churchill die Forderung der „bedingungslosen Kapitulation" (unconditional surrender) bekannt, die jeden Verständigungsfrieden mit dem Deutschen Reich oder Japan endgültig ausschloß.

Diese Forderung zielte nicht nur auf eine totale Niederlage der Aggressoren, sondern auch auf das Ende der Großmachtstellung beider Staaten ab. Damit stellte sich das Problem einer ganz neuen Ordnung des internationalen Systems.

Die Konferenzen der Alliierten, die in der Folgezeit regelmäßig stattfanden, waren gekennzeichnet von einer engen amerikanisch-britischen Zusammenarbeit, während das

Verhältnis zu Stalin von großem gegenseitigem Mißtrauen bestimmt war. Es ging dabei nicht nur um die Behandlung des besiegten Deutschen Reiches, sondern auch um die Festlegung der europäischen Nachkriegsgrenzen, wobei die gegensätzlichen Interessen die Verhandlungen oft zum Stocken brachten. Churchills Ziel war es, die Ausdehnung des sowjetischen Einflusses nach Westen und Süden möglichst zu begrenzen und die traditionellen britischen Einflußzonen zu behaupten.

Die amerikanischen Vorstellungen waren dagegen global, sie zielten auf eine politisch-wirtschaftliche Neuordnung der Welt ab, die den amerikanischen Interessen gemäß war, aber auch der UdSSR einen Platz als Weltmacht bot. Eine Rückkehr zum Isolationismus stand nicht zur Diskussion.

Angesichts des schnellen Vormarsches im Westen Europas – die Reichsgrenzen wurden schon 1944 erreicht – wuchs die Bedeutung des pazifischen Kriegsschauplatzes für die Amerikaner. Da die Rückeroberung der von Japan besetzten Gebiete infolge des erbitterten japanischen Widerstandes äußerst verlustreich war, befürchtete man hier eine längere Fortdauer des Krieges. Roosevelts Wunsch, die Sowjetunion möge nach der Kapitulation des Deutschen Reiches in den Krieg gegen Japan eintreten, veranlaßte ihn dazu, Stalin in europäischen Streitfragen weit entgegenzukommen. Der Selbstmord Hitlers am 30. April und die Kapitulation der Wehrmacht am 7. und 8. Mai 1945 beendeten den Krieg in Europa.

Beginn des Atomzeitalters

Mit dem Abwurf von Atombomben durch amerikanische Flugzeuge am 6. und 8. August 1945 begann das Zeitalter der Atomwaffen. Die Folgen waren damals unüberschaubar. Der Hauptgrund für den Einsatz dieser neuen Waffe, deren Wirkung man zwar wissenschaftlich berechnen konnte, aber wohl nicht wirklich begriffen hatte, war der Wunsch, ein schnelles Ende des Krieges mit minimalen amerikanischen Verlusten herbeizuführen. Die von den Japanern seit Mitte des Jahres bekundete Kapitulationsbereitschaft wurde von amerikanischer Seite als unzu-

reichend eingestuft. Moralische Bedenken wurden gegenüber dem Ziel, das Leben von amerikanischen Soldaten zu retten, hintangestellt.

Die Explosion der ersten Bombe zerstörte 80 % der Stadt Hiroshima, mindestens 90 000 Menschen starben sofort, insgesamt stieg die Zahl der Opfer auf über 200 000. Am Tag nach dem Abwurf einer zweiten Atombombe (auf Nagasaki) sandte Kaiser Hirohito ein Kapitulationsangebot an die Alliierten, und mit der Unterzeichnung der Kapitulation am 2. September 1945 war der Zweite Weltkrieg endgültig beendet.

Bilanz des Krieges

Der Zweite Weltkrieg dauerte fast sechs Jahre; über 60 Nationen nahmen mit mehr als 100 Millionen Soldaten an ihm teil, mehr als 50 Millionen Menschen verloren ihr Leben. Die materiellen Verluste sind nicht abzuschätzen, mit Sicherheit aber höher als die aller

Hiroshima, 6. August 1945: Einige Minuten nach der Bombardierung (aus einem US-Bomber fotografiert)

Menschenverluste im Zweiten Weltkrieg

Deutschland	5,25 Millionen, davon 500 000 Zivilisten
Sowjetunion[1]	20,6 Millionen, davon 7 Millionen Zivilisten (offizielle Angaben der Sowjetunion)
USA	259 000
Großbritannien	386 000, davon 62 000 Zivilisten
Frankreich	810 000, davon 470 000 Zivilisten
Polen	4,52 Millionen, davon 4,2 Millionen Zivilisten; ferner 1,5 Millionen in den von der Sowjetunion 1939 annektierten polnischen Ostgebieten
Italien	330 000
Rumänien	378 000
Ungarn	420 000, davon 280 000 Zivilisten
Jugoslawien	1,69 Millionen, davon 1,28 Millionen Zivilisten
Finnland	84 000
Norwegen	10 000
Dänemark	1 400
Bulgarien	20 000
Griechenland	160 000, davon 140 000 Zivilisten
Belgien	88 000, davon 76 000 Zivilisten
Niederlande	210 000, davon 198 000 Zivilisten
Japan	1,8 Millionen, davon 600 000 Zivilisten
China	unbekannt
Gesamtverluste	rund 55 Millionen Tote

[1] 1990 veröffentlichte die Sowjetunion neue Zahlen. Demnach lag die Zahl der Opfer bei ca. 27 Millionen Menschen.

vorhergegangenen Kriege zusammen. Mehr als jeder andere Konflikt zuvor veränderte der Zweite Weltkrieg auch das politische Gesicht der Welt. Die Revisionsmächte Deutschland, Japan und Italien bezahlten den Versuch, die 1919/20 errichtete Ordnung zu ihren Gunsten zu verändern, mit dem Verlust ihrer Großmachtstellung; das deutsche Volk verlor obendrein für lange Zeit seine staatliche Einheit. Großbritannien und Frankreich waren zwar Siegermächte, aber auch Opfer des Krieges. Er brachte das Ende britischer Weltmachtpolitik, und auch Frankreich sank trotz der Befreiung von der deutschen Hegemonie auf den Status einer Mittelmacht zurück. Die Kolonialreiche der beiden Staaten waren in einem mehr oder weniger rapiden Auflösungsprozeß begriffen. Ökonomische Schwierigkeiten und die sozialen Kriegsfolgen bedrohten die Stabilität aller europäischer Staaten.

Das Vakuum, das die japanische Niederlage hinterließ, brachte für den asiatisch-pazifischen Raum eine Fülle von Ordnungsproblemen mit sich. Hauptgewinner dieses Krieges waren die USA, denn sie festigten ihre Stellung als stärkste Wirtschafts- und Militärmacht, waren zunächst die einzige Atommacht und wurden so zur Supermacht. Zu den Siegern gehörte unzweifelhaft auch die Sowjetunion. Sie hatte die weitaus größten Opfer aller Kriegsteilnehmer gebracht und stieg nun zur Weltmacht auf. Außerdem erweiterte sie ihren strategischen Machtbereich durch die Beherrschung Osteuropas erheblich (Elbgrenze). Allerdings fühlte sie sich ideologisch weiter durch die „imperialistischen Mächte" bedroht, namentlich auch durch das Atomwaffen-Monopol der USA.

Die Neuordnung der Welt

Das Ausmaß der Verwüstung der Welt und die Auflösung der alten Staatenordnung, auch die Verfügbarkeit von Atomwaffen machten es wichtiger als je zuvor, den militärischen Sieg durch ein internationales Sicherheitssystem zu ergänzen. Ein erneuter großer Konflikt, mit dem möglichen Einsatz von Atomwaffen, konnte nun zum Untergang der Menschheit führen und mußte unter allen Umständen vermieden werden. Daher war eine neue Weltordnung zu schaffen, die soweit als möglich noch vorhandenes Konfliktpotential entschärfte bzw. gewaltfrei verhandelbar machte (Interessenabgrenzung bei den Großmächten, Dekolonialisierung) und neue Konflikte vermeiden half. Der amerikanische Präsident Roosevelt hatte die konkretesten Vorstellun-

Europa aus der Sicht
der Sowjetunion

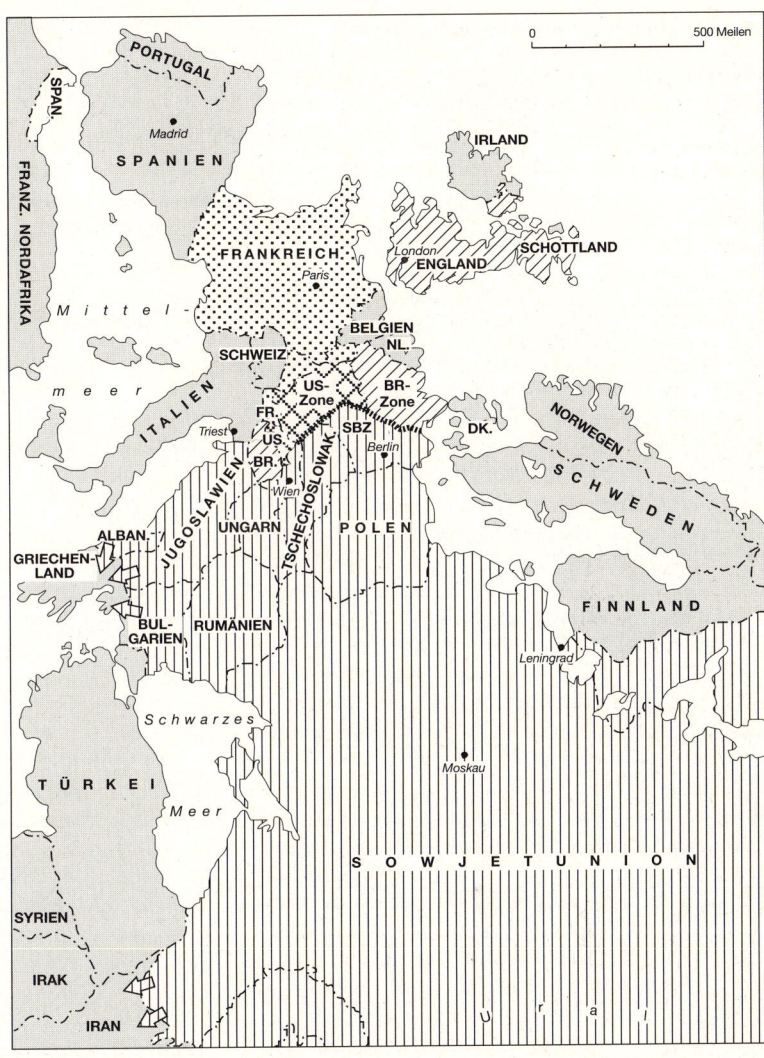

gen entwickelt. Seine Nachkriegskonzeption, die er selbst als „Great Design" bezeichnete, sollte zunächst den Frieden für mindestens 50 Jahre sichern. Das Organ der neuen Weltordnung waren die Vereinten Nationen, in deren Sicherheitrat die drei Siegermächte sowie Frankreich und China als mächtige „Weltpolizisten" den Frieden garantieren sollten. Tatsächlich gelang es Roosevelt, die Sowjetunion – durch erhebliche Zugeständnisse zumindest vorübergehend – und Großbritannien auf seine Linie zu bringen.

Ein zentrales Element der neuen Ordnung war die weitgehende Liberalisierung und Förderung des Welthandels, die den Interessen der US-Wirtschaft entsprach. Absatzmöglichkeiten auf ausländischen Märkten sollten die hohe Auslastung, welche die US-Industrie im Krieg erreicht hatte, sicherstellen. Roosevelt hatte eine weitere Konsequenz aus dem Scheitern der Ordnung von 1919/20 gezogen: Grundlage einer stabilen politischen Ordnung war für ihn eine prosperierende Wirtschaft; dieser Einsicht verdankte das besiegte Deutschland (in den Westzonen) den weitgehenden Verzicht auf Reparationen und Westeuropa den Marshall-Plan. Schon 1944 wurde in Bretton Woods ein neues Weltwährungssystem geschaffen; mit dem US-Dollar als Leitwährung, Goldpreisbindung, festen Wechselkursen und freier Konvertibilität der Währungen.

Warum funktionierte dieses so sorgfältig konstruierte Ordnungssystem aus der damaligen Sicht seiner Schöpfer nicht so gut und lange, wie man gehofft hatte? Nach dem Sieg über die Revisionsmächte fielen die Kooperationszwänge für die so gegensätzlichen Koalitionspartner weg. Schon bald gewann das Mißtrauen auf beiden Seiten die Oberhand. Meinungsverschiedenheiten bezüglich der Besatzungspolitik in Deutschland kamen hinzu. Die Berater von Roosevelts Nachfolger Truman drängten den Präsidenten angesichts der Sowjetisierung Osteuropas, die „Samthandschuh-Politik" zu beenden und die Sowjets mit „härteren Bandagen" anzufassen. In der Sowjetunion gewann gleichermaßen die Position an Gewicht, die in einer liberalen Weltwirtschaftsordnung eine Begünstigung der amerikanischen Führungsrolle sah. Aus ihrer Sicht war ein Frieden wertlos, der auf der Überlegenheit der USA fußte, die Atomwaffen besaß und die leistungsfähigste Wirtschaft der Welt.

Ihre Aktivitäten richteten sich daher auf die Schaffung einer von ihr beherrschten Interessen- und Sicherheitszone. In den Jahren 1946 und 1947 wurde aus der Kooperation eine zunehmende Konfrontation, und in einer Vielzahl von Aktionen und Reaktionen trugen beide Mächte zur Entstehung eines Zustandes bei, der seitdem als „Kalter Krieg" bezeichnet wird. Schon bald nach dem Ende des großen Weltkrieges standen sich zwei feindliche politische Blöcke gegenüber, zwischen denen sich auch ein globaler ideologischer Kampf entspann. Der „heiße" Krieg hatte allerdings endgültig aufgehört, ein Mittel der Politik der Supermächte zu sein. Nachdem die Sowjetunion 1949 das amerikanische Atomwaffen-Monopol gebrochen hatte, war ein Friedenszustand erreicht, der auf dem labilen und höchst gefährlichen „Gleichgewicht des Schreckens" basierte.

Mehr als 40 Jahre lang haben vor allem die Europäer nur die Mängel dieser Friedensordnung immer wieder in den Vordergrund gerückt. Als auf dem KSZE-Gipfel im November 1990 die Nachkriegszeit für beendet erklärt und voller Optimismus ein neues Zeitalter europäischer Beziehungen verkündet wurde, erwartete man eine neue Qualität des Weltfriedens. Inzwischen hat sich aber gezeigt, daß die 1945 begründete Ordnung Konfliktherde kontrollieren konnte, die nun aufbrachen und für die neue Lösungen gefunden werden müssen.

5.5 Die Friedensbewegung in der Zeit der Weltkriege

Angesichts der Euphorie, die sich 1914 in den am Kriege beteiligten Staaten ausbreitete, auch angesichts des nationalen Zusammenrückens und eines verstärkten Patriotismus, war es für die Friedensbewegung nahezu unmöglich, ihren Positionen Geltung zu verschaffen. Dazu kam noch, daß viele nationale

Friedensorganisationen und auch das internationale Büro in Bern vom Kriegsausbruch überrascht wurden.

Neue Organisationen mußten gebildet, neue Zielvorstellungen entwickelt werden; nicht zuletzt deswegen, weil bestehende Organisationen ihre „nationalen Pflichten" entdeckten.

Pflichten des Friedensfreundes

Wir deutschen Friedensfreunde haben stets das Recht und die Pflicht der nationalen Verteidigung anerkannt. Wir haben versucht, zu tun, was in unseren schwachen Kräften war, gemeinsam mit unseren ausländischen Freunden, um den Ausbruch des Krieges zu verhindern. Jetzt, da die Frage, ob Krieg oder Frieden, unserem Willen entrückt ist und unser Volk von Ost, Nord und West bedroht, sich in einem schicksalsschweren Kampf befindet, hat jeder deutsche Friedensfreund seine Pflichten gegenüber dem Vaterlande genau wie jeder andere Deutsche zu erfüllen.

Zweites Kriegsflugblatt der Deutschen Friedensgesellschaft, 15. August 1914

Zit. nach Benz, Wolfgang (Hg.): Pazifismus in Deutschland. Dokumente zur Friedensbewegung 1890–1939. (Fischer) Frankfurt/Main 1988, S. 18 f.

In den Mittelpunkt rückte nun der Versuch, Modelle für einen stabilen Frieden nach dem Krieg zu finden. In Großbritannien wurde schon 1914 die „Union of Democratic Control" gegründet. Sie gewann bis 1918 immerhin 750 000 Mitglieder. Vor der amerikanischen „League to Enforce Peace" (gegründet 1915) stellte Wilson im Juni 1916 seinen Plan vor, einen Völkerbund zu schaffen. Im Deutschen Reich arbeiteten Organisationen wie der „Bund Neues Vaterland", die „Zentralstelle Völkerrecht" und der „Nationale Frauen-Ausschuß für dauernden Frieden" auch auf eine Demokratisierung Deutschlands hin. Dadurch wurde die deutsche Friedensbewegung für die Machteliten natürlich vollends suspekt, und militärische sowie zivile Behörden schränkten ihre Wirkungsmöglichkeiten zunehmend ein.

Nach dem Krieg besserten sich die Chancen für die Friedensbewegung nur wenig. Die im Krieg geweckten Ressentiments und die Versailler Verträge schürten den Nationalismus, besonders in Deutschland, weiter. Hier wurde die Friedensbewegung von der politischen Rechten zusammen mit dem „Weimarer System" diffamiert. Zwar waren die Leiden und die Folgen des Krieges nicht vergessen –

Demonstrationen unter dem Motto „Nie wieder Krieg" fanden in Deutschland, in Großbritannien, Holland und Skandinavien Hunderttausende von Teilnehmern – auch öffnete sich die Friedensbewegung zunehmend sozialen und gesellschaftlichen Problemen und fand damit Resonanz bei der Arbeiterbewegung; eine konkrete Zusammenarbeit entwickelte sich aber nicht. Viele Verbände entstanden neu, zwischen gemäßigten und radikalen Pazifisten kam es zu Konflikten, und „die Friedensbewegung hatte sich im Widerstreit der Konzepte und über Organisationsfragen Ende der zwanziger Jahre paralysiert" (Benz, S. 37).

Während die Arbeit für die Pazifisten in Europa nach dem Beginn der Nazi-Herrschaft in Deutschland 1933 eher leichter wurde, begann für die deutschen Pazifisten der große Exodus – die Massenflucht ins Ausland. Hitler hatte den Pazifismus in „Mein Kampf" als „natur- und vernunftwidrigen Unsinn" bezeichnet, und schon vor 1933 hatten Aktionen der Rechtsparteien der Friedensbewegung

deutlich gemacht, was von den neuen Machthabern zu erwarten war.

Beispielhaft dafür war die Agitation gegen Remarques 1929 erschienen Roman „Im Westen nichts Neues". Die ungeheure Wirkung, die der Antikriegsroman erzielte, veranlaßte insbesondere die Nationalsozialisten dazu, das Buch und die 1930 in die Kinos gekommene Verfilmung mit allen Mitteln zu bekämpfen.

So war die Friedensbewegung nach Bücherverbrennungen, Zerschlagung oppositioneller Zeitschriften und zahlreichen Verhaftungen in den Medien des „Dritten Reiches" quasi nicht mehr existent.

Der Nobelpreis, der dem wichtigsten Publizisten der deutschen Friedensbewegung, Carl von Ossietzky, 1936 zuerkannt wurde, war nur noch eine bedeutungslose moralische Niederlage für das Regime. Hitler verbot daraufhin deutschen Staatsbürgern die Annahme von Nobelpreisen „für alle Zeiten".

Bis 1945 konnten sich Pazifisten in Deutschland nur noch aus dem Untergrund heraus und unter Lebensgefahr zu Wort melden.

Im Westen nichts Neues
Zitate aus dem Tagebuch des Joseph Goebbels

22. Juli 1929
Ich lese: „Im Westen nichts Neues". Ein gemeines, zersetzendes Buch. Die Kriegserinnerungen eines Eingezogenen. Weiter nichts. Nach 2 Jahren spricht von diesem Buch kein Mensch mehr.

5. Dezember 1930
Abends „schauen" wir uns „Im Westen nichts Neues" an.

6. Dezember 1930
[...] und dann geht's abends in den Film. Schon nach 10 Minuten gleicht das Kino einem Tollhaus. Die Polizei ist machtlos. [...] Tausende von Menschen genießen mit Behagen dieses Schauspiel. Die Vorstellung ist abgesetzt, auch die nächste. Wir haben gewonnen.

8. Dezember 1930
Auf dem Nollendorfplatz große Demonstrationen gegen Remarque-Film. Heute abend geht's wieder los. Wir lassen nicht locker.

9. Dezember 1930
Der Wittenbergplatz schwarz voll von Menschen. An die 20 000. [...] Morgen abend Fortsetzung.

10. Dezember 1930
An die 40 000 Menschen sind auf den Beinen. [...] Der Film wird morgen fallen. Wenn ja, dann haben wir einen Sieg errungen, wie er grandioser gar nicht gedacht werden kann. Die nationalsozialistische Straße diktiert der Regierung ihr Handeln.

11. Dezember 1930
Heute fällt über den Remarque-Film die Entscheidung.

12. Dezember 1930
Gestern: im Reichstag großer Krawall. Ich werde an die Luft gesetzt. Unsere Leute sind wie wild. Um 4 Uhr kommt das Film-Verbot. „Wegen Gefährdung des deutschen Ansehens in der Welt." Das ist ein Triumph. Es hagelt Glückwünsche von allen Seiten.

Zit. nach: Benz: a.a.O., S. 42

Überlegungen zur weiteren Arbeit

Die beiden Weltkriege, die im Mittelpunkt dieses Kapitels stehen, haben die Geschichte des 20. Jahrhunderts so stark geprägt wie kein anderes Ereignis. Eine kaum noch überschaubare Zahl von Quelleneditionen und Darstellungen zum Thema spiegelt diese historische Bedeutung wider.

Angesichts der globalen Dimension der Auseinandersetzung und der Vielzahl von Einzelereignissen mußte schon im Darstellungteil auf eine Gesamtschau verzichtet werden. Ausgehend von dem strukturierenden Überblick dieses Buches können Sie Aspekte, die Sie näher interessieren, aber selbst weiter verfolgen, da es eine Fülle leicht zugänglicher Materialien gibt. Den Verfassern war es wichtig, die Verbindungslinien zwischen den Kriegen herauszuarbeiten, daher bilden die politikgeschichtliche und die wirtschaftsgeschichtliche Dimension Schwerpunkte der Darstellung. Demgegenüber berücksichtigt der Materialteil stärker die mentalitätsgeschichtliche Dimension historischer Erfahrung. Deshalb werden hier zahlreiche zeitgenössische Quellen angeboten. Hilfreich für die Analyse dieser Quellen ist das perspektivisch-ideologiekritsche Verfahren, mit dem Sie z. B. Prämissen für Zugehörigkeitsgefühle und Wertzuweisungen aufdecken können. Mit etlichen Bild- und auch Textquellen soll der besonderen Bedeutung von Massenlenkung und Propaganda Rechnung getragen werden.

Materialien zu Kapitel 5

| **M 5.1** | **1914 – Thronrede Wilhelms II. am 4. August** |

Geehrte Herren! In schicksalsschwerer Stunde habe ich die gewählten Vertreter des deutschen Volkes um mich versammelt. Fast ein halbes Jahrhundert lang konnten wir auf
5 dem Wege des Friedens verharren. Versuche, Deutschland kriegerische Neigungen anzudichten und seine Stellung in der Welt einzuengen, haben unseres Volkes Geduld oft auf harte Proben gestellt. In unbeirrbarer Red-
10 lichkeit hat meine Regierung auch unter herausfordernden Umständen die Entwicklung aller sittlichen, geistigen und wirtschaftlichen Kräfte als höchstes Ziel verfolgt. Die Welt ist Zeuge gewesen, wie unermüdlich wir in dem
15 Drange und den Wirren der letzten Jahre in erster Reihe standen, um den Völkern Europas einen Krieg zwischen Großmächten zu ersparen.
Die schwersten Gefahren, die durch die
20 Ereignisse am Balkan heraufbeschworen waren, schienen überwunden. Da tat sich mit der Ermordung meines Freundes, des Erzherzogs Franz Ferdinand, ein Abgrund auf. Mein hoher Verbündeter, der Kaiser und König Franz Josef, war gezwungen, zu den Waf- 25 fen zu greifen, um die Sicherheit seines Reichs gegen gefährliche Umtriebe aus einem Nachbarstaat zu verteidigen.
Bei der Verfolgung ihrer berechtigten Interessen ist der verbündeten Monarchie das 30 Russische Reich in den Weg getreten. An die Seite Österreich-Ungarns ruft uns nicht nur unsere Bundespflicht. Uns fällt zugleich die gewaltige Aufgabe zu, mit der alten Kulturgemeinschaft der beiden Reiche unsere eige- 35 ne Stellung gegen den Ansturm feindlicher Kräfte zu schirmen.
Mit schwerem Herzen habe ich meine Armee gegen einen Nachbarn mobilisieren müssen, mit dem sie auf so vielen Schlacht- 40 feldern gemeinsam gefochten hat. Mit aufrichtigem Leid sah ich eine von Deutschland treu bewahrte Freundschaft zerbrechen. Die Kaiserlich russische Regierung hat sich, dem Drängen eines unersättlichen Nationalismus 45

nachgebend, für einen Staat eingesetzt, der durch Begünstigung verbrecherischer Anschläge das Unheil dieses Krieges veranlaßte. Daß auch Frankreich sich auf die Seite
50 unserer Gegner gestellt hat, konnte uns nicht überraschen. Zu oft sind unsere Bemühungen, mit der Französischen Republik zu freundlichen Beziehungen zu gelangen, auf alte Hoffnungen und alten Groll gestoßen.
55 Geehrte Herren! Was menschliche Einsicht und Kraft vermag, um ein Volk für die letzten Entscheidungen zu wappnen, das ist mit Ihrer patriotischen Hilfe geschehen. [...] Sie haben gelesen, m. H.[1], was ich zu meinem
60 Volke vom Balkon des Schlosses aus gesagt habe. Hier wiederhole ich: Ich kenne keine Partei mehr, ich kenne nur Deutsche! Zum Zeichen dessen, daß Sie fest entschlossen sind, ohne Parteiunterschied, ohne Stammes-
65 unterschiede, ohne Konfessionsunterschied durchzuhalten mit mir durch dick und dünn, durch Not und Tod, fordere ich die Vorstände der Parteien auf, vorzutreten und mir das in die Hand zu geloben.

Zit. nach: Johannes Hohlfeld, Dokumente 1914–18, S. 295–296

[1] meine Herren

 **Feindbilder im Ersten Weltkrieg**

a) An England

In einer der Vaterländischen Reden, die in der Aula der Technischen Hochschule zu Berlin-Charlottenburg vor großem Hörerkreis gehalten wurden, trug der
5 Geheime Regierungsrat Professor Dr. Georg Zimmermann das folgende treffliche Gedicht vor:

Der Franzmann hat den alten Haß,
Wir kennen sein Revanchebrüllen,
Der Russe ist ein Branntweinfaß,   10
Er will an uns die Mordlust stillen.
Doch, Britenvolk, du stellst uns nach
Aus Krämerneid. – Schmach, England, Schmach!

Der Russe ist vom Slavenstamm,
Der Franzmann gallischer Romane,   15
Doch Brite, – daß dich Gott verdamm'!
Du bist, wie wir es sind, Germane.
Brennt dir nicht fürchterlich ins Hirn
Das Zeichen Kains an deiner Stirn?

Der Russe zog von Osten auf   20
Und rasselte mit seinem Schwerte,
Der Franzmann kam von Westen drauf
Und tobte laut wie sein Gefährte.
Doch – heimlich schiebend sie – voll Tücken
Fiel uns der Brite in den Rücken!   25

Schmach, England, Schmach! In Goldeswut
Hast du entfesselt diese Schlachten;
Auf dich der Schmerz, auf dich das Blut!
Schon wirft ein Fluch, dich zu umnachten.
Ehrlos, wie Judas starb, verende!   30
Gott segne Deutschlands starke Hände!

Zit. nach: Wilhelm Kranzler [Hrsg.]: Für Vaterland und Ehre – Wahrheitsgetreue Geschichte des großen Krieges von 1914/15. Hamburg (Hansa) o. J. [1915], S. 497

b) „Europäischer Dreschplatz"

Deutsche Postkarte von 1914

c) „Hindenburgs Insektenpulver"

Das Bild, das 1916 in einem Liederbuch für höhere Mädchen erschien, wurde durch den folgenden Vers ergänzt: „Um lästige Russen zu vertreiben, tat man sich Borax sonst verschreiben. Heut wirkt bedeutend intensiver: der Hindenburg beim Ungeziefer."

d) An Deutschland

„Vier Jahrhunderte Kultur in vier Tagen zerstampft" – Belgische Postkarte von 1914, verteilt nach dem Einmarsch deutscher Truppen

---

M 5.3 **1915 – Kriegsziel-Petition von sechs Wirtschaftsverbänden an Reichskanzler Bethmann Hollweg**

Berlin, den 20. Mai 1915

Exzellenz!

Mit dem ganzen deutschen Volke ist auch die deutsche Erwerbstätigkeit in Landwirtschaft
5 und Industrie, Handwerk und Handel fest entschlossen, in dem Deutschland aufgezwungenen Kampf auf Leben und Tod ungeachtet aller Opfer auszuharren bis zum letzten, damit Deutschland aus diesem Kampfe
10 nach außen stärker, mit der Gewähr eines dauernden Friedens und damit der Gewähr einer gesicherten nationalen, wirtschaftlichen

und kulturellen Weiterentwicklung auch im Innern hervorgehe. [...] Dieses Ziel ist nur durch die Erkämpfung eines Friedens zu er- 15 reichen, der uns eine bessere Sicherung unserer Grenzen im Westen und Osten, eine Erbreiterung der Grundlagen unserer Seegeltung und die Möglichkeit einer ungehinderten und starken Entfaltung unserer 20 wirtschaftlichen Kräfte, kurz, politisch, militärisch-maritim und wirtschaftlich diejenigen Machterweiterungen bringt, die unsere größere Stärke nach außen gewährleisten. [...] 25
Denn es darf nicht verkannt werden, daß die volle Ausnutzung der militärischen Lage für die äußere Machterweiterung Deutschlands nicht nur die Voraussetzung für die Sicherstellung unserer Zukunft nach außen, 30

sondern auch die gleich wichtige Voraussetzung dafür bildet, daß die opferfreudige Ge-
schlossenheit des deutschen Volkes auch für
die innere Politik in kommenden Friedens-
35 zeiten nutzbar gemacht werden kann. [...]
Neben der Forderung eines Kolonialreiches,
das den vielseitigen wirtschaftlichen Interessen Deutschlands voll genügt, neben der Sicherung unserer zoll- und handelspolitischen
40 Zukunft und der Erlangung einer ausrei-
chenden, in zweckmäßiger Form gewährten
Kriegsentschädigung, sehen sie[1] das Hauptziel des uns aufgedrängten Kampfes in einer
Sicherung und Verbesserung der europäi-
45 schen Daseinsgrundlage des Deutschen Reiches nach folgenden Richtungen:
Belgien muß, wegen der notwendigen Sicherung unserer Seegeltung, wegen unserer militärischen und wirtschaftlichen Zukunftsstel-
50 lung gegenüber England, und wegen des
engen Zusammenhanges des wirtschaftlich
so bedeutenden belgischen Gebietes mit unserem Hauptindustriegebiet, militär- und
zollpolitisch, sowie hinsichtlich des Münz-,
55 Bank- und Postwesens, der deutschen
Reichsgesetzgebung unterstellt werden. [...]
Was Frankreich betrifft, so muß, aus dem
gleichen Gesichtspunkte unserer Stellung zu
England, der Besitz des an Belgien grenzen-
60 den Küstengebietes bis etwa zur Somme und
damit der Ausweg zum Atlantischen Ozean
als eine Lebensfrage für unsere künftige Seegeltung betrachtet werden. Das hierbei mit
zu erwerbende Hinterland muß so bemessen
65 werden, daß wirtschaftlich und strategisch
die volle Ausnutzung der gewonnenen Ka-
nalhäfen gesichert ist. [...]
Für den Osten muß zunächst die eine Erwägung maßgebend sein, daß der im Westen zu
70 erwartende große industrielle Machtzuwachs
ein Gegengewicht durch ein gleichwertiges
im Osten zu erwerbendes Landwirtschaftsge-
biet finden muß. Die gegenwärtige wirtschaftliche Struktur Deutschlands hat sich im
75 jetzigen Kriege als so glücklich erwiesen, daß
die Notwendigkeit ihrer Erhaltung für eine
absehbare Zukunft wohl als allgemeine
Überzeugung unseres Volkes bezeichnet
werden kann.

Zit. nach: Hans Fenske (Hrsg.): Unter Wilhelm II. (Wissensch. Buchgesellschaft) Darmstadt 1982. S. 396-399

---

[1] Gemeint sind die Verbände.

M 5.4 Kriegserfahrung im Ersten Welt-
krieg: Feldpostbriefe von 1915

a) Lehrer, geb. 1889, gefallen 1915

Meine Liebe Mutter,
ich muß Dir einmal einen Brief ganz besonders schreiben, und vielleicht kann ich das
ausdrücken, was ich gern möchte. Als eine
Art Trost, weil nun auch Hans im Bereich der 5
Granaten und todbringenden Kugeln ist, und
wie lange wirds dauern, dann ist auch Erich
einer derer geworden, die mithelfen, an der
Zukunft eines großen deutschen Volkes zu
bauen – mit Blut und Herzkraft. 10
Der Krieg hat uns recht gewaltsam die Tatsache gezeigt, daß unser Leben einen ganz anderen Zweck hat als in den normalen Bahnen
eines friedlichen Bürger- und Familienlebens
zu verlaufen. Unser Leben gehört zu dem Teil 15
eines großen heiligen Zweckes. Diesen
Zweck kennen wir nicht. Er liegt in uns von
Ewigkeit her eingepflanzt und führt uns zu
etwas Ewigen, Großen. Das ahnen wir [...]
Es gilt ja nicht nur, unserem Vaterland zu die- 20
nen mit Blut und Leben, sondern mir ist, als
wäre in die Hände unseres Volkes ein Klein-
od gelegt, ein die Welt seligmachendes Etwas,
und als gälte es, dieses gegen alle Feinde zu
wahren. Wir kämpfen doch nicht viel mehr 25
um die Wahrheit als um unser Vaterland [...]
Jetzt schmiedet Gott an der Weltgeschichte
den größten Reifen, und wir sind die Auserlesenen, das erwählte Rüstzeug. Müssen wir
nicht eigentlich recht froh sein? 30
Um mich grünt und blüht alles, und die Vögel
sind übermütig vor Licht. Wieviel größer und
schöner wird der große Frühling nach dem
großen Krieg!
In herzlicher, treuer und dankbarer Liebe 35
Dein Sohn W.

Zit. nach: „Praxis Geschichte", 0/1987, S. 34

b) Student, geb. 1892, gefallen 1915

Lange wird's ja auch nicht mehr dauern, dann
bin ich wieder draußen – Gott sei Dank! Es
ist doch schöner im dreckigsten Graben, man
sieht dort all das Elend nicht so; und wenn ich
mir eines wünsche, so ist es, daß mir endlich 5
einmal im Kampf lebendige Tat beschieden
sein möge! Denn wenn man im Gaben steht
und sich nicht regen darf, wenn die Minen

und Granaten kommen, so ist das wohl
10 Kampf, aber keine lebendige Tat, sondern das
grauenhafte Gegenteil davon. Das ist überhaupt das Scheußliche in dem jetzigen Krieg –
alles wird maschinenmäßig, man könnte den
Krieg eine Industrie gewerbsmäßigen Men-
15 schenschlachtens nennen – man tut mit in Begeisterung für das zu erringende Ziel und mit
Verachtung und Abscheu vor den Mitteln, zu
denen man zu greifen gezwungen ist, um dies
Ziel zu erreichen. Die kürzlich beiderseits
20 eingeführten Minenwerfer sind das Abscheu-
lichste. Sie werden lautlos abgeworfen und
schlagen oft dreißig Mann zugleich kaputt. –
Man steht im Graben – jede Sekunde kann
solch Ding krepieren – nur den einzigen Trost
25 hat man, wenn man die Wirkung unserer Minen sieht, die so schrecklich ist, daß die Fetzen
bis in die eigene Deckung herüberfliegen – wir
sind den Herren Franzosen auch hier in der
soliden Ausführung über. – Nur wenige
30 Glückliche haben hier draußen Gelegenheit
zu wirklich lebendiger Tat, und ich bin traurig,
bisher nicht zu diesen gehört zu haben.

Zit. nach: Philipp Witkop (Hrsg.): Kriegsbriefe gefallener Studenten.
München 1928

M 5.5 **Literarische Verarbeitung des Kriegserlebnisses**

Erich Maria Remarque (1898–1970) wurde durch
seinen Antikriegsroman „Im Westen nichts Neues"
(erschienen 1929) zu einem der erfolgreichsten
deutschen Schriftsteller überhaupt. Bis heute wurden weltweit über 25 Millionen Exemplare des Ro-
mans verkauft.

Trommelfeuer, Sperrfeuer, Gardinenfeuer,
Minen, Gas, Tanks, Maschinengewehre,
Handgranaten – Worte, Worte, aber sie umfassen das Grauen der Welt.
5 Unsere Gesichter sind verkrustet, unser Denken ist verwüstet, wir sind todmüde; – wenn
der Angriff kommt, müssen manche mit den
Fäusten geschlagen werden, damit sie erwachen und mitgehen; – die Augen sind entzün-
10 det, die Hände zerrissen, die Knie bluten, die
Ellbogen sind zerschlagen.
Vergehen Wochen – Monate – Jahre? Es sind
nur Tage. Wir sehen die Zeit neben uns
schwinden in den farblosen Gesichtern der
15 Sterbenden, wir löffeln Nahrung in uns hinein, wir laufen, wir werfen, wir schießen, wir

töten, wir liegen herum, wir sind schwach und
stumpf, und nur das hält uns, daß noch
Schwächere, noch Stumpfere, noch Hilflosere
da sind, die mit aufgerissenen Augen uns an-
20 sehen als Götter, die manchmal dem Tode
entrinnen können.
In den wenigen Stunden der Ruhe unterwei-
sen wir sie. [...] Wir machen ihre Ohren
scharf auf das heimtückische Surren der
25 kleinen Dinger, die man kaum vernimmt, sie
sollen sie aus dem Krach herauskennen wie
Mückensummen; – wir bringen ihnen bei, daß
sie gefährlicher sind als die großen, die man
lange vorher hört. Wir zeigen ihnen, wie man
30 sich vor Fliegern verbirgt, wie man den toten
Mann macht, wenn man vom Angriff über-
rannt wird, wie man Handgranaten abziehen
muß, damit sie eine halbe Sekunde vor dem
Aufschlag explodieren; – wir lehren sie, vor
35 Granaten mit Aufschlagzündern blitzschnell
in Trichter zu fallen, wir machen vor, wie man
mit einem Bündel Handgranaten einen Graben aufrollt, wir erklären den Unterschied in
der Zündungsdauer zwischen den gegneri-
40 schen Handgranaten und unseren, wir machen sie auf den Ton der Gasgranaten aufmerksam und zeigen ihnen die Kniffe, die sie
vor dem Tode retten können.
Sie hören zu, sie sind folgsam – aber wenn es
45 wieder losgeht, machen sie es in der Aufre-
gung meistens doch wieder falsch.
Haie Westhus wird mit abgerissenem Rücken
fortgeschleppt; bei jedem Atemzug pulst die
Lunge durch die Wunde. Ich kann ihm noch
50 die Hand drücken; – „Is alle, Paul", stöhnt er
und beißt sich vor Schmerz in die Arme.
Wir sehen Menschen leben, denen der Schä-
del fehlt; wir sehen Soldaten laufen, denen
beide Füße weggefetzt sind; sie stolpern auf
55 den splitternden Stümpfen bis zum nächsten
Loch.

Zit. nach der 1972 bei Ullstein erschienenen Ausgabe, S. 98–99

M 5.6 **Kriegserfahrung an der „Heimatfront" – Schulchronik eines Lehrers 1914–1918**

Wilhelm G., Schulleiter aus Borbeck (heute Stadt-
teil von Essen), hat seine Kriegserfahrungen in der
Schulchronik überliefert. Seine politische Einstellung entsprach wohl der vieler Lehrer, die 1914–18
unterrichteten.

Kriegsbeginn 1914

In der großen Zeit des geschichtlichen Werdens schreibe ich diesen Abschnitt. Der Schlag der Weltuhr kündet Stunden von un-
5 ermeßlicher Bedeutung für das Schicksal der Völker, Stunden, die über das künftige Weltbild entscheiden. Noch wissen wir nicht, was uns die Zukunft bringen wird, aber das fühlen wir bereits, daß in unserer Welt Got-
10 tes Absichten zur Ausführung kommen. Was gestern noch unmöglich schien, ist heute schon Wirklichkeit. Verschwinden wird, was nach dem Willen Gottes reif ist, erstehen wird zu neuem dauernden Leben, was Gott
15 zum Leben erwecken und erhalten will. O, möchten wir Deutsche doch wert sein, Gottes ewige Gedanken bei dieser Umwälzung der Welt in die Tat umzusetzen. Der Grundsatz der Pflichterfüllung gilt für einen Deut-
20 schen zwar immer und überall, doch wenn unser Haus in Gefahr ist, wird mit Recht von jedem Hausbewohner doppelte Aufmerksamkeit und Pflichterfüllung verlangt. Darum dringt in dieser Zeit harter Bedrängnis
25 lauter als je Gottes Stimme an jedes Deutsche Ohr: Sei getreu bis in den Tod!

Winter 1916/17

Petroleum und Brennspiritus wurden in unzulänglichen Mengen, später überhaupt nicht
30 mehr geliefert, so daß den Schülern keine häuslichen Schularbeiten aufgegeben werden durften. Dazu trat Kohlenmangel ein, und die Schulen mußten wochenlang geschlossen werden. Seife stieg enorm im Preise, war
35 überhaupt nicht zu bekommen ... Die von der Stadt gelieferte Kriegsseife aus Ton gab einen ekelerregenden Geruch. Die Kinder, die sich mit ihr wuschen, verbreiteten besonders im Winter in den warmen Klassen einen
40 unausstehlichen Geruch.

Zusammenbruch 1918

Lange schon hat das freudige Flaggen anläßlich der Siege unserer Truppen aufgehört. Das Kriegsjahr 1916 brachte uns die Nieder-
45 werfung Rumäniens, das als Schwäche ausgelegte Friedensangebot unseres Kaisers, das Jahr 1917 den verstärkten U-Bootkrieg, die Kriegserklärung Amerikas und seiner Trabanten, die russische Revolution, schwere
50 Kämpfe an der Westfront und leider begin-

nende Zwietracht im Innern des Landes. Während das Volk schweigend und mutig die Entbehrungen geradezu vorbildlich erduldet, wird der Keil der Zwietracht von den soge-
55 nannten Volksvertretern ins deutsche Volk getrieben. Die Not des Vaterlandes nutzen sie aus, um ihre Rechte zu erweitern, und werden politische Erpresser. Arbeitslöhne steigen, die Preise der Lebensmittel dement-
60 sprechend. Höchstpreise werden festgesetzt, um nicht gehalten zu werden. Fast jede Familie hat ihren bestimmten Schleichhändler, von dem sie alles Erreichbare zu enormen Preisen bezieht ... Der Zwist im Reichstage geht trotz
65 allen Entgegenkommens der schwachen Regierung zum Unheil des Vaterlandes weiter. Die feindliche Propaganda in Heimat und Heer, die Wühlarbeit der Sozialdemokraten findet bei dem entnervten Volke und dem er-
70 müdeten Heere fruchtbaren Boden. Kriegsgewinnler, Wucherer und Drückeberger vor dem Heeresdienst tragen das Übrige zur Zersetzung des Volkes und Heeres bei.

Zit. nach: Lutz Niethammer u. andere: Die Menschen machen ihre Geschichte ... (Dietz) Berlin/Bonn (2. Aufl.) 1985, S. 115–117

Frauen im Krieg

M 5.7 1914 – Kriegsaufruf der deutschen Kaiserin

An die deutschen Frauen!

Dem Rufe seines Kaisers folgend, rüstet sich unser Volk zu einem Kampf ohnegleichen, den es nicht heraufbeschworen hat und den es nur zu seiner Verteidigung führt.
5 Wer Waffen zu tragen vermag, wird freudig zu den Fahnen eilen, um mit seinem Blute einzustehen für das Vaterland.
Der Kampf aber wird ein ungeheurer und die Wunden unzählige sein, die zu schließen 10 sind. Darum rufe ich euch, deutsche Frauen und Jungfrauen und alle, denen es nicht vergönnt ist, für die geliebte Heimat zu kämpfen, zur Hilfe auf. Es trage jeder nach seinen Kräften dazu bei, unseren Gatten, Söhnen 15 und Brüdern den Kampf leicht zu machen. Ich weiß, daß in allen Kreisen unseres Volkes ausnahmslos der Wille besteht, diese hohe Pflicht zu erfüllen. Gott der Herr aber stärke

20 uns zu dem heiligen Liebeswerk, das auch
uns Frauen beruft, unsere ganze Kraft dem
Vaterlande in seinem Entscheidungskampfe
zu weihen.
Wegen der Sammlung freiwilliger Hilfskräfte
25 und Gaben aller Art sind weitere Bekannt-
machungen von denjenigen Organisationen
bereits ergangen, denen diese Aufgabe in erster Linie obliegt und deren Unterstützung
vor allem vonnöten ist.
30 Berlin, den 6. August 1914. Auguste Victoria.

Zit. nach: Wilhelm Kranzler: (M 5.2) S. 19

| M 5.8 | 1914 – Arbeitseinsatz von Frauen – als „Kehrfräulein" und Granatendreherinnen |

„Kehrfräulein" bei der Arbeit

Frauen in den Kruppschen Munitionswerkstätten

| M 5.9 | Die Frau als Objekt der Kriegspropaganda |

a) Gedenkblatt für die Angehörigen der gefallenen
   Helden. Ausgeführt im Auftrage des Kaisers von
   Prof. Emil Doepler d. J., Kunstbeilage zu „Da-
   heim", Nr. 39 vom 26. Juni 1915

b) Die Abbildung zeigt ein Plakat zur Rekrutenwerbung in den USA

Die Frage der Verantwortung

| M 5.10 | 1919 – Hindenburg: Der Dolchstoß |

Paul v. Beneckendorff u. Hindenburg (1847–1934) war von 1916 bis zum Kriegsende deutscher Generalstabschef und hatte als solcher großen Einfluß auf die deutsche Politik. Von 1925 bis 1934 war er Reichspräsident.

Wir waren am Ende!
Wie Siegfried unter dem hinterlistigen Speerwurf des grimmen Hagen, so stürzte unsere ermattete Front; vergebens hatte sie ver-
5 sucht, aus dem versiegenden Quell der heimatlichen Kraft neues Leben zu trinken. Unsere Aufgabe war es nunmehr, das Dasein der übriggebliebenen Kräfte unseres Heeres für den späteren Aufbau des Vaterlandes zu
10 retten. Die Gegenwart war verloren. So blieb nur die Hoffnung auf die Zukunft.
Heran an die Arbeit! [...]
Deutschland, das Aufnahme- und Ausstrahlungszentrum so vieler unerschöpflicher
15 Werte menschlicher Zivilisation und Kultur, wird so lange nicht zugrunde gehen, als es den Glauben behält an seine große weltgeschichtliche Sendung. Ich habe das sichere Vertrauen, daß es der Gedankentiefe und
20 der Gedankenstärke der Besten unseres Vaterlandes gelingen wird, neue Ideen mit den kostbaren Schätzen der früheren Zeit zu verschmelzen und aus ihnen vereint dauernde Werte zu prägen, zum Heil unseres Vaterlan-
25 des. Das ist die felsenfeste Überzeugung, mit der ich die blutige Wahlstatt (sie!) des Völkerkampfes verließ. Ich habe das Heldenringen meines Vaterlandes gesehen und glaube nie und nimmermehr, daß es sein Todesringen
30 gewesen ist. Man hat mir die Frage gestellt, worauf ich in den schwersten Stunden des Krieges meine Hoffnung auf unseren Endsieg stützte. Ich konnte nur auf meinen Glauben an die Gerechtigkeit unserer Sache, auf
35 mein Vertrauen zu Vaterland und Heer hinweisen. [...]
Gegenwärtig hat eine Sturmflut wilder politischer Leidenschaften und tönender Redensarten unsere ganze frühere staatliche Auffas-
40 sung unter sich vergraben, anscheinend alle heiligen Überlieferungen vernichtet. Aber

diese Flut wird sich wieder verlaufen. Dann wird aus dem ewig bewegten Meere völkischen Lebens jener Felsen wieder auftau-
45 chen, an den sich einst die Hoffnung unserer Väter geklammert hat, und auf dem vor fast einem halben Jahrhundert durch unsere Kraft des Vaterlandes Zukunft vertrauensvoll begründet wurde: Das deutsche Kaisertum! Ist so erst der nationale Gedanke, das
50 nationale Bewußtsein wieder erstanden, dann werden für uns aus dem großen Kriege, auf den kein Volk mit berechtigterem Stolz und reinerem Gewissen zurückblicken kann als das unsere, so lange es treu war, sowie
55 auch aus dem bitteren Ernst der jetzigen Tage sittlich wertvolle Früchte reifen. Das Blut aller derer, die im Glauben an Deutschlands Größe gefallen sind, ist dann nicht vergeblich geflossen.
60 In dieser Zuversicht lege ich die Feder aus der Hand und baue fest auf Dich – Du deutsche Jugend!

Zit. nach: v. Hindenburg, Aus meinem Leben. (Hirzel) Leipzig 1933 – erstmals 1919 erschienen), S. 314–316

| M 5.11 | 1919 – Aus dem Friedensvertrag von Versailles |

Teil VII. Strafbestimmungen

Art. 227. Die alliierten und assoziierten Mächte stellen Wilhelm II. von Hohenzollern, vormaligen Kaiser von Deutschland, wegen schwerster Verletzung des internatio-
5 nalen Sittengesetzes und der Heiligkeit der Verträge unter öffentliche Anklage.
Ein besonderer Gerichtshof wird eingesetzt, um über den Angeklagten unter Wahrung der wesentlichen Bürgschaften des Rechts
10 auf Verteidigung zu Gericht zu sitzen. Der Gerichtshof besteht aus fünf Richtern, von denen je einer von folgenden fünf Mächten, nämlich den Vereinigten Staaten von Amerika, Großbritannien, Frankreich, Italien und
15 Japan, ernannt wird.
Der Gerichtshof urteilt auf Grundlage der erhabensten Grundsätze der internationalen Politik; Richtschnur ist für ihn, den feierlichen Verpflichtungen und internationalen
20 Verbindlichkeiten ebenso wie dem internationalen Sittengesetze Achtung zu verschaf-

fen. Es steht ihm zu, die Strafe zu bestimmen, deren Verhängung er für angemessen
25 erachtet. [...]
Art. 228. Die deutsche Regierung räumt den alliierten und assoziierten Mächten die Befugnis ein, die wegen eines Verstoßes gegen die Gesetze und Gebräuche des Krieges an-
30 geklagten Personen vor ihre Militärgerichte zu ziehen. Werden sie schuldig befunden, so finden die gesetzlich vorgesehenen Strafen auf sie Anwendung. Diese Bestimmung greift ohne Rücksicht auf ein etwaiges Ver-
35 fahren oder eine etwaige Verfolgung vor einem Gerichte Deutschlands oder seiner Verbündeten Platz.

Teil VIII. Wiedergutmachungen
Abschnitt I. Allgemeine Bestimmungen

40 Art. 231. Die a. u. a. Regierungen erklären, und Deutschland erkennt an, daß Deutschland und seine Verbündeten als Urheber für alle Verluste und Schäden verantwortlich sind, die die a. u. a. Regierungen und ihre
45 Staatsangehörigen infolge des Krieges, der ihnen durch den Angriff Deutschlands und seiner Verbündeten aufgezwungen wurde, erlitten haben.

M 5.12	**1929 bis 1961 – Die publizistische Diskussion um die Verantwortung Deutschlands für den Ersten Weltkrieg**

a) 1929 – Der Historiker Wilhelm Mommsen

Ich darf von vornherein sagen, daß ich wenig oder gar nicht von dem Artikel 231 des Versailler Vertrages und den in ihm enthaltenen Vorwürfen gegen Deutschland
5 sprechen werde. Die Behauptung dieses Schuldparagraphen, der Deutschland ausschließlich die Schuld am Ausbruch des Weltkrieges zuschreibt, ist nicht nur durch alle bisherigen Forschungen erschüttert, die
10 diesem Artikel zugrunde liegende Fragestellung ist überhaupt falsch. Jede historische Betrachtung der außenpolitischen Vorgänge vor 1914 muß, wenn sie fruchtbar sein soll, von diesem rein moralisierenden Vorwurf
15 absehen. [...]

Aber wie man auch zu einzelnen Fragen stehen mag, das eine ist klar, daß von einem deutschen Kriegswillen schlechterdings keine Rede sein kann. Ich habe die Fehler der deutschen Politik nicht beschönigt; sie liegen 20 sehr deutlich zutage. Die deutsche Politik war alles andere als geschickt, sie hat den Gegenspielern die Arbeit nur zu sehr erleichtert, und sie hat durch eine unkluge Politik den Zusammenschluß der uns im Kriege 25 gegenüberstehenden Mächtegruppierungen mitverschuldet. Aber diese Schuld ist eine politische, sie hat mit dem uns gemachten Vorwurf des Kriegswillens nicht das geringste zu tun, ja man hat vielleicht manches Mal 30 allzu große Angst vor dem Krieg gehabt und zum mindesten zu wenig mit der Gefahr eines Krieges gerechnet. Politische Ziele, die einen Krieg lohnten, hat Deutschland nicht gehabt, und alle gegnerischen Anklagen ha- 35 ben der deutschen Politik solche Kriegsziele nicht nachweisen können.

Aus: Wilhelm Mommsen. Die Vorgeschichte des Weltkrieges. Berlin 1929. S. 3 f. u. 30 f.

b) 1953 – Der Soziologe und Publizist Raymond Aron

Friedrich der Große schlug seine Schlachten und überließ es seinen Juristen, die Eroberungen ihres Königs zu rechtfertigen, nachdem der Sieg errungen war. An den begrenzten Kriegen des achtzehnten Jahrhun- 5 derts nahmen die Völker kaum Anteil. Den Söldnern, die sich vorwiegend aus den unteren Volksschichten rekrutierten, war es völlig gleichgültig, wofür sie sich schlugen. Im zwanzigsten Jahrhundert gibt es keinen Un- 10 terschied mehr zwischen Bürgern und Soldaten. Die Völker, die von ihrer eigenen Friedensliebe überzeugt sind, heischen von ihren Regierenden Rechenschaft. So wird der Nachweis, daß die Schuld am Kriege 15 beim Feinde liegt, zu einer staatspolitischen Angelegenheit ersten Ranges. In allen kriegführenden Ländern bemühen sich Historiker und Intellektuelle nach Kräften, die Moral des Volkes zu stützen. Die ganze 20 Nation, nicht nur der Soldat im Felde, muß dem Kriege gegenüber ein reines Gewissen haben.

Aus: Raymond Aron. Der permanente Krieg. Frankfurt 1953, S. 23

c) 1961 – Der Historiker Fritz Fischer

Bei der angespannten Weltlage des Jahres 1914, nicht zuletzt als Folge der deutschen Weltpolitik – die 1905/06, 1908/09 und 1911/12 bereits drei gefährliche Krisen aus-
5 gelöst hatte –, mußte jeder begrenzte (loka-le) Krieg in Europa, an dem eine Großmacht unmittelbar beteiligt war, die Gefahr eines allgemeinen Krieges unvermeidbar nahe her-anrücken. Da Deutschland den österreich-
10 serbischen Krieg gewollt, gewünscht und ge-deckt hat und, im Vertrauen auf die deutsche militärische Überlegenheit, es im Jahre 1914 bewußt auf einen Konflikt mit Rußland und Frankreich ankommen ließ, trägt die deut-
15 sche Reichsführung einen erheblichen Teil der historischen Verantwortung für den Aus-bruch des allgemeinen Krieges. Diese verrin-gert sich auch nicht dadurch, daß Deutsch-land im letzten Augenblick versuchte, das
20 Verhängnis aufzuhalten: denn die Einwir-kung auf Wien geschah ausschließlich wegen der drohenden Intervention Englands, und auch dann wurde sie nur mit halben, verspä-teten und sofort widerrufenen Schritten un-
25 ternommen.

Aus: Fritz Fischer, Griff nach der Weltmacht. Die Kriegszielpolitik des kaiserlichen Deutschland 1914/1918. Düsseldorf 1961. S. 97

M 5.13   **1993 – Die Kriegsschuldfrage im Schulbuch**

Seit der Jahrhundertwende hatte es zwischen den europäischen Mächten mehrfach ernst-hafte Krisen gegeben. Sie waren stets mit diplomatischen Mitteln friedlich beigelegt
5 worden. Auf dieselbe Weise glaubten die Staatsmänner zunächst auch die Julikrise 1914 bewältigen zu können. Als aber in Deutschland militärische Überlegungen an-gesichts der Furcht vor einem Zweifronten-
10 krieg die Oberhand gewannen und politische Lösungsversuche keine Wirkung mehr erziel-ten, schien der Waffengang unausweichlich. Tatsächlich hätte der Krieg im Juli 1914 ver-hindert werden können, wenn die entschei-
15 denden Personen in den Regierungen von Wien, Berlin, Sankt Petersburg, Paris und London es wirklich gewollt hätten.
Über die Schuld am Ausbruch des Krieges wird immer noch diskutiert. Die Fachleute

20 sind sich wohl einig, daß alle verantwortli-chen Politiker und führenden Generäle bereit waren, einen bewaffneten Konflikt zu riskie-ren. Dennoch bleibt die Frage nach dem Schuldanteil jedes beteiligten Landes offen.
25 Alle Kriegführenden glaubten an ihre ge-rechte Sache und an die Berechtigung ihrer Ziele. Die Vielvölkermonarchie Österreich-Ungarn wollte ihren inneren Zerfall aufhal-ten und ihren Einfluß auf dem Balkan aus-
30 dehnen. Auch dem zaristischen Rußland ging es wegen revolutionärer Bestrebungen im Innern um die Sicherung der bestehenden Ordnung und um mehr Geltung auf dem Balkan, mit dessen Völkern die Russen sich
35 wegen der gemeinsamen slawischen Her-kunft besonders verbunden fühlten (Pansla-wismus). Deutschland sah sich von feindli-chen Mächten eingekreist und wollte diesen Ring sprengen, zugleich auch seine Macht
40 vergrößern. Dagegen trat Frankreich auf, das die Schwächung des alten Rivalen anstrebte und das Elsaß-Lothringen zurückgewinnen wollte. Großbritannien schließlich empfand die deutsche Schlachtflotte und den damit
45 verbundenen deutschen Anspruch auf Welt-geltung als Herausforderung.
Die betroffenen europäischen Völker wur-den von einem Taumel der Kriegsbegeiste-rung mitgerissen und verdrängten alle Sor-
50 gen, Ängste und bösen Ahnungen. Die Grausamkeit und Vernichtungskraft des mo-dernen Krieges war ihnen kaum bewußt. Bald jedoch stellte sich heraus, daß sich ihre Erwartung eines kurzen siegreichen Feldzu-
55 ges ohne viel Blutvergießen nicht erfüllte.

Frédéric Delouche u. andere: Europäisches Geschichtsbuch. (Klett) Stuttgart 1993. S. 324–325

Bemühungen zur Konfliktbegrenzung in der Zwischenkriegszeit

M 5.14   **1926 – Die Haltung der Reichswehr zu den Abrüstungs-bemühungen des Völkerbundes**

Das erste Ziel der deutschen Abrüstungs-politik muß deshalb sein, Frankreich seiner dominierenden militärischen Macht zu ent-kleiden und in einen für Deutschland erträglichen Rüstungsstand zu drängen. Erst in zweiter Linie kommt in Verfolg obigen Gedankens die Abrüstung Polens, in dritter Linie die Abrüstung Belgiens und der Tschechoslowakei und mit Abstand hinter diesen Staaten erst die Abrüstung Italiens in Betracht.

Die Abrüstung aller anderen Länder hat für Deutschland demnach eine mehr sekundäre Bedeutung, ja es kann sogar im politischen Interesse Deutschlands gelegen sein, einen gewissen, die allgemeine Norm übersteigenden Rüstungsstand einzelner Länder zu erhalten, die die gleichen politischen Ziele wie Deutschland verfolgen. Eine Differenzierung der deutschen Abrüstungsforderungen gäbe Deutschland auch zugleich die Möglichkeit, zwecks Durchsetzung seiner hauptsächlichen Interessen anderen Staaten Konzessionen zu gewähren, zum Beispiel Rußland, Jugoslawien, Rumänien, den englischen Kolonien und sogar Italien. Auch das Tempo, in dem die Abrüstung der einzelnen Staaten von Deutschland gefordert werden muß, wird sich dieser politischen Differenzierung anschließen können.

Aus diesen Überlegungen ergibt sich, daß Deutschland an sich in militärischer und diplomatischer Hinsicht kein überragendes Interesse an einer allgemeinen oder Weltabrüstung besitzt, da es für Deutschland zunächst durchaus genügen würde, die Abrüstung des französischen Machtkreises durchzusetzen. Daß es aus propagandistischen, juristischen, moralischen und pazifistischen Gründen zweckmäßig ist, den Gedanken einer allgemeinen Abrüstung äußerlich ebenso kräftig zu fördern wie bisher, ist selbstverständlich.

Zit. nach: Wolfgang Michalka/Gottfried Niedhart (Hg.): Die ungeliebte Republik. (dtv) München 1980, S. 179

M 5.15 Friedensbewegungen

a) 1920 – Harry Graf Keßler: Richtlinien für einen wahren Völkerbund

Der Diplomat und Publizist Graf Keßler (1868–1937) war Anhänger der Deutschen Demokratischen Partei und engagierte sich schon während des Ersten Weltkrieges für die Friedensbewegung. Sein Völkerbund-Konzept wurde vom IX. Deutschen Pazifistentag 1920 als Resolution verabschiedet.

Ohne den Völkerbund ist keine aufbauende, dauerhafte Politik mehr möglich; ohne eine alles umfassende Weltorganisation kann die Zerrüttung der Weltwirtschaft und des öffentlichen Geistes der Welt nicht behoben werden.

Wir fordern daher, alle Kräfte darauf einzustellen:

1. daß sämtliche Staaten, insbesondere Amerika, Rußland und Deutschland baldigst in den Versailler Völkerbund Aufnahme finden;

2. daß dieser zu einem demokratischen Bunde der Völker ausgebaut werde, der in erster Linie von den Werktätigen (Hand- und Kopfarbeitern) getragen und beherrscht wird. Der Versailler Völkerbund entspricht nicht den Anforderungen wirklicher Demokratie, weil er alle Macht ausschließlich den Regierungen verleiht, während die letzte Entscheidung einer Vertretung der Völker gebührt;

3. daß dieser von den Völkern getragene Bund in den Stand gesetzt werde, die Weltproduktion, Weltfinanz und Weltverteilung zu regeln und Produktion und Verteilung dem Bedarfe anzupassen;

4. daß hierfür die Voraussetzungen unverzüglich geschaffen werden: durch schnellsten Zusammenschluß der großen Produktionszweige zu nationalen und internationalen Selbstverwaltungskörpern, in denen alle in einem Produktionszweige Beschäftigten mit den an ihm interessierten Verbrauchern teilhaben an der Mitherrschaft über seine Produktionsmittel [...];

5. daß auch die großen geistigen, ethischen, religiösen Körperschaften diesem Zentralorgan des Völkerbundes angegliedert werden;

6. daß dieses wirtschaftliche und geistige Weltorgan ebenso wie das Weltparlament autonom werde, d. h. im Rahmen der ihm zugestandenen Befugnisse frei von der selbständigen Einmischung einzelner Staaten. [...]

Begründung:

I.

Der Versailler Völkerbund ist unbefriedigend. Er hat bisher in keiner von den großen Fragen, die den Frieden und die Ruhe der

Welt gefährden, Wesentliches leisten können. Es zeigt sich, daß ihm nötige Vorbedingungen zu einer nützlichen Betätigung in den großen internationalen Dingen fehlen. Andererseits verfügt er über eine Fülle von Gewalt, die Unheil droht, wenn sie leichtsinnig oder parteiisch verwendet wird. Er ist also sowohl gefährlich wie schwach. Schuld hieran sind seine geographischen Lücken (das Fernbleiben Amerikas, der Ausschluß Mitteleuropas und Rußlands); mehr aber noch,

1. daß er keinen direkten Einfluß den Völkern und deren werktätigen Schichten (Arbeitern) einräumt; [...]
2. daß er alle Macht ausschließlich den staatlichen Regierungen verleiht;
3. daß er auch die Regierungen in zwei Klassen teilt; in solche der im „Rate" des Völkerbundes vertretenen Hauptstaaten und solche der nicht im „Rate" vertretenen minderen Staaten; [...]
4. daß er trotz dieser Häufung von Gewalt praktisch ohnmächtig ist in allen Fragen, die nicht wie die Niederhaltung ausgebeuteter Völker oder Klassen alle im „Rate" vertretenen Regierungen von vornherein einigen; [...]
5. daß er überhaupt die Aufgabe der Weltorganisation nur negativ als die einer Weltpolizei auffaßt und daher auf eine tiefere und sichere Begründung des Weltfriedens Verzicht leistet.

Zit. nach: Wolfgang Benz (Hrsg.): Pazifismus in Deutschland. (Fischer) Frankfurt/M. 1988, S. 145–147

b) 1926 – Die Paneuropa-Bewegung des Grafen Coudenhove-Kalergi

1926 veranstaltete die Bewegung in Wien einen Kongreß mit 2000 Delegierten aus 24 Ländern, die einen europäischen Staat – unter Ausschluß Großbritanniens und der Sowjet-Union – forderten.

Forderungen:
1. Ein europäischer Staatenbund, unter gegenseitiger Garantie der Gleichberechtigung, Sicherheit und Selbständigkeit aller Staaten Europas.
2. Ein europäisches Bundesgericht, zur Schlichtung sämtlicher Konflikte zwischen europäischen Staaten.

3. Ein europäisches Militärbündnis mit gemeinsamer Luftflotte zur Sicherung des Friedens und gleichmäßiger Abrüstung.
4. Schrittweise Schaffung des europäischen Zollvereins.
5. Gemeinsame Erschließung der europäischen Kolonien.
6. Eine gemeinsame europäische Währung.
7. Pflege der nationalen Kulturen aller europäischen Völker als Grundlage der europäischen Kulturgemeinschaft.
8. Sicherung aller nationalen und religiösen Minderheiten Europas gegen Entnationalisierung und Unterdrückung.
9. Zusammenarbeit Europas mit anderen Völkergruppen im Rahmen eines weltumspannenden Völkerbundes.

Zit. nach: Praxis Geschichte, Heft 2 1993, S. 34

M 5.16 1927 – Kurt Tucholsky: Über den wirkungsvollen Pazifismus

Die historische und theoretische Erkenntnis der anarchischen Staatsbeziehungen ist ziemlich weit fortgeschritten. Die Friedensgesellschaften der verschiedenen Länder, die inoffiziellen Staatsrechtslehrer, Theoretiker aller Grade arbeiten an der schweren Aufgabe, aufzuzeigen, wo die wahre Anarchie sitzt. Langsam schält sich das Bild des wirklichen Zustandes der Erde heraus: der Staat, noch bis vor kurzem Subjekt und Götze und Maßstab aller Dinge, unterliegt nun selbst einer ihm peinlichen Untersuchung, er wird Objekt, und ein lamentables dazu, und muß sich gefallen lassen, in seinen Grundfesten angezweifelt zu werden. Immer mehr zeigt sich, was wahre Kriegsursache ist: die Wirtschaft und der dumpfe Geisteszustand unaufgeklärter und aufgehetzter Massen.
Was aber fast überall völlig fehlt, das ist die pazifistische Propaganda im Alltag, auf der Gasse, in der Vierzimmerwohnung, auf öffentlichen Plätzen – der Pazifismus als Selbstverständlichkeit. Vier oder fünf Mal im Jahr sind wir da, auf Kongressen, oft in Versammlungen. Und dann gehen wir alle nach Hause, und das „Leben" tritt in seine Rechte; das Leben – das ist in diesem Falle die offizielle Staatsgesinnung, die den Krieg lobt; das Kino, das den Krieg verherrlicht; die Zei-

tung, die den Krieg nicht in seiner wahren Gestalt zu zeigen wagt; die Kirche, die zum Kriege hetzt (die protestantische mehr als die klügere katholische); die Schule, die den Krieg in ein bombastisches Panoptikum umlügt; die Universität, die den Krieg feiert, überall der Krieg. [...]

Tucholsky fordert, der Kriegspropaganda „Knüppel zwischen die Räder" zu werfen:

Das kann man aber nicht, wenn man, wie das die meisten Pazifisten leider tun, dauernd in der Defensive stehen bleibt. „Man muß den Leuten Zeit lassen –" und: „Auch wir sind gute Staatsbürger –" Ich glaube, daß man weiterkommt, wenn man die Wahrheit sagt: Daß niemand von uns Lust hat, zu sterben – und bestimmt keiner, für eine solche Sache zu sterben. Daß Soldaten, diese professionellen Mörder, nach vorn fliehen. Daß niemand gezwungen werden kann, einer Einberufungsorder zu folgen – daß also zunächst einmal die seelische Zwangsvorstellung auszurotten ist, die den Menschen glauben macht, er müsse, müsse, müsse traben, wenn es bläst. Man muß gar nicht. Denn dies ist eine simple, eine primitive, eine einfach-große Wahrheit:
Man kann nämlich auch zu Hause bleiben.
Und man kann nicht nur zu Hause bleiben. Wieweit zu sabotieren ist, steht in der Entscheidung der Gruppe, des Augenblicks, der Konstellation, das erörtert man nicht theoretisch. Aber das Recht zum Kampf, das Recht auf Sabotage gegen den imfamsten Mord: den erzwungenen – das steht außer Zweifel. Und, leider, außerhalb der so notwendigen pazifistischen Propaganda. Mit Lammsgeduld und Blöken kommt man gegen den Wolf nicht an. [...]

Zit. nach: Kurt Tucholsky: Gesammelte Werke. Reinbek 1975. Bd. 5, S. 338 ff.

| M 5.17 | **Frauen gegen den Krieg**

a) 1934 – Internationaler Frauenkongreß gegen Krieg und Faschismus

In dem Augenblicke, da diese Zeilen geschrieben werden, sind die Beratungen des Weltkongresses der Frauen gegen Krieg und Faschismus noch nicht abgeschlossen. Die drei Tage, die dem Kongreß zugemessen waren, erwiesen sich als nicht ausreichend. Die Fülle der Probleme, die von den Delegationen und Organisationen, die sich versammelt haben, aufgerollt wurden, ist so groß, daß die Tagung verlängert werden mußte.
Doch jetzt schon läßt sich sagen: Dieser Kongreß ist ein geschichtliches Ereignis. Niemals noch haben sich die Träger des Willens von Millionen und Abermillionen Frauen, die alle beseelt sind vom Kampfgeist gegen Krieg, Faschismus, Reaktion, Not und Elend, zu solch einheitlicher Arbeit und weittragenden Beschlüssen zusammengefunden. Jetzt schon läßt sich sagen, daß von diesem Kongreß eine mächtige Bewegung ausgehen wird, welche die Frauen in die unüberwindliche Einheitsfront aller Werktätigen, die für Frieden, Freiheit und Brot kämpfen, eingliedern und die Schranken niederreißen wird, die noch in vielen Ländern zwischen werktätigen Männern und Frauen gezogen sind.
Schon das Bild des Kongresses ist überwältigend. Es ist ein Spiegel der Nationen und Rassen. Buntheit der Gesichter, Buntheit der Sprachen, Buntheit der Kleidung, Buntheit der sozialen und Berufsstellung, doch Einheit des Erkennens, Einheit des Willens, Einheit der Kampfbereitschaft gegen den gemeinsamen Feind, den Imperialismus und Kapitalismus, der fortzeugend Krieg und Faschismus gebärt.
Es ist ein Kongreß, der den Erdball umspannt. Und ein Kongreß, der tatsächlich im Zeichen der Einheit der werktätigen Frauen verschiedenster Richtungen steht. Das zeigt seine Zusammensetzung. Annähernd zwölfhundert Delegierte haben sich zusammengefunden. Davon mehr als vierhundertfünfzig aus allen Kontinenten und Ländern (außer Frankreich) und sechshundertfünfzig Delegierte aus Frankreich selbst; wozu noch 262 Gäste kommen. [...]
Was die politische Zusammensetzung der Delegationen betrifft, so sei hier nur eines festgestellt – es wird noch Gelegenheit sein, in ausführlicher Weise den politischen Charakter des Kongresses zu analysieren –, daß es sich wirklich um einen Kongreß der Einheit handelt. Die kommunistischen Frauen

bilden nur einen kleinen Teil der Gesamtheit. Daneben sind sozialistische, christliche,
pazifistische, liberale Frauen anwesend.
Außerordentlich reich ist auch die Zahl
60 der Organisationen, die auf dem Kongreß
vertreten sind. Es zeigt sich, daß die Kampagne zur Erfassung der Frauen zum Kampf
gegen Krieg und Faschismus in die Breite
und Tiefe gegangen ist. [...]

Zit. nach: Hanna Elling (Hrsg.): Frauen im deutschen Widerstand
1933–45. Frankfurt/M. (3. Aufl.) 1981. S. 225-226

b) 1933 – Selbstverbannung

L. G. Heymann: Die Selbstverbannung

Lydia Gustava Heymann repräsentiert den
linken Flügel der bürgerlichen Frauenbewegung,
der sich vom BDF (Bund Deutscher Frauen)
getrennt hatte, als dieser nach 1918 zunehmend
konservativer wurde und Ende der zwanziger
Jahre auch noch völkisches Gedankengut auf-
nahm.
Die I.F.F.F. (Internationale Frauenliga für Frieden
und Freiheit), 1914 von der Amerikanerin Jane Ad-
dams gegründet, gehörte in der Zeit zwischen den
Weltkriegen zu den aktivsten pazifistischen Organisationen.

Winterreise 1933

Der 21. Januar 1933 war der letzte Tag, den
Anita und ich in Deutschland, in München
verlebten. Am 22. reisten wir, wie seit
5 Jahren im Winter, in den warmen Süden.
In unserer Wohnung befand sich kein ver-
dächtiges Material, welches für Gleich-
gesinnte hätte gefährlich werden können.
Die Arbeit der deutschen Sektion der
10 I.F.F.F. lag in den Händen zuverlässiger
jüngerer Mitglieder. Unsere Zeitschrift
„Die Frau im Staat" gaben wir von unter-
wegs heraus. Eine schwer auf uns lastende
Sorge war behoben: der Hitler-Wahnsinn
15 war im Ablaufen begriffen. Bei den Wahlen
im November 1932 hatte die Nationalsozialistische Arbeiterpartei über 12 Millionen
Stimmen verloren; die Zahl der Mandate
war von 230 auf 197 gefallen. Außerdem
20 war bekannt, daß Hitler sich in größter
Geldnot befand; täglich stieg seine Schul-
denlast. Die Auszahlungen stocken, die Hit-
ler-Mannen fingen an zu murren; Hitler
selbst zweifelte an seinem endlichen Sieg.
25 Die amtliche Wirtschaftsstatistik ließ deut-

lich erkennen, daß der Krisentiefpunkt
überwunden war.
Endlich also mußte dieser wahnsinnige
Spuk zusammenbrechen. Unzählige atmeten
erleichtert auf!   30
Froh und leichten Sinnes stiegen wir am 22.
Januar früh ins Auto, welches uns zur Bahn
bringen sollte. [...]

Ins III. Reich zurück?

Als wir [...] auf Mallorca die Nachricht von   35
Hitlers Machtergreifung erhielten, versuchten Anita und ich, auf weiten Spaziergängen
innere Ruhe wiederzuerlangen.
Aber was hatten wir zu tun? Zurück? Sich
gegen den Terror auflehnen? Sich aufgeben?   40
Für das Prinzip des sogenannten „Sich-Op-
ferns" fehlte uns von jeher jedes Verständnis.
Wir gehören beide nicht zu jenen Naturen,
die sich aus innerem Drang, dabei im Opfern
schwelgend, einem Märtyrertum hingeben,   45
langsam Gesundheit und Leben einbüßen,
ohne wirklichen Gewinn für die Ideale, um
die gekämpft wird. Vielleicht sind wir dazu
geistig und körperlich zu gesunde, kräftige
Naturen, welche sich nicht zur Welt als Jam-   50
mertal bekennen, sondern die Welt zum Pa-
radies mit glücklichen Menschen gestalten
wollen. Wir bekannten uns in allen Lagen
des Lebens zu unsern Grundsätzen ohne
Rücksicht auf Familie, persönliche Vor- oder   55
Nachteile. Üble Nachrede, das Urteil der
Masse: Tadel, Lob, Kritik unserer Arbeit
oder Person, interessierten uns nie. Wir handelten aus innerer Überzeugung, weil wir
nicht anders konnten. Das war auch jetzt un-   60
sere Richtschnur. Rückkehr ins III. Reich?
Das nur in ernsthafte Erwägung ziehen?
Nein, in solche Verblödung hatte uns die
Schreckensbotschaft von Hitlers Machtergreifung denn doch nicht versetzt. Es wäre   65
Wahnsinn gewesen, uns den Hitler-Schergen
auszuliefern, diesen sadistischen Psychopa-
then, diesen Landsknechten schlimmster
Sorte, deren Methoden uns von München
her bekannt waren. Wir wußten nur zu ge-   70
nau, daß wir bei der Entwicklung, welche die
Dinge in Deutschland genommen hatten und
weiter nehmen würden, dort für unsere Sache nichts tun konnten, daß unsere Rückkehr aber unseren Mitarbeitern, Freunden   75
und Verwandten zur schweren Gefahr wer-

den würde. Wir kannten die Grenzen unserer Möglichkeiten bei der Arbeit. Wir wußten zuversichtlich, daß wir im Interesse unserer Ideen keine illegale Arbeit, und was damit in Verbindung steht, mit Erfolg ausführen konnten. Nicht etwa weil wir solches Vorgehen aus moralischen Gründen verurteilen – regierenden Verbrechern und Mördern gegenüber ändern sich im Dienste einer großen Idee moralische Pflichten – sondern lediglich, weil wir völlig ungeeignete Personen für solche Methoden waren.

Zit. nach: Anette Kuhn/Valentine Rothe (Hrsg.): Frauen im deutschen Faschismus, Bd. 1. (Schwann) Düsseldorf (3. Aufl.) 1987. S. 36–38

Die Verarbeitung des Kriegserlebnisses des Ersten Weltkriegs und die Herausbildung nationalsozialistischen Bewußtseins

M 5.18 1922 – „Der Kampf als inneres Erlebnis"

Ernst Jünger (geb. 1895), Offizier und als Schriftsteller ebenfalls erfolgreich, steht wegen seiner den Krieg verherrlichenden Schriften und fehlender Distanz zum Nationalsozialismus bis heute im Kreuzfeuer der Kritik. Sein Buch „Der Kampf als inneres Erlebnis" erschien erstmals 1922.

Ja, wir sind fröhlich und siegesgewiß. Diese Tage und Nächte vor dem Kampfe haben einen seltsamen Reiz. Alles Beschwerende sinkt ins Unwesentliche, der Augenblick wird köstlicher Besitz. Zukunft, Sorge, alles Lästige, mit dem uns trübe Stunden überschwemmten, wird wie ein ausgerauchtes Zigarettenende zur Seite geschleudert. In wenigen Stunden vielleicht wird jene verworrene Insel hinter uns verblassen, der wir als Robinsons unter vielen unseren Sinn zu geben versuchten. Das Geld, diese Quelle der Sorge, wird Überfluß und Unsinn, man vertrinkt den letzten Taler und sei es nur, um ihn loszuwerden. Eltern werden weinen, doch die Zeit nimmt alles hinweg. So viele Männer auch fallen, das Mädchen wird immer noch einen finden, und ihre Liebe zu dem Toten wird mit der neuen zu einem Gefühle sich wandeln. Freunde, Wein, Bücher, die reiche Tafel süßer und bitterer Genüsse, alles wird mit dem Bewußtsein verflackern wie das letzte Kerzenlicht am Weihnachtsbaum. Man

stirbt mit der Hoffnung, daß es der Welt gut gehe, und fühlt im letzten Zucken gerade noch, wie flüchtig man im Grunde an Menschen und Dingen vorübergeschritten ist. Der große Abend, Lösung, Vergessen, Untergehen und Rückkehr aus der Zeit in die Ewigkeit, aus dem Raum in das Unendliche, aus der Persönlichkeit in jenes Große, das alles im Schoße trägt.

Ja, der Soldat in seinem Verhältnis zum Tode, in der Aufgabe der Persönlichkeit für eine Idee, weiß wenig von den Philosophen und ihren Werten. Aber in ihm und seiner Tat äußert sich das Leben ergreifender und tiefer, als je ein Buch es vermöchte. Und immer wieder, trotz allem Widersinn und Wahnsinn des äußeren Geschehens, bleibt eine strahlende Wahrheit: Der Tod für eine Überzeugung ist das höchste Vollbringen. Er ist Bekenntnis, Tat, Erfüllung, Glaube, Liebe, Hoffnung und Ziel; er ist auf dieser unvollkommenen Welt ein Vollkommenes und die Vollendung schlechthin. Dabei ist die Sache nichts und die Überzeugung alles. Mag einer sterben, in einen zweifellosen Irrtum verbohrt; er hat sein Größtes geleistet. Mag der Flieger des Barbusse[1] tief unter sich zwei gerüstete Heere zu einem Gott um den Sieg ihrer gerechten Sache beten sehen, so heftet sicher eins, wahrscheinlich beide einen Irrtum an seine Fahnen; und doch wird Gott beide zugleich in seinem Wesen umfassen. Der Wahn und die Welt sind eins, und wer für einen Irrtum starb, bleibt doch ein Held.

Zit. nach der 7. Aufl. Berlin 1938, S. 109–110

[1] Henri Barbusse veröffentlichte mit „Das Feuer" 1917 einen der ersten Antikriegsromane.

M 5.19 Völkisch-militärische Ideologie in der Weimarer Republik

a) 1929 – Lied aus dem Allgemeinen Kommersbuch deutscher Studentenverbindungen

Deutsches Weihelied

1. Wir heben unsre Hände aus tiefster, bittrer Not. Herr Gott, den Führer sende, der unsern Kummer wende mit mächtigem Gebot, mit mächtigem Gebot.

2. Erwecke uns den Helden, den seines Volks
erbarm; des Volks, das nachtbeladen, verkauft ist und verraten in unsrer Feinde Arm.
3. Erwecke uns den Helden, der stark in aller
10 Not, sein Deutschland mächtig rühret, dein
Deutschland gläubig führet ins junge Mor-
genrot.
4. Wir weihen Wehr und Waffen und Haupt
und Herz und Hand! Laß nicht zuschanden
15 werden dein lichtes Volk der Erden und meiner Mutter Land!

Zit. nach: Georg Kotowski (Hg.): Historisches Lesebuch 3
(1914–1933). (Fischer) Frankfurt 1968. S. 233 f.

b) 1930 – Aussagen von Reichswehroffizie-
ren im Ulmer Reichswehrprozeß

Die Offiziere wurden als Zeugen im Hochverrats-
prozeß gegen drei junge Ulmer Reichswehroffiziere
vom Reichsgericht in Leipzig vernommen.

„National ist gleich nationalistisch, und pazifistisch gilt gleich vaterlandslos."
„Die Reichswehr ist nicht eine Polizeitruppe
für die Ruhe und Ordnung eines Staates.
5 Der Befreiungskampf bleibt immer das
letzte Ziel. Die Reichswehr kann immer nur
mit den Teilen des Volkes übereinstimmen,
die sich zur Wehrhaftigkeit und zum Befreiungskampf bekennen, nie mit den Pazi-
10 fisten."
„Die Rechtsgesinnten, das heißt, die vaterländisch Gesinnten, [...] da wir als Offiziere
ja vaterländisch gesinnt sind und die vater-
ländische Gesinnung ja nur wenigen Parteien
15 eigen ist."

„Nationalistisch ist gesteigert vaterländisch
und nationalsozialistisch ist, was diese Partei
will. Auf die Ziele der Nationalsozialisten
kam es nicht an, aber die Ziele der Nationalisten gehen mit uns konform."   20
„Der ethische Boden ist den Offizieren unter
den Füßen weggezogen [...], auf die Regierung wurde mächtig geschimpft."
Es wurde während des Prozesses von der
„politischen Hochspannung der Armee" ge-   25
sprochen. Der Kommandeur des Regimen-
tes, dem die angeklagten Leutnante Scheringer und Ludin angehörten, der damalige
Oberst und spätere Chef des Generalstabes
des Heeres Beck, erklärte als Zeuge: „Ja,   30
was Leutnant Scheringer von der größeren
Armee sagt, so muß ich hinzufügen, es wird
täglich der Reichswehr gesagt, sie sei eine
Führerarmee, was soll sich ein junger Offizier anderes darunter vorstellen. Da kann ich 35
dem Leutnant Scheringer nicht so unrecht
geben."
Aus der Aussage des Oberleutnants West-
hoff: Leutnant Scheringer habe ihm anläßlich eines Besuches in Eisenach erklärt, „die 40
Ansichten im Heer und die Gesamteinstel-
lung des Heeres rutschen immer mehr nach
links. Man müßte da einen Riegel vorschie-
ben".
Das Heer sollte sich bei Unruhen hinter die   45
Parteien der Rechten stellen. Viele Offiziere
hätten schon den Gedanken aufgegeben, daß
die Reichswehr „der Kern einer Befreiungs-
armee sei". Im Heer sollte für den Gedanken
der „Wehrhaftigkeit und der nationalen Be-   50
einflussung" gewirkt werden.

Zit. nach: Harry Pross: Die Zerstörung der deutschen Politik. Frankfurt 1959. S. 143

M 5.20 1938 – Deutsche „Lebens- raum"- Ideologie

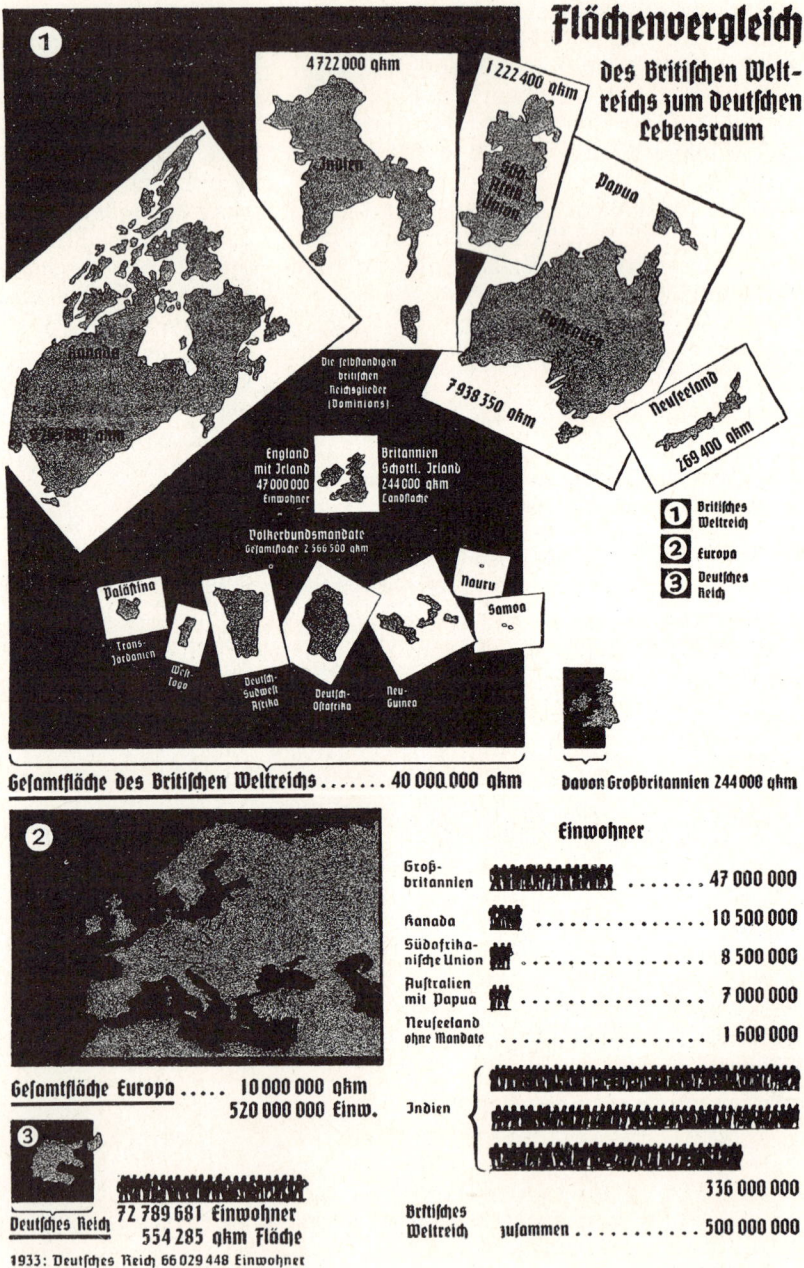

Flächenvergleich des Britischen Welt- reichs zum deutschen Lebensraum

① Britisches Weltreich
② Europa
③ Deutsches Reich

„**Um** Blut und Persönlichkeit zu schirmen, braucht das Volk einen Raum, in dem es ackern, säen und ernten, in dem es würdig leben kann, in dem es schließlich auch Muße hat, um tiefen Gedanken nachzuhängen und seine seelische Weltanschauung auszubauen und weiter zu übertragen auf kommende Geschlechter." **Alfred Rosenberg** über „Blut, Boden, Persönlichkeit".

M 5.21 1939 – Pflichten des deutschen Soldaten

M 5.22 1939 – Anpassung des Frauenbildes an den Krieg

Die Pflichten des deutschen Soldaten

1. Die Wehrmacht ist der Waffenträger des deutschen Volkes. Sie schützt das Deutsche Reich und Vaterland, das im Nationalsozialismus geeinte Volk und seinen Lebensraum. Die Wurzeln ihrer Kraft liegen in einer ruhmreichen Vergangenheit, in deutschem Volkstum, deutscher Erde und deutscher Arbeit.
Der Dienst der Wehrmacht ist Ehrendienst am deutschen Volk.
2. Die Ehre des Soldaten liegt im bedingungslosen Einsatz seiner Person für Volk und Vaterland bis zur Opferung seines Lebens.
3. Höchste Soldatentugend ist der kämpferische Mut. Er fordert Härte und Entschlossenheit. Feigheit ist schimpflich, Zaudern unsoldatisch.
4. Gehorsam ist die Grundlage der Wehrmacht, Vertrauen die Grundlage des Gehorsams.
Soldatisches Führertum beruht auf Verantwortungsfreude, überlegenem Können und unermüdlicher Fürsorge.
5. Große Leistungen im Krieg und Frieden entstehen nur in unerschütterlicher Kampfgemeinschaft von Führer und Truppe.
6. Kampfgemeinschaft erfordert Kameradschaft. Sie bewährt sich besonders in Not und Gefahr.
7. Selbstbewußt und doch bescheiden, aufrecht und treu, gottesfürchtig und wahrhaft, verschwiegen und unbestechlich, soll der Soldat dem ganzen Volk ein Vorbild männlicher Kraft sein. Nur Leistungen berechtigen zum Stolz.
8. Größten Lohn und höchstes Glück findet der Soldat im Bewußtsein freudig erfüllter Pflicht. Charakter und Leistung bestimmen seinen Weg und Wert.

Zit. nach: „Schulungsbrief der NSDAP" 3/1939, S. 90

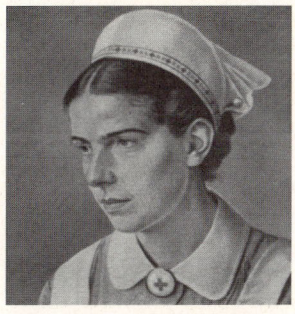

„Die Kriegsschwester"

Wenige Kilometer hinter den Fronten, die unsere Heere im Weltkrieg hielten, stand die Schwester und kämpfte mit: in Rußland und Frankreich, in den Alpen und den Karpathen, in Wüste und Urwald, in Seuchenlazaretten und Notbaracken. Mitleid und Liebe machten sie erfinderisch; ihre Umsicht, die aus dem Nichts das Notwendige schuf, ihr schnelles Zurechtfinden auch in primitivster Umgebung rettete Tausenden Verwundeter das Leben. Schwerste Arbeit bis zur Erschöpfung wurde ihr so selbstverständlich wie Müdigkeit und Schwäche zu besiegen, Schreck und Entsetzen zu verbergen, ein gleichmäßiges Gesicht zu wahren und eine ruhig helfende Hand. Alle Gefahren, die sie bedrohten, in den Seuchenbaracken, im Schußfeld der Feuerlinie und im Wurfbereich feindlicher Flieger, wurden vergessen vor dem Glück, helfen zu dürfen, unentbehrlich zu sein, vergessen vor der großen Kameradschaft der Front. Manch einem Sterbenden gab die Schwester mit stillen Worten des Trostes, mit kühlender Hand auf heißer Stirn, das letzte Traumglück des Entschlafens: die Nähe der Mutter oder Liebsten, den Atem der Heimat zu spüren.

Zeichnung „nach dem Leben"

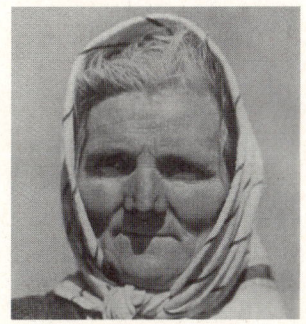

„Bäuerin aus der Kriegszeit"

Als die Männer zu den Fahnen gerufen wurden, standen die Felder in goldenem Segen und harrten der Hände, die ernteten. Da übernahm die

Bäuerin zum eigenen Maß auch die Arbeit des fernen Mannes. Vor Tau und Tag war sie
50 wach, Jahr um Jahr, führte den Pflug über den Acker, stand mit der Sense im Gras, versorgte die Kinder, pflegte das Haus, fütterte das Vieh; und schrie eine Not in Nachbarhaus und Dorf, so versagte sie nicht ihre Hil-
55 fe. Mit herbem Mund, der kein Klagen kannte, mühte die Bäuerin sich durch die harten Jahre, und ihr Gesicht wurde schmal wie ein Schatten unter der schweren Last. Lohn und Dank genug war es ihr, daß der Hof nicht
60 verfiel, das Vieh nicht verdarb, das Land nicht brach liegen mußte. Hohes aber dankt ihr das Volk. Die reiche Ernte jener Sommer kam ungefährdet herein, der feindliche Plan der Aushungerung wurde von innen her
65 bekämpft; erst spät wuchs der Ring der Blockade, von teuflischer Absicht um unsere Grenzen gelegt, zur unmittelbaren und tödlichen Gefahr. Daß Deutschland vier Jahre hindurch allen höhnischen Voraussa-
90 gen zum Trotz widerstand: größten Anteil an dieser Ehre hat der Kriegsdienst der Bäuerin.

Zit. nach: Lydia Ganzer-Gottschewski: Das deutsche Frauenantlitz. München/Berlin 1939, S. 118, 120

Amerikanische Außenpolitik zwischen den Weltkriegen

M 5.23   1922 – Ch. E. Hughes: „Open door policy"

Charles Evans Hughes war von 1921 bis 1925 amerikanischer Außenminister.

Die Diplomatie demokratischer Völker hat ihre eigenen Erfordernisse, Vorteile und Schwierigkeiten. Sie sollte offen, objektiv und deutlich sein. Sie ist in der glücklichen
5 Lage, von dynastischen Erfordernissen unabhängig zu sein und hat wenig Anlässe, die Tradition von Doppelzüngigkeit und Intrige fortzusetzen, die mit despotischen Regierungen verquickt sind. Sie hat auch den Vorteil,
10 der öffentlichen Meinung verantwortlich zu sein; sie spiegelt die Auffassung des allge-

meinen Interesses wider. Eine äußerst große Schwierigkeit besteht jedoch darin, eine vorurteilsfreie öffentliche Meinung hinsichtlich internationaler Angelegenheiten aufrechtzu- 15 erhalten. Zumindest bis vor kurzem wurde dies in diesem Land zunehmend durch den Mangel an allgemeinem Interesse für außenpolitische Fragen erschwert. Diese gutmütige Gleichgültigkeit – die lediglich in schweren 20 Notsituationen aussetzt –, unsere geografische Lage, die Größe unseres Landes und das breite Spektrum einheimischer Möglichkeiten haben ein Gefühl der Selbstgenügsamkeit entstehen lassen. Wir haben erst an- 25 gefangen, in internationalen Maßstäben zu denken, und wir finden, daß die Haltung der öffentlichen Meinung immer noch unzureichend der Größe unserer Finanzkraft und den internationalen Interessen angepaßt ist, 30 die sich als Folge des Weltkriegs plötzlich vor uns auftürmen. [...] Zu diesem Zeitpunkt haben wir auch Gelegenheit, uns mit den wachsenden Möglichkeiten für Industrie und Handel durch Anerkennung und Erweite- 35 rung der Politik der „Offenen Tür" auseinanderzusetzen. Auf der letzten Konferenz in Washington gelang es den teilnehmenden Mächten, das, was bisher bezüglich China erst Gegenstand allgemeiner diplomatischer 40 Gespräche ist, aufzunehmen und es mit eindeutigen Erklärungen in die korrekte Form eines Vertragstextes zu bringen. Diese Regierung besteht immer noch – und es freut mich sagen zu können: mit einem befriedi- 45 genden Maß an Erfolg – auf der Anwendung dieses Prinzips auf die Gebiete, die kürzlich Gegenstand der Mandatsneuverteilung wurden, und wir erhielten bedeutende Garantien hinsichtlich gleicher Handelsmöglichkeiten 50 in diesen Gebieten.
Natürlich versucht unsere Regierung nicht, indem sie der amerikanischen Wirtschaftsinitiative angemessene diplomatische Unterstützung zuteil werden läßt, Verträge für ihre 55 Staatsangehörigen zu sichern oder einzelne Unternehmungen zu initiieren. Ich nehme an, daß niemand wünschen sollte, die Regierung sei derart beteiligt. Ihr Ziel ist es, den Fortgang gerechter und gleicher Möglich- 60 keiten zu sichern. Deshalb ist es ein lebenswichtiges Prinzip, daß sie hinsichtlich der amerikanischen Geschäftsinteressen völlig unparteiisch handelt, die möglicher-

65 weise im Wettbewerb sind. Sie versucht nicht, einen auf Kosten des anderen zu bevorzugen, sondern sie versucht, eine Politik hinsichtlich des internationalen Handelsverkehrs aufrechtzuerhalten, die allen die glei-
70 che Chance gibt.

Zit. nach: Josef Brecht u. andere (Hrsg.): Deutschland im Spannungsfeld der Weltpolitik. (Oldenbourg) München 1982. S. 87

| M 5.24 | 1937 – F.D. Roosevelts „Quarantäne"-Rede |

Franklin Delano Roosevelt (1882–1945) war von 1933 bis 1945 amerikanischer Präsident. Er wandte sich schon seit 1934 gegen die Politik der Revisionsmächte.

Die gegenwärtige Schreckensherrschaft internationaler Rechtlosigkeit hat vor einigen Jahren eingesetzt. Sie begann mit unberechtigten Eingriffen in die inneren Angelegen-
5 heiten anderer Völker und mit dem Einfall in fremde Gebiete unter Bruch bestehender Verträge; sie hat nun ein Maß erreicht, das die Grundlagen der Zivilisation selbst ernstlich bedroht. Die Marksteine auf dem
10 Wege der menschlichen Entwicklung zu Gesetzlichkeit, Ordnung und Gerechtigkeit werden umgestürzt, ihre Traditionen ausgerottet. [...]
Die überwältigende Mehrheit der Völker
15 und Staaten der Welt will heute in Frieden leben. Sie sind bestrebt, die Handelsschranken zu beseitigen. Sie wollen ihre Kräfte der Industrie, der Landwirtschaft und dem Handel widmen, um ihren Wohlstand durch die
20 Erzeugung von Gütern zu vermehren, die ihrerseits wieder Wohlstand erzeugen; sie wollen nicht Kampfflugzeuge, Bomben, Maschinengewehre und Kanonen herstellen, die der Zerstörung menschlichen Lebens und nützli-
25 chen Eigentums dienen. [...]
Wir sind jedoch gezwungen, in die Zukunft zu blicken. Friede, Freiheit und Sicherheit von 90 Prozent der Weltbevölkerung sind durch die verbleibenden 10 Prozent gefähr-
30 det, die drohen, Völkerrecht und Ordnung in ein Nichts aufzulösen. Die 90 Prozent, die in Frieden leben wollen, unter dem Schutz des Rechtes, nach den sittlichen Grundsätzen, die im Laufe der Jahrhunderte nahezu welt-
35 weite Anerkennung gefunden haben, müssen und können Mittel finden, ihren Willen durchzusetzen. [...]
Unglücklicherweise scheint es wahr zu sein, daß sich die Seuche der Gesetzlosigkeit in der Welt ausbreitet. Wenn eine Epidemie um 40 sich zu greifen beginnt, dann ordnet das Gemeinwesen eine Quarantäne für die Kranken an, um die Gesundheit des Gemeinwesens gegen die Ausbreitung der Krankheit zu schützen. 45
Es ist mein fester Entschluß, eine Politik des Friedens zu verfolgen und mich jeden brauchbaren Mittels zu bedienen, um zu verhindern, daß unser Land in einen Krieg verwickelt wird. [...] 50
Krieg ist eine ansteckende Krankheit, gleichviel, ob ihm eine Kriegserklärung vorausgeht oder nicht. Er kann Staaten und Völker verschlingen, fern vom ursprünglichen Schauplatz der Feindseligkeiten. Wir sind 55 entschlossen, uns von einem Kriege fernzuhalten; aber wir können uns nicht gegen die verheerenden Wirkungen eines Krieges und nicht gegen die Gefahr schützen, in den Krieg hineingerissen zu werden. 60

Zit. nach: Josef Brecht: (M 5.23) S. 94

| M 5.25 | Der Beginn des Zweiten Weltkrieges in europäischen Geschichtsbüchern (für die 9./10. Klasse) |

a) Französischer Text

L. Genet / R. Rémond / P. Chaunu / A. Marcet: Le Monde Contemporain (Classes Terminales). In: Collection d'Histoire Hatier. Librairie Hatier 1976, S. 183 f.

Der Weg in den Krieg
Die englische Politik, die russische Kehrtwendung und der Wille Hitlers machen den Krieg unvermeidlich.

Die englische Politik   5
Die trotz der Versprechungen von München erfolgte Liquidierung der Tschechoslowakei öffnet brüsk die Augen Chamberlains. Er stellt das Scheitern seiner Politik fest: man kann sich auf das Wort Hitlers nicht verlas- 10
sen. Aber die Reaktion des getäuschten ehrlichen Mannes ist ebenso ungeschickt wie die Politik, die er bisher verfolgt hat.

Er bietet Polen die vollständige und bedin-
15 gungslose Unterstützung der britischen Regierung an. Zum ersten Male in seiner Geschichte übernimmt es England, die Stunde
nicht bestimmen zu können, in der es in den
Krieg eintreten würde. Zur gleichen Zeit, zu
20 der es die polnischen Grenzen garantierte,
garantierte es indirekt die der UdSSR. [...]
Die französische Regierung, die Chamber-
lain in seiner Verständigungspolitik mit den
Diktatoren gefolgt war, folgt ihm auch in sei-
25 ner Reaktion: französische Garantien ergänzen die englischen.

Die russische Kehrtwendung
Die Gefahr eines Krieges veranlaßt die Franzosen und die Engländer, sich an die UdSSR
30 zu wenden. Eine alliierte Militärkommission
wird nach Moskau geschickt. Aber geheime
Gespräche zwischen Hitler und Stalin sind
bereits eingeleitet. Eine Verständigung zwischen beiden feindlichen Regimen schien un-
35 möglich. Jedoch unterzeichnen Ribbentrop,
der mit dem Flugzeug nach Moskau gekommen ist, und, auf russischer Seite, Molotow
und Stalin am 23. August 1939 den deutsch-
sowjetischen Pakt. [...]
40 Stalin täuscht sich nicht hinsichtlich der Absichten Hitlers, aber der Pakt gibt ihm die
Möglichkeit, Zeit zu gewinnen. Er hat sie
nötig, um die Einsatzbereitschaft seiner Armee zu vervollständigen. Er ist mit der Mün-
45 chener Politik der Demokratien unzufrieden
gewesen. Das französisch-deutsche Abkommen vom Dezember 1938 erschien ihm, zu
Recht oder zu Unrecht, als eine von Frankreich unternommene Bemühung, das Ge-
50 witter nach Osten abzulenken. Es jetzt gegen
den Westen zu lenken scheint ihm gerechtfertigt.
So läßt sich der deutsch-russische Pakt vielleicht rechtfertigen; auf alle Fälle aber be-
55 deutet er Krieg im Westen.

Der Wille Hitlers
Er macht den Krieg unvermeidlich; Hitler
hat dessen Anfang auf den 1. September
festgesetzt. Vergeblich bieten der Papst, Leo-
60 pold III. von Belgien, Königin Wilhelmine
der Niederlande und Präsident Roosevelt ihre Vermittlung an; vergeblich versucht die
italienische Regierung, die den Krieg für verfrüht hält, den Frieden zu erhalten: Hitler ist
65 entschlossen.

b) Italienischer Text

A. Camera e R. Fabietti: Storia Volume terzo: Dal
1848 al giorni nostri. Zanichelli Bologna o. J. (1966)

Es wurde bald deutlich, daß selbst die
großen Zugeständnisse der Münchener Konferenz und die tatsächliche Anerkennung der
Eroberung Äthiopiens die Begehrlichkeit
Deutschlands und Italiens nicht befriedigen 5
konnten: Die Absichten Deutschlands richteten sich auf Danzig und den polnischen Korridor, während Italien Ansprüche auf Tunis,
Korsika, Nizza und Savoyen anmeldete. Deshalb entschlossen sich England und Frank- 10
reich endlich zu einer Neuorientierung ihrer
Politik: sie gaben jede Illusion hinsichtlich
der Möglichkeit, zu den faschistischen Regimen friedliche Beziehungen zu unterhalten
und sie für eine antisowjetische Politik zu ge- 15
winnen, auf.
Sie boten daher dem bedrohten Polen ihre
förmlichen Garantien an und versuchten,
Rußland durch Verträge gegenseitiger Hilfe-
leistungen zu verpflichten. Zum größten Un- 20
glück aber für die Völker und für die Sowjetunion selbst gingen Stalin und die russische
Diplomatie, mißtrauisch geworden durch die
früheren Erfahrungen und besonders durch
die englisch-französische Kapitulation von 25
München, statt dessen auf die Vorschläge
Nazideutschlands ein und schlossen mit
ihm am 23. August 1939 einen Nichtangriffspakt.

c) Polnischer Text

Roman Wapinski: „Historia". Warschau, Wydawnic-
twa Szkolne Pedagogiczne, 1977, S. 3 f.

Der deutsche Angriff auf Polen. Beginn des
Zweiten Weltkriegs
1. Der deutsche Überfall auf Polen
Die Ausführungen, die Hitler vor Wehr-
machtsführern am 23. Mai 1939 tat, daß 5
„Danzig nicht das Objekt ist, um das es geht:
es handelt sich für uns um die Erweiterung
des Lebensraums im Osten und Sicherstellung der Ernährung sowie die Lösung des
Baltikum-Problems", spiegeln die grundsätz- 10
lichen Ziele der von Deutschland vorbereite-
ten Aggression gegen Polen und von dort
aus weiter nach Osten wider. Ziel dieser
Aggression war nicht irgendein Danzig, nicht
irgendeine Grenzkorrektur. Es war vielmehr 15

das Bestreben, den polnischen Staat völlig zu liquidieren und sich auf diese Weise den Weg zu öffnen, der eine weitere Expansion in Europa ermöglichen würde. Das so deutlich
20 dargestellte Ziel dieser Aggression war gleichzeitig verknüpft mit einem ganzen System von Provokationen, für deren Organisation vor allem die deutsche Minderheit in Polen benutzt wurde.
25 [...] Mit dem Griff nach dieser Waffe, die vorher schon gegenüber der Tschechoslowakei ausprobiert worden war, nährten die Hitler-Führer auch die Hoffnung, daß ihnen eine völlige politische Isolation Polens gelingen
30 werde. In dieser Überzeugung wurden sie von der Haltung Frankreichs und Großbritanniens bestärkt, die sich um den Abschluß irgendeines neuen Kompromisses mit den Deutschen bemühten, ähnlich wie der Beschluß auf der
35 Konferenz von München. Diese Möglichkeit wurde auch in die von der obersten Wehrmachtführung ausgearbeitete deutsche Angriffsplanung gegen Polen miteinbezogen, die unter dem Kennwort „Fall Weiß" lief und vor-
40 aussetzte, daß Polen sich in der Lage einer militärischen Isolation befand. Solche Schlußfolgerungen ergaben sich aus einer Analyse der Politik der Zugeständnisse, wie sie von Großbritannien und Frankreich betrieben worden
45 war. Daher hat denn auch die Kriegserklärung dieser beiden Staaten vom 3. 9. 1939 gegenüber Deutschland beträchtliche Kopflosigkeit in Führungskreisen des III. Reichs hervorgerufen. Man muß sich dafür etwas klarmachen,
50 daß alle großen deutschen Panzer- und motorisierten Einheiten in Polen engagiert waren. Diese Befürchtungen erwiesen sich jedoch leider als unbegründet, weil die westlichen Verbündeten Polens ihr Eingreifen auf Grenz-
55 patrouilllen und den Abwurf von Propagandaflugblättern auf deutsches Gebiet beschränkten. 84 französische Divisionen, die am 10. September an der deutschen Grenze konzentriert waren, unternahmen nichts, was
60 die Kampfhandlungen an der polnischen Front entlastet hätte.

d) Sowjetrussischer Text

1. Novejsaja Istorija (Neueste Geschichte) 1939–1977. Unter der Redaktion von V. K. Furaev. 9. Aufl., Moskau 1978. S. 11 und S. 15 ff.

Der sowjetisch-deutsche Nichtangriffspakt
Im August 1939 verkomplizierte sich die internationale Lage der SU ernstlich. Deutschland bereitete sich auf einen Einfall in Polen vor.
5 Die Provokation der japanischen Militaristen, die sich auf Kriegsabenteuer an den fernöstlichen Grenzen der SU einließen, häufen sich. Die UdSSR befand sich in der Aussicht auf internationale Isolierung und Verwicklung in einem Krieg im Westen und im Osten.
10 Zu diesem Zeitpunkt schlug Deutschland der sowjetischen Regierung vor, einen Nichtangriffspakt auf 10 Jahre abzuschließen. Die Annahme des deutschen Vorschlags erlaubte es, einen Zweifrontenkrieg in einer ungünstigen
15 Situation zu vermeiden und Zeit zu gewinnen zur Verstärkung der Landesverteidigung. Der Vertrag schuf die Möglichkeit, der Bildung einer sichtbar werdenden einheitlichen antisowjetischen Front der imperialistischen Staaten
20 vorzubeugen.
Die SU nahm den deutschen Vorschlag an, und am 23. August 1939 wurde der Nichtangriffspakt unterzeichnet. Die wortbrüchige Politik der Westmächte zwang die UdSSR zu die-
25 sem Schritt. Die sowjetische Regierung war sich darüber klar, daß Hitler nicht von den Plänen eines Krieges gegen die UdSSR ablassen würde, sondern daß sein Vorschlag das neueste Manöver der faschistischen Oberschicht
30 war. Die Geschichte hat die Richtigkeit der getroffenen Entscheidung erhärtet. Den „Münchenern" gelang es nicht, die UdSSR mit den faschistischen Staaten zusammenprallen zu lassen und sich selbst herauszuhalten.
35 Der Zweite Weltkrieg wurde verursacht durch den Imperialismus.
[...] Die Neuaufteilung der Welt, die als Ergebnis des Ersten Weltkriegs vor sich gegangen war, entsprach nur den Interessen der Sieger-
40 mächte. Sie trug den Keim eines neuen Weltkonflikts und einer neuen Aufteilung der Welt in sich.
In den 30er Jahren entstanden zwei imperialistische Kräftegruppen, die die Weltherrschaft
45 anstrebten. Der einen traten Hitlerdeutschland, das faschistische Italien und das militaristische Japan bei. Die Länder des faschistischen Blocks hielten sich für benachteiligt und betraten als erste den Weg zur Neuaufteilung
50 der Welt mit Hilfe der bewaffneten Macht. Die Aggressoren erdachten Pläne zur Versklavung und physischen Vernichtung der Völker.

Die deutschen und japanischen Imperialisten
55 wollten die SU vernichten, ihr Territorium unter sich aufteilen und die Sowjetmenschen zu
Sklaven machen. Der deutsche Faschismus
war die räuberischste Gruppe des Weltimpe-
rialismus. Der faschistischen Koalition stand
60 eine andere imperialistische Gruppierung
bestehend aus England, Frankreich, USA gegenüber. Diese Länder, die den Ersten Weltkrieg gewonnen hatten, wollten ihre erkämpf-
ten Positionen behalten und ihre Konkurren-
65 ten von neuem schwächen. Beide Gruppierungen strebten die Weltherrschaft an. Aber auf
diesem Weg war die SU für sie ein Hindernis.
Der Zweite Weltkrieg begann mit einem bewaffneten Zusammenstoß der beiden imperia-
70 listischen Koalitionen. Seinem Ursprung nach
war er ein imperialistischer Krieg. Urheber
der Entfesselung des Krieges war das System
des Imperialismus mit den ihm eigenen anta-
gonistischen Widersprüchen. Seitens der fa-
75 schistischen Mächte war der Krieg ungerecht
und räuberisch vom Anfang bis zum Ende.

Zit. nach: Internationale Schulbuchforschung – Zeitschrift des
Georg-Eckert-Instituts Braunschweig, Nr. 1/1979, S. 66-71

| **M 5.26** | **Feindbilder im Zweiten Weltkrieg** |

a) und b): Sowjetische Propagandaplakate 1941/42
a)

b) „Papa, erschieße einen Deutschen!"

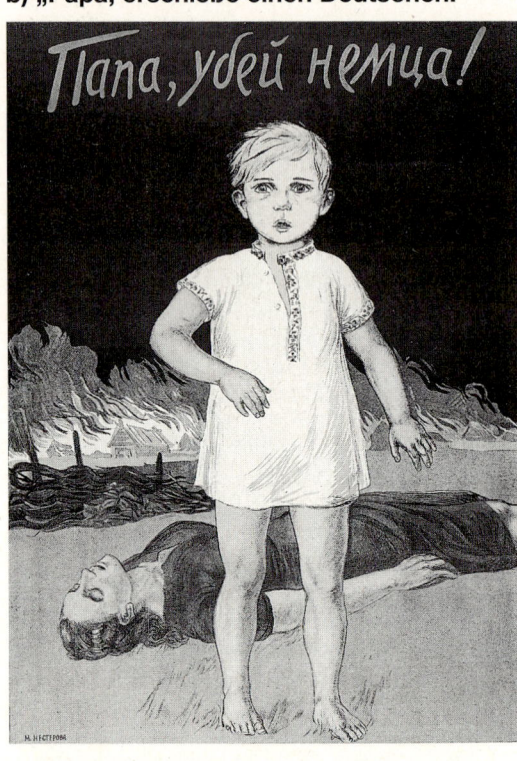

c) NS-Propagandafilm von 1940

d) US-Karikatur von 1941

WHAT IS AN "ARYAN"?
HE IS **HANDSOME**

AS GOEBBELS

| M 5.27 | **1941 – Die USA vor dem Kriegseintritt** |

Aus einem persönlichen Brief Präsident F. D. Roosevelts an den amerikanischen Botschafter in Japan, J. C. Grew:

Was Ihren sehr natürlichen Wunsch betrifft, etwas über meine Ansichten zu gewissen Seiten unserer künftigen Haltung gegenüber den Entwicklungen im Fernen Osten zu er-
5 fahren, so glaube ich, daß wir zu allererst anerkennen müssen, daß die Feindseligkeiten in Europa, Afrika und Asien alle miteinander Teile eines einzigen Weltkriegs sind. Wir müssen demzufolge anerkennen, daß unsere
10 Interessen sowohl in Europa wie im Fernen Osten bedroht sind. Wir sind in dem Falle, unsere Lebensweise und unsere lebenswichtigen nationalen Interessen verteidigen zu müssen, wo immer sie ernsthaft gefährdet
15 sind. Unsere Strategie der Selbstverteidigung muß eine den Erdball umspannende Strategie sein, die mit allen Fronten rechnet und alle Gelegenheiten ausnützt, um zu unserer totalen Sicherheit beizutragen.
Sie erklären für einen der wichtigsten Fakto- 20 ren in dem Problem unserer Haltung gegenüber Japan die Frage, ob unser Eintritt in den Krieg mit Japan unsere Hilfeleistung für Großbritannien in Europa so hemmen würde, daß es für Großbritannien den Unter- 25 schied von Sieg und Niederlage bedeuten könnte. In diesem Zusammenhang müssen wir uns, scheint mir, überlegen, ob, wenn Japan je das Gebiet Niederländisch-Ostindiens und der Malayischen Halbinsel in seinen 30 Besitz bringen sollte, Englands Chancen, in seinem Krieg mit Deutschland zu siegen, nicht dadurch verringert würden. Die Britischen Inseln – oder vielmehr die Briten auf diesen Inseln – waren imstande, weiter zu le- 35 ben und sich zu verteidigen, nicht nur, weil sie eine starke Verteidigung an Ort und Stelle aufgebaut haben, sondern auch, weil sie als Herz und Nervenzentrum des britischen Reiches in der Lage waren, über ausgebreite- 40 te Hilfsquellen für ihren Unterhalt zu verfügen und gegen ihre Feinde wirtschaftliche, militärische und Marinedruckmittel in einem weltweiten Maßstab spielen zu lassen. Sie leben von der Einfuhr von Gütern aus allen 45 Teilen der Welt und von der Ausnützung großer überseeischer Finanzquellen. [...]
Die Briten brauchen Hilfe auf der Linie unserer allgemeinen Politik an verschiedenen Punkten – eine Hilfe, die im Falle des Fernen 50 Ostens gewiß sehr wohl innerhalb des Bereichs der „Möglichkeit" liegt, soweit es die Kapazität der Vereinigten Staaten betrifft. Ihre Verteidigungsstrategie muß sich nach der Natur der Dinge über den ganzen Erdkreis 55 erstrecken. Unsere Strategie, ihnen Hilfe zu gewähren in dem Gedanken, unsere eigene Sicherheit zu befestigen, muß ebensosehr darauf gerichtet sein, Nachschub nach England zu schicken, wie darauf, dazu beizutragen, die 60 Schließung von Verkehrskanälen von und nach verschiedenen Teilen der Welt zu verhindern, auf daß nicht wichtige Nachschubquellen den Briten versagt und den Aktiva der anderen Seite hinzugefügt werden. 65
Sie weisen ferner als auf Hauptfaktoren des Problems auf die Fragen hin, ob und wann Großbritannien den europäischen Krieg wohl gewinnen kann. Wie ich oben angedeutet habe, ist der Konflikt ein weltweiter, nicht nur 70

ein europäischer Krieg. Ich glaube fest, wie ich jüngst öffentlich erklärt habe, daß die Briten mit unserer Hilfe siegreich aus dem Krieg hervorgehen werden. Der Krieg mag sich
75 wohl lang hinziehen, und wir müssen damit rechnen, daß England, selbst wenn es siegreich ist, vielleicht nicht mehr die erforderliche Kraft übrig hat, um diejenigen territorialen Veränderungen im westlichen und
80 südlichen Stillen Ozean rückgängig zu machen, die im Laufe des Krieges eintreten können, wenn Japan nicht in seinen Grenzen gehalten wird.

Zit. nach: Helmuth Rönnefarth/Heinrich Euler (Hrsg.): Vertrags-Ploetz, Teil II, Bd. 4a. Würzburg 1974, S. 624–625

M 5.28 1941 – Die sowjetische Reaktion auf den deutschen Überfall

Rundfunkrede Stalins vom 3.7.1941

Genossen! Bürger! Brüder und Schwestern! Kämpfer unserer Armee und Flotte!

Man könnte fragen: Wie konnte es geschehen, daß sich die Sowjetregierung auf den Ab-
5 schluß eines Nichtangriffspakts mit solchen treubrüchigen Leuten und Ungeheuern wie Hitler und Ribbentrop eingelassen hat? Ist hier von der Sowjetregierung nicht ein Fehler begangen worden? Natürlich nicht! Ein
10 Nichtangriffspakt ist ein Friedenspakt zwischen zwei Staaten. Eben einen solchen Pakt hat Deutschland uns im Jahre 1939 angeboten. Konnte die Sowjetregierung einen solchen Vorschlag ablehnen? Ich denke, daß
15 kein einziger friedliebender Staat ein Friedensabkommen mit einem benachbarten Staat ablehnen kann, selbst wenn an der Spitze dieses Staates solche Ungeheuer und Kannibalen stehen wie Hitler und Ribbentrop. [...]
20 Was haben wir durch den Abschluß des Nichtangriffspakts mit Deutschland gewonnen? Wir haben unserem Lande für anderthalb Jahre den Frieden gesichert sowie die Möglichkeit, unsere Kräfte zur Abwehr vor-
25 zubereiten, für den Fall, daß das faschistische Deutschland es riskieren sollte, trotz des Paktes unser Land zu überfallen. Das ist ein ausgesprochener Gewinn für uns und ein Verlust für das faschistische Deutschland.
30 Was hat das faschistische Deutschland dadurch, daß es den Pakt treubrüchig zerrissen

und die Sowjetunion überfallen hat, gewonnen und was hat es verloren? Es hat dadurch für kurze Zeit eine gewisse vorteilhafte Lage für seine Truppen erzielt, hat aber in politischer Hinsicht verloren, indem es sich in den Augen der ganzen Welt als blutiger Aggressor entlarvt hat. Es kann kein Zweifel bestehen, daß dieser kurzfristige militärische Gewinn für Deutschland nur eine Episode ist, der gewaltige politische Gewinn für die Sowjetunion dagegen ein ernster Faktor von langer Dauer, auf dessen Grundlage sich entscheidende militärische Erfolge der Roten Armee im Kriege mit dem faschistischen Deutschland entwickeln müssen. [...]
Den Krieg gegen das faschistische Deutschland darf man nicht als einen gewöhnlichen Krieg betrachten. Er ist nicht nur ein Krieg zwischen zwei Armeen. Er ist zugleich der große Krieg des ganzen Sowjetvolkes gegen die faschistischen deutschen Truppen. Das Ziel dieses vaterländischen Volkskrieges gegen die faschistischen Unterdrücker ist nicht nur die Beseitigung der Gefahr, die sich vor unserem Lande erhoben hat, sondern auch die Hilfeleistung für alle Völker Europas, die unter dem Joch des deutschen Faschismus stöhnen. In diesem Befreiungskrieg werden wir nicht allein dastehen. In diesem großen Krieg werden wir treue Verbündete an den Völkern Europas und Amerikas haben, darunter auch am deutschen Volk, das von den faschistischen Machthabern versklavt ist. Unser Krieg für die Freiheit unseres Vaterlandes wird verschmelzen mit dem Kampf der Völker Europas und Amerikas für ihre Unabhängigkeit, für die demokratischen Freiheiten.

Zit. nach: Gerd R. Überschär/Wolfram Wette (Hrsg.): Der deutsche Überfall auf die Sowjetunion. Frankfurt/M. 1991. S. 272–274

Der Krieg im Osten als wirtschaftliche Raubkrieg

M 5.29 1941 – Hitlers Pläne für den Osten

a) **Geheime Absichtserklärungen zur künftigen Ostpolitik: Auszug aus einem Aktenvermerk von Reichsleiter M. Bormann (16. 7. 1941)**

Führerhauptquartier, 16.7.1941

Geheime Reichssache!

Auf Anordnung des Führers fand heute bei ihm um 15 Uhr eine Besprechung mit Reichsleiter Rosenberg, Reichsminister Lammers, Feldmarschall Keitel, mit dem Reichsmarschall und mir statt. [...] (Hitler führt aus:) Wesentlich sei es nun, daß wir unsere Zielsetzung nicht vor der ganzen Welt bekanntgäben; dies sei auch nicht notwendig, sondern die Hauptsache sei, daß wir selbst wüßten, was wir wollten. Keinesfalls soll durch überflüssige Erklärungen unser eigener Weg erschwert werden. Derartige Erklärungen seien überflüssig, denn soweit unsere Macht reiche, könnten wir alles tun, und was außerhalb unserer Macht liege, könnten wir ohnehin nicht tun. [...] Wir werden also wieder betonen, daß wir gezwungen waren, ein Gebiet zu besetzen, zu ordnen und zu sichern; im Interesse der Landeseinwohner müßten wir für Ruhe, Ernährung, Verkehr usw. usw. sorgen; deshalb unsere Regelung. Es soll also nicht erkennbar sein, daß sich damit eine endgültige Regelung anbahnt! Alle notwendigen Maßnahmen – Erschießen, Aussiedeln usw. – tun wir trotzdem und können wir trotzdem tun. Wir wollen uns aber nicht irgendwelche Leute vorzeitig und unnötig zu Feinden machen. Wir tun also lediglich so, als ob wir ein Mandat ausüben wollten. Uns muß aber dabei klar sein, daß wir aus diesen Gebieten nie wieder herauskommen. Demgemäß handelt es sich darum:
1. Nichts für die endgültige Regelung zu verbauen, sondern diese unter der Hand vorzubereiten;
2. wir betonen, daß wir die Bringer der Freiheit wären. [...] Grundsätzlich kommt es also darauf an, den riesenhaften Kuchen handgerecht zu zerlegen, damit wir ihn erstens beherrschen, zweitens verwalten und drittens ausbeuten können. Die Russen haben jetzt einen Befehl zum Partisanen-Krieg hinter unserer Front gegeben. Dieser Partisanenkrieg hat auch wieder seinen Vorteil: er gibt uns die Möglichkeit, auszurotten, was sich gegen uns stellt.

Grundsätzliches:
Die Bildung einer militärischen Macht westlich des Ural darf nie wieder in Frage kommen, und wenn wir hundert Jahre darüber Krieg führen müßten. Alle Nachfolger des Führers müssen wissen: die Sicherheit des Reiches ist nur dann gegeben, wenn westlich des Ural kein fremdes Militär existiere; den Schutz dieses Raumes vor allen eventuellen Gefahren übernimmt Deutschland. Eiserner Grundsatz muß sein und bleiben:
Nie darf erlaubt werden, daß ein Anderer Waffen trägt als der Deutsche!

b) 1941 – Grundsätze für die Wirtschaftspolitik in den besetzten Ostgebieten

Geheim!

Die unter Vorsitz des Reichsmarschalls am 8. 11. 1941 abgehaltene Besprechung über Wirtschaftspolitik und Wirtschaftsorganisation in den neubesetzen Ostgebieten hat zu nachstehenden Feststellungen und Ergebnissen geführt:

A. Allgemeine Grundsätze für die Wirtschaftspolitik in den neubesetzten Ostgebieten.
I. Für die Dauer des Krieges sind die Erfordernisse der Kriegswirtschaft das oberste Gesetz jedes wirtschaftlichen Handelns in den neubesetzen Ostgebieten.
II. Auf lange Sicht gesehen werden die neubesetzten Ostgebiete unter kolonialen Gesichtspunkten und mit kolonialen Methoden wirtschaftlich ausgenutzt. Eine Ausnahme gilt nur für die Teile des Ostlandes, die nach dem Auftrag des Führers zur Eindeutschung bestimmt sind, auch sie unterliegen jedoch dem Grundsatz der Ziffer I.
III. Das Schwergewicht aller wirtschaftlichen Arbeit liegt bei der Nahrungsmittel- und Rohstoffproduktion.
Durch billige Produktion unter Aufrechterhaltung des niedrigen Lebensstandards der einheimischen Bevölkerung sind möglichst hohe Produktionsüberschüsse zur Versorgung des Reiches und der übrigen europäischen Länder zu erzielen. [...]
V. Eine nennenswerte Verbrauchsgüter- und Fertigwarenindustrie darf in den besetz-

ten Ostgebieten nicht entstehen. Es ist vielmehr Aufgabe der europäischen, insbesondere der deutschen Industrie, die in den besetzten Ostgebieten produzierten Rohstoffe und Halbfabrikate zu veredeln und den dringendsten Bedarf der kolonialwirtschaftlich auszunutzenden Ostgebiete an industriellen Verbrauchsgütern und Produktionsmitteln zu decken.

Zit. nach: Überschär / Wette: (M 5.28) S. 276 f. und 333

c) Daten zur wirtschaftlichen Ausbeutung

Der Anteil des Ostens (Polen, UdSSR, baltische Staaten) an der deutschen Einfuhr wichtiger Güter (in v. H.)

	1940	1941	1942	1943
Weizen	0,7	40,2	29,7	8,5
Roggen	71,5	66,4	92,6	97,3
Gerste	95,8	82,4	98,4	73,1
Hafer	99,3	76,2	74,3	63,3
Butter	8,7	2,9	31,3	0,5
Hülsenfrüchte	34,9	21,1	7,4	5,1
Ölfrüchte für Ernährung	–	4,6	58,6	52,3
Ölfrüchte für techn. Zwecke	–	14,3	43,3	39,1
Wolle	–	1,7	36,9	8,8
Baumwolle	57,3	58,7	33,4	22,0
Holz zu Holzmasse	48,5	23,2	51,3	33,1
Rundholz	40,7	28,9	35,9	24,2
Manganerz	57,3	78,6	78,6	80,0
Kupfer	8,0	5,7	6,6	1,2
Alteisen	–	0,3	41,9	69,8
Kraftstoffe und Schmieröle	28,0	1,6	7,0	7,1

Mineralölbilanz (in 1000 t)

	1941	1942	1943	1944
Erzeugung Großdeutschlands	4839	5620	6563	4684
Einfuhr	2040	1572	1860	852
Erzeugung besetzter Gebiete		180	520	252
Aufbringung in bes. Ostgebieten	750	?	?	?
Verbrauch	7305	6483	6971	(5554)

Zum Vergleich 1938: 6150
Förderung UdSSR 1939: 33 000

Aus: Überschär/Wette: (M 5.28) S. 157, 154

Rassenideologie und totaler Krieg

M 5.30 **Armeebefehl des Oberbefehlshabers der 6. Armee, Generalfeldmarschall von Reichenau, vom 10.10.1941:**

A.H. Qu., 10. Oktober 1941
Armee Oberkommando 6
Abt. Ia – Az. 7

Betr.: Verhalten der Truppe im Ostraum

Hinsichtlich des Verhaltens der Truppe gegenüber dem bolschewistischen System bestehen vielfach noch unklare Vorstellungen.

Das wesentliche Ziel des Feldzuges gegen das jüdisch-bolschewistische System ist die völlige Zerschlagung der Machtmittel und die Ausrottung des asiatischen Einflusses im europäischen Kulturkreis. Hierdurch entstehen auch für die Truppe Aufgaben, die über das hergebrachte einseitige Soldatentum hinausgehen. Der Soldat ist im Ostraum nicht nur ein Kämpfer nach den Regeln der Kriegskunst, sondern auch Träger einer unerbittlichen völkischen Idee und der Rächer für alle Bestialitäten, die deutschem und artverwandtem Volkstum zugefügt wurden.
Deshalb muß der Soldat für die Notwendigkeit der harten, aber gerechten Sühne am jüdischen Untermenschentum volles Ver-

25 ständnis haben. Sie hat den weiteren Zweck, Erhebungen im Rücken der Wehrmacht, die erfahrungsgemäß stets von Juden angezettelt wurden, im Keime zu ersticken. [...]
Das Verpflegen von Landeseinwohnern und 30 Kriegsgefangenen, die nicht im Dienste der Wehrmacht stehen, an Truppenküchen ist eine ebenso mißverstandene Menschlichkeit wie das Verschenken von Zigaretten und Brot. Was die Heimat unter großer Entsagung 35 entbehrt, was die Führung unter größten Schwierigkeiten nach vorne bringt, hat nicht der Soldat an den Feind zu verschenken, auch nicht, wenn es aus der Beute stammt. Sie ist ein notwendiger Teil unserer Versorgung. [...]

Fern von allen politischen Erwägungen der 40 Zukunft hat der Soldat zweierlei zu erfüllen:
1. die völlige Vernichtung der bolschewistischen Irrlehre, des Sowjetstaates und seiner Wehrmacht,
2. die erbarmungslose Ausrottung artfrem- 45 der Heimtücke und Grausamkeit und damit die Sicherung des Lebens der deutschen Wehrmacht in Rußland.
Nur so werden wir unserer geschichtlichen Aufgabe gerecht, das deutsche Volk von der 50 asiatisch-jüdischen Gefahr ein für allemal zu befreien.

Zit. nach: Überschär/Wette: (M 5.28) S. 285

M 5.31 **Fremdarbeitereinsatz im Krieg[1] – Produktionssteigerung oder Fortsetzung des Rassismus mit anderen Mitteln?**

a) Herkunft und Beschäftigung der Zivilarbeiter und Kriegsgefangenen, August 1944

Nationalität	Gesamtzahl	% Kriegsgef.	% Zivilarbeiter	% Landwirtsch.	% Bergbau
Belgier	254.000	80,1	19,9	11,3	2,0
Franzosen	1.255.000	47,8	52,2	32,4	1,7
Italiener	585.000	73,0	27,0	7,7	8,6
Niederländer	270.000	0,0	100,0	8,2	1,8
Bürger der UdSSR	2.758.000	22,9	77,1	28,5	8,3
Polen	1.688.000	1,7	98,3	66,7	3,3
Protektorat	280.000	0,0	100,0	3,7	4,8
Gesamtzahl	7.616.000	25,3	74,7	36,1	5,7

b) Deutsche und ausländische Arbeitskräfte nach Berufsgruppen, August 1944

Berufsgruppe	Beschäftigte insgesamt	davon ausl. Arbeitskräfte	davon Zivilarbeiter	Kriegs-gefangene	Ausländer-anteil an den Gesamtbe-schäftigten in %
Landwirtschaft	5.919.761	2.747.238	2.061.066	686.172	46,4
Bergbau	1.289.834	433.790	196.782	237.008	33,7
Metall	5.630.538	1.691.329	1.397.920	293.409	30,0
Chemie	886.843	252.068	206.741	45.327	28,4
Bau	1.440.769	478.057	349.079	128.978	32,3
Verkehr	1.452.646	378.027	277.579	100.448	26,0
Druck	235.616	9.668	8.788	880	4,1
Textil/Bekleidung	1.625.312	183.328	165.014	18.314	11,1
Handel/Banken	1.923.585	114.570	92.763	21.807	6,0
Verwaltung	1.488.176	49.085	39.286	9.799	3,3
Gesamtwirtschaft	28.853.794	7.651.970	5.721.883	1.930.087	26,5

Nach: Ulrich Herbert: Fremdarbeiter. (Dietz) Bonn 1985, S. 270 f.

---

[1] Ein beträchtlicher Anteil der hier eingesetzten – besonders aus den osteuropäischen Ländern – waren Frauen

c) Bericht eines Angehörigen des Auswärtigen Amtes vom Sommer 1943

Trotz der den Ostarbeitern offiziell zustehenden Rationen ist einwandfrei festgestellt worden, daß die Ernährung in den Lagern folgendermaßen aussieht: Morgens einen
5 halben Liter Kohlrübensuppe. Mittags, im Betrieb, einen Liter Kohlrübensuppe. Abends einen Liter Kohlrübensuppe. Zusätzlich erhält der Ostarbeiter 300 g Brot täglich. Hinzu kommen wöchentlich 50–75 g
10 Margarine, 25 g Fleisch oder Fleischwaren, die je nach der Willkür der Lagerführer verteilt oder vorenthalten werden. [...] Große Mengen von Lebensmitteln werden verschoben. Diese den Ostarbeitern bestimmten Le-
15 bensmittel werden von den anderen ausländischen Arbeitern aufgekauft und an die Ostarbeiter für Wucherpreise verkauft. [...] Es sei hier noch erwähnt, daß der größte Teil der Arbeiterinnen die Entbindung mehr
20 fürchten als den Tod. So mußte ich selbst sehen, wie Ostarbeiterinnen auf Betten ohne Matratze auf den Stahlfedern lagen und in diesem Zustande entbinden mußten. [...] Die größte Geißel der Lager aber bildet die Tu-
25 berkulose, die sich auch unter den Minderjährigen sehr stark ausbreitet. Im Rahmen der sanitären und gesundheitlichen Lage, in der sich die Ostarbeiter befinden, muß unterstrichen werden, daß es den deutschen und
30 russischen Ärzten von den Betriebskrankenkassen verboten wird, irgendwelche Medikamente den Ostarbeitern zu verabfolgen. Die an Tuberkulose Erkrankten werden nicht einmal isoliert. Die Erkrankten werden mit
35 Schlägen gezwungen, ihrer Arbeit nachzugehen, weil die Lagerbehörden die Zuständigkeit der behandelnden Ärzte anzweifeln. [...] Es entzieht sich meiner Kenntnis, aus welchen Gründen die deutschen Stellen eine
40 große Anzahl Kinder aus den besetzten Ostgebieten nach Deutschland „importierten". Es steht jedoch fest, daß sich zahlreiche Kinder von 4–15 Jahren in den Lagern befinden, und daß sie in Deutschland weder
45 Eltern noch sonstige Verwandte besitzen. Daß diese Kinder für deutsche Kriegsziele wertlos sind, ist offensichtlich. Dennoch sind spezielle Kinderlager organisiert worden, in denen man aus verhungerten Jungen und
50 Mädchen, die weder das zaristische noch das

sowjetische Rußland kennen, mit großem „Erziehungstalent" regelrechte Verbrecher macht. Der größte Teil der Kinder ist erkrankt und erhält als einzige Aufbauernährung dieselbe Kohlrübenwassersuppe
55 wie die älteren Ostarbeiter. [...]
Dadurch daß die deutsche Lagerführung und auch die Betriebsführung keiner einheitlichen, sondern einer großen Anzahl von Behörden unterstellt ist, erklärt sich der Zu-
60 stand, daß die aus dem Osten „importierten" Sumpfmenschen" auch als solche behandelt werden. So werden z.B. Frauen mit benagelten Brettern ins Gesicht geschlagen. Männer und Frauen werden wegen des leichtesten
65 Vergehens nach Abnahme der Oberkleidung im Winter in betonierte kalte Kerker gesperrt und ohne Essen gelassen. Aus „hygienischen" Rücksichten werden Ostarbeiter im Winter auf dem Hof des Lagers aus Schläu-
70 chen mit kaltem Wasser begossen. Hungrige Ostarbeiter werden wegen einiger gestohlener Kartoffeln vor den versammelten Lagerinsassen auf die unmenschlichste Art und Weise hingerichtet.
75

Zit. nach: Ulrich Herbert: (M 5.31 b) S. 293 f.

| M 5.32 | **1943 – Konferenz der Alliierten in Moskau** |

Gemeinsame Erklärung zu Kriegszielen und zur Reaktion auf die totale Kriegführung Hitlerdeutschlands vom 1.11.1943:

Präambel: Die Regierungen der Vereinigten Staaten von Amerika, des Vereinigten Königreiches, der Sowjetunion und Chinas – vereint in ihrer Entschlossenheit, gemäß der Erklärung der Vereinten Nationen vom
5 1. Jänner[1] 1942 und späterer Erklärungen, die Feindseligkeiten gegen die Achsenmächte, mit welchen die betreffenden Regierungen im Kriegszustande sind, so lange fortzuführen, bis die betreffenden Mächte auf der
10 Grundlage der bedingungslosen Kapitulation die Waffen niedergelegt haben; bewußt ihrer Verantwortlichkeit, sich selbst und die mit ihnen verbündeten Völker von den Bedrohungen einer Angriffspolitik zu befreien; in der
15 Erkenntnis der Notwendigkeit, einen raschen, geordneten Übergang vom Krieg zum Frieden zu sichern und internationalen

Frieden und internationale Sicherheit aufrechtzuerhalten und dabei möglichst wenig
von den menschlichen und wirtschaftlichen
Hilfsquellen für Rüstungen in Anspruch zu
nehmen – erklären gemeinsam:

1. „daß sie ihre vereinte Tätigkeit, die der
Kriegführung gegen ihre jeweiligen Feinde
gewidmet war, auch fortsetzen wollen in
bezug auf die Organisation und die Erhaltung von Frieden und Sicherheit,

2. daß alle am Kriege gegen einen gemeinsamen Feind Beteiligten in allen Angelegenheiten, die sich auf die Kapitulation und
Entwaffnung jenes Feindes beziehen, zusammen handeln werden;

3. daß sie alle Maßnahmen ergreifen werden,
die sie für notwendig halten, um Vorsorge
zu treffen gegen jede Verletzung der dem
Feinde auferlegten Bedingungen;

4. daß sie die Notwendigkeit anerkennen,
zum frühestmöglichen Zeitpunkt eine allgemeine internationale Organisation zur
Erhaltung des internationalen Friedens
und der internationalen Sicherheit zu
schaffen, die auf dem Grundsatz der souveränen Gleichheit aller friedliebenden
Staaten beruht und zu der die Mitgliedschaft für alle diese Staaten, große und
kleine, offen sein soll;

5. daß sie zur Erhaltung des internationalen
Friedens und der internationalen Sicherheit sich bis zur Wiederherstellung von
Recht und Ordnung und bis zur Schaffung
eines Systems allgemeiner Sicherheit gegenseitig und, wenn es die Verhältnisse erfordern, andere Mitglieder der Vereinten
Nationen über ein gemeinsames Handeln
im Interesse der Gemeinschaft der Nationen konsultieren werden;

6. daß sie nach Beendigung der Feindseligkeiten ihre militärischen Streitkräfte
nicht innerhalb der Gebiete anderer
Staaten einsetzen werden, es sei denn für
die in dieser Erklärung vorgesehenen
Zwecke und nach gemeinsamer Beratung;

7. daß sie miteinander und mit anderen
Mitgliedern der Vereinten Nationen beraten und zusammenarbeiten werden, um
ein durchführbares allgemeines Abkommen über die Regelung der Rüstungen in der Nachkriegszeit zustande zu
bringen."

Erklärung über Grausamkeit (unterzeichnet
von Roosevelt, Churchill, Stalin):
[...] Die Brutalitäten der Naziherrschaft sind
nichts Neues, und alle Völker und Länder in
ihrer Gewalt haben unter der schlimmsten
Form der Terrorregierung gelitten. Neu ist
aber, daß viele dieser Länder jetzt von den
vorgehenden Heeren der befreienden Mächte wiedergewonnen werden und daß in ihrer
Verzweiflung die zurückweichenden Hitleri-
ten und Hunnen (Hitlerites and Huns) ihre
unbarmherzigen Grausamkeiten verdoppeln.
Das wird jetzt mit besonderer Deutlichkeit
durch ungeheure Verbrechen auf dem Gebiete der Sowjetunion, das von den Hitleri-
ten befreit wird, und auf französischem und
italienischem Gebiet bewiesen.
Im Hinblick hierauf erklären die zuvor genannten drei alliierten Mächte, die im Namen
der zweiunddreißig Vereinten Nationen sprechen, hierdurch feierlich und geben ausdrücklich Kenntnis von ihrer folgenden Erklärung:
Sobald irgendeiner in Deutschland gebildeten Regierung ein Waffenstillstand gewährt
werden wird, werden jene deutschen Offiziere, Soldaten und Mitglieder der Nazipartei,
die für die obigen Grausamkeiten, Massaker
und Exekutionen verantwortlich gewesen
sind oder an ihnen zustimmend teilgehabt
haben, nach den Ländern zurückgeschickt
werden, in denen ihre abscheulichen Taten
ausgeführt wurden, um gemäß den Gesetzen
dieser befreiten Länder und der freien Regierungen, welche in ihnen errichtet werden,
vor Gericht gestellt und bestraft (zu werden).

Zit. nach: Rönnefarth/Euler: (M 5.27) S. 215–217

1 Januar

| **M 5.33** | **1945 – Der Einsatz der Atomwaffe und die Folgen** |

Durch einen grellen Lichtblitz, der den Himmel zerteilte, und einen Donnerschlag, der
die Grundfesten der Erde erschütterte, wurde Hiroshima in einem einzigen Augenblick
dem Erdboden gleichgemacht. Wo einst eine
ganze Stadt bestanden hatte, stieg eine riesige Feuersäule gradlinig zum Himmel auf. Eine dichte Rauchwolke erhob sich, breitete
sich aus und verdunkelte den ganzen Himmel. Darunter versank die Erde in tiefe

Finsternis. Überall lagen Tote und Verwundete auf dem Boden, aufeinander gehäuft; dieses Blutbad glich einer Höllenszene. Dann brachen rundum Feuer aus, bald herrschte eine einzige riesige Feuersbrunst, die von Augenblick zu Augenblick heftiger wurde. Da starker Wirbelsturm herrschte, begannen sich halbnackte und splitternackte Körper zu bewegen, dunkel gefleckt und blutüberströmt; zu Gruppen zusammengeschlossen wankten sie, wie die Geister der Verstorbenen, davon, um in wirrer Flucht dem Inferno zu entgehen. Einer nach dem anderen fiel zu Boden und starb. Zahllose andere lagen unter dem heruntergefallenen Schutt begraben und verbrannten bei lebendigem Leib; inmitten des wilden Tanzes der Flammen war zu hören, wie sie mit klagenden Stimmen nach ihren Familien und um Hilfe schrieen. [...]
Wenn sie die Hände nach unten hängen ließen, sammelte sich das Blut in den Fingerspitzen und verursachte pochende Schmerzen, so hielten sie die Arme nach oben und nach vorne; so schlimm waren sie verbrannt, daß die Haut sich abschälte und aus dem rohen Fleisch der Hände und Arme Blut sickerte und tropfte. Sie glichen Gespenstern. Sich nur mit Mühe auf den Beinen haltend, wankten sie in langen Reihen dahin, um dem Feuertod zu entkommen.
(Hiroshima Genbaku Sensaishi [Dokumentation der Atombomben-Katastrophe von Hiroshima])

Zit. nach: Leben nach der Atombombe – Hiroshima und Nagasaki 1945–1985, Hrsg. vom Komitee zur Dokumentation der Schäden. Frankfurt/M., New York 1988. S. 43–45

M 5.34 US-Präsident Truman zum Abwurf der Atombombe

Radioansprache an die amerikanische Nation vom 9. August 1945

Bei der Potsdamer Konferenz dachten wir an den Tag des Sieges über Japan. Die Regierungen Großbritanniens, Chinas und der Vereinigten Staaten haben das japanische Volk gewarnt vor dem, was ihm bevorsteht. Unsere Warnung wurde in den Wind geschlagen, und unsere Kapitulationsbedingungen wurden abgelehnt. Seither konnten die Japaner selbst feststellen, was unsere

Atombombe vermag. Die Welt wird Kenntnis davon nehmen, daß die erste Atombombe auf den militärischen Stützpunkt Hiroshima abgeworfen worden ist. Wir wollten nämlich, soweit als möglich, die Tötung von Zivilpersonen vermeiden. Aber dieser Angriff stellt nur ein Vorspiel der kommenden Dinge dar. Wenn Japan nicht kapituliert, müssen weitere Atombomben auf seine Rüstungsindustrien abgeworfen werden, und leider werden dann viele Tausende von Zivilisten ihr Leben verlieren. Ich fordere die japanische Zivilbevölkerung auf, unverzüglich die Industriestädte zu verlassen und sich der Vernichtung zu entziehen. Ich gebe mir Rechenschaft ab von der tragischen Bedeutung der Atombombe. Die amerikanische Regierung hat nicht leichten Herzens die Produktion dieser Bombe und ihre Verwendung beschlossen. Wir wußten, daß unsere Feinde Forschungen anstellten, um die Atombombe herstellen zu können. Wir wissen auch, daß ihnen das beinahe geglückt wäre. Wir sind uns bewußt, daß unser Land und alle anderen friedliebenden Nationen, ja unsere ganze Zivilisation von einer Katastrophe betroffen worden wäre, wenn die Feinde diese Erfindung zuerst gemacht hätten. Deshalb sahen wir uns gezwungen, lange Untersuchungsarbeiten, die sehr kostspielig waren, durchzuführen. Wir haben den Wettlauf mit den Deutschen gewonnen. Nach der Erfindung der Atombombe sind wir zu ihrer Verwendung übergegangen. Wir haben sie gegen die verwendet, die uns ohne Warnung in Pearl Habour angriffen, gegen die, die amerikanische Kriegsgefangene ausgehungert, mißhandelt und hingerichtet haben, gegen die schließlich, die auf die Beachtung der internationalen Kriegsgesetze verzichtet haben. Wir haben die Bombe verwendet, um den Krieg abzukürzen und um das Leben Tausender junger Amerikaner zu erhalten. Wir werden mit ihrer Verwendung fortfahren, bis wir die Fähigkeit Japans, Krieg zu führen, vollständig zerstört haben. Nur die Kapitulation Japans wird uns aufhalten können. Die Atombombe ist viel zu gefährlich, als daß sie einer gesetzlosen Welt preisgegeben werden könnte. Aus diesem Grunde haben Großbritannien und die Vereinigten Staaten, die das Geheimnis ihrer Herstellung kennen, nicht die Absicht, es zu enthüllen bis zu dem

Augenblick, wo Mittel zur Kontrolle der Bombe gefunden sind, um uns selbst und die übrige Welt gegen die Gefahr der gänzlichen Zerstörung zu schützen. Im vergangenen Mai setzte Kriegsminister Stimson auf meinen Vorschlag ein Komitee ein, das die Pläne für die zukünftige Kontrolle dieser Bombe vorzubereiten hat. Ich werde den Kongreß ersuchen, das Seine dazu beizutragen, damit die Produktion und die Verwendung der Bombe kontrolliert und ihre Energie zugunsten des Weltfriedens eingesetzt werden. Wir müssen als Garanten dieser neuen Kraftquelle jeden Mißbrauch verhindern, wir müssen ihre Verwendung in den Dienst der Menschheit stellen. Auf unseren Schultern lastet eine ungeheure Verantwortung.

(Zit. nach: Helmut Krause/Karlheinz Reif (Hrsg.): Geschichte in Quellen – Die Welt seit 1945. (bsv) München 1980. S. 680–681

M 5.35 **Eingabe der Verteidiger auf dem Nürnberger Prozeß gegen die Hauptkriegsverbrecher (19.11.1945)**

Zwei furchtbare Weltkriege und die gewaltsamen Zusammenstöße, durch die der Frieden unter den Staaten in der Zeit zwischen diesen großen erdumspannenden Konflikten verletzt worden ist, haben in den gepeinigten Völkern diese Erkenntnis reifen lassen: Eine wirkliche Ordnung zwischen den Staaten ist nicht möglich, solange jeder Staat kraft seiner Souveränität das Recht hat, zu jeder Zeit und zu jedem Zweck Krieg zu führen. Die öffentliche Meinung der Welt hat es in den letzten Jahrzehnten immer schärfer abgelehnt, daß der Entschluß zur Führung eines Krieges jenseits von Gut und Böse stehe. Sie unterscheidet zwischen gerechten und ungerechten Kriegen und verlangt, daß die Staatengemeinschaft den Staat, der einen ungerechten Krieg führt, zur Rechenschaft zieht und ihm, wenn er siegen sollte, die Früchte seiner Gewalttat versagt. Ja, es wird gefordert, daß nicht nur der schuldige Staat verurteilt und haftbar gemacht wird, sondern darüber hinaus, daß die Männer, die an der Entfesselung des ungerechten Krieges schuldig sind, von einem internationalen Gericht zu Strafe verurteilt werden. Darin geht man jetzt weiter als selbst die strengsten Rechtsdenker seit dem frühen Mittelalter. Dieser Gedanke liegt der ersten der drei Anklagen zugrunde, die in diesem Prozeß erhoben worden ist, nämlich der Anklage wegen Verbrechen wider den Frieden. Die Menschheit will, daß dieser Gedanke in Zukunft mehr als eine Forderung, daß er geltendes Völkerrecht ist.

Aber heute ist er noch nicht geltendes Völkerrecht. Weder die Satzung des Völkerbundes, dieser Weltorganisation gegen den Krieg, noch der Kellog-Briand-Pakt, noch irgendein anderer Vertrag, der nach 1918 in jener ersten Welle der Versuche, den Angriffskrieg zu ächten, geschlossen worden ist, hat diesen Gedanken verwirklicht. Vor allem aber ist die Praxis des Völkerbundes bis in die allerjüngste Zeit in diesem Punkt ganz eindeutig. Er hatte mehrfach über Rechtmäßigkeit oder Unrechtmäßigkeit des gewaltsamen Vorgehens eines Bundesmitgliedes gegen ein anderes zu entscheiden. Aber er hat stets das gewaltsame Vorgehen nur als Verstoß des Staates gegen das Völkerrecht verurteilt, und nie auch nur daran gedacht, Staatsmänner, Generale und Wirtschaftsführer des gewaltübenden Staates zu beschuldigen, geschweige denn vor ein internationales Strafgericht zu stellen. Und als in diesem Sommer in San Francisco die neue Weltfriedensorganisation errichtet wurde, hat man keinen Rechtssatz geschaffen, nach dem in Zukunft ein internationales Gericht die Männer, die einen ungerechten Krieg auslösen, zu Strafe verurteilen werde.

Der jetzige Prozeß kann sich deshalb, soweit er Verbrechen wider den Frieden ahnden soll, nicht auf geltendes Völkerrecht stützen, sondern ist ein Verfahren auf Grund eines neuen Strafgesetzes, eines Strafgesetzes, das erst nach der Tat geschaffen wurde.

Im Hinblick auf die Vielfalt und die Schwierigkeit dieser Rechtsfragen stellt die Verteidigung den Antrag:

Der Gerichtshof möge von international anerkannten Völkerrechtsgelehrten Gutachten über die rechtlichen Grundlagen dieses auf dem Status des Gerichtshofes beruhenden Prozesses einholen.

[Der Gerichtshof wies die Eingabe am 21.11. zurück]

Zit. nach: Krause/Reif: (M 5.34) S. 113–114

Aufgaben zu Kapitel 5

❶ Im Kapiteltext haben Sie sich ein Bild von der Totalität der Kriegführung machen können. Überlegen Sie, welche Funktion der Aufbau von Feindbildern hatte! Analysieren Sie die vorgelegten Beispiele (M 5.2), und beachten Sie dazu auch M 5.1!

❷ Vergleichen Sie die verschiedenen Dimensionen von Kriegserfahrung und -verarbeitung. Überprüfen Sie, inwieweit es möglich war, das Kriegserlebnis realistisch zu begreifen und mit welchen Mechanismen Realität verdrängt wurde (M 5.4–5.6)!

❸ Mehr als von allen Kriegen zuvor waren vom Ersten Weltkrieg auch Frauen betroffen. Untersuchen Sie, wie Frauen eingesetzt und instrumentalisiert wurden (M 5.7–5.9)!

❹ Klären Sie, welchen Stellenwert und welche Ausgangsbedingungen die Kriegsschulddiskussion nach dem Ersten Weltkrieg hatte (Textabschnitt 5.2, M 5.10–5.12). Diskutieren Sie die Kriegsschuldfrage (ziehen Sie auch noch einmal Kap. 4 heran), und versuchen Sie einen begründeten Standpunkt zu gewinnen!

❺ Untersuchen Sie die Bemühungen zur Konfliktbegrenzung in der Zwischenkriegszeit! Wurden die Schwachstellen des Versailler Systems schon damals erkannt? Wie reagierten Frauen auf die wachsende Bedrohung des Friedens (M 5.14–5.17)?

❻ Welche Ideale und Zielsetzungen werden in M 5.18–M 5.22 propagiert? Welche Rolle spielt dabei der vergangene Krieg, inwiefern wird der geplante Krieg vorbereitet?

❼ Welche Rolle spielen die USA zwischen den Kriegen (M 5.23, 5.24; s. auch M 5.27)? Sammeln Sie (gemeinsam oder durch ein Referat) weitere Informationen zur amerikanischen Außenpolitik!

❽ Vergleichen Sie die Darstellung des Kriegsbeginns 1939 in europäischen Geschichtsbüchern (M 5.25). Überlegen Sie zuvor, wie Geschichtsbücher gemacht werden und welche Funktion sie haben!

❾ Auch im Zweiten Weltkrieg propagierten die kriegführenden Nationen Feindbilder (M 5.26). Welche Veränderungen gegenüber M 5.2 können Sie feststellen?

❿ M 5.28–M 5.35 sollen Ihnen Dimensionen eines totalen Krieges aufzeigen. Setzen Sie sich mit den Zielen und Methoden der Kriegführung auseinander! Vergleichen Sie mit früheren Konflikten und mit dem Ersten Weltkrieg! Wie wird die totale Kriegführung gerechtfertigt?
Diskutieren Sie die Kennzeichnung des Zweiten Weltkrieges als „The War to End All Wars"!

6 Krieg und Frieden in unserer Zeit – Das Beispiel der Konflikte im Nahen Osten

1882	Beginn der 1. „Aliya" (Einwanderungswelle) osteuropäischer Juden in Palästina
1897	1. Zionistenkongreß in Basel (Baseler Programm)
1913	1. Arabischer Kongreß in Paris
1914	Kriegseintritt der Türkei auf seiten der Mittelmächte
1916	Arabischer Aufstand gegen die osmanische Herrschaft
1917	Balfour-Deklaration („Jewish Homeland")
1920	Konferenz der Alliierten in San Remo beschließt Mandate für Frankreich (Syrien mit Libanon) und Großbritannien (Irak, Palästina)
1921	Nach arabischen Protesten Teilung Palästinas
1931	1. Islamischer Weltkongreß in Jerusalem
1933	Adolf Hitler Reichskanzler. In der Folge verstärkte jüdische Einwanderung
1936–1939	Aufstand der Araber Palästinas
1937	Peel-Kommission empfiehlt Teilung Palästinas
1944	Jüdischer Aufstand gegen die Mandatsmacht in Palästina
1947	UNO-Teilungsvorschlag für Palästina
1948	14. Mai: Ende des britischen Mandats Proklamation des unabhängigen Staates Israel 15. Mai: Beginn des 1. Nahost-Krieges
1952	Revolution in Ägypten. Die „Freien Offiziere" unter Nasser stürzen König Faruk
1956	2. Nahost-Krieg (Suez-Krieg)
1960	Gründung der OPEC in Bagdad
1964	Gründung der PLO (PLO-Charta) auf Beschluß der Arabischen Liga
1967	3. Nahost-Krieg (Sechstagekrieg)
1968	Israel baut Atombomben
1973	4. Nahost-Krieg (Jom-Kippur- oder Oktober-Krieg)
1975	Ausbruch des Bürgerkriegs im Libanon
1977	Besuch des ägyptischen Präsidenten Sadat in Jerusalem
1978	Abkommen von Camp David (USA) zwischen Ägypten und Israel
1979	Islamische Revolution im Iran
1980	Der Irak greift den Iran an. Im Krieg sterben bis 1988 mehr als 1 Million Menschen
1987	Beginn der Intifada
1990	Der Irak besetzt Kuwait
1991	17.1.–28.2.: Golfkrieg gegen den Irak (28 alliierte Staaten unter Führung der USA gegen den Irak) 30.10.: Eröffnung der Nahost-Friedenskonferenz in Madrid durch George Bush und Michail Gorbatschow
1992	(Juni) Regierungswechsel in Israel (Jitzhak Rabin / Arbeiterpartei), Autonomieplan für Palästinenser (Dezember) Massendeportation von Palästinensern durch Israel
1993	(September) Verhandlungen zwischen Israel und der PLO. Gegenseitige Anerkennung und Abkommen über Autonomie der Palästinenser im Gaza-Streifen und in Jericho

Zwei globale Konflikte haben die Nachkriegszeit bis in unsere Gegenwart hinein geprägt: Der eine, ältere, war der Ost-West-Konflikt, in dem die beiden Supermächte mit ihren Verbündeten als feste Blöcke machtpolitisch und ideologisch konkurrierten. Der andere, jüngere, war und ist der Nord-Süd-Konflikt, in dem sich nach dem Zerfall der europäischen Kolonialreiche die „reichen" Industriestaaten und die Entwicklungsländer der „Dritten Welt" gegenüberstehen.

Der Ost-West-Konflikt führte zunächst zur Ausbildung eines zweipoligen Weltsystems und zu einem beispiellosen Rüstungswettlauf im konventionellen und nuklearen Bereich. Im Rahmen eines langen, immer wieder unterbrochenen Entspannungsprozesses, der nach der Kuba-Krise (1962) einsetzte, kam es zu einer Aufweichung der Blöcke und zur Entwicklung multipolarer Tendenzen. China, Westeuropa und Japan gewannen ein größeres Gewicht in der Weltpolitik. 1985 begann mit der Wahl Michail Gorbatschows zum Generalsekretär der KPdSU ein Prozeß von welthistorischer Bedeutung. Seine Politik von „Glasnost" (Durchsichtigkeit) und „Perestroika" (Umbau) ermöglichte eine neue Qualität der Beziehungen zwischen Ost und West, hielt allerdings den Zerfallsprozeß der Sowjetunion nicht auf. Fast sieben Jahrzehnte nach ihrer Entstehung, zum Jahresende 1991, zerbrach die UdSSR.

Eine neue europäische Landkarte, mit dem (wieder-)vereinigten Deutschland, den Baltenrepubliken, den Nachfolgestaaten Jugoslawiens und der Sowjetunion belegt das Ende der sozialistischen Ideologie und des global wirksamen Ost-West-Konfliktes.

Der Nord-Süd-Konflikt ist geblieben und entwickelt sich zu einer der Hauptbelastungsquellen der Weltpolitik. Er ist ein Ergebnis der Dekolonialisierung, die schon nach dem Ersten Weltkrieg begann. Seine Strukturen sind immer komplizierter geworden und scheinen nach dem Ende des Ost-West-Konflikts eher noch schwerer kontrollierbar und begrenzbar als zuvor. Verknüpft mit so unterschiedlichen Problemen wie Hungerkatastrophen, Ölversorgung, religiösem Fanatismus, gewaltigen Bevölkerungswanderungen und dem Kampf einzelner Mächte um regionale Vormachtpositionen bedroht uns der Nord-Süd-Konflikt ebensosehr wie die atomaren Waffensysteme, die ja keineswegs verschwunden sind.

Die Anfänge der heutigen Nord-Süd-Konflikte liegen meist in der Zeit nach dem Ende des Zweiten Weltkriegs. Die alten Kolonialmächte – besonders Frankreich und Großbritannien – waren geschwächt aus dem Krieg hervorgegangen und nicht mehr in der Lage, den Freiheitsdrang und den wachsenden Nationalismus in den Kolonien zu unterdrücken. Zum Teil mußte die Unabhängigkeit in blutigen Befreiungskriegen erkämpft werden (Algerien, Vietnam). Im Dekolonisationsprozeß verzahnten sich von Anfang an Nord-Süd- und Ost-West-Konflikt, da die Supermächte sich politisch und militärisch einmischten und ihren Einflußbereich zu vergrößern suchten. Die direkte militärische Auseinandersetzung zwischen ihnen – der „heiße" Krieg – war aufgrund der nuklearen Vernichtungskapazitäten rational unführbar geworden, und so äußerte sich die Gegnerschaft in Stellvertreterkriegen. Die Entkolonialisierung führte zu einem sprunghaften Anstieg der Zahl der Staaten zwischen den Blöcken, und als sie sich zu organisieren begannen, wuchs auch ihre weltpolitische Bedeutung. Dies gilt für den größten Verband, die Gruppe der Blockfreien, die auf die Bandung-Konferenz von 1955 zurückgeht, und auch für die älteste Organisation dieser Art, die 1945 gegründete Arabische Liga.

Aus den zahlreichen Konflikten der Nachkriegszeit ragt als unentwegt tätiger „Vulkan" der Nahost-Konflikt hervor. In ihm haben sich Ost-West- und Nord-Süd-Konflikt lange Zeit in besonderer Weise gekreuzt, seine Ursachen aber reichen weit in die Geschichte zurück und sind eng mit der Politik der europäischen Großmächte im 19. Jahrhundert verbunden. Seine weltpolitische Bedeutung seit 1945 ist besonders darauf zurückzuführen, daß die Verfügungsgewalt über die größten Ölreserven der Erde den arabischen

Weltbevölkerung 1990:	5,3 Mrd. Menschen	
Weltwirtschaftsleistung:	21.500 Mrd. Dollar	
	„Nord" (westliche u. östliche Industriestaaten)	„Süd" (Entwicklungs- und Schwellenländer)
Bevölkerung	25 %	75 %
Wirtschaftsleistung	80 %	20 %
Einkommen	80 %	20 %
Einkommensdurchschnitt (pro Kopf u. Jahr)	13.500 Dollar	1.080 Dollar

Der Nord-Süd-Konflikt in Zahlen

Zusammenstellung durch die Verfasser

Staaten eine Sonderstellung gegenüber den Industrienationen verliehen hat, wie sie andere Rohstoffländer nie erreichen konnten.

Die Expansion und religiöse Erneuerung des Islams sowie der Golfkrieg von 1991 haben die Region erneut in den Mittelpunkt des Weltinteresses gerückt. Als gefährlichster und vielschichtigster Krisenherd ist der Nahost-Konflikt immer noch ein Hauptproblem der Weltpolitik. Bleibt er ungelöst, so gefährdet er die Schaffung einer neuen Weltordnung, die nach dem Ende des Ost-West-Konfliktes und dem Zerfall der Supermacht Sowjetunion gefunden werden muß.

An ihm soll daher die Problematik von Krieg und Frieden in unserer Zeit exemplarisch beleuchtet werden.

6.1 Der Nahe Osten – eine ferne Region?

Die Schwierigkeiten der Europäer mit dieser Region beginnen schon bei der Bezeichnung und der geographischen Eingrenzung, die immer auch eine erste Definition des Problems beinhaltet. Am engsten geschieht die Eingrenzung mit dem Begriff „israelisch-palästinensischer Konflikt", der die Frage auf den politischen Streit zweier Völker um ein einziges Land, das historische Palästina, beschränkt. Der „israelisch-arabische Konflikt" bezieht eine umfassendere, religiös-kulturelle Dimension in den Konflikt ein und umfaßt eine Kernzone von Ländern, die mehr oder weniger zum Mittelmeer hin orientiert sind: Israel, Ägypten, Jordanien, den Libanon und Syrien. Die politischen, ökonomischen und kulturellen Strukturen in dieser Zone sind sehr unterschiedlich, und schon die starke innerarabische Differenzierung ist eine dauernde Quelle für zahlreiche Konflikte, die auch ohne Israels Existenz große Kriegsrisiken enthielten. Trotz gemeinsamer Sprache, Kultur und Geschichte ist die „arabische Nation" bis heute mehr Wunschtraum als Wirklichkeit der über 100 Millionen Araber geblieben, und diese Identitätsprobleme komplizieren alle übrigen Konflikte.

Schließlich muß man in unseren Diskussionshorizont, sei es unter einer weiteren Definition des Begriffs „Naher Osten", sei es unter der Bezeichnung „Mittlerer Osten" auch noch die ursprünglich nomadischen Stämme der Arabischen Halbinsel und die alte städtische und bäuerliche Kultur des Irak sowie die nicht-arabischen, aber muslimischen Länder Iran und Türkei einbeziehen. Ihre politische und ökonomische Bedeutung berührt – nicht nur wegen der riesigen Ölvorkommen – Europa, Japan und die USA so vital, daß jeder innere Konflikt dieser Region früher oder später weltpolitische Dimensionen erhält.

**Der Nahe Osten
1993**

Als Nahost-Konflikt bezeichnet man die Auseinandersetzung zwischen dem Staat Israel auf der einen, den arabischen Staaten und der PLO auf der anderen Seite; beginnend mit der Staatsgründung Israels am 15. Mai 1948. Im Zentrum steht die Frage des Existenzrechts Israels bzw. des Heimatrechts der Palästinenser. Dabei handelt es sich nicht nur um eine politisch-militärische Auseinandersetzung, sondern der Konflikt ist ebensosehr ein Wirtschafts- und Religionskrieg. Seine globale Bedeutung gewinnt er durch die ständige Einmischung fremder Mächte; so machten die Supermächte die Region im Zeichen des Kalten Krieges zu einem bevorzugten Schauplatz ihrer weltweiten Auseinandersetzung.

Der Nahost-Konflikt ist allerdings nicht zu verstehen, wenn man mit seiner Analyse erst 1948 beginnt. Geschichte ist in diesem Fall „die in der Gegenwart wirksame Vergangenheit", und so soll ein Blick zurück die historischen Grundlagen des Konflikts aufzeigen.

6.2 Historische Dimensionen des Nahost-Konfliktes

Juden und Araber in der Geschichte

Die Lage Israels (bzw. Palästinas) in dem schmalen Korridor zwischen Mittelmeer und Wüste, durch den seit Jahrtausenden die Verbindungen zwischen Ägypten und dem Zweistromland, d. h. den ältesten Hochkulturen des Vorderen Orients, laufen, ist so gefährlich und reich an Kriegen wie wohl keine andere auf der Erde. Seit 5000 Jahren haben Nomadenstämme, Ägypter, Babylonier, später Perser, Griechen und Römer dieses kleine Gebiet für kürzere oder längere Zeit mal besiedelt, mal erobert. Hebräische Nomaden – aus der Halbwüste zwischen dem Zweistromland und dem Jordantal kommend – begannen vor etwa 4500 Jahren in dieses Gebiet einzudringen. Nach ihrer Befreiung aus einem kurzzeitigen Aufenthalt in Ägypten besiedelten sie „Israel", dessen Name etwa 1220 v. Chr. zum ersten Male genannt wurde.

Hier bauten sie unter ihrem König David, einem Judäer aus Bethlehem, einen zusammenhängenden Großstaat mit Jerusalem als Hauptstadt auf, der allerdings bald nach dem Tode von Davids Sohn Salomo (um 930) in zwei Teilreiche – Israel und Juda – zerfiel.

Diese erste Blütezeit der jüdischen Geschichte endete mit einer Katastrophe, der Eroberung Jerusalems und der Zerstörung des Tempels durch die Babylonier. Die Elite des Volkes wurde in die „Babylonische Gefangenschaft" deportiert; hier liegt der Beginn der Spannung zwischen Heimat und Vertreibung, die die jüdische Geschichte bis zum 20. Jahrhundert gekennzeichnet hat.

Wichtig für das Verständnis der Gegenwart ist auch die Epoche römischer Herrschaft über Palästina. Politische und religiöse Unterdrückung sowie die wirtschaftliche Ausbeutung der Provinz Judäa erhöhten die Spannungen zwischen Juden und Römern und führten 66 n. Chr. zum offenen Aufstand. Nach vierjährigem Kampf eroberten die Römer Jerusalem, zerstörten den zweiten Tempel und verkauften zahlreiche Juden in die Sklaverei. 135 n. Chr. scheiterte ein zweiter großer Aufstand. Juden wurde der Aufenthalt in Judäa verboten, und das Gebiet erhielt auf Weisung Kaiser Hadrians die römische Bezeichnung „Palästina". Damit trat der jüdische Staat von der Weltbühne ab. Mit dem Verlust des religiösen und geographischen Zentrums zerstreuten sich die Juden auf das gesamte römische Weltreich, das Leben in der Diaspora, das bis zum 20. Jahrhundert dauern sollte, begann. Nur eine kleine Minderheit konnte sich in Palästina halten.

Wichtig ist dieser weitgespannte Rückblick deshalb, weil er die Forderungen des modernen Zionismus verständlich macht, der seine Bestrebungen mit einer religiös überhöhten Vorstellung von einem neu zu gründenden David-Reich legitimiert, das dem Volk Israel nach dem Verlust der Heimat erneut verheißen sei. Im Mittelalter waren die Lebensbedingungen der europäischen Juden durch die wirtschaftlichen Erfolge (Kaufleute, Händler), dann aber zunehmend durch Ausgrenzung und Verfolgung gekennzeichnet. Massenmorde fanden besonders zur Zeit der Kreuzzüge und während der Pestepidemie 1348/49 statt. Um 1236 machte das Privileg Kaiser Friedrichs II. die Juden auch rechtlich abhängig von der Person des Kaisers (servi camerae imperialis). Sondersteuern beuteten die Juden wirtschaftlich aus und förderten den Eintritt ins Geld- und Zinsgeschäft, den man den Juden später oft zum Vorwurf machte. Erst im Gefolge von Absolutismus und

Aufklärung verbesserten sich die Lebensbedingungen der Juden allmählich. Seit dem Beginn des 19. Jahrhunderts erhielten sie in den meisten Staaten wirtschaftliche und staatsbürgerliche Rechte, ohne jedoch eine völlige gesellschaftliche Integration zu erreichen. Um die Mitte des 19. Jahrhunderts bildete sich im Zusammenhang mit dem Nationalismus die moderne Form des Judenhasses heraus, ein nicht mehr religiöser, sondern rassistischer Antisemitismus. Zahlreiche Pogrome in Osteuropa, damals das größte jüdische Siedlungsgebiet, lösten eine erste Auswanderungswelle aus (1880–1929).

Die Antwort vieler Juden auf die neue Erfahrung mit den europäischen Nationalstaaten – zumal mit seinen jüngsten, Deutschland mit eingeschlossen, – war gleichwohl vom neuzeitlichen europäischen Nationalismus geprägt. Was der jüdisch-russische Journalist Theodor Herzl in seinem Buch „Der Judenstaat" 1896 entwarf, war ein Nationalstaat der Juden, der sich wenig von dem der Deutschen oder Franzosen unterscheiden sollte. 1897 trafen sich Herzls Anhänger, die sich nach dem Berg Zion, einem Synonym für Jerusalem, Zionisten nannten, zu ihrem ersten Weltkongreß in Basel. Für die Mehrheit von ihnen konnte der Ort des künftigen jüdischen Nationalstaates kein anderer sein als das historische Israel, das allerdings – und das war den Zionisten bewußt – kein menschenleerer Raum war.

Die arabische Seite des sich um 1900 vorbereitenden Konflikts konnte zwar nicht auf eine ebensolange, dafür aber kaum weniger komplizierte Geschichte verweisen – gleichfalls eine Geschichte der Kriege, der Unterdrückung und der Demütigung, festgehalten und bewußt geblieben in einer umfangreichen Literatur. Palästina wurde im 7. Jahrhundert von dem gewaltigen Aufbruch der arabischen Nomaden erfaßt, den der Prophet Mohammed ausgelöst hatte. Der Kalif Omar I. eroberte 637 Jerusalem, das als „El Kuds" einer der drei heiligen Orte des Islams wurde. Die Bevölkerung, obwohl in ihrer großen Mehrheit der vielfältigsten Abstammung, verstand sich unter dem Einfluß des Islams zunehmend einheitlich als Araber: So standen sie der christlich-europäischen Invasion der Kreuzfahrer im 12. und 13. Jahrhundert gegenüber; schmerzlich erlebten sie ihre Unterwerfung erst unter die ägyptischen Ma-

meluken und seit dem 16. Jahrhundert unter die osmanischen Türken, obwohl diese religiös wie sie selbst Moslems waren.

Mit Napoleons Expedition nach Ägypten (1798) begann ein neuer Abschnitt in der arabischen Geschichte: die kulturelle Begegnung mit dem europäischen Abendland wurde zum Ausgangspunkt eines gegen das Osmanische Reich gerichteten panarabischen[1] Nationalismus.

Europäisch beeinflußt und gebildet, suchten arabische Intellektuelle seit Ende des 19. Jahrhunderts den europäischen Feinden und Vorbildern Frankreich und England einen arabischen Nationalstaat gegenüberzustellen – mit eigenen Lebensformen aus den Traditionen des Islams und der arabischen Kultur. Der erste, der der Idee der arabischen Nation Ausdruck verlieh, war der Libanese Negib Azoury, der 1904 – in Paris! – die „Liga des arabischen Vaterlandes" begründete. Die Zahl seiner Anhänger war zunächst gering; sie wuchs nicht zuletzt unter dem Eindruck der jüdischen Zuwanderung in Palästina. Ihre politische Ausformung erhielten diese panarabischen Ideen erst 1940 mit der Gründung der „Baath"-Partei in Damaskus. Sie ist bis in die Gegenwart hinein wirksam geblieben (u.a. als Staatspartei in Syrien und dem Irak), hat aber dabei ihren sozialen Charakter und ihre politische Botschaft verändert.

Als das Osmanische Reich als Verbündeter Deutschlands und Österreich-Ungarns in den Ersten Weltkrieg eingriff (s. Kapitel 4), ließ es sich auf einen Kampf ein, den es nicht gewinnen konnte und der eine völlige Neuordnung des Nahen Ostens zur Folge hatte. Für die modernen Araber schien er die Erfüllung ihres Wunsches nach einem Nationalstaat zu bringen, als sich die britische Regierung gezwungen sah, arabische Hilfe gegen die Türken zu suchen. Die Briten versprachen dafür ihre Unterstützung bei der Gründung eines arabischen Reiches, dessen Grenzen Syrien, Mesopotamien und die arabische Halbinsel umfassen sollten. Im Juni 1916 begann der arabische „Aufstand in der Wüste", gelenkt von dem britischen Archäologen T. E. Lawrence („Lawrence von Arabien"). Wie wenig Großbritannien aber daran dachte, seine Versprechungen zu halten,

---

[1] panarabisch = alle Araber umfassend, d.h. im Gegensatz zu einem ägyptisch- oder syrisch-arabischen Nationalismus

bewies das noch geheime, am 16. Mai 1916 abgeschlossene Sykes-Picot-Abkommen, das eine Aufteilung der Kriegsbeute unter den europäischen Mächten vorsah – die Araber sollten dabei leer ausgehen.

Darüber hinaus suchte sich die britische Regierung aber auch die Unterstützung der Juden zu sichern: am 2. November 1917 gab der britische Außenminister Arthur Balfour in einem Brief an den Zionistenführer Lord Rothschild eine „Sympathieerklärung für die jüdisch-zionistischen Bestrebungen" in Palästina ab; ein großer Erfolg für die zionistische Bewegung.

1918 brach das Osmanische Reich zusammen; die Araber hofften, einen unabhängigen Staat zu gründen; die Juden wollten darangehen, ihre „Heimstatt" aufzubauen. Tatsächlich sahen sie sich einer ganz neuen Entwicklung gegenüber, als Frankreich und Großbritannien – formal durch den Auftrag des Völkerbundes gedeckt – ihre Versprechen brachen, den Nahen Osten in Mandatsgebiete aufteilten und ihren kolonialen Interessen unterwarfen.

Das Palästina-Mandat

Mit dem Palästina-Mandat verpflichtete der Völkerbund Großbritannien, die Balfour-Deklaration in die Wirklichkeit umzusetzen, ohne die Rechte nichtjüdischer Bevölkerungsgruppen zu beeinträchtigen; eine unlösbare Doppelaufgabe für den britischen Hochkommissar. Den Juden erlaubte man, Organisationen aufzubauen, welche die Zuwanderung systematisch förderten (Jewish Agency for Palestine), gleichzeitig versuchte man aber, die

Die Mandate des Völkerbundes für den Nahen Osten (1920)

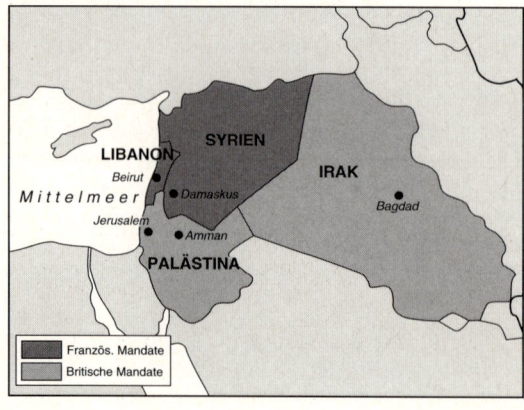

Araber nicht noch mehr zu verstimmen, um sich Zugriffsmöglichkeiten auf den immer wichtiger werdenden Rohstoff Öl zu erhalten (Mosul und Kirkuk im Irak).

Schon 1920 und 1921 kam es zu blutigen Auseinandersetzungen zwischen Arabern und Juden. Zur Besänftigung der Araber teilte man 1921 Palästina und überließ das gesamte Gebiet östlich des Jordans (Transjordanien)

Mandatszeit

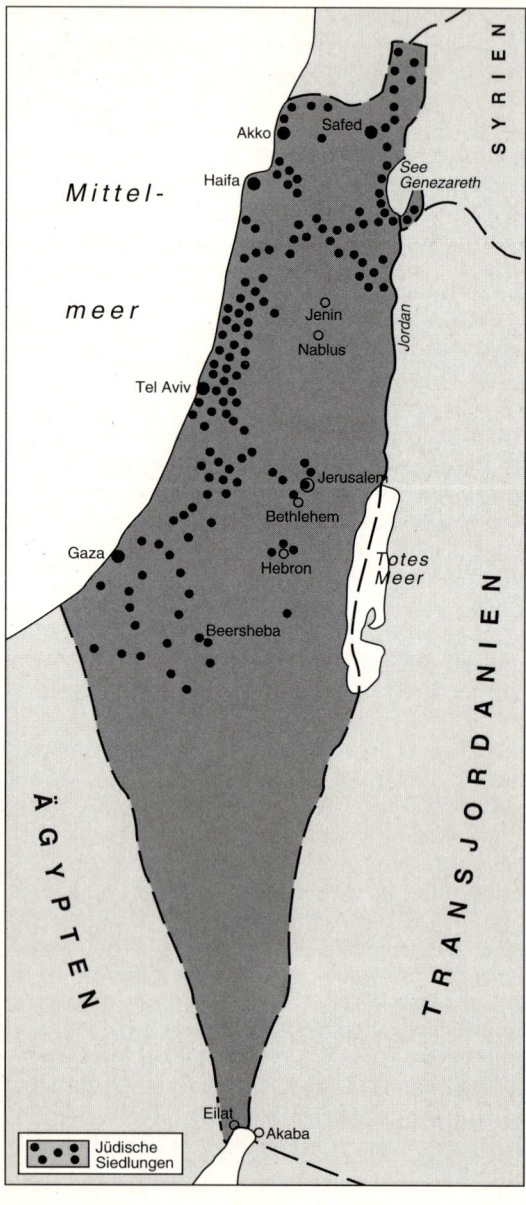

den Haschemiten, während im Westteil die von Balfour versprochene „jüdische Heimstatt" errichtet werden sollte. Alle Versuche, eine gemeinsame Verwaltung Palästinas aufzubauen, scheiterten aber an der Grundkonstellation des Konflikts, wie sie auch heute noch virulent ist: *Zwei* Nationen standen sich feindlich in *einem* Land gegenüber, das sie *beide* als Heimat beanspruchten.

Bis 1929 wanderten 80 000 Juden ein, aber ihr Anteil an der Gesamtbevölkerung stieg auf lediglich 15 Prozent. Doch 1933 entstand mit der Machtergreifung der Nationalsozialisten in Deutschland eine neue Situation. Die Zahl der Einwanderer – aus ganz Europa – stieg sprunghaft an, und die Araber reagierten massiv auf diese Entwicklung. 1936 ging ihr Widerstand in einen bewaffneten Aufstand über, der Palästina in ein blutiges Chaos stürzte und ab 1938 charakteristische Züge eines Guerilla-Krieges annahm. Der britischen Regierung kam der Aufstand sehr ungelegen, da man sich in Europa mit der aggressiven Außenpolitik Hitlers auseinandersetzen mußte. Außerdem bedrohte die Expansion Italiens (Äthiopien 1935) den Seeweg nach Indien. Eine Kommission von Sachverständigen unter Lord Peel kam 1937 zu dem Schluß, daß nur eine Teilung Palästinas den Konflikt entschärfen könnte.

Zunächst aber betrieb Großbritannien eine Nahoststrategie, die auf Versöhnung mit den Arabern abzielte. Sie basierte auf nüchternen, geopolitischen Erwägungen: Falls es zum Krieg mit den faschistischen Staaten kommen sollte, mußte Ruhe im Nahen Osten herrschen, der Weg nach Indien sicher sein. Den Protest der jüdischen Organisationen wollte man dagegen hinnehmen, da diese unter keinen Umständen ihre antideutsche Politik aufgeben konnten. Die britische Regierung kündigte 1939 an, daß sie in den nächsten Jahren noch 75 000 Juden einwandern lassen wollte, danach keine mehr. In 10 Jahren sollte dann ein unabhängiger Staat Palästina gegründet werden – nach Lage der Dinge ein ganz überwiegend arabischer Staat.

Diese Politik verschloß Hunderttausenden von Juden den letzten Fluchtweg vor dem sicheren Tod. Trotz aller Proteste hielt die britische Regierung bis über den Zweiten Weltkrieg hinaus an ihrer Politik fest, auch dann, als sichere Informationen über die nationalsozialistische „Endlösung" vorlagen. Nur durch illegale Einwanderung konnten weitere Juden nach Palästina gelangen; ein Weg, der von dem 1937 gegründeten „Mossad" organisiert wurde. Ihren eigentlichen Zweck erfüllte diese Politik nicht, da die meisten arabischen Politiker bei ihrer deutschlandfreundlichen Politik blieben.

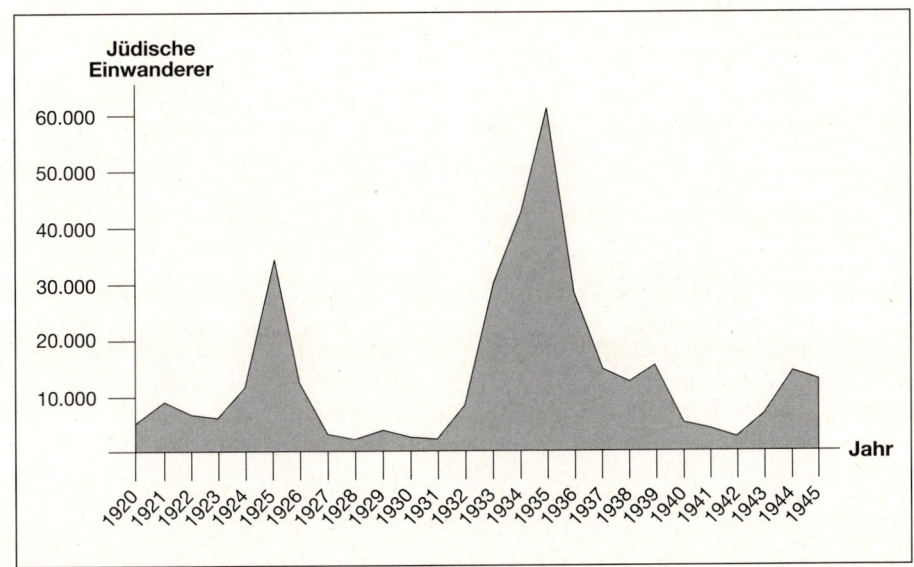

Jüdische Immigration nach Palästina

Jüdische Einwanderer

6.3 Die Entstehung des Staates Israel und die Kriege um seine Existenz

Als 1944 der Sieg der Alliierten im Zweiten Weltkrieg sicher war, sich aber auch das ganze Ausmaß des Holocaust abzeichnete, begann die Revolte der Juden gegen die britische Mandatsmacht. Das Streben nach einem jüdischen Staat schien angesichts des nationalsozialistischen Völkermordes an den Juden gegenüber der Weltöffentlichkeit moralisch legitimiert. Führend bei dem Kampf gegen die britische Sperrpolitik waren zwei Untergrundorganisationen, die „Lechi" (= Kämpfer für die Freiheit Israels, kommandiert von Jitzhak Schamir, Ministerpräsident Israels 1983–84, 1986–92) und der „Etzel" (= Nationale Militärorganisation). Nach 1945 bildeten sie zusammen mit der „Hagana" (= Selbsthilfe) eine Einheitsfront. Kommandant der Etzel-Gruppe war der spätere israelische Ministerpräsident Menachem Begin. Seine Organisation, die radikalste von allen, wollte die Briten aus Palästina „herausbomben" und sprengte im Juli 1946 das britische Militärhauptquartier in die Luft – 91 Menschen starben dabei. Anfang 1947 war Palästina unregierbar geworden, weil weder Juden noch Araber mehr mit den Briten zusammenarbeiten wollten, weil Großbritannien durch den Weltkrieg zu arm geworden war, um noch Großmachtpolitik betreiben zu können, und weil der moralische Druck der Weltöffentlichkeit zugunsten der Juden ständig zunahm. Damit war der Palästina-Konflikt zur ersten Bewährungsprobe für die neugeschaffene UNO geworden. Die Vollversammlung setzte im Mai 1947 eine Sonderkommission ein, die eine Teilung Palästinas in einen jüdischen und einen arabischen Teil empfahl. Jerusalem sollte zur internationalen Zone erklärt werden. Am 29. November stimmte die Vollversammlung über die Vorlage ab und entschied für den Teilungsplan; die Bestimmungen, die die britische Mandatsmacht erlassen hatte, wurden aufgehoben. Als der letzte britische Hochkommissar am 14. Mai 1948 Palästina verließ, proklamierte Ben Gurion offiziell den unabhängigen Staat Israel. 50 Jahre nach der Entstehung der zionistischen Bewegung und über 1800 Jahre nach dem Ende des letzten jüdischen Staates hatte sich damit der Traum der Zionisten erfüllt: ein Staat für die Juden in aller Welt, mitgetragen von den Juden der ganzen Welt.

Zeichnung: Fritz Behrendt, 1948

Der Erfolg der jüdischen Staatsgründung und die militärische Stärke und wirtschaftliche Tüchtigkeit des Staates Israel ließen die innere Schwäche und außenpolitische Bedeutungslosigkeit der arabischen Staaten um so deutlicher hervortreten. Ihren dünnen, westlich orientierten Oberschichten gelang es nicht, einen Modernisierungsprozeß in Gang zu setzen. Der panarabische Nationalismus hatte bei den Spannungen zwischen den einzelnen arabischen Staaten keine Chancen, die breite Bevölkerungsmehrheit politisch zu mobilisieren. Große Teile der Gesellschaften Ägyptens und Syriens sowie (Trans)Jordanien und die Arabische Halbinsel in ihrer Gesamtheit hatten ohnehin die Neuzeit noch nicht erreicht. Ein revolutionäres Potential ging in diesen Gesellschaften nicht aus einer Arbeiterschaft hervor (die es mangels Industrie kaum gab) oder aus den Reihen der Landarbeiter (die noch fest im Griff der Grundbesitzer waren), sondern aus den Armeen. Diese stellten unter den Zwängen der modernen Militärtechnik die vielleicht bedeutendste Modernisierungsinstanz dar; sie nahmen in ihre Offizierscorps zahlreiche begabte und ehrgeizige Söhne der Mittelschichten auf, die hier unter den Einfluß nationalistischer, panarabischer, aber auch sozialistischer Ideologien gerieten. Diesen neuen Kräften fielen die politischen Kräfte zum Opfer, die ihre Existenz weitgehend den alten Kolonialmächten

UN-Teilungsplan

Der Staat Israel 1948

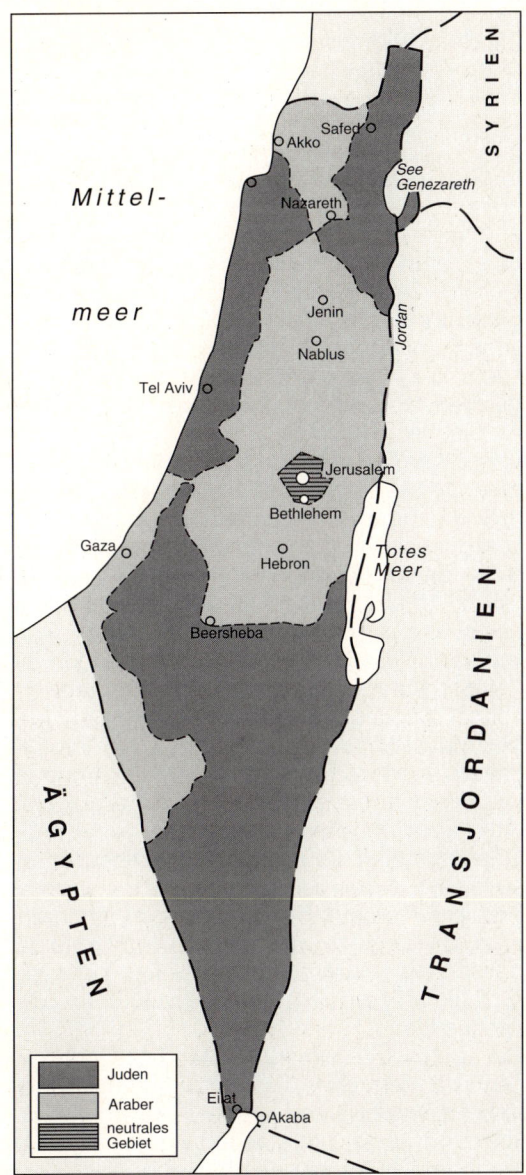

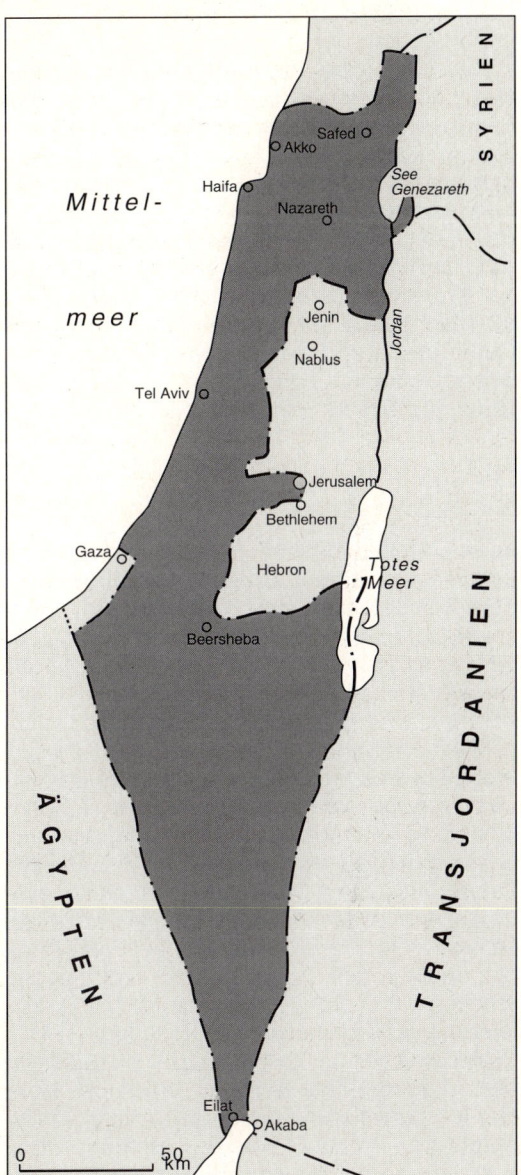

verdankten – darunter auch die Monarchien in Ägypten (1952) und im Irak (1958). In den 1950er Jahren kam in den größeren arabischen Staaten eine erste planmäßige Wirtschafts- und Sozialpolitik in Gang, die mit ihren Agrarreformen und Industrialisierungsprojekten die alten Oberschichten angriff und das Leben der breiten Bevölkerungsmehrheit zu verbessern suchte. In ihrer Orientierung an islamischen Traditio-

nen und ihrer Freindschaft gegen den Kolonialismus öffneten sich die neuen Regierungen auch für sozialistische Gedanken, die sie an die besonderen Verhältnisse der arabischen Welt anzupassen versuchten.

Die politische Umorientierung Ägyptens hin zur Sowjetunion 1955 war mehr als nur ein kurzfristiger politischer Schachzug; nach den Vorstellungen der revolutionären Offiziere um

Nasser sollte sie dem Lande eine Modernisierung ermöglichen, die man von den westlichen Ländern behindert glaubte. Mit der Verstaatlichung des überwiegend in britischem Besitz befindlichen Suez-Kanals nahm das Land sein wichtigstes Wirtschaftsunternehmen in eigene Hände. Mit den großen Gewinnen daraus wollte es die Modernisierung des Landes vorantreiben, als dessen Symbol es den Staudamm von Assuan und die Sicherung der Bewässerung des Landes sah. Dieser Akt leitete eine internationale Krise ein, die die Macht der alten Kolonialmächte im Nahen Osten brach und die Region zugleich in das doppelte Spannungsfeld von Ost-West- und Nord-Süd-Konflikt einbezog.

Der Suez-Krieg 1956 und der Einbezug des Nahen Ostens in den Ost-West-Konflikt

Ende Oktober 1956 glaubten Großbritannien und Frankreich, den Aufstand der Ungarn gegen das sozialistische Regime und seine sowjetische Schutzmacht zu einem Schlag gegen Ägypten nutzen zu können: Während die Sowjetunion mit der Niederwerfung der Ungarn beschäftigt und moralisch geschwächt schien, landeten sie am Suezkanal; zugleich eroberte Israel die Halbinsel Sinai. Die Sowjetunion erwies sich aber als durchaus handlungsfähig und unterstützte die Ägypter mit Entschiedenheit. Als auch noch die USA und die UNO massiven Druck auf die Angreifer ausübten, brach das Suez-Abenteuer rasch zusammen. Trotz ihres vollen militärischen Erfolges mußten die Angreifer alle Eroberungen aufgeben, und die UNO übernahm die Kontrolle der ägyptisch-israelischen Grenzen.

Die politischen Langzeitfolgen von 1956 waren erheblich. Fast beiläufig brach die Rolle Großbritanniens und Frankreichs als Kolonialmächte im Nahen Osten zusammen; wichtiger war, daß die Region jetzt voll in das Spannungsfeld des Ost-West-Konfliktes einbezogen wurde. Der Westen sah sich hierbei in die Defensive gedrängt. Obwohl sich die USA 1956 kompromißlos gegen ihre beiden NATO-Verbündeten und gegen Israel gewandt hatte, wurde diese Haltung von den Arabern nicht honoriert; sie suchten stärker als vorher Anlehnung an die Sowjetunion. Israel wurde dadurch und erst jetzt in die Rolle eines Partners der USA gedrängt. Ein scharfer

Rüstungswettlauf setzte ein, der den weltpolitischen Stellenwert der Region steigerte, ohne ihre Probleme einer Lösung näherzubringen.

Sechstagekrieg und Jom-Kippur-Krieg

In der Gestalt des Ägypters Nasser hatte die arabische Welt einen sehr begabten Politiker und vor allem eine Identifikationsfigur gefunden, deren Panarabismus glaubhaft erschien. Gerade dieser Aufstieg Ägyptens zu einer regionalen Macht aber machte die innerarabischen Spannungen sichtbar. Sie mobilisierte zuerst die Ängste der noch bestehenden arabischen Monarchien in Jordanien und auf der Arabischen Halbinsel. Dem „konservativen" Lager der Monarchien stand ein „progressives", zeitweise geradezu sozialistisch scheinendes Lager aus Ägypten, Syrien und dem Irak gegenüber. Die außenpolitische Orientierung dieser Staaten an der Sowjetunion verdeckte aber nur die Gegensätze zwischen ihnen, die an Schärfe kaum zu überbieten waren. In diesem Spannungsfeld wurden die Palästinenser zum wichtigen und zugleich völlig hilflosen politischen Instrument der Machtrivalen: In ihrer Mehrheit in großen Lagern im Gaza-Streifen, in Jordanien und im Libanon eingesperrt, ohne Chance auf eine Integration in die umgebenden arabischen Gesellschaften, konnten die Palästinenser um so leichter mobilisiert werden, als die anderen Araber nie ernsthafte Bemühungen unternahmen, ihre Lage zu verbessern. Die Wirrnis der politischen Organisationen der Palästinenser (S. 219 f.) ist ein beredtes Zeugnis für ihr politisches Elend.

Die aggressiven panarabischen Losungen, mit denen Syrien 1966 die arabische Welt gegen Israel zu mobilisieren schien, waren in Wirklichkeit in erster Linie gegen Ägypten gerichtet. Indem es Nasser damit zwang, seinerseits mit einer Verschärfung der Lage auf die syrische Herausforderung zu reagieren, löste es eine katastrophale Kettenreaktion aus.

Nasser brachte ein Militärbündnis mit Syrien und Jordanien zusammen, an dem sich auch der Irak und Saudi-Arabien beteiligten. Die UNO-Truppen entlang der ägyptisch-israelischen Grenze wurden auf seine Forderung hin abgezogen. Ende Mai 1967 konzentrierten sich an allen Grenzen Israels arabische

Truppen. Zusätzlich sperrte Nasser die Zufahrt zum israelischen Hafen Eilat und heizte die Situation durch Drohungen gegenüber Israel an. Heute ist man der Ansicht, daß Nasser trotz allem einen Krieg nicht wollte. Damals sah es anders aus. Israel wartete den (möglichen) arabischen Angriff nicht ab. Am 5. Juni griff die israelische Luftwaffe überraschend an und setzte die gegnerische Luftwaffe außer Gefecht. In sechs Tagen standen die israelischen Truppen am Suez-Kanal, am Jordan und auf den Golan-Höhen. Israel hatte im „Sechstagekrieg" ein Territorium erobert, das doppelt so groß war wie sein bisheriges, und 800 000 Araber dazubekommen. Die UdSSR und die USA suchten die neue Lage über die UNO zu meistern. Am 22. November 1967 verabschiedete der UN-Sicherheitsrat die Resolution 242, bei deren Abfassung Großbritannien federführend gewesen war. Darin wurde bekräftigt, daß „ein gerechter und dauerhafter Frieden im Nahen Osten" errichtet werden müsse, der auf zwei Prinzipien zu beruhen habe: „a) Rückzug israelischer Streitkräfte aus während des jüngsten Konfliktes besetzten Gebieten, b) [...] Respektierung und Anerkennung der Souveränität, der territorialen Integrität und der politischen Unabhängigkeit jeglichen Staates der Region [...]" Des weiteren sollte das Flüchtlingsproblem „eine gerechte Regelung" erfahren.

Die Resolution sollte ein Kompromiß sein. Doch keine der kriegführenden Parteien war zu einem solchen bereit. Israel wollte die besetzten Gebiete nicht räumen, und die Araber hatten es auf ihrem Gipfeltreffen in Karthum (1967) abgelehnt, sich mit Israel zu verständigen. „Kein Friede mit Israel, keine Anerkennung Israels, keine Verhandlungen mit Israel", so lauteten die drei Nein von Karthum. Die Bemühungen der Großmächte waren erfolglos. Alles, was sie erreichten, war das Ende des Abnutzungskrieges am Suez-Kanal, der nun die Grenze zwischen Ägyptern und Israelis bildete.

Bis zum nächsten Krieg dauerte es nur drei Jahre. Die Initiative dazu ging wieder von Ägypten aus. Ägypten hatte im Sechstage-Krieg die größten territorialen Verluste erlitten, und Sadat, der Nachfolger Nassers, brauchte politische Erfolge. Diplomatisch waren keine Fortschritte erzielt worden. Im Lande gab es Anzeichen für eine wachsende Unzufrieden-

heit, besonders unter der Intelligenz. Sadat sicherte sich die Unterstützung durch Syrien und Jordanien. Am 6. Oktober 1973, dem jüdischen Jom-Kippur-Tag, der dem Krieg dann den Namen gab, begann der Angriff auf Israel. Es gelang vor allem den ägyptischen Truppen, militärische Erfolge zu erzielen, die die Weltöffentlichkeit beeindruckten. Mit der Überwindung des Suez-Kanals und in großen Panzerangriffen brachten sie Israel mehrere Tage lang in eine fast verzweifelte Lage. Die Sowjetunion und die USA sahen sich zwangsläufig in den Krieg verstrickt und mußten ihren Verbündeten den massiven Waffennachschub fast bis aufs Schlachtfeld liefern, um ihre Bündnistreue vor der Welt zu demonstrieren. Am Ende siegte doch Israel und konnte nur durch gemeinsamen Druck der USA und der UdSSR davon abgehalten werden, die ägyptische Armee zur Kapitulation zu zwingen und den Suez-Kanal zu überqueren. Trotz dieses Endes hat der Jom-Kippur-Krieg das Selbstbewußtsein aller Araber gestärkt, ein Vorgang, der paradoxerweise auch vielen Israelis nicht ganz unwillkommen war, weil er die Hoffnung weckte, daß selbstbewußtere Araber eher zu Verhandlungen und Kompromissen bereit sein könnten. Zunächst aber erinnerte die arabische Welt im Oktober 1973 durch ein Ölembargo die westliche Welt daran, daß ihre wirtschaftliche Existenz in wesentlichem Maße vom nahöstlichen Öl abhing.

Die Palästinenser

Territoriale Auswirkungen hatte der Krieg zunächst nicht. Vor allem änderte sich nichts an der Situation der Palästinenser. Die UNO-Resolution 338 vom 22. Oktober 1973, die die Schaffung „eines gerechten und dauerhaften Friedens im Nahen Osten" auf der Basis der Resolution 242 einleiten sollte, blieb folgenlos. Die Palästinenser, aufgesplittert in viele politische Fraktionen, waren weiterhin Instrumente der arabischen Staaten. Sie erlebten, daß ihnen niemand bei der Verwirklichung ihrer Ziele half, und fühlten sich immer mehr auf sich selbst verwiesen.

Zwar war 1964 auf Initiative des ägyptischen Präsidenten Nasser die PLO (Palestine Liberation Organisation) gegründet worden, in deren Charta es hieß: „Arabische Einheit und Befreiung Palästinas sind zwei sich ergänzende Ziele. Die Arbeit für beide Ziele muß parallel verlaufen". Zwar war die PLO 1974 von der Arabischen Liga und von der UNO als „einzige Vertreterin des palästinensischen Volkes" anerkannt worden. Aber das hatte alles auch seine Kehrseite. Damit wurde die Lösung des Palästinenserproblems auf die PLO abgeschoben, und die sah sich gezwungen, ihren Kampf gegen Israel mit ihren Mitteln zu führen, mit Terroranschlägen auf israelisches Gebiet von den großen Flüchtlingslagern aus. Seit dem Beginn der 1970er Jahre internationalisierte sie den Terror durch Zusammenarbeit mit Terrorgruppen anderer Länder, wie z. B. der deutschen „Rote-Armee-Fraktion". Man kidnappte Flugzeuge und Schiffe, erschoß Geiseln. Besonders spektakulär war der Überfall auf die israelische Olympia-Mannschaft 1972 in München. Israel antwortete mit Vergeltungsangriffen auf die Palästinenserlager. Die PLO, deren Führungsorganisation sich seit dem Sechstagekrieg von 1967 in Jordanien befand, wurde dadurch zu einer schweren Belastung für die Souveränität der Regierung ihres Gastlandes. 1970 wollte der jordanische König den „Staat im Staate" nicht länger dulden, und seine Armee fügte den PLO-Einheiten im sog. „Schwarzen September" eine schwere Niederlage zu. Die PLO – aus Jordanien vertrieben – verlegte ihr Quartier in den Libanon. Aber hier war sie genauso wenig willkommen. Ihre Anwesenheit stürzte den wegen seiner verfeindeten konfessionellen Parteien und seiner entweder mit Israel oder mit Syrien sympathisierenden Armee-Einheiten ohnehin kaum regierbaren Staat ab 1976 in das Chaos eines Bürgerkrieges mit israelischer und syrischer Beteiligung. Die PLO geriet dabei so sehr zwischen die Fronten, daß sie 1982 schließlich ausgelöscht worden wäre, wenn sie das Eingreifen der beiden Supermächte USA und UdSSR nicht im letzten Augenblick davor bewahrt hätte.

Noch verzweifelter wurde die politische Lage der Palästinenser, als Israel begann, im Westjordanland jüdische Siedlungen anzulegen. Die Zahl der Siedler wurde unter Premierminister Schamir so groß, daß die Palästinenser auf mittlere Sicht in manchen Bezirken um die Mehrheit fürchten mußten. 1987 verzichtete dann auch noch König Hussein von Jordanien offiziell auf alle Souveränitätsrechte über das israelisch besetzte Westjordanland, verzichtete, um seine Politik und sein Land vom Druck des Palästinenserproblems zu entlasten.

Vor diesem Hintergrund begann im Dezember 1987 in den Palästinenserlagern des Gaza-Streifens der „Intifada"-Aufstand („Abschütteln"). Er wird maßgeblich beeinflußt von neu gegründeten Orgaisationen islamischer Fanatiker. Das verleiht der Auseinandersetzung einen neuen, religiösen Charakter. Die „Intifada" ist mehr als ein Aufstand von Arabern gegen Israelis, „Intifada" versteht sich als „Heiliger Krieg" von Moslems gegen Juden. Die PLO wurde zunächst von der Bewegung überrascht und fand erst verspätet Anteil daran. Sie suchte sie vor allem politisch zu nutzen, indem sie sich von dem harten Terror islamischer Fanatiker distanzierte und Verhandlungsbereitschaft signalisierte. Das schlug sich in zwei erstaunlichen Beschlüssen nieder: 1988 erkannte sie offiziell das Existenzrecht des Staates Israel an, und 1989 wählte sie ihren Leiter, Jassir Arafat, zum „Präsidenten von Palästina". Die israelische Besatzungsmacht zeigte sich der „Intifada" gegenüber zutiefst verunsichert. Denn die Träger des Aufstandes waren Jugendliche und Kinder, ihre Waffen Steine. 450 von ihnen wurden allein im ersten Jahr der Existenz der „Intifada" erschossen. Lange Zeit verging kaum ein Tag ohne Tote und Verletzte, und ein Ende war nicht abzusehen.

Das könnte nun alles anders werden, seitdem PLO-Chef Arafat und Schamir-Nachfolger Rabin 1993 in direkte Verhandlungen über die Zukunft der palästinensischen Gebiete eingetreten sind. Nach dem Gaza-Jericho-Abkommen erscheint die Entstehung eines Palästinenser-Staates nicht mehr als Utopie. Was in einem solchen aus der „Intifada" wird – eine vergangene Episode des palästinensischen Befreiungskampfes oder ein Terrorinstrument in den Händen islamischer Fundamentalisten (vgl. Abs. 6.4) –, das bleibt abzuwarten.

6.4 Die Situation im Nahen Osten seit den 1980er Jahren

Der Zerfall der Sowjetunion seit Ende der 1980er Jahre und ihr Rückzug aus ihrer Weltmachtposition hätte die Nahost-Konflikte theoretisch mindern müssen. Tatsächlich aber zeigte sich jetzt, daß der Ost-West-Gegensatz im Nahen Osten immer nur tiefere Spannungen der Region überlagert hatte und in seiner Bedeutung von Europa und den USA überschätzt worden war. Der israelisch-palästinensische Konflikt hat sich seit dem Beginn der Intifada ständig verschärft, während die Einflußmöglichkeiten von außen geringer geworden sind. Auch die Rivalitäten der arabischen Staaten untereinander haben nicht wesentlich nachgelassen. Nicht zuletzt aber nehmen innerhalb der bevölkerungsreichen Staaten die Spannungen zwischen den rasch wachsenden Massen und den wirtschaftlich erfolgreichen Oberschichten zu. In diese Probleme, die überdies durch viele personale und soziale Querverbindungen untereinander verflochten sind, wirkt eine religiöse Erneuerungsbewegung hinein, die wir als „Fundamentalismus", als Rückkehr des Islam zu seinen historischen Quellen bezeichnen. Schließlich ist auch Israel ein in sich außerordentlich kompliziertes und konfliktreiches Gebilde, dessen Politik man nicht einfach an europäischen Maßstäben messen kann.

Israel

Zionismus und Judentum, eher weltliche und religiöse Tradition, stellten und stellen die wichtigsten Orientierungshilfen der israelischen Gesellschaft dar. Allerdings sind beide Traditionen weit davon entfernt, auf zentrale Fragen des politischen Alltagslebens, wie etwa das Selbstverständnis des Staates Israel oder das Verhältnis zu den Arabern, eine einheitliche Antwort liefern zu können. Dabei sind sie nicht nur miteinander, sondern auch in sich zerstritten. Der Hauptgrund dafür ist die außerordentliche Uneinheitlichkeit der israelischen Gesellschaft. Die heutige israelische Gesellschaft ist das Ergebnis von immer neuen Einwanderungswellen aus den letzten hundert Jahren. Sie brachten – aus dem europäisch-amerikanischen oder afro-asiatischen Raum kommend – Menschen in das Land, die politisch, kulturell, sozial völlig unterschiedliche Lebensformen und Erfahrungswelten verkörperten. Unter diesen Bedingungen konkurrieren im Rahmen von Zionismus und Judentum sehr unterschiedliche Antworten auf die drängenden politischen und sozialen Probleme Israels, was sich in der Parteienlandschaft in einer verwirrenden Vielfalt von

Absplitterungen und Kleinparteien widerspiegelt und sie zu einem schwierigen Betätigungsfeld für mehrheitsfähige Politik macht.

Die Zionisten waren und sind sich zwar im großen und ganzen über ihr Ziel einig, die Einrichtung des weltlichen Staates Israel, nicht aber über das Verhältnis zu den Arabern. Seit den 1920er Jahren bis heute lassen sich dazu drei große Meinungsrichtungen unterscheiden: 1. Die „Tauben", die eine Regelung in Verhandlungen auf der Ebene gleichberechtigter Partnerschaft wollen und seit den Eroberungen von 1967 „Frieden statt Gebiete" fordern, 2. die „Falken", die zu keinerlei Zugeständnissen bereit sind und für die nur die Lösung „Frieden und Gebiete" akzeptabel ist, 3. die „Realpolitiker", die Verhandlungen nicht ablehnen, sie aber aus der „Position der Stärke" heraus führen wollen. Bedeutendster Repräsentant dieser Richtung war der Ministerpräsident von 1948 bis 1953 und 1955 bis 1963, Ben-Gurion.

Der gläubige Jude stand und steht dem weltlich-zionistischen Staat Israel reserviert gegenüber. In seinen Augen entsprach es nicht dem Willen Gottes, daß das auserwählte Volk der Bibel einen Staat gründete wie alle anderen Völker auch. Die Rückbesinnung auf die jüdisch-religiösen Wertvorstellungen wurden durch die Eroberungen des Krieges von 1967 nachhaltig gefördert. Das israelische Herrschaftsgebiet deckte sich jetzt in etwa mit dem Gelobten Land der Bibel. Manche gläubigen Juden wie der Rabbi Kock und seine Anhänger betrachteten das Ergebnis des Krieges als Fügung Gottes, der seinem Volk damit das Land der Väter zurückgegeben habe. Dieses Gottesgeschenk wieder abzutreten, war für sie, die das Jahr 1967 als Jahr 1 der Erlösung feierten, unvorstellbar. Sie deuteten die Krise von 1973 als Folge davon, daß das israelische Judentum die religiöse Bedeutung von 1967 noch nicht begriffen habe. Aus ihren Reihen konstituierte sich 1974 die Bewegung des „Blocks der Treuen", die die erlöserische Bedeutung des Staates Israel propagandistisch vertrat und durch illegale Siedlungsaktionen in den besetzten Gebieten, schließlich auch durch Terror gegen die palästinensische Bevölkerung und vereinzelt sogar gegen zionistische „Tauben" für Aufsehen sorgte. Wenn auch die Bewegung des „Blocks der Treuen" zahlenmäßig schwach war, so war sie doch symptomatisch für den Aufschwung, den Religion und religiös verbrämter Nationalismus in den späten 1970er und 1980er Jahren erlebten. Zahlreiche demographische Erhebungen belegen, daß der Mentalitätswandel Ausdruck einer tiefgreifenden gesellschaftlichen Umschichtung war. 1948 waren 80 Prozent aller Israelis Einwanderer aus Europa und Amerika, afro-asiatische Einwanderer und in Israel Geborene stellten mit 15 Prozent und 5 Prozent nur kleine Minderheiten dar. Bis 1989 hatten sich die Relationen gründlich verändert: Den 38 Prozent euro-amerikanischen Einwanderern stand eine Mehrheit von 42 Prozent afro-asiatischen Einwanderern und 20 Prozent in Israel Geborenen gegenüber. Unter den letzteren waren die Abkömmlinge afro-asiatischer Eltern in der Überzahl – ein Trend, der sich fortsetzen wird, da der afro-asiatische Bevölkerungsteil – wie übrigens auch der palästinensische – den euro-amerikanischen an Kinderreichtum übertrifft. Durch diese Umschichtung nahmen Bevölkerungsteile zu, die – nach Umfragen – tendenziell religiöser und antiarabischer eingestellt sind als andere. Davon profitierten die parteipolitischen Kräfte, die aus dem als weltlich empfundenen zionistischen Staat Israel das jüdisch-religiöse „Land Israel" (Eretz Israel) machen wollten und auf eine harte Gangart gegenüber den Arabern setzten. Gläubiges Judentum und an europäischen Leitbildern orientierter Zionismus hatten sich traditionell ablehnend gegenüber gestanden. Unter der neuen Zielsetzung verbanden sich die „Falken" der zionistischen und religiösen Parteien. Ihre Repräsentanten waren die Ministerpräsidenten Begin (1977–1983) und Schamir (1983–1992), durch die die bis dahin illegale Siedlungstätigkeit in den besetzten Gebieten staatsoffiziell vorangetrieben wurde. Die dadurch bedingte Verschärfung des Widerstands von seiten der arabischen Palästinenser schien die „Falken"-Meinungen darüber, wie mit den Palästinensern zu verfahren sei, nur zu bestätigen. Eine wichtige Rolle spielte und spielt dabei die sog. „Mystifizierung des Holocaust". Darunter ist die bewußte Pflege der Erinnerung an die Verfolgung der Juden in der Vergangenheit, besonders im Dritten Reich, zu verstehen und ihre „Umfunktionierung" zum Deutungsmodell für das gegenwärtige Verhältnis zwischen Juden und Arabern. „Nie

wieder Holocaust" bedeutet in diesem Sinne, den Arabern nachdrücklich Überlegenheit zu demonstrieren.

Die arabische Staatenwelt um 1990

In der arabischen Staatenwelt ist der Gegensatz zwischen den „Progressiven" und den „Konservativen" geblieben, weil er zu einem großen Teil mit dem Interessenkonflikt zwischen den bevölkerungsreichen armen Staaten (außer Irak ohne Öl) und den schwach besiedelten Golfstaaten mit ihren immensen Öleinnahmen identisch ist. Saudi-Arabien versucht dabei, vor allem Ägypten durch finanzielle Unterstützung so weit zu stabilisieren, daß es seine gemäßigte Politik gegenüber Israel und seine guten Beziehungen zu den USA fortsetzen kann. Mit dieser Hilfe, einer in Entwicklung begriffenen Industrie und einer relativ modernen Gesellschaft ist es Ägypten bis heute gelungen, seine Vormachtrolle in der Region zu behaupten; zugleich weckt es die Rivalitäten Syriens, des Iraks und des Irans. Für diese ist die Chance, die Rolle einer Mittelmacht in der Region zu spielen, nach dem Ende des eher mäßigenden sowjetischen Einflusses größer und verlockender geworden.

Es sind nicht nur politische Faktoren, die in der arabischen Staatenwelt des Nahen Ostens für Reibungspunkte sorgen. Es kommt dazu, daß die wirtschaftlichen und militärischen Machtmittel in den Staaten sehr ungleich verteilt sind.

Dabei stehen wirtschaftlicher Reichtum und militärische Stärke nicht in einem einfachen Ableitungsverhältnis zueinander. So hindert beispielsweise die geringe Bevölkerungszahl Saudi-Arabien daran, seinen wirtschaftlichen Reichtum in eine auch zahlenmäßig starke Armee umzusetzen. Andererseits können machtpolitische Gründe einen Staat veranlassen, sein Militärpotential über seine wirtschaftlichen Möglichkeiten hinaus aufzustocken.

Vor allem der Irak, der über große Öleinnahmen verfügt, betreibt unter Saddam Hussein seit den siebziger Jahren eine Hochrüstungspolitik, die seine Streitkräfte wahrscheinlich zu den stärksten des ganzen Nahen Ostens gemacht haben. Der Ausschluß Ägyptens aus der Arabischen Liga 1979 nach seinem Teilfrieden mit Israel schien dem Irak die

Länder	Bruttosozial-produkt pro Kopf in US Dollar	Außenhandel in Mill. US Dollar			Anteil des/der Erdöls, Erdölpro-dukte an Ausfuhr (%)
		Einfuhr	Ausfuhr	Differenz	
Kuwait	14 890	4 620	10 440	+ 5 820	90
V.A.E.	14 230	4 900	9 050	+ 4 150	97
Katar	12 740	1 185	2 367	+ 1 182	96
Saudi-Arabien	8 040	14 650	43 460	+ 28 810	90
Bahrain	4 100	2 050	1 890	− 160*	75
Oman	2 570	1 190	1 603	+ 413	98
Irak	1 860	4 210	11 010	+ 6 800	92
Syrien	930	2 437	1 053	− 1 384	62
Jordanien	1 050	1 499	297	− 1 202	–
Ägypten	400	6 730	1 740	− 4 990*	?
Süd-Jemen	420	335	177*	− 158	–
Nord-Jemen	580	1 040	11	− 1 029	–

Reiche und arme Länder des Mittleren Ostens 1978
(* Zahlen für 1975)

Reiche Staaten – arme Staaten: Entwicklungshilfe im Nahen Osten 1979 in Mill. US-Dollar; Wilkens/Ziesing; in: Wehling (Red.), Brennpunkt Mittel-Ost, Stuttgart 1981, S. 22

Militärpotential (nur Heer und Luftwaffe) in der Golfregion Mitte 1990

Länder/Kategorien	Irak	Saudi-Arabien	Syrien	Ägypten	Golf-Emirate	Iran	Israel
Bevölkerung in Tsd.	19 086	14 062	12 383	54 774	2 566	52 049	4 579
Truppenstärke (ohne Reservisten):	955 000	40 000	300 000	320 000	51 000	305 000	104 000
Großwaffen (Heer): – Kampfpanzer	5 500	550	4 000	3 190	209	500	4 288

aus: Krell/Kubbig, Krieg und Frieden am Golf, S. 68 f.

Chance zu bieten, selbst zur regionalen Vormacht aufzurücken. Der Irak sah sich nach der islamischen Revolution im Iran durch zwei ideologische Feinde eingekeilt, den alten Rivalen Syrien und den Schiitenstaat Iran, dessen revolutionärer Geist die Loyalität der eigenen schiitischen Minderheit gefährdete. Außerdem ging es, nachdem Ägypten seine Führungsrolle nicht mehr spielen konnte, um die Frage nach der neuen arabischen Vormacht. Der Irak trat die Flucht nach vorne an und eröffnete 1980 den Krieg gegen den Iran. Er zog sich über acht Jahre hin und endete 1988 in einem Waffenstillstand ohne nennenswerte territoriale Veränderungen. Der Irak stand den Krieg nur durch, weil er von Saudi-Arabien und Kuwait vor allem finanzielle Unterstützungen in schwindelerregender Höhe erhielt. Er benötigte sie, um den starken Rückgang seiner Einnahmen aus dem Ölgeschäft auszugleichen. Denn unter den Einwirkungen des Krieges ging nicht nur die Ölförderung zurück, sondern auch der Absatz stockte, besonders durch den syrischen Transport-Boykott gegen irakisches Öl. Als

der Irak seine Förderung dann wieder steigerte, verhinderten die Dumpingpreise auf dem Weltmarkt, die durch Überproduktion in den Golfemiraten verursacht wurden, eine entsprechende Steigerung seiner Einnahmen. Der Ablauf der Ereignisse hatte bei Kriegsende 1988 ein fast grotesk zu nennendes Mißverhältnis zwischen der wirtschaftlich-finanziellen und der militärischen Stärke des Irak zur Folge. Hatte der Irak 1980 bei einer Auslandsverschuldung von 2 Milliarden US-Dollar Devisenreserven in Höhe von 36 Milliarden US-Dollar besessen, so war er 1988 mit 80 Milliarden US-Dollar Auslandsschulden das dritthöchst verschuldete Dritte-Welt-Land überhaupt und – gemessen an seiner Einwohnerzahl – mit einer Pro-Kopf-Verschuldung von 4700 US-Dollar mit weitem Abstand Spitzenreiter (vor Argen-tinien als zweitem mit 1875 US-Dollar Pro-Kopf-Verschuldung). Der irakische Präsident Saddam Hussein beschuldigte die Golfstaaten, durch ihre für den Ölpreis inflationäre Förderpolitik einen ruinösen Wirtschaftskrieg gegen ihn zu führen, und verlangte nachdrücklich die Streichung seiner

Schulden. War seine wirtschaftliche Situation auch schon prekär genug, so erlitt er zusätzlich einen schweren politischen Rückschlag, als Ägypten 1989 wieder in die Arabische Liga aufgenommen wurde und dort auf Anhieb die politische Führungsrolle – gegen den Irak – zu übernehmen vermochte. Wieder wählte der Irak die Flucht nach vorne. Hussein ließ Kuwait besetzen und löste damit den Golfkrieg aus. Er wurde unter einer erstaunlichen Bündniskonstellation ausgefochten. Mit Ausnahme von Jordanien und Jemen beteiligten sich alle arabischen Nahost-Staaten am Krieg gegen den Irak. Die Führungsrolle übernahmen dabei die USA, und man möchte fast annehmen, daß die Konstellation gegen den Irak so kaum zustande gekommen wäre, wenn die UdSSR als weltpolitische Führungsmacht 1990/91 noch existiert hätte.

Die Rolle des Öls als Machtmittel der Staaten des Nahen Ostens

Der Nahe Osten nimmt – wirtschaftlich und politisch gesehen – die Spitzenposition in der Dritten Welt ein. Verantwortlich dafür sind die Tatsache, daß Erdöl der Hauptenergieträger

des Weltwirtschaftssystems ist, und der Reichtum des Nahen Ostens an diesem Rohstoff. Die Verteilung der Reserven dieses Rohstoffs auf der Erde läßt sogar erwarten, daß die Bedeutung der Region noch zunehmen wird.

Die besondere Rolle des Nahen Ostens für die Weltwirtschaft begann sich in den 1950er Jahren abzuzeichnen, als das Erdöl zum wichtigsten Energieträger wurde. Die USA, die aus dem Zweiten Weltkrieg als Führungsmacht der westlich-kapitalistischen Welt hervorgegangen waren, sicherten sich aufgrund ihres wirtschaftlichen und politischen Übergewichts die Kontrolle über die nahöstlichen Rohstoffquellen. Zur Ausübung der Kontrolle bedienten sie sich der sieben größten multinationalen Konzerne (Exxon, Mobil, Socal, Texaco, Gulf, Shell, BP). Sie besaßen das Produktionsmonopol im Irak, in Saudi-Arabien, Kuwait und im Iran und legten durch interne Absprachen die Höhe der Ölproduktion und des Ölpreises fest. Dabei hatten sie die Auflage der US-Regierung zu beachten, daß der Weltölpreis an den Produktionskosten des texanischen Rohöls gebunden blieb. Auf diese Weise kontrollierten die USA die Konzerne

Hauptströme im Welt-Ölhandel

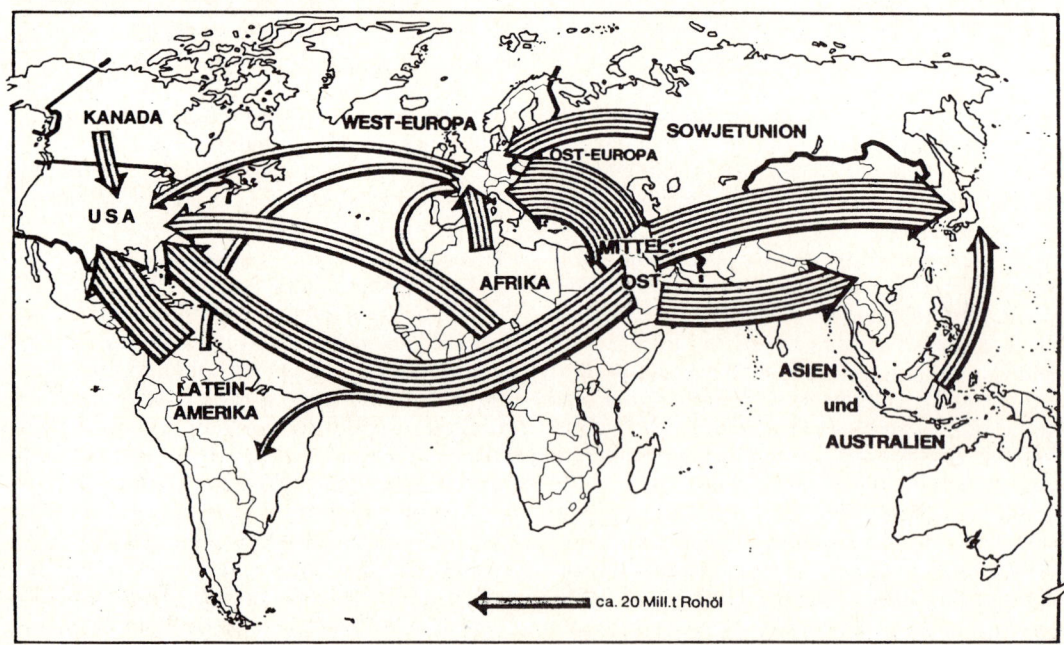

Gezeichnet nach Angaben aus: BP Statistical Review of World Energy, Juni 1990, S. 17, Quelle: Krell/Kubbig (Hg.), Krieg und Frieden am Golf, Frankfurt 1991, S. 31

Rüstungslieferanten in den Nahen Osten 1983–87
Anteil der Lieferanten für einzelne Lieferländer in %, Summen in Mio. DM

	Anteile der Lieferanten in %						Gesamt-import in Mio. DM
	UdSSR	USA	Frankreich	Groß-britannien	BRD	China	
Bahrain	0	54	14	1	28	0	1275
Zypern	0	0	91	0	0	0	960
Ägypten	4	43	20	3	1	7	23460
Iran	1	0	0	1	0	20	26595
Irak	46	0	16	0	2	11	89685
Israel	0	100	0	0	0	0	12900
Jordanien	33	26	20	15	0	0	7410
Kuwait	19	17	41	9	13	0	3825
Libanon	0	75	19	0	0	0	1590
Oman	0	6	3	64	24	1	2355
Katar	0	2	95	4	0	0	1665
Saudi-Arabien	0	39	35	13	0	0	54960
Syrien	85	0	0	0	0	1	31350
VAE	3	52	0	36	0	0	1830
Süd-Jemen	99	0	0	0	0	0	5730
Nord-Jemen	91	2	0	0	0	0	4305
Nahost (gesamt)	31	19	16	4	1	7	
Gesamtlieferung in Mio. DM	82575	50460	44610	11775	3780	17205	

Quelle: US Arms Control and Disarmament Agency, World Military Expenditures and Arms Transfers 1988, Washington, D. C., 1989, aus: Krell/Kubbig (Hg.), Krieg und Frieden am Golf, S. 168

und den Weltmarkt, und die Konzerne wieder die Erdölländer, deren Staatshaushalte völlig von den zwischen ihnen und den Konzernen 50:50 aufgeteilten Gewinnen abhängig waren. Das änderte sich Anfang der 1970er Jahre. Unter der Führung Venezuelas begannen die Erdölstaaten in der „Organisation Erdölexportierender Staaten" (OPEC) kollektiv ihre eigenen Interessen zu vertreten. Dies wurde möglich, weil es den Erdölländern zwischen 1971 und 1974 gelang, die direkte Abhängigkeit von den multinationalen Konzernen ganz oder zum größten Teil abzuschütteln, indem sie die Ölproduktion im eigenen Land verstaatlichten.

Zu Beginn der 1980er Jahre löste sich die Kooperation zwischen den Erdölproduzenten und den multinationalen Konzernen auf. Nun mußten sich die OPEC-Staaten selbst darum kümmern, die Informationen über den Weltmarkt zu erhalten, die zur Regulation von Ölproduktion und -preis nötig waren. Dazu waren sie jedoch technisch und vor allen Dingen aufgrund interner Konflikte politisch kaum in der Lage. Mitte der 1980er Jahre setzte ein rascher Preisverfall für Rohöl ein. Er ging z.T. auf Überproduktion einzelner OPEC-Staaten

zurück, z.T. auf eine sparsamere Energiehaushaltung in den westlichen Industrienationen. Die Minderung der Einnahmen stellte die Ölstaaten vor innenpolitische Probleme, da sie von ihrer sozial- und wirtschaftspolitischen Struktur her sogenannte „Rentier"-Staaten sind. Damit ist folgendes gemeint: Ihre Staatseinkünfte stammen nicht oder nur zu einem geringen Teil aus Steuergeldern der Staatsbevölkerung, sondern ganz oder überwiegend aus Bezügen, die dem Staat aus dem Weltwirtschaftssystem (durch Ölverkäufe) oder aus der internationalen Politik (als Entwicklungshilfe) zufließen. Das macht die Staatsregierung – immer vorausgesetzt, daß genügend Geld ins Land fließt – in hohem Maße unabhängig von der Staatsbevölkerung. Dazu kommt, daß sie damit über die Mittel verfügt, durch Maßnahmen (Verzicht auf Besteuerung, öffentliche Wohlfahrt im Bereich Bildung und Gesundheit) und Zuwendungen die Bevölkerung vom Gedanken abzuhalten, politische Mitsprache zu fordern. Die Bevölkerung lernt, daß ihr Wohlergehen nicht von ihrer Produktivität, sondern von ihrer Willfährigkeit abhängt. Die Privilegierung der Staatsbevölkerung geht soweit, daß sie selbst von der „Schweißarbeit" der Ölpro-

Basisdaten über die wichtigsten Länder, die von der Rückkehr von Arbeitskräften und ihrer Familienangehörigen aus der Golfregion betroffen sind

Land	Gesamtbevölkerung (in Mio.) 1990	Erwerbstätige Bevölkerung (in Mio.) 1990	Arbeitsemigranten im Irak und in Kuwait als Prozentanteil an der erwerbstätigen Bevölkerung	Weltweite Importe (US-$ Mio.) 1989	Überweisungen weltweit (US-$ Mio.) 1989	Überweisungen als Prozentanteil an den Importen	Bruttosozialprodukt pro Einwohner (US-$) 1987
Bangladesh	115,244	33,398	0,2 %	3290,8	806,8	24,5 %	160
Ägypten	52,536	14,574	7,1 %	9370,0	3770,0	40,0 %	670
Indien	827,152	322,944	0,1 %	17661,0	2636,0	15,0 %	300
Jordanien	4,291	992	11,6 %	2400,1	742,9	31,0 %	1560
Pakistan	112,226	33,698	0,2 %	7012,0	2084,0	29,7 %	350
Philippinen	60,973	22,474	0,2 %	10419,0	473,0	4,5 %	590
Sri Lanka	17,451	6,367	1,3 %	2017,5	319,3	15,8 %	400
Sudan	24,895	8,078	1,3 %	948,5	216,3	22,8 %	330
Thailand	55,712	29,534	0,1 %	17868,0	47,0	0,2 %	840
Jemen	9,870	2,363	(4,8 %)	1640,5	1010,3	63,3 %	505

Alle Jemeniten verließen die Golfregion über Jordanien bis zum 2. Okt. 1990: schätzungsweise 113000, davon 13000 aus dem Irak und aus Kuwait. P.S. Die Zahlen zu den Überweisungen (der Arbeitsemigranten) beziehen sich auf die ganze Welt, nicht nur auf den Irak und auf Kuwait.

Aus: Pawelka/Pfaff/Wehling, Die Golfregion in der Weltpolitik, (Kohlhammer) Stuttgart 1991, S. 192

duktion befreit ist, die stattdessen von ausländischen Gastarbeitern verrichtet wird. Dadurch haben auch zahlreiche ärmere arabische und nichtarabische Staaten indirekt Anteil am Geschäft der Ölstaaten. Auf das Ausmaß dieses Anteils machten die Folgen des Golfkrieges von 1991 aufmerksam.

Die inneren Probleme der arabischen Länder und der Fundamentalismus

Die Situation der islamischen Länder des Nahen Ostens (und übrigens auch Nordafrikas) zu Beginn der 1990er Jahre ist für die politischen Führungsschichten wie für die breiten Massen kaum befriedigender als vierzig Jahre zuvor: Die arabische Einheit ist eine Illusion wie eh und je; aber auch kein einzelner arabischer Staat verfügt über eine unbestrittene internationale Machtposition. Die Rivalitäten im islamischen Lager sind geblieben.

Im Innern der bevölkerungsreichen Staaten hat sich die Lage wirtschaftlich und sozial überall zugespitzt: Mit Geburtenraten von über 4 Prozent pro Jahr gehören sie zu den am raschesten wachsenden Staaten der Welt. Innerhalb einer Generation haben sich die Bevölkerungen der meisten islamischen Staaten mehr als verdoppelt. Zwischen 1966 und 1990 wuchs die des Iran von 26 auf 56 Millionen, die des Irak

von 8,2 auf 19 Millionen. Der iranisch-irakische Krieg mit etwa einer Million Toten ist in der Bevölkerungsstatistik so gut wie nicht spürbar. Die Folgen dieser Entwicklung sind bedrückend – am meisten wohl in Ägypten und im übrigen Nordafrika. Die Orientierung an den westlichen Märkten hat eine dünne Oberschicht und kleine Mittelschichten begünstigt, aber die Masse der Elenden nur immer weiter wachsen lassen. Für diese ist auch der Sozialismus längst keine glaubhafte Alternative mehr.

In dieser Situation setzen die zugleich religiösen und politischen Kräfte an, die schon immer der Orientierung am Westen mißtraut und auf die eigene Geschichte als Quelle der Erneuerung verwiesen hatten. Europäer und Nordamerikaner haben dieser Entwicklung immer mißtraut und in ihr eine Wendung gegen die moderne Welt mit ihrer (europäisch) rationalen Ordnung und ihrer liberalen Kompromißfähigkeit gesehen. Tatsächlich erscheinen uns Europäern die Bestimmungen des islamischen Rechts (Scharia) und besonders die darin angelegte Diskriminierung der Frau unakzeptabel. Hier tolerant zu sein hieße, grundlegende Werte unserer politischen Kultur zu verraten; auch der Begriff des „Heiligen Krieges" weckt schlimme Erinnerungen aus der eigenen Geschichte. Tatsächlich aber muß man wissen, daß das Verhältnis zwischen Religion und Politik im

Islam grundsätzlich anders als im Christentum war: Während Christus die Menschen von der Welt erlösen wollte und dem jeweiligen Kaiser – Christ oder Heide – bereitwillig und gleichgültig gab, was des Kaisers war, war schon der Stifter des Islam – Mohammed – gleichermaßen religiöser, politischer und militärischer Führer. Glaube und Herrschaft waren von vornherein untrennbar verbunden, ohne allerdings in den großen Zeiten der arabischen Kultur ein hohes Maß an Toleranz auszuschließen.

Algerische Demokratie-Pflanze mit erstem Früchtchen

Aus: Westdeutsche Zeitung, Mittwoch, 29. Januar 1992

Seinen ersten politischen Triumph feierte die islamische Erneuerungsbewegung, der islamische Fundamentalismus, 1979 mit der islamischen Revolution Khomeinis im nicht-arabischen Iran, dessen Bevölkerung sich im Gegensatz zu den anderen islamischen Staaten zur schiitischen Richtung des Islam bekennt. Es zeigte sich bald, daß der Fundamentalismus keine iranisch-schiitische Sonderentwicklung war. Denn 1992 errang die sunnitische Islamische Heilsfront in Algerien einen überragenden Wahlsieg, und auch Ägypten wird verstärkt Schauplatz fundamentalistischer Unruhen. Besonders einflußreich ist der islamische Fundamentalismus in den Palästinenserlagern. Seit 1987 heizten die islamischen Untergrundorganisationen „Dschihad al-Islami" (Islamischer Heiliger Krieg) und „Hamas" (Islamische Widerstandsbewegung) im Gaza-Streifen vorwiegend die junge Bevölkerung zum Aufstand der „Intifada" an. Den neuen Geist des Widerstands verkündete „Hamas" in ihrer Charta von 1988:
„Palästina ist islamisches Erbland aller Moslems bis ans Ende der Zeiten. Kein Teil davon

darf preisgegeben werden. Kein arabisches Land, kein König, kein Präsident, keine Organisation, arabisch oder palästinensisch, ist dazu befugt. Die einzige Lösung des Problems heißt „Heiliger Krieg". Er bringt die Befreiung ganz Palästinas ohne Kompromisse."[1]
Hier wie in den arabischen Staaten bedroht der Fundamentalismus die Führungsposition der offiziellen Regierungen, indem er die Loyalität der Bevölkerung ihrer Regierung gegenüber in Frage stellt. Da der islamische Fundamentalismus allem Anschein nach noch keineswegs seinen Höhepunkt erreicht hat, geraten die arabischen Regierungen unter Erfolgszwang, wollen sie Herr im eigenen Hause bleiben. Welche Auswirkungen das auf ihre Fähigkeit hat, an einer dauerhaften Entschärfung der Konfliktstoffe des Krisengebiets Nahost mitzuwirken, ist noch kaum abzuschätzen.

[1] Schreiber/Wolffsohn, Nahost, S. 324

6.5 Die internationale Politik und die Friedenschancen im Nahen Osten

Die Bedingungen von Krieg und Frieden im Nahen Osten wurden z. Z. des Ost-West-Konflikts in nicht geringem Maße von den beiden Supermächten UdSSR und USA bestimmt.
Für die UdSSR ergaben sich im Gefolge der Regimewechsel in Ägypten, Syrien und im Irak ab 1955 Gelegenheiten, ihren Einfluß in der Region wirksam zu machen. Das sozialistische – freilich keineswegs kommunistische – Selbstverständnis der neuen Regimes schuf Gemeinsamkeiten, die umso enger wurden, je mehr sich die USA Israel zuwandten. Die Interessen der UdSSR in der Nahost-Region waren vorwiegend politischer Art. Da sie selbst über ansehnliche Ölvorräte verfügte, war sie auf Lieferungen aus dem Nahen Osten nicht angewiesen. Es ging ihr darum, in einer Weltregion mitbestimmend präsent zu sein, die für den weltpolitischen Rivalen von viel existentiellerer Bedeutung war. Sie übte ihren Einfluß vor allem – wenn auch nicht nur – durch Militärhilfen aus. In allen Kriegen und bewaffneten Auseinandersetzungen, die zwischen ihren eigenen und den Parteigängern der USA ausgefochten wurden, war sie darauf bedacht, Umfang und Dauer der Kämpfe zu begrenzen. Einerseits sollte vermieden wer-

den, daß die eigenen Verbündeten lebensbe-
drohlich geschädigt wurden, andererseits galt
es, nur ja keine Situation entstehen zu lassen,
die zur direkten militärischen Konfrontation
mit den USA führen mußte. Selbstverständlich
waren diese gezwungen, dieselben Prinzipien
zu verfolgen, wenn sie ihre Existenz als Weltmacht nicht einem unkalkulierbaren Risiko
aussetzen wollten. Das hat dazu geführt, daß
die beiden Supermächte die kriegerischen
Konflikte nicht über ein kalkulierbares Scha-
densniveau hinauskommen ließen und sich in
den entscheidenden Momenten zu gemeinsamer Krisenbewältigung zusammenfanden.

Die Rolle der Weltmacht USA

In den 1950er Jahren übernahmen die USA
im Nahen Osten die Rolle ihrer westlichen
Verbündeten Großbritannien und Frankreich.
Die Ablösung verlief nicht konfliktlos. Das entscheidende Signal für den Rollenwechsel gaben die USA in der Suez-Krise (1956). In ihrer
Nahost-Politik verfolgten die USA im wesentlichen drei Ziele: 1. Der Einfluß der UdSSR
sollte eingedämmt und klein gehalten werden,
indem möglichst viele Staaten der Region militärisch und wirtschaftlich an die USA gebunden wurden. 2. Die Belieferung der USA mit
arabischem Öl sollte sichergestellt werden.
Das verlangte, daß man mit arabischen Ölpro-
duzenten freundschaftliche Kontakte pflegte.
In erster Linie boten sich dafür die reichen
konservativen Ölstaaten an, die man mit moderner westlicher Technik – nicht zuletzt auf
militärischem Gebiet – ausstattete. 3. Der
Staat Israel sollte in seiner Existenz gegen
jegliche Aggression geschützt werden. Aufgrund der numerischen, politischen und wirtschaftlichen Stärke des Diaspora-Judentums
in den USA war dieses Ziel für jeden amerikanischen Präsidenten schon aus innenpolitischen Gründen von oberster Dringlichkeit.
Die drei Zielsetzungen haben sich bis heute
kaum jemals widerspruchsfrei vereinbaren
lassen. Daher wies die amerikanische Nahost-Politik – je nach dem, was im jeweiligen
Augenblick als vorrangig erschien – mancherlei Schwankungen auf. Da für die USA das
arabische Öl von lebenswichtiger Bedeutung
war (ist), haben sie es bei aller Bevorzugung
Israels nie darauf ankommen lassen können,
daß ihre Beziehungen zu den arabischen

Staaten abrissen. Die wirtschaftliche Wichtigkeit des Nahen Ostens für die USA mag man
daran ermessen, daß z. Z. der Ölkrisen Mitte
der 1970er und Anfang der 1980er Jahre im
amerikanischen Verteidigungsministerium Pläne entwickelt wurden, wie man sich durch einen überraschenden militärischen Schlag in
den Besitz von nahöstlichen Ölquellen setzen
könnte. Als Erfolg der amerikanischen Ge-
sprächsfähigkeit und -bereitschaft zur arabischen und israelischen Seite hin wurde insbesondere der auf Vermittlung des amerikanischen Präsidenten in Camp David (1978) ver-
einbarte israelisch-ägyptische Frieden gewer-
tet.
Seit der Auflösung der UdSSR ist die Position
der USA im Nahen Osten zweifellos sehr viel
stärker geworden. Das bewies der Golfkrieg,
als sich unter der Führung der USA fast alle
arabischen Staaten am Krieg gegen den Irak
beteiligten. Noch beweiskräftiger aber ist der
Erfolg, den die amerikanische Regierung bei
der Lösung des zentralen israelisch-palästi-
nensischen Konflikts erzielte. Massive
amerikanische Intervention brachte 1993 den
„historischen Händedruck" zwischen PLO-
Chef Arafat und Israels Ministerpräsident
Rabin zuwege und Delegationen beider Seiten an den Verhandlungstisch, und bis jetzt –
Anfang 1994 – haben sich die USA als stark
genug erwiesen, für die Fortsetzung der Verhandlungen zu sorgen, wenn Krisensituationen
wie nach dem Massaker eines jüdischen Ex-
tremisten an Palästinensern am 25. Februar
1994 in Hebron sie in Frage stellten.

UNO und Völkergemeinschaft

In der Vergangenheit sind manche Lösungen
des Nahost-Problems versucht worden. Aber
entweder haben sie sich als Sackgassen erwiesen, oder sie sind in Anfängen steckengeblieben. Der spektakulärste Anlauf zu einer
Friedensordnung für den Nahen Osten war
die 1978 von dem amerikanischen Präsidenten Carter in Camp David zuwege gebrachte
Vereinbarung zwischen dem ägyptischen Präsidenten Sadat und dem israelischen Premier
Begin, die im folgenden Jahr dann zum israe-
lisch-ägyptischen Frieden führte. Die amerikanische Regierung hatte gehofft, daß er der
Auftakt zu weiteren zweiseitigen Abkommen
zwischen Israel und den arabischen Staaten

sein würde. Die Hoffnung wurde enttäuscht. Stattdessen zog sich Ägypten die Ächtung der anderen arabischen Staaten zu. Camp David stellte sich als untaugliches Modell für eine nahöstliche Friedensregelung heraus. Fast noch erfolgloser waren die Bemühungen der UNO. Zwar liegt mit der Resolution 242 von 1967 ein Beschluß vor, der einen Kompromiß beinhaltet und eine durchaus tragfähige Grundlage für friedliche Beziehungen zwischen Israel und den Arabern abgeben könnte. Doch bis zu Beginn der Verhandlungen zwischen Israel und der PLO 1993 bestand nicht die geringste Ausssicht auf eine Verwirklichung der Resolution.

Israel hat in seinen Beziehungen zu den arabischen Staaten lange Zeit fast ausschließlich auf militärische Überlegenheit gesetzt. Durch massive Präventiv- und Vergeltungsschläge suchte man die Araber einzuschüchtern und durch die Unterstützung von regierungsoppositionellen Strömungen ihre Staaten von innen her zu destabilisieren. Dies hat Israel 1991 nicht davor geschützt, von irakischen Raketen getroffen zu werden, und nur die amerikanische Hilfe konnte Schlimmeres verhüten. Gewalt und Einschüchterung sind keine Lösung für eine Friedensordnung, sondern schaffen ein Klima, in dem militante Gesinnung hüben und drüben immer wieder zum Krieg drängen wird. Wodurch könnten nun die Verhältnisse im Nahen Osten so beeinflußt werden, daß eine friedlichere Zukunft zu erwarten ist? Dazu ist – vor allem unter dem Eindruck des Golfkrieges – eine Reihe von Vorschlägen gemacht worden, von denen einige hier wiedergegeben seien. Die Industrienationen müssen sich den Vorwurf gefallen lassen, durch ihre Rüstungsexporte die Kriegsanfälligkeit des Nahen Ostens maßgeblich gefördert zu haben. Strikte Exportkontrollen sollen diese Gefahr vermindern. Stattdessen sollten gezielte wirtschaftliche Hilfen gegeben werden, damit das starke soziale Gefälle zwischen und in den Staaten abnimmt und die Ausbreitung radikaler Mentalitäten eingedämmt wird. Alle Vorschläge gehen davon aus, daß es im Nahen Osten keinen Frieden ohne eine verträgliche Regelung der Palästina-Frage geben wird. Eine solche könne nur das Ergebnis von Verhandlungen zwischen allen Beteiligten sein, bei denen alle offenen Fragen angegangen werden. Dabei sollten nach H. Müller, Projekt-

leiter in der Hessischen Stiftung Friedens- und Konfliktforschung, folgende Voraussetzungen vorab geschaffen werden: 1) Die Beteiligten der Verhandlungen erkennen sich diplomatisch an und versprechen, das Existenzrecht aller Staaten der Region zu wahren. 2) Israel erklärt seine prinzipielle Bereitschaft zum Rückzug aus den besetzten Gebieten und zur Einrichtung eines Palästinenserstaates. 3) Alle Beteiligten erklären sich zum Verzicht auf Gewalt bei der Lösung strittiger Fragen bereit. Teilnehmen sollten an den Verhandlungen die Mitglieder des UN-Sicherheitsrates, die Staaten der Arabischen Liga sowie eine Vertretung der Palästinenser, der Iran, die Türkei und Israel, der Generalsekretär der UNO, die Arabische Liga und die EG als Organisationen. Zu den einzelnen Konfliktthemen macht Müller folgende Vorschläge: 1. Palästina: Das Problem wird zwischen Israel und den Palästinensern nach dem Prinzip „Land für Frieden" gelöst, indem Israel der Bildung eines unabhängigen Palästinenserstaats im besetzten Gebiet zustimmt. (Hier ist inzwischen mit der Unterzeichnung des Gaza-Jericho-Abkommens ein Anfang gemacht worden.) Die PLO ist aufzulösen, bzw. wird sie in eine politische Partei des neuen Staates umgewandelt. Den israelischen Siedlern auf dem Territorium des Palästinenserstaates ist entweder ein vertraglich gesichertes Bleiberecht zu garantieren oder die Möglichkeit zum Umzug nach Israel – ggf. mit finanzieller Unterstützung – zu geben. 2. Die Golan-Höhen sind wenigstens z.T. wieder an Syrien zu übertragen. Eine UN-Sicherheitstruppe sollte hier friedenserhaltend wirken. 3. Aus dem Libanon sollten alle fremden Truppen abgezogen werden. Wie auf den Golan-Höhen sollten an seiner Südgrenze UN-Truppen stationiert werden. Dazu sollte die innere Stabilisierung durch eine Neuregelung der politischen Beteiligung der verschiedenen Bevölkerungsgruppen vorangetrieben werden. 4. Jerusalem könnte arabisch-israelisch verwaltet werden. Alternativen wären eine Verwaltung durch die UNO oder die Errichtung eines unabhängigen Kirchenstaates nach dem Vorbild des Vatikans. 5. Am Golf sollte ein kleines UN-Truppenkontingent „symbolisch" das internationale Interesse dokumentieren. Im übrigen sollten die Golfanrainerstaaten ein gemeinsames, regelmäßig tagendes Forum bilden, auf dem die gemeinsamen Probleme geklärt würden. 6. Besondere Regelungen müssen für die zahlreichen Minderheiten in den Staaten der Region getroffen werden. Ihre Einhaltung sollte von einer UN-Kommission laufend kontrolliert werden. 7. Die immense Rüstung der Region ist auf ein Mindestmaß zu reduzieren. Dafür ist neben Importen insbesondere die Rüstungsproduktion in den Staaten der Region zu drosseln. Langfristig sollte der Nahe Osten eine ABC-Waffen freie Zone werden. Begonnen werden sollte mit dem Abbau arabischer Chemiewaffen, doch müßte dann auch Israel auf seine atomare Produktion verzichten. 8. Mit Hilfe von internationaler Unterstützung und Kontrolle sollten die reichen und armen Staaten des Nahen Ostens ein regionales Selbsthilfeprogramm entwickeln. 9. Da die Wasserversorgung eines der drängendsten Probleme der Region ist, müßte ein gemeinsames Wasserwirtschaftsprogramm erarbeitet werden, das gefährlichen Konflikten vorbeugt.

Diese Forderungen wurden 1991 unter dem Eindruck des Golfkrieges niedergeschrieben, der von den USA auch mit dem Versprechen geführt wurde, sich nach dem Sieg über Saddam Hussein nachdrücklich um die Beilegung des zentralen Konflikts zwischen Israel und den Palästinensern zu kümmern. Tatsächlich begannen 1993 direkte Verhandlungen zwischen der PLO-Führung unter Arafat und der aus Wahlen von 1992 hervorgegangenen israelischen Regierung unter dem als gemäßigt geltenden Ministerpräsidenten Rabin. Angesichts des amerikanischen Engagements signalisierte auch Rußland, der größte und mächtigste Nachfolgestaat der ehemaligen UdSSR, Bereitschaft, an der Entschärfung des Nahost-Konflikts mitzuwirken. Die Unterzeichnung des Gaza-Jericho-Abkommens am 4. Mai 1994 in Kairo ist sicher ein wichtiger Schritt auf dem Weg zum Frieden. Freilich ist noch nicht abzusehen, welche Bedeutung ihm für eine umfassendere Lösung des Nahost-Konflikts zukommen wird.

Überlegungen zur weiteren Arbeit

Im 6. Kapitel haben wir die Problematik von Krieg und Frieden am Beispiel des noch schwelenden Nahost-Konfliktes analysiert. Man nennt dies eine gegenwartsgenetische Untersuchung, da das Hauptinteresse darauf gerichtet ist, einen aktuellen Problemkomplex von seinen Entstehungsursachen und seinen Entstehungsbedingungen her zu begreifen. Sie konnten schon im Kapiteltext erkennen, daß dieses Thema nicht nur eine politik- und wirtschaftsgeschichtliche Dimension hat, sondern daß auch die sozial- und die kulturgeschichtliche Dimension für das Verständnis des Nahost-Konflikts unverzichtbar sind.

Da es angesichts der Vielfalt von Aspekten schwierig war, alle Dimensionen des Konflikts im Materialteil angemessen zu berücksichtigen, haben wir uns hier – mit einer Ausnahme – auf die Zeit nach 1945 konzentriert. Dabei wird die Suez-Krise als historische Fallstudie, an der die Verwicklung europäischer Großmächte und der Supermächte in den Konflikt besonders deutlich wird, ausführlicher dokumentiert. Die Materialien zu den Palästinensern sollen es Ihnen ermöglichen, das Problem der Gewalt auch außerhalb des Krieges zu studieren.

Zum Schluß wird dem Islam relativ viel Platz eingeräumt, weil der Prozeß der (Re-) Islamisierung uns Europäer nicht unberührt lassen kann (Anwachsen des islamischen Bevölkerungsteils) und häufig hochemotional diskutiert wird (Affäre Rushdie, Rolle der Frau). Auch für die Zukunft wird der Islam eine bestimmende Kraft der Region sein.

Die Tatsache, daß es sich um einen gegenwärtigen, noch unabgeschlossenen Konflikt handelt, dessen Dramatik Sie – im Fall des jüngsten Golfkrieges – miterlebt haben, sollte Sie motivieren, die Diskussion in Ihrem Kurs über die Gegenwart hinaus auf zukünftig mögliche Entwicklungen und anstehende Entscheidungen hin auszudehnen.

Materialien zu Kapitel 6

M 6.1   1896 – Theodor Herzl: Der Judenstaat

Der Journalist Herzl (1860–1904) war der Begründer des modernen politischen Zionismus. Der Text stammt aus einem für den „Jewish Chronicle" geschriebenen Artikel.

Ich führe kein neues Ideal vor; es ist im Gegenteil ein sehr altes. Es ist der Gedanke aller – und darin liegt seine Macht –, alt wie das Volk, das nie, auch nicht in den Zeiten
5 schwersten Unglücks ihn hochzuhalten vergaß.
Es ist merkwürdig, daß wir Juden diesen königlichen Traum während der langen Nacht unserer Geschichte geträumt haben. Jetzt
10 bricht der Tag an. Wir brauchen uns bloß den Schlaf aus den Augen zu reiben. [...] Die Judenfrage besteht. Es wäre töricht, sie zu leugnen. Sie besteht überall, wo Juden in merklicher Anzahl leben. Wo sie nicht ist, da
15 wird sie durch die wandernden Juden eingeschleppt. Wir ziehen natürlich dahin, wo man uns nicht verfolgt; durch unser Erscheinen entsteht dann die Verfolgung. Das ist wahr, muß wahr bleiben, überall, selbst in hochent-
20 wickelten Ländern – selbst Frankreich bildet keine Ausnahme – solange die Judenfrage nicht politisch gelöst ist.
Ich glaube, den Antisemitismus, der eine vielfach komplizierte Bewegung ist, zu ver-
25 stehen. Ich betrachte diese Bewegung als Jude, aber ohne Haß und Furcht. Ich glaube zu erkennen, was im Antisemitismus roher Scherz, gemeiner Brotneid, angeerbtes Vorurteil, religiöse Unduldsamkeit – aber auch
30 was darin vermeintliche Notwehr ist. [...] In den Hauptländern des Antisemitismus ist dieser eine Folge der Judenemanzipation. Als die Kulturvölker die Unmenschlichkeit der Ausnahmegesetze einsahen und uns frei-
35 ließen, kam die Freilassung zu spät. Wir hatten uns im Getto merkwürdigerweise zu einem Mittelstandsvollk entwickelt und kamen als eine fürchterliche Konkurrenz für den Mittelstand heraus. [...] Ich halte die Juden-
40 frage weder für eine soziale, noch für eine religiöse, wenn sie sich auch noch so oder

anders färbt. Sie ist eine nationale Frage, und um sie zu lösen, müssen wir vor allem sie zu einer politischen Weltfrage machen, die im Rate der Kulturvölker zu regeln sein wird. 45
Wir sind ein Volk, *ein* Volk.
Wir haben überall ehrlich versucht, in der uns umgebenden Volksgemeinschaft unterzugehen und nur den Glauben unserer Väter zu bewahren. Man läßt es nicht zu. Verge- 50
bens sind wir treue und an manchen Orten sogar überschwengliche Patrioten, vergebens bringen wir dieselben Opfer an Gut und Blut wie unsere Mitbürger, vergebens bemühen wir uns, den Ruhm unserer Vaterländer in 55
Künsten und Wissenschaften, ihren Reichtum durch Handel und Verkehr zu erhöhen. In unseren Vaterländern, in denen wir ja auch schon seit Jahrhunderten wohnen, werden wir als Fremdlinge angeschrien. [...] 60
Ja, wir haben die Kraft, einen Staat, und zwar einen Musterstaat zu bilden. Wir haben alle Mittel, die dazu nötig sind [...] Man gebe uns die Souveränität eines für unsere gerechten Volksbedürfnisse genügenden Stückes 65
der Erdoberfläche, alles andere werden wir selbst besorgen. [...] Das Entstehen einer neuen Souveränität ist nichts Lächerliches oder Unmögliches. Wir haben es doch in unseren Tagen miterlebt, bei Völkern, die nicht 70
wie wir Mittelstandsvölker, sondern ärmere, ungebildete und darum schwächere Völker sind. Uns die Souveränität zu verschaffen, sind die Regierungen der vom Antisemitismus heimgesuchten Länder lebhaft interes- 75
siert.

Zit. nach: Hans Jendges (Hrsg.): Der israelisch-arabische Konflikt. Bonn 1980, S. 14–15

M 6.2   1945 – Gründung der „Liga der arabischen Staaten"

Die Gründungsurkunde wurde (in Kairo) unterzeichnet von Syrien, Transjordanien, dem Irak, Saudi-Arabien, dem Libanon, Ägypten und dem Jemen. Der folgende Text gibt den Inhalt z.T. wörtlich, z.T. zusammenfassend wieder.

Die Liga soll die engen Beziehungen, die die arabischen Staaten verbinden, festigen und sie auf der Grundlage der Unabhängigkeit und der Souveränität dieser Staaten konsolidieren. 5

Art. 1: „Die Liga der arabischen Staaten setzt sich aus den unabhängigen arabischen Staaten zusammen, die diesen Pakt unterzeichnet haben. Jeder unabhängige
10 arabische Staat kann Mitglied der Liga werden. [...]
Art. 2: Der Zweck der Liga ist die Festigung der Beziehungen zwischen den Mitgliedstaaten und die Koordinierung ihrer Politik zum
15 Ziele der Verwirklichung einer engen Zusammenarbeit, ihrer Unabhängigkeit und Souveränität und, im allgemeinen, der Behandlung der die arabischen Länder angehenden Fragen und Interessen. Sie verfolgt
20 ebenso den Zweck, im Rahmen des bestehenden Regimes und der in jedem einzelnen Staate herrschenden Bedingungen eine enge Zusammenarbeit zwischen den Mitgliedstaaten in folgenden Fragen zu gewähr-
25 leisten:
a) Finanz- und Wirtschaftsfragen einschließlich der Handelsbeziehungen, Zoll- und Währungsfragen sowie industrielle und landwirtschaftliche Fragen,
30 b) Verkehrsmittel einschließlich Fragen bezüglich Eisenbahnlinien, Straßen, Luftfahrt, Schiffahrt sowie Post und Telegraphenwesen,
c) kulturelle Fragen,
35 d) Fragen bezüglich Nationalität, Pässe, Visa, der Vollstreckung von Urteilen und Ausweisungsbefehlen,
e) soziale Fragen,
f) Fragen des Gesundheitswesens.
40 **Art. 4.:** Für jede der aufgeführten Aufgaben wird ein besonderer Ausschuß gebildet werden.
Art. 5.: Im Falle von Streitigkeiten zwischen den Mitgliedstaaten wird der Rat,
45 der sich aus den Vertretern der Mitgliedstaaten zusammensetzt, bindend entscheiden.
Art. 6: Im Falle eines Angriffs auf einen der Mitgliedstaaten wird der Rat mit Stimm-
50 meneinheit die zur Abwehr eines Angriffs notwendigen Maßnahmen verfügen.
Art. 9: Über diesen Pakt hinaus können die Mitglieder miteinander Abmachungen treffen, um eine engere Zusammenarbeit und
55 engere Beziehungen zu schaffen.
Art. 10: Ständiger Sitz der Liga ist Kairo.
Art. 11–16: Die Organe der Liga und ihre Befugnisse.

Art. 17: Von allen Verträgen, die die Mitgliedstaaten untereinander oder mit dritten 60 Staaten abgeschlossen haben oder noch abschließen werden, wird beim Generalsekretariat ein Exemplar hinterlegt.
Art. 18 und 19: Jedes Mitglied kann mit einjähriger Kündigungsfrist aus der Liga 65 ausscheiden bzw. von der Liga bei Nichterfüllung seiner Verpflichtungen sofort ausgeschlossen werden. Änderungen des Vertrages können jederzeit vorgenommen werden.
Anhang I bezüglich Palästina: 70
Palästina ist international unabhängig. Da es jedoch sein Bestehen als unabhängiger Staat noch nicht verwirklichen konnte, wird bis zu diesem Zeitpunkt ein arabischer Vertreter für Palästina ernannt werden, der an den Ar- 75 beiten der Liga teilnimmt.
Anhang II bezüglich der arabischen Nichtmitgliedstaaten:
Da die Liga Fragen bearbeitet, die die gesamte arabische Welt angehen, soll auch ara- 80 bischen Staaten, die keine Mitglieder sind, eine gewisse Teilnahme ermöglicht werden.

Zit. nach: Helmuth Rönnefarth/Heinrich Euler (Hrsg.): Vertrags-Ploetz, Teil II, Bd. 4a. Würzburg 1974

| **M 6.3** | **1948 – Proklamation des Staates Israel** |

Am 14. Mai 1948 verlas David Ben Gurion[1] im Museum zu Tel Aviv die Unabhängigkeitserklärung.

Wir, die Mitglieder des Nationalrates, die Repräsentanten des jüdischen Volkes von Palästina und der zionistischen Bewegung der Welt, treten heute, am Tag der Beendigung des britischen Mandats über Palästina, in fei- 5 erlicher Versammlung zusammen und proklamieren auf Grund des natürlichen und historischen Rechts des jüdischen Volkes und auf Grund des Beschlusses der Generalversammlung der Vereinten Nationen[2] hiermit die 10 Gründung des jüdischen Staates in Palästina, der Israel genannt zu werden hat. [...]
Der Staat Israel wird der Immigration aller Juden von allen Ländern ihrer Zerstreuung offen sein und wird die Entwicklung des 15 Landes zu ihrem und zum Wohl aller Einwohner fördern; er wird auf den Prinzipien von Freiheit, Gerechtigkeit und Frieden

basiert sein, wie sie die hebräischen Prophe-
20 ten lehrten; er wird aufrechterhalten die
volle soziale und politische Gleichberechtigung aller Bürger ohne Unterschied der Rasse, des Glaubens oder des Geschlechts und
wird volle Freiheit des Gewissens, des Glau-
25 bens, der Erziehung und der Kultur garantieren. Er wird die Heiligkeit und Unverletzlichkeit der Heiligen Stätten und Plätze aller
Religionen schützen und wird die Prinzipien
der Charta der Vereinten Nationen achten.
30 Der Staat Israel ist bereit, mit den Organen
und Vertretern der Vereinten Nationen in
der Verwirklichung der Resolution vom
29. November 1947 zusammenzuarbeiten
und will Schritte zur Errichtung einer ganz
35 Palästina umfassenden wirtschaftlichen
Union unternehmen. Wir appellieren an die
Vereinten Nationen, dem jüdischen Volk
im Aufbau seines Staates zu helfen und es in
die Familie der Völker aufzunehmen. Inmit-
40 ten einer mutwilligen Aggression rufen wir
die arabischen Einwohner Israels auf, zu den
Wegen des Friedens zurückzukehren und
teilzuhaben an der Entwicklung des Staates
mit vollen und gleichen Bürgerrechten und
45 gebührender Vertretung in allen seinen Institutionen provisorischer oder permanenter
Art. Wir bieten Frieden und Freundschaft allen Nachbarstaaten und ihren Völkern und
laden sie ein, mit der unabhängigen Jüdi-
50 schen Nation zum Wohl aller zusammenzuarbeiten. Der Staat Israel ist bereit, seinen Teil
zum friedlichen Fortschritt und zum Wiederaufbau des Mittleren Ostens beizutragen.
Wir rufen das jüdische Volk in der ganzen
55 Welt auf, uns in den Aufgaben der Einwanderung und des Aufbaus zu unterstützen und
an unserer Seite zu stehen im Kampf um die
Erfüllung des Traums von Generationen von
der Erlösung Israels.

Zit. nach: Helmut Krause/Karlheinz Reif (Hrsg.): Geschichte in Quellen – Die Welt seit 1945. (bsv) München 1980. S. 611

---

1   Ben Gurion (1886–1973) war von 1935 bis 1948
    Vorsitzender der „Jewish Agency", von 1948 bis
    1953 und von 1955 bis 1963 Ministerpräsident
    Israels.
2   Die Vollversammlung der UN stimmte am 29. No-
    vember 1947 mit 33 gegen 13 Stimmen bei 10
    Enthaltungen der Teilung Palästinas zu. Alle ara-
    bischen Staaten hatten den Plan abgelehnt und
    erklärten die Teilung für rechtsungültig und für
    ihre Regierungen nicht bindend.

M 6.4   1954 – Grundlagen der Nahost-Politik der USA

Richtlinien des NSC[1] betreffend Ziele und
Politik der Vereinigten Staaten im Nahen
Osten vom 23. Juli 1954

Streng geheim   (23. Juli 1954)

Allgemeine Überlegungen   5

1. Der Nahe Osten ist von großer strategi-
   scher, politischer und wirtschaftlicher Bedeutung für die freie Welt. In dieser Region liegen die größten Erdölvorkommen
   auf der Erde; lebenswichtige Standorte   10
   für strategische Militärstützpunkte für jeden weltweiten Konflikt mit dem Kommunismus; der Suezkanal sowie natürliche
   Verteidigungsgrenzen. In ihr liegen auch
   heilige Stätten der christlichen, jüdischen 15
   und islamischen Welt, und es gehen deswegen von dort religiöse und kulturelle
   Einflüsse mit Wirkungen auf alle Menschen in der Welt aus. Die Sicherheitsin-
   teressen der Vereinigten Staaten wären   20
   aufs höchste gefährdet, wenn der Nahe
   Osten unter sowjetischen Einfluß oder
   sowjetische Herrschaft fallen sollte.

2. Die gegenwärtigen Verhältnisse und Entwicklungen im Nahen Osten wirken den   25
   westlichen Interessen entgegen. In den
   letzten Jahren sind Ansehen und Macht
   des Westens zurückgegangen. Die Nationen des Nahen Ostens sind entschlossen,
   ihre Unabhängigkeit zu behaupten und   30
   mißtrauen dem Interesse anderer Länder
   an ihren Angelegenheiten. [...]

3. Im Nahen Osten geht die Bedrohung für
   die Sicherheit der freien Welt nicht so
   sehr von der Gefahr eines direkten so-   35
   wjetischen Angriffs aus, als vielmehr von
   der Fortsetzung der gegenwärtigen
   ungünstigen Trends. Gelingt es nicht,
   diese Trends umzukehren, so könnte der
   Nahe Osten dem Westen in den nächsten 40
   Jahren verlorengehen.

4. Anstrengungen, um den Verlust des Nahen Ostens zu verhindern, erfordern in
   dieser Region von den Vereinigten Staaten ein Mehr an Verantwortungsbereit-   45
   schaft, Tatkraft und Führungsstärke. [...]
   Es ist wichtig für die Beilegung offener
   politisch kontroverser Fragen, daß die

Vereinigten Staaten die arabischen Staaten von ihrer Fähigkeit überzeugen, unabhängig von anderen westlichen Staaten und von Israel zu handeln. [...]

Ziele

7. Zugänglichkeit der Rohstoffvorräte, der strategischen Positionen und der Durchfahrtsrechte in der Region für die Vereinigten Staaten und ihre Verbündeten, und die Verweigerung dieser Rohstoffvorräte und strategischen Positionen gegenüber dem Sowjetblock.
8. Stabile, lebensfähige und uns freundliche Regierungen in der Region, die in der Lage sind, mit kommunistisch inspirierter Untergrundarbeit im Innern fertigzuwerden, und die gewillt sind, kommunistischer Aggression zu widerstehen.
9. Beilegung der wichtigeren Streitpunkte zwischen den arabischen Staaten und Israel als Grundlage für Frieden und Ordnung in der Region.
10. Umkehr des antiamerikanischen Trends der arabischen öffentlichen Meinung.
11. Verhinderung einer Ausbreitung sowjetischen Einflusses in der Region. [...]

(Anhang)

Ziele
(In Ergänzung zu denen des Grundsatzpapiers)

9.a) Einen bewaffneten Angriff Israels oder der arabischen Staaten abschrecken, und, falls es zu einem solchen bewaffneten Angriff kommen sollte [...], den angreifenden Staat zwingen, [...] jedes eroberte Gebiet wieder aufzugeben.
b) Die gegenwärtigen arabisch-israelischen Spannungen verringern und auf einen künftigen dauerhaften Frieden zwischen den arabischen Staaten und Israel hinwirken.
c) Das Problem der arabischen Flüchtlinge mildern.

(Zusätzliche Richtlinien) [...]

19. Israel betreffend:
b) Während die an Israel geleistete Wirtschaftshilfe zunehmend verringert wird, um sie in ein ausgewogenes Verhältnis zur Hilfe für andere in dieser Region zu bringen, auf Israel Druck ausüben, damit es die finanzpolitischen Maßnahmen ergreift, die notwendig sind für einen möglichst raschen Fortschritt in Richtung auf eine sich selbst versorgende Volkswirtschaft, und weiterhin Israel Hilfe leisten, um seine Lebensfähigkeit zu sichern. [...]

20. Die arabischen Staaten betreffend:
a) Versuchen, so schnell wie dies durchführbar ist, mit dem Problem arabischer Flüchtlinge weiterzukommen durch Maßnahmen wie Wiederansiedlung in den arabischen Staaten oder außerhalb des Nahen Ostens. Soweit dies möglich ist, dabei die UNRWA (Hilfswerk der UN für arabische Flüchtlinge aus Palästina) einschalten. [...]

e) Den Arabern deutlich machen, daß wir ihre negative Einstellung zu Vorschlägen, die mit der Anerkennung der Existenz Israels zu tun haben, und ihre Weigerung, die Möglichkeit einer künftigen Beilegung des Konflikts zu erwägen, nicht hinnehmen können. Während die Araber von uns daran erinnert werden, daß Frieden das Fernziel ist, vorsichtig vorgehen, damit nicht die Betonung dieses Ziels die arabische Bereitschaft zu den notwendigen ersten Schritten behindert.

Zit. nach: Ernst-Otto Czempiel/Carl-Christoph Schweitzer (Hrsg.): Weltpolitik der USA nach 1945. Bonn 1989, S. 146–151

[1] National Security Council

M 6.5 | **1956 – Grundlagen der Außenpolitik der UdSSR**

Aus einer Rede von Nikita Sergejewitsch Chruschtschow (1894–1971). Chruschtschow wurde nach Stalins Tod 1953 1. Sekretär des ZK der KPdSU, 1958 sowjetischer Ministerpräsident. 1964 wurde er aller Ämter enthoben.

Der Zerfall des imperialistischen Kolonialsystems ist ein weltgeschichtliches Ereignis der Nachkriegszeit. Es vollzieht sich die große Wiedergeburt der Völker, die von den Kolonialherren jahrhundertelang der breiten Entwicklungsbahn der menschlichen Gesellschaft ferngehalten wurden.

Volkschina und die unabhängige Republik Indien sind zu Großmächten aufgerückt. Die Völker Südostasiens und des arabischen Ostens machen einen politischen und wirtschaftlichen Aufschwung durch. Die Völker Afrikas erwachen. Erstarkt ist die nationale Befreiungsbewegung in Brasilien, Chile und anderen Ländern Lateinamerikas. Der Ausgang der Kriege in Korea, Indochina und Indonesien hat gezeigt, daß die Imperialisten nicht einmal mit Hilfe einer bewaffneten Intervention imstande sind, die Völker zu bezwingen, die entschlossen den Kampf für ein freies und unabhängiges Leben aufnehmen. Auf der Tagesordnung steht jetzt bereits als eine der dringendsten und akutesten Fragen die restlose Beseitigung des schmachvollen Systems des Kolonialismus. Die von Lenin vorausgesagte neue Periode der Weltgeschichte ist angebrochen, da die Völker des Ostens aktiv an der Entscheidung der Geschicke der ganzen Welt teilnehmen und zu einem neuen mächtigen Faktor der internationalen Beziehungen werden.

Um eine unabhängige nationale Wirtschaft aufzubauen und den Lebensstandard ihrer Völker zu heben, können diese Länder, wenn sie auch dem sozialistischen Weltsystem nicht angehören, von seinen Errungenschaften Gebrauch machen. Jetzt sind sie nicht mehr darauf angewiesen, ihre ehemaligen Unterdrücker ergebenst um moderne Betriebsausrüstungen zu bitten. Diese Ausrüstungen können sie in den Ländern des Sozialismus bekommen, wobei sie dafür keinerlei Verpflichtungen politischer oder militärischer Art auf sich zu nehmen brauchen.

Allein das Bestehen der Sowjetunion und der anderen Länder des sozialistischen Lagers, ihre Bereitschaft, den schwachentwickelten Ländern in ihrer industriellen Entwicklung zu gleichberechtigten und gegenseitig vorteilhaften Bedingungen zu helfen, ist ein ernstes Hindernis für die Kolonialpolitik.

Um ihre einstige Herrschaft aufrechtzuerhalten und mancherorts auch wiederherzustellen, greifen die Kolonialmächte zu der von der Geschichte verurteilten bewaffneten Unterdrückung der Kolonialvölker. Sie bedienen sich auch neuer Formen der kolonialen Versklavung unter dem Anschein der sogenannten „Hilfe" für die schwachentwickelten Länder, die den Kolonialherren ungeheure Vorteile bringt.

Natürlich wird die sogenannte „Hilfe" den schwachentwickelten Ländern zu bestimmten politischen Bedingungen erwiesen: unter der Bedingung, daß diese Länder in aggressive Militärblocks einbezogen werden, daß sie Kriegspakte unterzeichnen, unter der Bedingung, daß sie die amerikanische Außenpolitik unterstützen, die auf die Eroberung der Weltherrschaft oder, wie sie die amerikanischen Imperialisten selbst nennen, der „Weltführung" gerichtet ist. Die SEATO[1] und der Bagdad-Pakt[2] sind nicht nur aggressive militärische und politische Gruppierungen, sondern auch Instrumente der Versklavung, eine neue Form der ihrem Charakter nach kolonialen Ausbeutung schwachentwickelter Länder. Ist es doch allen klar, daß in der SEATO nicht Pakistan und Thailand und im Bagdad-Pakt nicht der Irak, der Iran und die Türkei den Ton angeben.

Entgegen allen Bemühungen, sowohl unter den Völkern der schwachentwickelten Länder als auch zwischen ihnen und den Völkern des sozialistischen Lagers Zwietracht zu säen, erstarken ihre Freundschaft und Zusammenarbeit immer mehr. Die zunehmende Solidarität der Völker des Ostens fand einen prächtigen Ausdruck auf der Bandung-Konferenz von 29 Ländern Asiens und Afrikas. Ihre Beschlüsse widerspiegelten den Willen von hunderten Millionen Menschen des Ostens. Sie hat den Spekulationen der Kolonialherren und Aggressoren einen schweren Schlag versetzt.

Die Freundschaft und Zusammenarbeit der Völker des Ostens, die das Kolonialjoch abgeschüttelt haben, mit den Völkern der sozialistischen Länder wächst und erstarkt. [...]

Zit. nach: Krause/Reif: (M 6.3) S. 482–483

1 Südostasien-Pakt; 1954 zwischen den USA, Großbritannien und südostasiatischen Staaten gegen eventuelle kommunistische Angriffe gegründetes Verteidigungsbündnis
2 1955 zwischen der Türkei und dem Irak geschlossenes Verteidigungsbündnis, dem u.a. Großbritannien beitrat. Nach dem Austritt des Iraks 1959 in CENTO (Zentrale Pakt-Organisation) umbenannt – Verbindungsglied zwischen NATO und SEATO

Die Suez-Krise

M 6.6 1956 – Britisch-französisches Ultimatum an Ägypten und Israel vom 30. Oktober 1956:

(Ausschnitt aus der Erklärung des britischen Premierministers Sir Anthony Eden vor dem Unterhaus[1]

[...] Vor fünf Tagen traf die Nachricht ein, daß die israelische Regierung gewisse Mobilmachungsmaßnahmen treffe. Ihrer Majestät Regierung hat sofort den britischen Bot-
5 schafter in Tel Aviv angewiesen, bei dem israelischen Außenminister Erkundigungen einzuziehen und Zurückhaltung zu empfehlen. Unterdessen hat Präsident Eisenhower sofortige Drei-Mächte-Verhandlungen zwi-
10 schen Vertretern Großbritanniens, Frankreichs und der USA gefordert. Am 28. Okt. fand eine Zusammenkunft in Washington statt, der eine zweite am 29. Okt. 1956 folgte. Während diese Besprechungen im Gange
15 waren, traf Montag abend die Nachricht ein, daß israelische Streitkräfte die Grenze überschritten haben. [...] Während der vergangenen Wochen hat die Regierung Ihrer Majestät es für ihre Pflicht gehalten, in bezug auf
20 ihre Verpflichtungen im Rahmen des britisch-jordanischen Vertrages sowohl offiziell wie inoffiziell ihre Absicht, diese Verpflichtungen einzuhalten, zu bestätigen. Dem Botschafter Ihrer Majestät in Tel Aviv wurde ge-
25 stern abend die Versicherung gegeben, daß Israel Jordanien nicht angreifen werde. Der Außenminister hat die Lage heute früh mit dem Botschafter der Vereinigten Staaten erörtert. Der Ministerpräsident und der
30 Außenminister Frankreichs sind auf Einladung der Regierung Ihrer Majestät nach London gekommen, um über diese Ereignisse mit uns zu beraten. Ich muß dem Hause mitteilen, daß außeror-
35 dentlich ernste Fragen auf dem Spiel stehen, und wenn die Feindseligkeiten nicht rasch beendet werden können, ist die freie Durchfahrt durch den Kanal gefährdet. [...] Die Regierung Ihrer Majestät und die französische
40 Regierung sind daher übereingekommen, daß alles getan werden müsse, um die Feindseligkeiten so schnell wie möglich zu been-

den. Ihre Vertreter in New York sind angewiesen worden, sich dem Vertreter der Vereinigten Staaten anzuschließen und eine so-
45 fortige Sitzung des Sicherheitsrates zu fordern. Diese Sitzung hat um 16 Uhr angefangen. Inzwischen haben die Regierungen Großbritanniens und Frankreichs jetzt als Ergebnis
50 der heute in London geführten Beratungen dringende Botschaften an die Regierungen Ägyptens und Israels gerichtet. In ihnen haben wir beide Parteien aufgefordert, sofort alle kriegerischen Handlungen zu Lande, zur
55 See und in der Luft einzustellen und ihre militärischen Streitkräfte auf eine Entfernung von 10 Meilen vom Kanal zurückzuziehen. Ferner haben wir, um die kriegführenden Parteien voneinander zu trennen und die
60 Freiheit der Durchfahrt durch den Kanal für die Schiffe aller Nationen zu gewährleisten, die ägyptische Regierung aufgefordert, sich damit einverstanden zu erklären, daß britisch-französische Streitkräfte zeitweilig – ich
65 wiederhole: zeitweilig – Schlüsselpositionen in Port Said, Ismailia und Suez beziehen. Die Regierungen Ägyptens und Israels sind aufgefordert worden, diese Botschaft innerhalb von 12 Stunden zu beantworten. Es ist ihnen
70 gegenüber eindeutig erklärt worden, daß, falls einer oder beide Staaten nach Ablauf dieser Frist nicht die Zusicherung gegeben haben, diese Forderung zu erfüllen, britische und französische Streitkräfte in einer zur Gewähr-
75 leistung der Erfüllung dieser Forderungen erforderlichen Stärke intervenieren werden.

Zit. nach: Rönnefarth/Euler: (M 6.2) S. 544–545

[1] Eine Erklärung ähnlichen Inhalts wurde am selben Tag durch den französischen Ministerpräsidenten Guy Mollet in der französischen Nationalversammlung abgegeben.

M 6.7 1956 – Reaktionen der Sowjetunion und der USA in der Suez-Krise

Botschaft von Ministerpräsident Bulganin an Präsident Eisenhower vom 5. November 1956

Schon eine Woche ist vergangen, seit die Streitkräfte Englands, Frankreichs und des dem Willen auswärtiger Kräfte hörigen Israels ohne jede Veranlassung den todbringenden und verheerenden Überfall auf Ägypten verübt zu haben. [...] Vor den Augen der ganzen Welt entfaltet sich ein Aggressionskrieg gegen Ägypten, gegen die arabischen Völker, deren einzige Schuld darin besteht, daß sie ihre Freiheit und Unabhängigkeit verteidigen.

Die Lage in Ägypten erheischt unverzügliche, entschiedenste Schritte der Organisation der Vereinten Nationen. Sollten diese Schritte nicht unternommen werden, so wird die UN vor den Augen der Menschheit ihr Ansehen einbüßen und zerfallen.

Die Sowjetunion und die Vereinigten Staaten von Amerika sind ständige Mitglieder des Sicherheitsrats, sie sind zwei Großmächte, die alle modernen Waffengattungen einschließlich Atom- und Wasserstoffwaffen besitzen. Wir tragen besondere Verantwortung dafür, daß dem Krieg ein Ende gemacht und Frieden und Ruhe im Nahen und Mittleren Osten wiederhergestellt werden. Wir sind überzeugt, daß, wenn die Regierungen der UdSSR und der USA mit aller Bestimmtheit ihren Willen zur Sicherung des Friedens bekunden und gegen die Aggression vorgehen, die Aggression ein Ende nehmen und der Krieg aufhören wird. [...]

Die Aggression gegen Ägypten wurde keineswegs im Interesse der freien Schiffahrt auf dem Suezkanal, die gesichert war, unternommen. Der Raubkrieg wurde entfesselt, damit die von den Völkern gestürzte Kolonialordnung im Osten wiederhergestellt werde. Wird dieser Krieg nicht abgebrochen werden, so birgt er in sich Gefahren und kann in einen III. Weltkrieg hinüberwachsen. Wenn die Sowjetunion und die Vereinigten Staaten von Amerika das Opfer der Aggression unterstützen, so werden sich uns andere Mitgliedstaaten der UN bei diesen Bemühungen anschließen. Dadurch wird die Autorität der UN bedeutend gestärkt, und der Friede wiederhergestellt und gefestigt werden. [...]

Erklärung der amerikanischen Regierung vom 5. November 1956

Präsident Eisenhower hat soeben einen Brief von Ministerpräsident Bulganin erhalten, der vorher in Moskau der Presse bekanntgegeben worden ist. In diesem Brief wird – ein offensichtlicher Versuch, die Aufmerksamkeit der Welt von der ungarischen Tragödie abzu-

lenken – der undenkbare Vorschlag gemacht, daß die Vereinigten Staaten mit der Sowjetunion zusammengehen sollen, um durch den gemeinsamen Einsatz ihrer militärischen Streitkräfte den Kämpfen in Ägypten ein Ende zu setzen.

Die Frage des Mittleren Ostens, wo zahlreiche Provokationen von allen Seiten stattgefunden haben, ist nunmehr den Vereinten Nationen vorgelegt worden. Diese Weltorganisation hat die Feuereinstellung, den Rückzug der fremden bewaffneten Streitkräfte und die Entsendung einer Streitmacht der Vereinten Nationen gefordert, um die Lage zu festigen und eine Regelung herbeizuführen. Im Zusammenhang damit muß bedauert werden, daß die Sowjetunion gestern abend nicht für die Aufstellung dieser Streitmacht der Vereinten Nationen gestimmt hat. [...]

Während die Lage in Ägypten unsere lebenswichtigen Interessen berührt, sind wir in gleicher Weise von der Lage in Ungarn betroffen. Dort unterdrücken in diesem Augenblick sowjetische Streitkräfte die Menschenrechte des ungarischen Volkes. Noch gestern abend hat die Vollversammlung in einer Sondersitzung eine Resolution angenommen, in der die Sowjetunion aufgerufen wird, sofort ihre militärischen Operationen gegen das ungarische Volk einzustellen und ihre Streitkräfte aus dem Lande zurückzuziehen. Die Sowjetunion stimmte gegen diese Resolution, ebenso wie sie gegen eine frühere Resolution im Sicherheitsrat ihr Veto eingelegt hatte.

Zit. nach: „Geschichte betrifft uns", Heft 2/1989, S. 17

M 6.8   **Die Rolle der UNO bei der Lösung der Krise**

Auszug aus dem Bericht des Generalsekretärs der Vereinten Nationen, Dag Hammarskjöld, vom 25. Januar 1957 an die Vollversammlung der Vereinten Nationen

5. Die Handlungen der Vereinten Nationen bei ihren Bemühungen um eine Lösung der gegenwärtigen Probleme in diesem Gebiet unterliegen gewissen Grundsätzen und müssen im Einklang stehen mit dem Völkerrecht und mit den geltenden internationalen Abmachungen. Der Generalsekretär seinerseits

muß bei Ausführung des Willens der Vereinten Nationen sorgfältig die Entscheidungen
10 der Vollversammlung, des Sicherheitsrats
und der anderen obersten Organe berücksichtigen. [...]
a) Die Vereinten Nationen können keine
Veränderung der Rechtslage hinnehmen, die
15 unter Verletzung der Charta durch eine militärische Aktion herbeigeführt wurde. Daher müssen sie darauf bestehen, daß die
Rechtslage, die vor der militärischen Aktion
bestand, wiederhergestellt wird, durch den
20 Rückzug der Truppen und durch die Aufgabe oder Annullierung derjenigen Ansprüche,
die in den von der militärischen Aktion betroffenen Gebieten geltend gemacht werden
und von dieser abhängig sind. [...]
25 14. Ein Einsatz der internationalen Streitmacht im Gaza-Streifen auf Grund der Beschlüsse der Vollversammlung müßte auf
derselben Grundlage wie ihr Einsatz an der
Waffenstillstandslinie auf der Sinai-Halbinsel
30 erfolgen. Jede Erweiterung ihrer Befugnisse
setze nach den Waffenstillstandsbestimmun-
gen und nach anerkannten Grundsätzen des
Völkerrechts die Einwilligung Ägyptens voraus. Eine Ausweitung der Verwaltungsbefug-
35 nisse der Vereinten Nationen für das Gebiet,
über ihre Zuständigkeit für die Flüchtlinge
hinaus, müßte ebenfalls auf dem Einvernehmen mit Ägypten beruhen. Daraus folgt, daß
die Vollversammlung zwar berechtigt wäre,
40 die Errichtung einer Verwaltung durch die
Vereinten Nationen zu empfehlen und Verhandlungen zur Ausführung einer solchen
Maßnahme anzuordnen, daß sie aber nicht
befugt wäre, von sich aus die Beachtung die-
45 ser Empfehlung einseitig zu verlangen. [...]
29. Dem Abzug der israelischen Truppen aus
dem Gebiet von Scharm el-Scheikh würde
eine Besetzung durch die Internationale
Streitmacht der Vereinten Nationen wie in
50 anderen Teilen der Sinai-Halbinsel folgen.
Die Bewegungen der Internationalen Streitmacht werden ihren Aufgaben hinsichtlich
der Feuereinstellung und des Rückzugs angepaßt sein. Falls aber eine solche Maßnah-
55 me unbedingt notwendig ist, können auch
Einheiten der Internationalen Streitmacht
(oder besondere Beauftragte als Beobach-
ter) zur Aufrechterhaltung von Ruhe und
Ordnung in diesem Gebiet, über ihre Ver-
60 wendung nach den allgemeinen Richtlinien

hinaus, hinzugezogen werden. In Übereinstimmung mit den für die Verwendung der
Internationalen Streitmacht geltenden
Grundsätzen darf die Internationale Streitmacht der Vereinten Nationen nicht so ein- 65
gesetzt werden, daß einer Lösung der stritti-
gen Fragen vorgegriffen wird. Daher ist die
Internationale Streitmacht der Vereinten Nationen nicht so einzusetzen, daß eine bestimmte Auffassung bezüglich der Streit- 70
fragen präjudiziert wird. Sie kann aber, zumindest vorübergehend, sich so verhalten,
um in der Übereinstimmung mit dem Oben-
ausgeführten eine Zurückhaltung auf beiden
Seiten zu fördern. 75

Zit. nach: „Geschichte betrifft uns": (M 6.7) S. 18

M 6.9   **Beurteilung der US-Politik aus
der Sicht der 1970er Jahre**

Henry Kissinger, amerikanischer Politikwissen-
schaftler und Außenpolitiker (US-Außenminister
1973–77), kommentiert die amerikanische Politik
während der Suez-Krise:

Ich habe es immer für wichtig gehalten, dem
Ausmaß der politischen Abenteuer im Nahen Osten Grenzen zu setzen. Deshalb empfand ich das Verhalten der Vereinigten Staaten während der Suez-Krise von 1956 als 5
bedauerlich. Wir hätten verstehen müssen,
daß wir mit der Weigerung, Ägypten beim
Bau des Assuan-Damms weiterhin finanziell
zu unterstützen, nicht eine Krise beendeten,
sondern ihren Beginn bewirkten. Als es dann 10
zu der Krise kam, haben wir uns dabei nach
meiner Auffassung falsch verhalten. Was
man auch über die Bedeutung des militärischen Eingreifens Großbritanniens und
Frankreichs denken mag, ich war davon 15
überzeugt, daß wir in den folgenden Jahren
für unsere kurzsichtige Zurückhaltung würden teuer bezahlen müssen. Ich glaubte
nicht, daß der rauhe Umgang mit unseren
engsten Verbündeten Nasser oder seine Be- 20
wunderer zur Dankbarkeit bewegen würde;
im Gegenteil, er würde wahrscheinlich in einem Kurs bestärkt werden, der den westlichen Interessen gegenüber grundsätzlich
feindlich ist. Die gemäßigten, durch die briti- 25
sche Macht und das britische Prestige ge-
stützten Regierungen, besonders im Irak,
würden wahrscheinlich durch unser Verhal-

ten, das sie als Parteinahme für die radikalen
30 Elemente, wie etwa Nasser, ansehen mußten,
geschwächt oder gestürzt werden. Großbritannien und Frankreich würden sich, nachdem ihr Selbstvertrauen und ihr Bewußtsein,
im Rahmen der Weltpolitik etwas zu bedeu-
35 ten, erschüttert waren, beeilen, ihre internationalen Verantwortlichkeiten völlig aufzugeben. Die realen Machtverhältnisse würden
uns dann zwingen, das so entstandene Vakuum im Nahen Osten und östlich von Suez
40 auszufüllen und die gesamte moralische Last
schwieriger geopolitischer Entscheidungen
auf unsere Schultern zu nehmen.

Henry A. Kissinger, Memoiren 1968–1973. (C. Bertelsmann) München 1979. S. 375

Die UNO im Nahost-Konflikt

M 6.10 **1967 – Resolution des UN-
Sicherheitsrates Nr. 242 über
eine Friedensregelung im
Nahen Osten**

Die Resolution bildet den Ausgangspunkt und die
Grundlage für alle Friedensbemühungen der UNO
seit dem 3. Nahost-Krieg (1967).
Am 14. April 1993 erklärte sich Israel erstmals
bereit, die Resolution als Grundlage für Verhandlungen über eine dauerhafte Lösung des Palästinenserproblems zu akzeptieren (Erklärung Premierminister Rabins).

Der Sicherheitsrat
bringt seine anhaltende Sorge über die ernste Lage im Nahen Osten zum Ausdruck;
hebt die Unzulässigkeit der Gebietserwer-
5 bung durch Krieg und die Notwendigkeit der
Arbeit für einen gerechten und dauerhaften
Frieden hervor, der jedem Staat der Region
erlaubt, in Frieden zu leben;
hebt ferner hervor, daß alle Mitgliedstaaten
10 durch die Annahme der Charta der Vereinten Nationen die Verpflichtung eingegangen
sind, in Übereinstimmung mit Artikel 2 der
Charta zu handeln, und
1. bekräftigt, daß die Erfüllung der in der
15 Charta niedergelegten Grundsätze die
Schaffung eines gerechten und dauerhaften Friedens im Nahen Osten verlangt,
der die Anwendung der beiden folgenden
Grundsätze einschließt:

(i) Abzug der israelischen Streitkräfte aus 20
den Gebieten, die während des jüngsten
Konflikts besetzt wurden;
(ii) Beendigung jedes erklärten oder
tatsächlichen Kriegszustands und Respektierung und Anerkennung der Souverä- 25
nität, der territorialen Integrität und politischen Unabhängigkeit eines jeden
Staates in der Region sowie seines Rechts,
innerhalb sicherer und anerkannter Grenzen frei von Gewaltandrohung oder -an- 30
wendung zu leben;
2. bekräftigt ferner die Notwendigkeit,
a) die freie Schiffahrt auf den internationalen Wasserstraßen der Region zu garantieren, 35
b) eine gerechte Regelung des Flüchtlings-
problems herbeizuführen,
c) die territoriale Unverletzbarkeit und
politische Unabhängigkeit eines jeden
Staates in der Region durch Maßnah- 40
men zu gewährleisten, zu denen auch
die Schaffung entmilitarisierter Zonen
zählt;
3. ersucht den Generalsekretär, einen Son-
derbeauftragten zu ernennen, der sich 45
nach dem Nahen Osten begeben und dort
Verbindung mit den betroffenen Staaten
aufnehmen und unterhalten soll, um die
Erreichung eines Abkommens zu fördern
und die Bemühungen um eine friedliche 50
und annehmbare Regelung gemäß den
Bestimmungen und Grundsätzen dieser
Resolution zu unterstützen. [...]

Zit. nach: Rönnefarth/Euler, Vertrags-Ploetz, Bd. 5. Würzburg 1975,
S. 409–410

M 6.11 **1975 – Zionismus-Resolution
der UN-Vollversammlung**

Die Resolution wurde am 10. November 1975 mit
72 gegen 35 Stimmen bei 32 Enthaltungen und 3
Absenzen angenommen.

Die Vollversammlung,
In Erinnerung an ihre Resolution [...] vom
20. November 1963, welche die Erklärung
der Vereinten Nationen über die Beseitigung
aller Formen der Rassendiskriminierung verkündete und im besonderen an ihre Bestäti- 5
gung, daß jede Lehre rassischer Unterscheidung oder Überlegenheit wissenschaftlich

falsch, moralisch verdammenswert, sozial ungerecht und gefährlich ist, und an ihre ausgesprochene Warnung über die noch in einigen Teilen der Welt erkennbaren Bekundungen der Diskriminierung aus rassischen Gründen, von denen einige durch gewisse Regierungen mittels gesetzgeberischer, verwaltungsmäßiger oder anderer Maßnahmen erzwungen sind.

In Erinnerung ferner daran, daß die Vollversammlung in ihrer Entschließung 3151 G [...] vom 14. Dezember 1973 u.a. die unheilige Verbindung zwischen südafrikanischem Rassismus und Zionismus verurteilt hat,

In Kenntnis der Erklärung von Mexiko über die Gleichstellung der Frau und über ihren Beitrag zur Entwicklung und zum Frieden, die auf der Weltkonferenz des Internationalen Frauenjahrs, welche in der Stadt Mexiko vom 19. Juni bis 2. Juli 1975 stattfand, verkündet wurde und die den Grundsatz bekanntmachte, daß internationale Zusammenarbeit und Frieden die Erlangung der nationalen Befreiung und Unabhängigkeit, die Beseitigung von Kolonialismus und Neokolonialismus, ausländischer Besetzung, Zionismus, Apartheid, rassischer Diskriminierung in allen ihren Formen sowie die Anerkennung der Würde der Völker und ihr Recht auf Selbstbestimmung fordern,

In Kenntnis ferner der Entschließung 77 [...], angenommen von der Versammlung der Staats- und Regierungschefs der Organisation für Afrikanische Einheit, welche in Kampala vom 28. Juli bis 1. August 1975 stattfand, die besagt, daß das rassistische Regime im besetzten Palästina und die rassistischen Regime in Zimbabwe (Südrhodesien) und Südafrika einen gleichen imperialistischen Ursprung, indem sie ein Ganzes darstellen, sowie die gleiche rassistische Struktur haben und in ihrer Politik, die auf Unterdrückung der Würde und der Unantastbarkeit des Menschen gerichtet ist, organisch miteinander verbunden sind,

In Kenntnis ferner der politischen Deklaration und Strategie zur Stärkung des Weltfriedens und der internationalen Sicherheit und zur Steigerung der Solidarität und gegenseitigen Unterstützung der paktfreien Länder, angenommen auf der Konferenz der Außenminister der paktfreien Staaten, welche in Lima, Peru, vom 25. bis 30. August 1975 stattfand,

die auf das schärfste den Zionismus als eine Bedrohung des Weltfriedens und der internationalen Sicherheit verurteilte und die alle Länder aufforderte, dieser rassistischen und imperialistischen Ideologie entgegenzutreten:
1. legt fest, daß Zionismus eine Form von Rassismus und rassischer Diskriminierung ist. [...]

Zit. nach: Krause/Reif: (M 6.3) S. 617–618

M 6.12   1973 – Erdöl als Waffe

a) Beschluß der außerordentlichen OPEC (Organisation der Erdöl exportierenden Länder)-Konferenz vom 17. Oktober 1973 in Kuwait, die während des Jom-Kippur-Krieges stattfand:

Die arabischen erdölexportierenden Länder tragen zum Wohlstand der Welt, zum Wohlergehen und zur Wirtschaft bei, indem sie Mengen dieses pulsierenden Naturreichtums exportieren. [...] Israel hat im Jahre 1967 die Schließung des Suezkanals verursacht und die europäische Wirtschaft mit den Folgen belastet. In dem Krieg, der jetzt stattfindet, hat es Schläge gegen die Exporthäfen im östlichen Mittelmeer geführt, und Europa wird durch weitere Einschränkungen seiner Versorgung in Mitleidenschaft gezogen. Zum dritten Mal ist es zu einem Krieg gekommen, weil Israel mit Unterstützung und Rückendeckung der Vereinigten Staaten uns unsere legitimen Rechte nicht zugestehen will. Die Araber sehen sich deshalb zu dem Schritt veranlaßt, mit den wirtschaftlichen Opfern Schluß zu machen, die für sie die Produktion ihres sprudelnden Ölreichtums in einem Umfang bedeutet, der über das hinausgeht, was durch die wirtschaftlichen Faktoren in ihren Staaten gerechtfertigt ist – es sei denn, die Weltgemeinschaft geht daran und bringt die Dinge wieder in Ordnung, zwingt Israel zum Rückzug aus unseren besetzten Gebieten und bringt den Vereinigten Staaten den ungeheuren Preis zum Bewußtsein, den die großen Industriestaaten als Resultat blinder und grenzenloser Unterstützung der USA für Israel zu zahlen haben. Aus diesem Grunde hat die Konferenz der arabischen Ölminister, die am 17. Oktober in Kuwait tagte, beschlossen, unverzüglich in jedem arabischen erdölproduzierenden Land mit einer Produktionsverminderung um nicht

weniger als 5% der Förderung für den Monat September zu beginnen. Die gleiche Maßnahme wird jeden Monat erfolgen, und die Ölför-
40 derung wird um den gleichen Prozentsatz der Vormonatsproduktion gekürzt, bis die israelischen Truppen alle im Junikrieg von 1967 besetzten Gebiete geräumt haben und die legitimen Rechte des palästinensischen Vol-
45 kes wieder hergestellt sind. [...]

b) Nahost-Erklärung der EG-Staaten vom 6. November 1973, nach Verhängung des Erdölboykotts. In Brüssel von den neun Außenministern verabschiedet:

[...] sie (die neun EG-Staaten) sind der Auffassung, daß eine Friedensvereinbarung insbesondere auf folgenden Punkten beruhen sollte: 1. Unzulässigkeit des Gebietserwerbs
5 durch Gewalt. 2. Notwendigkeit, daß Israel die territoriale Besetzung beendet, die es seit dem Konflikt von 1967 aufrechterhalten hat. 3. Achtung der Souveränität, der territorialen Unversehrtheit und Unabhängigkeit ei-
10 nes jeden Staates in dem Gebiet, sowie seines Rechts, in Frieden innerhalb sicherer und anerkannter Grenzen zu leben. 4. Anerkenntnis, daß bei der Schaffung eines gerechten und dauerhaften Friedens die legitimen
15 Rechte der Palästinenser berücksichtigt werden müssen. [...]

Zit. nach: Krause/Reif: (M 6.3) S. 616–617

Positionen und Strategien der Palästinenser

| M 6.13 | 1968 – Palästinensischer Nationalvertrag |

Der Palästinensische Nationalvertrag wurde vom Palästinensischen Nationalrat, dem obersten Organ der Palästinensischen Befreiungsorganisation (PLO), auf einer Konferenz angenommen, die vom 10. bis 17. Juli 1968 in Kairo stattfand. Es waren alle palästinensischen Gruppen vertreten, die bei weitem größte Delegation stellte El Fatah.

Art. 1) Palästina ist das Vaterland des palästinensisch-arabischen Volkes und ein integraler Bestandteil des Großen Vaterlandes, und das Volk Palästinas ist ein Teil der arabi-
5 schen Nation.

Art. 3) Das palästinensisch-arabische Volk besitzt ein legales Recht auf sein Vaterland, und sobald dessen Befreiung vollendet ist, wird es das Selbstbestimmungsrecht allein
10 nach seinem eigenen Willen und seiner eigenen Wahl ausüben.
Art. 5) Palästinenser sind jene arabischen Bürger, die bis 1947 dauernd in Palästina lebten, ob sie von dort vertrieben wurden oder
15 dort blieben. Wer immer nach diesem Zeitpunkt innerhalb oder außerhalb Palästinas geboren wurde und einen palästinensisch-arabischen Vater hat, ist ein Palästinenser.
Art. 6) Juden, die bis zum Beginn der zioni-
20 stischen Invasion[1] dauernd in Palästina lebten, werden als Palästinenser betrachtet. [...]
Art. 14) Das Schicksal der arabischen Nation, ja sogar die Existenz des Arabertums, hängt vom Schicksal der Palästinafrage ab.
25 Das Bemühen und die Anstrengung der Arabischen Nation, Palästina zu befreien, leitet sich von dieser Verbindung her. Das Volk Palästinas spielt bei der Verwirklichung dieses heiligen nationalen Ziels die Rolle einer
30 Avantgarde.
Art. 15) Die Befreiung Palästinas ist aus arabischer Sicht eine nationale Pflicht, um die zionistische imperialistische Invasion des Großen Arabischen Vaterlandes zurückzu-
35 schlagen und um Palästina von der zionistischen Präsenz zu reinigen. Die arabische Nation, Völker und Regierungen mit dem palästinensisch-arabischen Volk an ihrer Spitze, tragen dafür die volle Verantwortung.
40 Zu diesem Zweck muß die arabische Nation all ihre militärischen, menschlichen, materiellen und geistigen Fähigkeiten mobilisieren, um mit dem palästinensischen Volk aktiv an der Befreiung Palästinas teilzunehmen. [...]
45 Art. 19) Die Teilung Palästinas 1947 und die Gründung Israels ist von Grund auf null und nichtig, wieviel Zeit seither auch immer vergangen sein mag, weil dies im Gegensatz zum Willen des palästinensischen Volks und
50 seines natürlichen Rechtes auf sein Vaterland geschah und im Widerspruch zu den Prinzipien der UN-Charta steht, deren vornehmstes das Recht auf Selbstbestimmung ist.
55 Art. 20) Die Balfour-Deklaration, der Mandatsvertrag und alles, was darauf gegründet wurde, werden als null und nichtig betrachtet. Der Anspruch auf ein historisches oder

geistiges Band zwischen den Juden und Palä-
60 stina stimmt nicht mit den historischen Realitäten überein, noch ist es für einen Staat im
eigentlichen Sinne konstituierend. Der Ju-
daismus ist in seiner Eigenschaft als eine Of-
fenbarungsreligion keine Nationalität mit ei-
65 ner unabhängigen Existenz. Ähnlich sind die
Juden nicht ein Volk mit einer unabhängigen
Persönlichkeit. Sie sind vielmehr Bürger jener Staaten, zu denen sie gehören.
Art. 22) Der Zionismus ist eine politische
70 Bewegung, die organisch mit dem Weltimpe-
rialismus verbunden ist und sich gegenüber
allen Befreiungs- und Fortschrittsbewegun-
gen der Welt feindlich verhält. Der Zionismus ist in seiner Entstehung eine rassistische
75 und fanatische Bewegung; aggressiv, expan-
sionistisch und kolonialistisch in seinen Zielen und faschistisch und nazistisch in seinen
Mitteln. Er ist eine Bastion und ein Sprung-
brett des Imperialismus im Herzen des Ara-
80 bischen Vaterlandes und macht die Hoffnungen der Arabischen Nation auf Befreiung,
Einheit und Fortschritt zunichte.
Israel ist eine ständige Bedrohung des Friedens im Nahen Osten und in der ganzen
85 Welt. [...]

Zit. nach: Jendges: (M 6.1) S. 50–51

---

[1] d. h. vor 1917

M 6.14   1970 – Terror als Mittel zur Durchsetzung politischer Ziele

Interview der Zeitschrift „Der Spiegel" vom 16. Februar 1970 mit Georges Habasch, dem Führer der
„Volksfront zur Befreiung Palästinas":

Spiegel: Warum beschießen und entführen
palästinensische Fedajin Verkehrsflugzeuge?
Warum bekämpfen Sie Israel außerhalb des
von Israelis beherrschten Gebietes?
5 **Habasch:** Weil unser Feind nicht nur Israel
ist. Dieser Staat Israel wird vom Weltzionis-
mus unterstützt – mit Dollars und mit allen
anderen Arten der Hilfe. Unser Feind heißt
Israel plus Zionismus plus Imperialismus
10 plus alle reaktionären Kräfte.
Spiegel: Wenn Sie unbeteiligte Menschen dabei töten, treffen Sie nicht den Weltzionis-
mus. [...]

Uns scheint, Sie schaden Ihrer Sache mit den
Terroranschlägen mehr, als Sie ihr nützen. 15
Die Weltöffentlichkeit hat kein Verständnis
für Attentate auf Flugzeuge und für Flugzeug-
entführungen weitab vom Kriegsschauplatz.
Habasch: [...] Krieg ist Krieg – und wir müssen diesen Krieg gewinnen. [...] Der Kampf 20
außerhalb Israels ist nicht unsere Hauptaufgabe. Aber vergessen Sie nicht, daß Israel
eine Insel ist. Gewiß, das Land hat Land-
grenzen mit Jordanien, dem Libanon und
Syrien. Es besteht jedoch kein Verkehr 25
zwischen Israel und seinen Nachbarn. Die
einzigen Verbindungswege führen über
die See und durch die Luft. Und darauf
müssen wir unsere militärische Strategie
einrichten. 30
Spiegel: Glauben Sie tatsächlich, mit Ihren
sporadischen Aktionen Israel von der
Außenwelt isolieren zu können?
Habasch: Wir glauben, daß wir mit unseren
Aktionen vor allem die Moral des Gegners 35
schwer anschlagen, manchmal schaden wir
ihm auch materiell. Unser Ziel ist ganz einfach, unsere Feinde zu treffen – und das ist
unser gutes Recht.
Spiegel: Offenbar ist aber den Guerilla-Or- 40
ganisationen fast drei Jahre nach dem Ende
des Juni-Kriegs noch kein entscheidender
militärischer Erfolg gegen die Israelis geglückt. [...]
Habasch: Unsere einzige Chance, Palästina 45
zu befreien, ist der Weg, den die Vietname-
sen wählten. Denn wir können Israel, den
Zionismus und Amerika in ihren „Phan-
tom"-Jägern und ihrer hochentwickelten
Technologie nicht in einem klassischen Krieg 50
schlagen. Unsere einzige Hoffnung liegt in
einer Massenorganisation, in einem Guerilla-
Krieg, in unserem unbändigen Willen zur
Befreiung. Das sind die Waffen, die ein ar-
mes Volk gegen die Macht des Imperialismus 55
hat. [...]
Spiegel: Ihre Organisation kämpft aber offenbar nicht nur gegen Israel, sondern hat
sich auch die Beseitigung reaktionärer arabischer Regime zum Ziel gesetzt. 60
Habasch: In den 20, vielleicht auch 25 oder
30 Jahren Volkskrieg, auf die wir uns vorbereitet haben, werden sich hier viele Dinge
ändern. Während dieses Krieges werden bestimmte Teile der arabischen Welt wie Jorda- 65
nien, wie der Libanon befreit und später

dann alle arabischen Länder, die an Israel grenzen – oder zumindest bestimmte Gebiete.

70 **Spiegel:** Betreiben Sie Klassenkampf oder einen nationalen Befreiungskrieg?

Habasch: Beides.

Spiegel: Sie verlassen sich offenbar – wie die arabischen Staaten – auf die Hilfe der So-

75 wjet-Union, die selbst an der Bildung des Staates Israel mitgewirkt hat.

Habasch: Die Sowjet-Union ist einer unserer größten Freunde. Wenigstens in der Gegenwart und für geraume Zeit werden wir

80 gemeinsam marschieren. Doch die Sowjet-Union ist nicht unser einziger Freund, China ist uns auch wohlgesonnen. [...]

Zit. nach: Krause/Reif: (M 6.3) S. 614

M 6.15   1987 – Die „Intifada"

Der als „Intifada" (arabisch: „Abschütteln") bezeichnete palästinensische Aufstand begann im Dezember 1987 im von Israel besetzten Gaza-Streifen. Schon im ersten Jahr des Aufstandes wurden über 450 Palästinenser getötet, darunter Kinder und viele Jugendliche; ca. 19 000 Palästinenser wurden verletzt. 11 Israelis starben.

1. Die Fähigkeit zur Politik bewies die zionistische Seite während der gesamten Dauer des Konfliktes mit den Palästinensern und den arabischen Staaten immer wieder und

5   immer mehr als ihre Gegner.
   „Politik" beherrschte sie in einem doppelten Sinne besser: Sie blieb im Verteilungskampf erfolgreich, und sie war erfolgreich, weil sie von Anfang an Organisation, das

10   heißt die Organisation von Institutionen, als entscheidendes Instrument der Politik erkannte.
   Seit der Intifada gilt: Im Herbst 1988 dokumentierte die PLO (nicht die religiösen

15   Fundamentalisten unter den Palästinensern), daß sie politikfähig geworden ist. Die am 15. Dezember 1988 ausgesprochene Anerkennung durch die USA beweist diesen Wandel ebenso wie die Tatsache,

20   daß Israel durch diese Fähigkeit der PLO zur Politik in die Defensive geriet.

2. Die territoriale Entwicklung des jüdischen Gemeinwesens, seines Herrschaftsraumes, nicht seiner völkerrechtlich anerkannten

25   Staatsgrenzen, entsprach im Laufe der

Jahrzehnte immer mehr dem Plan der Zionistischen Weltorganisation aus dem Jahre 1919. Dieser Plan war ein Maximal-

30   plan. Daß es zu seiner weitgehenden, wenngleich nicht vollständigen Verwirlichung kam, ist auch auf die erwähnte Unfähigkeit der Palästinenser zur Politik zurückzuführen.
   Seit der Intifada gilt: Die Fähigkeit der

35   PLO zur Politik hat jetzt dazu geführt, daß sich auch in Israel Stimmen mehren, die in weniger Gebieten mehr Sicherheit zu sehen glauben.

3. Beide Seiten unterschieden sich nicht in

40   ihrer grundsätzlichen Bereitschaft, Gewalt als Mittel der inner- und zwischenstaatlichen Politik anzuwenden. Sie unterschieden sich aber in bezug auf die politischen und militärischen Umstände, die Gewalt-

45   anwendung politisch sinnvoll erscheinen ließen.
   Seit der Intifada gilt: Zeitpunkt und Dosierung der Gewaltanwendung erkennen die Palästinenser besser als je zuvor.

50   Die palästinensische Seite heftete sich selbst bis zum Dezember 1987 immer wieder das Etikett des Terrorismus an, während die zionistische, später israelische Seite es verstand, sich das Bild des Märty-

55   rers beziehungsweise des David zu geben. Das hat sich seit 1987, durch die neue Siedlungspolitik von Begin und Scharon, etwas geändert – ohne daß es der palästinensischen Seite gelungen wäre, das Ter-

60   roristen-Image auf die Gegenseite allein zu übertragen.
   Seit der Intifada gilt: Die Palästinenser erscheinen als David und als Opfer, die Israelis als Goliath und als Täter.

Friedrich Schreiber/Michael Wolffsohn: Nahost – Geschichte und Struktur des Konflikts. Opladen (2. Aufl.) 1989. S. 327–329

M 6.16   1992 – Die „Kinder der Intifada"

Wir haben sie gesehen, und wir glauben, sie zu kennen. Aber es steckt noch viel mehr dahinter als das romantische Bild unerschrockener junger Menschen, die auf bewaffnete Soldaten mit Steinen werfen und 5 dabei ihre Gesichter mit der einheimischen Kopfbedeckung verhüllen. In vieler Hinsicht stellen die Kinder der Intifada die aufrichtig-

Intifada-Aktivisten (1991)

10 ste revolutionäre Bewegung dar, die in diesem Jahrhundert im Nahen Osten zum Ausbruch kam, und ihr zorniger, nach außen ge-
richteter Protest ist nur Teil einer wesentlich
größeren Wut, welche die traditionelle arabische Gesellschaft und letztlich Regierungen
15 und Institutionen bedroht. Aus nächster
Nähe habe ich sie wochenlang beobachtet,
ohne eine einzige Frage zu stellen, und selbst
das ist überaus aufschlußreich. Sie
reden, kleiden und verhalten sich anders, sie
20 sind nicht der verlängerte Arm ihrer Eltern,
sondern eine Mischung alter und neuer Elemente, die eher den unterschiedlichsten Ein-
flüssen als einem spezifischen viel zu verdanken haben. Sie halten Distanz; alles an ihnen
25 hat etwas Eigenständiges. [...]
Mein erstes sorgfältig geplantes Treffen mit
einer Gruppe von Intifada-Kindern nahm eine Menge Vorbereitungszeit in Anspruch,
weil ich wollte – genauer gesagt wollten es
30 die Eltern –, daß diese, demographisch gesehen, so repräsentativ wie möglich waren.
Zum Schluß hatte ich die Söhne eines Lehrers, eines Steinmetzen, eines Busfahrers, eines Hotelbesitzers und eines Zeitungsrepor-
35 ters. Zum Treffen erschienen sie in der
typischen Aufmachung, ein wenig vorsichtig,
aber nicht ängstlich, und wir gingen in das
bescheidene Wohnzimmer im Haus meiner

Tante. Sie schlugen den von mir angebote-
nen Tee oder Kaffee aus und wollten gleich 40
zur Sache kommen. Einstimmig erklärten sie
ihre Zugehörigkeit zur Intifada.
„Welches Ziel hat die Intifada?" fragte ich.
Ohne mein Wissen hatte man den Sohn des
Reporters dazu bestimmt, die kniffligen Fra- 45
gen zu beantworten. Er schob seinen massi-
gen Oberkörper nach vorne und faltete seine
Hände zwischen den Knien.
„Es ist eine Unabhängigkeitsbewegung. Wir
wollen frei sein von israelischem Gesetz und 50
israelischer Kontrolle, und wir wollen unsere
eigene Regierung haben, die sich um unsere
Angelegenheiten kümmert."
„Glaubt ihr, ihr erreicht das mit den Methoden, deren ihr euch jetzt bedient?" 55
„Schon möglich ... das ist schwer zu sagen."
„Nun, glaubt ihr, ihr erreicht euer Ziel allein,
ohne Hilfe von außen?"
„Das läßt sich genausowenig beantworten,
doch auf alle Fälle fühlen wir uns dazu 60
verpflichtet, es zu versuchen. Wir wollen die
Gegebenheiten nicht hinnehmen, also müssen
wir alles dransetzen. Und wir sind nicht allein.
Wer hat Ihnen gesagt, daß wir auf uns gestellt
sind? Die Organisation (die PLO) steht hinter 65
uns genau so wie die übrigen arabischen Länder und einige islamische Länder und viele
freundliche Menschen."

„Wollt ihr damit sagen, daß die Intifada Teil
70 der PLO ist?" Ihre Stimmen wurden alle auf
einmal laut, und ich blickte den dreisprachi-
gen Sohn des Hoteliers an und bat ihn um
eine Antwort.
„Die Intifada ist kein Teil der PLO. Sowohl
75 die Intifada als auch die PLO sind Stimmen
des palästinensischen Volkes, doch die
PLO ist gut im diplomatischen Verhandeln,
deshalb befaßt sie sich damit, wohingegen
wir uns um das hier kümmern, um die Israe-
80 lis."

Said K. Aburish: Schrei, Palästina – Alltag auf der Westbank. München 1992. Kap. 12: Die Kinder der Intifada, S. 204–206

Frauen im Nahost-Konflikt

M 6.17 **1967 – Emanzipation durch
Terror?**

Leila Chalid wurde zur Personifizierung der „modernen" palästinensischen Nationalbewegung: eine
orientalische Frau, die den Männern sogar im Terror nicht unterlegen ist.

Leila Chalid, palästinensische Luftpiratin:
„Damals war unsere palästinensische Sache
in der Weltöffentlichkeit unbekannt. Lange
Jahre wurden wir als Flüchtlinge behandelt.
Im Jahre 1967 mußten wir die Aufmerksam- 5
keit der ganzen Welt auf die Frage ziehen:
Wer sind die Palästinenser? Wir waren gezwungen, Kampfmethoden zu benützen. Ich
meine militärische Aktionen, um diese Frage
deutlich zu stellen. Alle fragten: Wer sind 10
die? Die Antwort wurde gegeben. Im Jahr
1970 hörten wir wieder auf. In den letzten
siebzehn Jahren hat die ganze Welt die
Rechte unseres Volkes anerkannt. Unser
Recht auf Rückkehr, auf Selbstbestimmung 15
und auf die Errichtung unseres eigenen Staates in Palästina."

Zit. nach: Schreiber/Wolffsohn: (M 6.15) S. 246

M 6.18 **1979 – Eine Frau zwischen zwei
Kulturen**

Raymonda Tawil, in Israel aufgewachsene Palästi-
nenserin, beschreibt ihr Leben als arabische Ehefrau in Jordanien:

Ich war erst achtzehn und hatte bereits alles,
was ich mir wünschen konnte: einen wohlha-
benden Ehemann, ein gemütliches Heim in
der Etagenwohnung über der Bank, eine
sichere gesellschaftliche Stellung. Da'ud tat 5
alles für mich, seine Familie nahm mich
freundlich auf, seine Freunde beglückwünsch-
ten ihn. Wahrlich, ich war zu beneiden.
Aber mein Glück hatte seinen Preis: Ich
mußte meine Freiheit aufgeben. Wie Ibsens 10
Nora war ich eine Puppe – schön, verwöhnt
und meines freien Willens beraubt. Ich war
in eine Gesellschaft eingetreten, in der die
Männer alles beherrschten. Mein Leben,
mein Verhalten, meine Zukunft – all das 15
würde von meinem Mann bestimmt. So wollte es das Diktat einer nie in Frage gestellten
Tradition. [...]
Ich hatte meine Kindheit und Jugend in Israel verbracht, in der Schule mit israelischen 20
Jüdinnen. Ich hatte die freieren, moderneren
Auffassungen der jungen Israelis in mich
aufgenommen, denen es freisteht, so zu leben, wie sie es für richtig halten. Natürlich,
auch die israelische Gesellschaft hatte ihre 25
repressiven Traditionen, ihre Verbote, ihre

Tabus. Aber diese sind nirgends so einschneidend wie die schmerzlichen Beschrän-
kungen, die den Frauen in der arabischen
30 Gesellschaft auferlegt werden. Wenn ich an
mein ungebundenes Leben in Israel dachte,
fand ich das Leben in Irbid erstickend und
sehr unbefriedigend. [...]

[Nach ihrem Umzug erlebt sie die Trennung von ihrer israelischen Vergangenheit]

Als ich meiner israelischen Staatsbürger-
schaft entsagt hatte und nach Jordanien gezogen war, hatte ich mich von meinen Eltern,
von meiner Vergangenheit, von meinen
5 Schulfreundinnen abgeschnitten. Und dieser
Schritt war unwiderruflich. Als wenn mein
endgültiger Bruch mit der Vergangenheit
darin symbolisiert werden sollte, durfte ich
nicht einmal meine hebräischen Schulbücher
10 nach Jordanien mitnehmen. Die Gedichte
von Bialik waren „feindliche Literatur“. Später wurden meine hebräischen Bücher auf
umständlichen Wegen zu mir herüberge-
schmuggelt – aber dann traf mich ein neuer
15 Schlag. Zu der Zeit begann die jordanische
Geheimpolizei, nach „subversiven Büchern“
zu suchen. Es war eine Periode der intensi-
ven Verfolgung aller „Dissidenten“ – Baath-
Leute, Kommunisten, Nasseristen und palä-
20 stinensischer Nationalisten. Häuser wurden
durchsucht nach verbotener Literatur aller
Art, und es wurde zu riskant für mich, die
hebräischen Gedichte zu behalten. Schließlich blieb mir keine andere Wahl: Eigenhän-
25 dig mußte ich meinen kostbaren Bialik verbrennen. [...]
Das Verbrennen meiner hebräischen Bücher
bedeutete meine totale und endgültige Trennung von der israelischen Vergangenheit. Es
30 war ein beklemmendes Gefühl – aber das
war nicht meine einzige Beklemmung.

Raymonda Tawil: Mein Gefängnis hat viele Mauern. Bonn (2. Aufl.)
1980. S. 73 ff.

M 6.19   1991 – Frauen im Golfkrieg

Die Bilder, die in den Medien während des
Golf-Krieges von Frauen vermittelt wurden,
waren Bilder von Opfern und von Mittäte-
rinnen. Es war öfter von der „Vergewal-
5 tigung Kuwaits“ die Rede – ein höchst

fragwürdiger Sprachgebrauch. Von den
tatsächlichen Vergewaltigungen, der Verletzung der physischen und psychischen Integrität von Frauen, war allenfalls in Nebensät-
zen die Rede.   10
Bilder von arabischen Frauen, wenn sie uns
überhaupt erreichten, waren Bilder von Toten und Flüchtlingen, aber auch von islamischen Fundamentalistinnen und Palästinen-
serinnen, die Saddam Hussein zujubelten.   15
Über dieses Faktum hinaus wurde allerdings
auch die alte Behauptung, daß Frauen ideo-
logieanfälliger seien als Männer, transpor-
tiert. Warum vor allem arme arabische
Frauen in Saddam Hussein eine Identifika-   20
tionsfigur sahen, wurde dabei kaum erwähnt;
ebensowenig die Tatsache, daß der Fundamentalismus eine große Gefahr für die kleine Schicht der (privilegierten) Frauen
darstellt, die sich eigene Lebensentwürfe   25
schaffen konnten.
Welche Bilder von indirekt und direkt am
Krieg beteiligten Frauen zeigten die Medi-
en? Da waren zunächst die Ehefrauen, Mütter, Freundinnen von Soldaten, die zwar alle   30
große Angst um ihre Angehörigen äußerten;
jubelnde Kriegsbegeisterung war eher selten.
Doch die Angst wurde sofort unter Berufung
auf die Notwendigkeit, Befehlen zu folgen,
rationalisiert. Diese Frauen fügten sich also   35
lieber der Zwangsläufigkeit von Prozessen,
als aus ihrer Angst auch nur verbale Konsequenzen zu ziehen. Allerdings kamen die
Frauen, die ihre Angehörigen bei der Verweigerung des Kriegsdienstes unterstützten,   40
in den meisten Medien so gut wie gar nicht
zu Wort.
Auch wenn sie sprachlich meist unter den
Tisch fielen: von den ca. 500 000 US-Solda-
ten in Saudi-Arabien waren 35 000 Frauen,   45
im britischen Kontingent befanden sich ca.
100 Soldatinnen. Sie sind am ehesten Mittä-
terinnen zu nennen, doch ihre Darstellung
ließ sie mehr als Exotinnen denn als „norma-
le“ Soldaten erscheinen. Beispielsweise das   50
Bild der US-Soldatin, die mit dem Teddy un-
term Arm an die Front zieht: Abgesehen
davon, daß wohl kaum ein Mann seine Rolle
so „desavouieren“ würde, scheint dieses Bild
zwar Menschlichkeit, jedoch auch und vor   55
allem Unernsthaftigkeit zu suggerieren.
Dennoch war diese Soldatin ebenso wie alle
anderen den Befehls- und Gehorsamsstruk-

turen des Militärs unterworfen. Wenn Sol-
60 datinnen mit Waffen abgebildet wurden, hatte das eindeutig den Reiz des Außergewöhnlichen; auffällig ist, daß diese Bilder eher an Werbeplakate erinnerten (alle
lachen, alle sehen gut aus, fast alle sind weiß,
65 obwohl Schwarze überproportional in der
US-Armee am Golf stationiert waren). Das
zweite Darstellungsmuster war die Soldatin
als Mutter: Frauen, die weinend von ihren
Kindern Abschied nehmen, das Photo ihrer
70 Kinder am Helm tragen.

Ilse Petry: Männerbilder – Frauenbilder: Golf-Krieg und Geschlech-
terverhältnis; in: Gert Krell/Bernd W. Kubbig: Krieg und Frieden am
Golf. Frankfurt/Main 1991. S. 154–156

| M 6.20 | 1991 – Die Lage im Nahen Osten aus arabischer Sicht |

Interview mit Hisham Sharabi, Professor für
europäische Geistesgeschichte und Omar
al-Mukhtar, Professor für arabische Kultur am
interkulturellen Zentrum der Georgetown University
Washington.

F.: Prof. Sharabi, Sie sind Vorsitzender des
Zentrums für Politische Analysen zu Palästina, das hier im September 1990 gebildet wurde. Worin bestehen denn die drei kritischsten
5 Fragen für die Palästinenser heute?
A.: Die erste liegt in der Regierung Israels,
die unnachgiebig und extrem rechts ist. Man
könnte mit einer Regierung der Arbeitspartei besser zurechtkommen. Obwohl es auch
10 mit ihr Probleme gegeben hätte, ist doch die
Position der jetzigen Regierung ganz unnachgiebig. Die zweite Frage betrifft die
USA. Meiner Meinung nach sind sie das
Haupthindernis für den Frieden. In den letz-
15 ten zwanzig Jahren, besonders seit Kissinger,
halfen sie Israel uneingeschränkt. So haben
die Israelis jede Bewegung, jeden Vorschlag
der Araber und der Palästinenser zurückgewiesen. Das dritte Problem bilden die arabi-
20 schen Staaten. Die Tatsache, daß sie gespalten sind und keine gemeinsame Position
einnehmen, hat dem Kampf der Palästinenser mächtig geschadet und den Durchbruch
für uns sehr kompliziert gemacht.
25 **F.:** Mehrfach war davon die Rede, daß an die
Konflikte im Nahen Osten zweierlei Maß gelegt wird. Zum einen gab es die heftige Reak-

tion auf die Okkupation Kuwaits. Zum anderen wird die Okkupation Palästinas mit fehlender Konsequenz behandelt. Worin wurzelt 30
das Doppelmaß historisch und aktuell?
A.: Zweifellos legen die USA zweierlei Maß
an, wenn es um Israel und die arabischen
Staaten geht. Es ist eine imperialistische Politik, auf deren Grundlage Regimes in der 35
Dritten Welt ihrer politischen und ökonomischen Vormacht unterworfen werden. In
dem Moment, wenn die etablierten Regimes
in Zentralamerika durch eine Volksbewe-
gung entscheiden, ihre politische Struktur 40
oder ihr ökonomisches System zu verändern,
sind die USA zur Stelle, dies zu verhindern.
Deshalb helfen sie Regimes, die autoritär
sind im Namen des Antikommunismus, der
freien Wirtschaft und sogar der Demokratie. 45
Wenn es um die arabischen Staaten geht, legen sie mehr oder weniger dieselben Maßstäbe an. Mit Blick auf Israel ist neben der im-
perialen Politik auch die Frage des jüdischen
politischen Einflusses in den USA zu nen- 50
nen, des proisraelischen Einflusses im Kongreß. Manche halten das für den Hauptfak-
tor, ich nicht. Ich denke, daß es sich
grundsätzlich um amerikanische Politik handelt, die Staaten wie Israel für ihre eigenen 55
Zwecke ausnutzt. Aber die gegenwärtig sehr
starke politische Hilfe für Israel durch einige
Kongreßabgeordnete, die von amerikanisch-
jüdischen Komitees finanziert werden, macht
die Sache schwerer. 60
F.: 1978 schloß Ägypten mit Israel Frieden
und bekam 1982 Sinai zurück. Syrien könnte
mit Israel Frieden vereinbaren und eine Regelung zu den Golan-Höhen und zum Einfluß im Libanon erhalten. Sind die Palästi- 65
nenser in beiden Fällen die Verlierer?
A.: Wenn es dazu kommt, gewiß. Aber ich
glaube nicht, daß es so geschieht. Syrien hat
immer eine prinzipielle Position zur Palästina-Frage und eine klare Politik verfolgt. Da- 70
her meine ich nicht, daß sich die syrische Regierung verkauft, auch wenn sie die Allianz
mit den USA eingegangen ist. Ihre Stellung
zur Palästina-Frage hat sich nicht verändert.
F.: Das Prinzip „Land für Frieden" wurde 75
von George Bush für eine Konfliktregulie-
rung in Nahost genannt. Warum wird es in
Israel so stark zurückgewiesen?
A.: Weil die gegenwärtige israelische
Regierung keine Gebiete aufgeben will. Sie 80

möchte Frieden, aber für Frieden, wie sie es sagt: Ihr gebt uns Frieden, wir geben Euch Frieden, aber keine Gebiete. Sie will das ganze Land behalten. Sie spricht offen über Vertreibung und Transfer. Man stelle sich vor, Tunesien würde über den Transfer seiner Juden reden.

F.: Erwarten Sie eine neue Regionalordnung, wie könnte sie aussehen?

A.: Wenn es eine Regionalordnung gibt, so wird es keine neue, sondern die Wiederauflage der alten, die die USA bestimmen. Das einzig Neue ist, daß die UdSSR nicht mehr die andere Supermacht ist, die ein Gegengewicht zur US-Präsenz bietet, leider.

F.: Wird in der sogenannten neuen Weltordnung ein neues amerikanisches Jahrhundert vorbereitet?

A.: Ich habe meine Zweifel, daß die so bezeichnete amerikanische Ordnung lange währt. Kommt es in der Region zum Ausgleich, zum Frieden, zu Regelungen, so reduziert sich die Rolle der USA auf einfache Dominanz und Ausbeutung des Öls, indem die USA von den eigenen Völkern nicht mehr gewollte feudale Regimes erhält. Doch überall, wo die USA so auftraten, sind sie gescheitert. Das wird auch in der arabischen Welt der Fall sein.

F.: Spielt die UdSSR in Nahost noch eine bedeutende Rolle?

A.: Sie muß einfach Gewicht haben, egal was in ihrem Innern geschieht, weil diese Region Ost- und Zentraleuropa am nächsten liegt und das strategisch wichtigste Gebiet für die nationale Sicherheit der Sowjetunion ist. Wenn sich eines Tages die innere Lage der UdSSR stabilisiert hat und eine starke Zentralregierung da ist, wird sie wieder ihrer Rolle gerecht werden.

F.: Könnte die Lösung des Palästina-Problems in einer Föderation zwischen Israel, Palästina und Jordanien liegen, in einer „Pax Semitica", in einem Prozeß, der seinen Ursprung in der Region nimmt und keine „Pax Americana" wird?

A.: Man kann sich das vorstellen. Jedoch nicht unter den heutigen Bedingungen in Israel. Es ist fragmentiert und die Macht liegt in den Händen extremer Gruppen, die noch extremer werden. Ich glaube wirklich nicht, daß man mit ihnen zu einer Übereinkunft kommen kann. Dort muß sich etwas ändern.

Und damit sich in Israel etwas ändert, muß sich amerikanische Politik radikal wandeln. Doch das sehe ich nicht kommen. Daher werden wir mehr Konflikte und Kriege haben. So bleibt eine Lösung, wie die von Ihnen erwähnte, utopisch.

F.: Könnte ein palästinensischer Staat nicht eine Brücke für Israel zur friedlichen Integration in die Region sein?

A.: Wenn die Israelis auch nur ein bißchen Gespür dafür hätten, würden sie die Sache genau so sehen. Aber das tun sie nicht. Indes glauben sie, mit einer starken Armee und Atomwaffen in der Allianz mit den USA eine Region beherrschen zu können, in der 200 Millionen Menschen leben. Sie denken, daß sie das für ewig dürfen, aber das geht nicht. Der einzige Weg, um zur guten Nachbarschaft und zum Zusammenleben zu kommen, ist die Integration in die Region. Bis jetzt hat sich Israel jedoch noch nicht entschieden. Der Weg der Gewalt und Abschreckung ließe sich vergleichen mit dem Fall, daß Hongkong versucht, China zu dominieren. Das läßt sich nicht machen.

Zit. nach: „Das Parlament", 6./13.9.91, Auszüge

M 6.21 **1991 – Die Lage im Nahen Osten aus israelischer Sicht**

Interview mit Yehoshavat Harkabi, seit 1968 Professor für Internationale Beziehungen und Mittelost-Studien an der Hebräischen Universität Jerusalem. Von 1950 bis 1959 war er erst Vize-Chef, dann Chef des Geheimdienstes der israelischen Armee. Von 1962 bis 1968 arbeitete er im Büro des Premierministers.

F.: Prof. Harkabi, Sie sagten, daß jeder, der in Nahost über Frieden spricht, dabei an etwas anderes denkt, woran?

A.: Es scheint, daß jeder in der Geschichte immer Frieden wollte. Alle Eroberer wollten Frieden – nachdem sie erobert hatten. Es gab Kriege, nur weil beide Seiten Frieden wollten. Aber sie hatten unterschiedliche Vorstellungen darüber, was Frieden ist. Deshalb gab es Kriege. Nicht, weil Menschen Krieg, sondern weil sie Frieden wollten. Im arabisch-israelischen Konflikt gibt es auch verschiedene Auffassungen darüber, was Frieden ist. Früher verstanden die Araber

15 (im ehemaligen Mandatsgebiet Palästina) darunter, nur einen arabischen Staat zu haben. Israel sollte verschwinden. Zu jener Zeit waren die Zionisten für zwei Staaten. Heute sieht die Sache anders aus. Die PLO
20 spricht sich offiziell für die Zwei-Staaten-Lösung aus, die auch von den arabischen Staaten unterstützt wird. Shamir dagegen definiert Frieden als eine Lage, in der die Araber Israels Herrschaft über das Westjordanland
25 anerkennen. Die Frage, ob er Frieden will, würde er bejahen. Aber seine Auffassung vom Frieden ist eben, die Gebiete zu behalten.

F.: Können Sie sich vorstellen, daß das Palä-
30 stina-Problem in einer Föderation zwischen Israel, Palästina und Jordanien auf der Grundlage einer „Pax Semitica" geregelt wird?

A.: Nicht jetzt gleich. Nationen können nicht
35 plötzlich von Feindseligkeit zu einem gemeinsamen Unternehmen wechseln. Wenn es eines Tages den palästinensischen Staat gibt, glaube ich, daß das Wasserproblem und andere Erfordernisse größere ökonomische
40 Einheiten entstehen lassen, daß kooperative Beziehungen in der Wirtschaft nötig werden. Aber das wird erst in der Zukunft aktuell. Zuerst muß man den Palästinensern ihren eigenen Staat zugestehen.

45 **F.:** Könnte der Staat Palästina im Westjordanland und Gaza-Streifen nicht für Israel die Brücke zur friedlichen Integration in die Region sein?

A.: Nein, ich glaube nicht, daß Palästinenser
50 eine Brücke zur arabischen Welt bilden. Nötig sind politische Beziehungen. Zudem muß man definieren, ob man arabische Welt in Anführungszeichen als kulturellen oder politischen Begriff gebraucht. Die Araber
55 fanden ihren Nationalismus unter dem Einfluß des Deutschen Herder, wonach die Sprache die Völker forme. Andererseits sehen wir in Lateinamerika, daß Menschen dieselbe Sprache sprechen, eine ähnliche
60 Kultur haben und trotzdem politisch getrennt sind. Ich denke, daß zwischen Israel und den arabischen Staaten kein Zwischenglied nötig sein wird. Es müssen nur einfach Beziehungen da sein.

65 **F.:** Kürzlich sagte ein israelischer Professor: „Gerade weil ich ein Zionist bin, glaube ich, daß wir die Gebiete aufgeben müssen. Besser die volle Souveränität über ein kleines Israel als ein Groß-Israel halb." Was meinen Sie dazu?
70 **A.:** Das ist banal. Sie könnten mich auch fragen, was ich über die Sonne denke. Warum? Für andere bedeutet Zionismus, die Westbank zu behalten. Shamir würde sagen, für mich ist es eine metaphysische Frage: Zionis-
75 mus bedeutet, für die Juden ein großes Land zu haben; nicht ein verkleinertes Land, ein Haus, keine Hütte.

F.: Warum stößt die Formel „Land für Frieden" in Israel auf solchen Widerstand?
80 **A.:** Wegen Shamirs Haltung und der Schwäche der moderaten Kräfte. Ich bezweifle übrigens, daß der Professor, der das zu Ihnen gesagt hat, Friedensanhänger ist. Die meisten „Peaceniks" sind es nur aus so-
85 zialem Chic. Sie gehen nicht von der Analyse der arabischen Positionen aus, sondern vom Zionismus. Die Araber waren früher für die Ein-Staat-Lösung, die keine Siedlungen gestattete. Jetzt sprechen sich die Araber für
90 die Zwei-Staaten-Lösung aus, zumindest in ihren Erklärungen. Doch weiß ich nicht, was sie denken. Aber das würde mir schon reichen, um mit Verhandlungen zu beginnen. Jedoch geschieht nichts. Daneben sind Isra-
95 els Fehler nicht politische, sondern metapolitische. Die grundlegenden Denkmuster können eben nicht durch Politiker durchbrochen werden. Als Begin an die Macht kam, konnte die Arbeitspartei nicht gegen ihn kämp-
100 fen, weil er die politische Auseinandersetzung in Begriffen jenseits der Logik führte. Er meinte, wir müssen ein großes Land haben. Wie konnte da die Arbeitspartei sagen, wir müssen ein kleines Land haben wegen
105 des Zionismus? Lachhaft! Das soll Zionismus sein? So wurde die Arbeitspartei geschlagen. Die einzigen Menschen, die gegen den Likud hätten kämpfen können, waren die Intellektuellen. Sie hätten gegen das Me-
110 taideologische, das Metamythologische auftreten und erklären können, warum man Politik nicht auf Mythologie begründen kann. Aber sie taten es nicht. Ich gab 1986 das Buch „Israel's Fateful Hour" heraus. Es be-
115 einflußte die Araber, nicht die Israelis. Hani al-Hassan schrieb mir in einem Brief: „Wir haben es alle gelesen. Sie haben uns überzeugt, daß Frieden mit Israel möglich ist." Leider sind die Israelis bislang davon noch
120

nicht überzeugt. Bis jetzt ist es das einzige Buch, das diese merkwürdige Position aufzeigt. Aber nicht als gesellschaftlicher Chic, sondern als Idee mit der realistisch einer Likudschen Metaphysik der Boden entzogen werden kann.

F: Was meinen Sie zu einer UNO-Friedenskonferenz?

A.: Ich habe nichts gegen sie. Aber ich denke, man sollte besser mit den Amerikanern gehen. Es war gut, daß die USA beschlossen, diesen Krieg nicht von sich aus, sondern über die Vereinten Nationen zu führen. Ich hoffe, die UNO wird künftig eine größere Bedeutung haben. Das wird freilich erst sein, wenn die Weltorganisation für ihr Tun mehr verantwortlich ist.

Zit. nach: ebd. (M 6.20), Auszüge

Islam und Nahost-Konflikt

M 6.22   **Fundamentalismus**

Der islamische Fundamentalismus (besser: der Islamismus) in unserer Zeit findet seinen Ausdruck in der Forderung nach der Islamisierung bzw. Re-Islamisierung von Gesellschaft und Staat. Diese Forderung bedeutet die Rücknahme der Gesetze und der Lebensformen, die in manchen Ländern der islamischen Welt den Beginn einer Anpassung an die Erfordernisse der modernen Welt signalisieren. Gerade diese Anpassung an die moderne Welt wird von den Vertretern des Fundamentalismus als Verlust der islamischen Identität und als unbillige Bevorzugung von Normen und Vorstellungen angesehen, die sich seit der Aufklärung in der westlichen Welt durchgesetzt haben, und die auf Kosten originärer islamischer Normen.

Die Re-Islamisierung bedeutet auch die Rückkehr zu den politischen und wirtschaftlichen Ordnungsvorstellungen, die im islamischen Reich im Mittelalter ausgearbeitet worden sind, oder – noch radikaler – die Rückkehr zu den gesellschaftlichen Mechanismen und den politischen Institutionen der früh-islamischen Gemeinde zu Medina.

Nur so – das betonen die Träger der islamischen Renaissance – kann der reine Islam wiederhergestellt werden und wieder eine alles bestimmende Rolle in Gesellschaft und Staat spielen. Und nur so werden die Menschen allesamt den rechten Weg finden.

Wer sich aber von Gott rechtleiten läßt und seinem Gesetz folgt, ist der echte Muslim. Sein Gehorsam ist das Merkmal seiner Identität als Muslim. Er gehört zur vorzüglichsten Gemeinschaft: „Ihr seid die beste Gemeinschaft, die je unter den Menschen hervorgebracht worden ist. Ihr gebietet das Rechte und verbietet das Verwerfliche und glaubt an Gott" (3, 110).

Herausforderung an den Westen

Die Ordnungsvorstellungen, die der Islam als Ausgestaltung des göttlichen Gesetzes ausgibt, haben in den Augen der gläubigen Muslime den unermeßlichen Vorteil, daß sie in ihren Grundlagen nicht Menschenwerk, sondern eben göttliche Festsetzungen sind. Sie gelten für die Muslime und werden den Menschen in aller Welt präsentiert als die bessere Alternative zum politischen System des Ostens und zu den demokratischen Institutionen des Westens.

Die Fundamentalisten des Islam üben eine sehr harte Kritik am Westen. Der Einfluß des Westens auf die islamischen Länder habe nichts gebracht, was man als einen unbedingten Fortschritt bezeichnen und bejahen könnte. Vielmehr habe er einen Identitätsverlust bei den Muslimen herbeigeführt, ohne deren Probleme gelöst zu haben. Nicht einmal im Westen habe das demokratische System die Probleme der Menschen gelöst. [...]

Die Muslime seien aufgerufen, ihren eigenen, besseren Weg zu gehen, ihre Kultur in Einklang mit der eigenen Zivilisation und ihren wirklichen Bedürfnissen entsprechend aufzubauen und zur erneuten Blüte zu bringen. So könne man die importierten Probleme vermeiden, ein gesundes Leben führen, eine florierende Gemeinschaft bilden unter der Rechtleitung Gottes und seines Gesetzes.

Islamische Fundamentalisten

In dieser geistigen Atmosphäre sind die fundamentalistischen Bewegungen im Islam zu verstehen. In ihrem Eifer gehen sie jedoch noch weiter. Aus den Grundgedanken, die bisher dargestellt wurden, machen sie ein vereinfachtes Denksystem, bauen darauf

eine verklärende Ideologie auf und schmieden ein entsprechendes Aktionsprogramm
zur Durchsetzung islamischer Ordnungsvorstellungen. Die Argumentation tritt deutlich
zurück zugunsten der einprägsamen Formeln
und Parolen, welche die Emotionen wachru-
fen und eine tatkräftige Solidarisierung herbeiführen können. [...]

Zit. nach: Islam-Lexikon, Band 1, S. 266 ff.

| M 6.23 | „Heiliger Krieg" |

Der sogenannte „Heilige Krieg" (dschihad)
Das arabische Wort Dschihad, das im Westen irreführend mit „Heiliger Krieg" übersetzt wurde, bedeutet eigentlich „Anstrengung", nämlich um der Sache Gottes willen
(dschihad fi-sabil allah), und kann sowohl
den äußeren wie den inneren Kampf bezeichnen. In den Jahrhunderten nach Mohammed, die von der kriegerischen Ausbreitung gekennzeichnet waren, wurde das
Islamgebiet (dar al-islam) unterschieden
vom Kriegsgebiet (dar al-harb), das sich
noch nicht dem islamischen Herrschaftsanspruch unterworfen hatte, und – in späterer
Zeit – vom Vertragsgebiet (dar al-sulh) zwischen diesen beiden. Die kriegerische Verteidigung oder Ausbreitung des islamischen
Herrschaftsbereiches galt als eine besondere
Weise des Dschihad. Die islamische Mystik
hat diesen Begriff schon bald vergeistigt. Der
geistliche Kampf wurde als der „große
Dschihad" über den „kleinen Dschihad",
den kriegerischen Einsatz, gestellt. Auch
friedliche Bemühungen, z.B. um gerechte
und soziale Verhältnisse, können als Dschihad bezeichnet werden. In jüngster Zeit ist
dieser Begriff auch auf die Befreiung vom
Kolonialismus, auf den Kampf der Palästinenser und – im schiitischen Islam – auf den
Widerstand gegen das Schah-Regime ange-
wandt worden. Von militanten Gruppen wird
er häufig gebraucht oder auch mißbraucht.
Allgemein gilt auch heute jede Bemühung,
eine islamische Weltordnung aufzubauen,
Gottes offenbarten Willen zu verwirklichen
und seinem Wort die Vorherrschaft zu verschaffen, als Dschihad.
Die im Westen verbreitete These von der
„Ausbreitung des Islam durch Feuer und
Schwert" übersieht die Unterscheidung zwischen islamischem Herrschaftsbereich und individueller Hinwendung zum Islam und ver-
gißt überdies von Christen durchgeführte
Gewalt- und Zwangsmaßnahmen wie im mittelalterlichen Spanien. Wo sich der islamische Herrschaftsbereich kriegerisch ausbreitete, ging es nicht primär um Bekehrung
Andersgläubiger. Sie wurde dadurch allerdings gefördert. Dagegen hat sich die Ausbreitung des Islam in Schwarzafrika weitgehend auf friedlichem Weg vollzogen. Gewalt
bleibt nach islamischer Überzeugung allerdings ein legitimes Mittel, um Bestand und
Fortleben des Islam zu sichern.

Zit. nach: Islam, Hrsg. von den Kirchenämtern der EKD. Gütersloh
(2. Aufl.) 1991. S. 87

| M 6.24 | 1992 – Der Islam und die Moderne |

Udo Steinbach: Der Islam und die Moderne
Professor Dr. Udo Steinbach ist Direktor des Deutschen Orient-Instituts in Hamburg.

Der fatale Ausgang des Krieges am Golf hat
Langzeitwirkung. Traumatisch liegt er auf
dem Gemüt vieler Moslems. Denn unüber-
sehbar ist, daß er mehr war als die Niederlage in einer Schlacht zwischen zwei mit mo-
dernster Waffentechnik ausgerüsteten Armeen. Schmerzlich tut sich dahinter vielmehr
die Frage nach dem Verhältnis zwischen
Islam und Moderne auf. [...]
200 Jahre Stagnation haben die islamischen
Länder hinter sich. Denn nicht zu Unrecht
gilt 1798 als ein Schlüsseldatum. Damals
führte Napoleon Bonaparte eine französische Armee nach Ägypten, schlug die Heer-
haufen der Mamelucken, die sich ihm ent-
gegenstellten, und eröffnete so die Unterwerfung weiter Teile der islamischen Welt
unter das Diktat Europas. Die Moslems, Be-
kenner einer Weltreligion, Erben einer
großen Kultur und Zivilisation sowie Nachkommen der Beherrscher von Weltreichen,
mußten erkennen, daß Fortschritt nun von
anderen, von Nicht-Moslems, diktiert wurde.
Der Schock saß tief. Denn der Stifter der
islamischen Religion, der Prophet Mohammed, hatte mit seiner Verkündigung zugleich

die Grundlagen einer vollkommenen Gesellschaft gelegt. Was war falsch gelaufen? Was mußte getan werden, um das „natürliche" Verhältnis zwischen der islamischen und der nicht-islamischen Welt wiederherzustellen?

Ein Paradox kennzeichnet seither die Einstellung vieler Moslems zur westlich geprägten Moderne: vom Westen so viel zu übernehmen, wie nötig ist, um den Westen überwinden zu können; durch die Moderne hindurch wieder in die „richtige", weil mit dem Islam zu vereinbarende, Ordnung zu gelangen. [...]

Den Westen zu überwinden, um sich in der Post-Moderne einzurichten, wurde also das Ziel. Deshalb lieben viele moslemische Intellektuelle das Thema Post-Moderne so sehr: In ihr stellt sich der Westen selbst in Frage. In ihrem Licht erscheint der Westen nicht mehr so unerbittlich überlegen wie in der Wirklichkeit. Und dem Moslem eröffnet sie die Verheißung einer Ordnung, die alle Kriterien der Moderne erfüllt und trotzdem unverwechselbar islamisch sein kann.

Was steht so vielen Moslems im Wege, dem Westen komplexlos gegenüberzutreten, den Sprung in die Moderne zu tun, wie er etwa Japan gelungen ist? Werden wie Japan, technologisch erfolgreich und doch eigener Tradition verhaftet – davon träumen viele Moslems, seit 1905 die japanische Flotte bei Tsushima die russische besiegte. Daß die asiatische Macht Europa erfolgreich herausforderte, hatte damals in der islamischen Welt erhebliches Echo gefunden.

Die Antwort ist einfach und schwer zugleich: Es ist die islamische Religion selbst, die sich einer durch den Westen geprägten Moderne sperrt. Der Koran und die Überlieferung des Propheten Mohammed aber können als Bezugspunkte für Denken und Handeln des Moslems in der Welt nicht einfach aufgegeben werden. Vor jeder Erneuerung steht also zunächst ein Akt des religiösen Sich-Versicherns und des Zurückschauens auf die Grundlagen der Religion. Die Wurzeln der Krise im Zeichen westlich geprägter Modernität können nicht in der Religion selbst liegen. Unbefangen schreibt schon der Ägypter Rifaa Rafi Tahtawi, der 1826 von seinem Herrscher, dem Khediven Mohammed Ali, nach Paris geschickt wurde, um dort von den „Franken" zu lernen: „Und wären die

Moslems nicht von Gottes Allmacht unterstützt, sie wären ein Nichts im Verhältnis zu den Europäern."

Die Krise ist eine Folge politischer und gesellschaftlicher Dekadenz, die sich durch die Anhäufung eines immer größeren Wusts von Traditionalismus in der islamischen Welt eingestellt hat. Modernisierung ist also Entrümpelung der Tradition, um Grunddokumente des Glaubens wieder zutage zu fördern. Dabei ist die Frage, welche Teile der Tradition entrümpelt werden können und wo haltgemacht werden muß. Darüber besteht Dissens, der um so weniger entschieden werden kann, als es im Islam keine zentrale Institution gibt, keinen „Vatikan", die für alle Moslems verbindliche religiöse beziehungsweise religiös-politische Orientierungen erteilt.

Die Entwicklung der islamischen Welt in den letzten zwei Jahrhunderten ist die Geschichte ihrer Auseinandersetzung mit der westlich geprägten Moderne – politisch wie geistig. Bis zum Ersten Weltkrieg glaubte die islamische Intelligenz, Rückständigkeit und Unterentwicklung überwinden zu können, indem man vom Westen lernte, worin dessen Überlegenheit zu bestehen schien. Einige waren gar davon überzeugt, daß die Elemente westlichen Fortschritts geradezu im Islam angelegt seien.

Die tiefe Enttäuschung über den Ausgang des Ersten Weltkriegs radikalisierte dann aber die Stimmung unter den Moslems. Das Osmanische Reich, die letzte imperiale islamische Ordnung, war zerstört; der Zugriff des Westens wurde härter und unmittelbarer. Die Schlußfolgerung breiter Teile der Elite unter den Moslems war jetzt nicht mehr Kompromiß, sondern Nachahmung des Westens, auf den Punkt genau.

Die Religion als einen politischen und gesellschaftlichen Ordnungsfaktor galt es demgegenüber auszuschalten. Säkularismus, die Trennung von Staat und Religion, stand auf der Tagesordnung, am radikalsten in der Türkei, wo Kemal Atatürk 1924 das Kalifat, Symbol der religiös-politischen Ordnung, abschaffen ließ. Andere Ismen, die im Islam keine Wurzeln hatten, wurden gängige politische Münze: Nationalismus, Liberalismus, Sozialismus.

Zwar konnte die islamische Welt nach dem Zweiten Weltkrieg die Unabhängigkeit

erringen, aber vielfach nur eine scheinbare.
Der Offenbarungseid wurde im Juni 1967 ge-
135 leistet. Als die „modernen" Armeen Ägyptens, Syriens und Jordaniens von einem Israel vernichtet wurden, das viele Moslems als
einen Pfahl des Westens im Fleisch der islamischen Gemeinde ansehen, hatte sich der
140 Weg einer nachahmenden Modernisierung
als falsch erwiesen. Das sollte sich ein Vier-
teljahrhundert später an Euphrat und Tigris
wiederholen.
Damit schlug die Stunde derjenigen, die die-
145 sen Weg stets bekämpft hatten: Nicht die
Trennung von Politik und Religion, sondern
die unauflösliche Einheit, nicht der Import
westlicher Ideologien, sondern die Ideologi-
sierung des Islam selbst seien der richtige
150 Weg, sagten nun viele. Nicht Säkularismus,
sondern Islamismus. Die Demonstration politischer Macht auf der Grundlage einer islamischen Ideologie werde das Problem der
Modernisierung lösen. Die Moderne gewin-
155 nen auf Fundamenten aus dem 7. Jahrhundert, Macht als Zeichen der Erneuerung –
am unverhohlensten verkörperte dieses Konzept der Ajatollah Ruhollah Chomeini.

Zit. nach: „Der Spiegel", Heft 4/1992, S. 144 und 146

M 6.25   **1993 – Bedroht uns der Islam?**

Der Autor Bassam Tibi, geboren in Damaskus, ist
Professor für Internationale Politik und Leiter der
Abteilung für Internationale Beziehungen an der
Universität Göttingen.

Ist der islamische Fundamentalismus eine
Erfindung westlicher Strategen, die ein neues Feindbild brauchen? Das scheinen etliche
deutsche Intellektuelle zu glauben. Doch nur
5 Weltfremde können die Auswüchse des politischen Islam übersehen, die in manchen
Zentren Europas gedeihen.
Nach den ersten Ergebnissen eines international vergleichenden Großprojekts der
10 American Academy of Arts and Sciences ist
der religiöse Fundamentalismus zwar nicht
nur eine islamische Erscheinung, sondern
stellt ein globales Phänomen dar. Aber weder der Hindu- noch der Sikh-Fundamenta-
15 lismus, obschon beide gleichermaßen aggressiv, militant und mit Feindbildern ihrer
Gegner beladen, sind universalistisch orien-

tiert; beide sprechen jeweils nur die eigene
Gemeinschaft an.
Der religiöse Fundamentalismus im Islam 20
greift dagegen auf die islamische Lehre vom
Universalismus zurück, politisiert sie und
entfaltet auf dieser Basis das neoislamische
Konzept einer vom Islam beherrschten Weltordnung, die sich so aber weder im Koran 25
noch in irgendeiner islamischen Quelle finden läßt. Der islamische Fundamentalismus
will seine politische Heilsideologie der Islamischen Lösung („el-hall el-islami") als All-
heilmittel zur Überwindung der Krise der ge- 30
samten Menschheit aufzwingen.
Allein die Verwendung einer modernen,
weltpolitischen Sprache verrät, daß der islamische Fundamentalismus eine Ausgeburt
der Moderne ist, sosehr er sich in mittelalter- 35
lichen Symbolen präsentiert. Muß man dieses Phänomen auch dann ernst nehmen,
wenn man weiß, daß nicht jeder Moslem ein
Fundamentalist ist? Und was ist der Inhalt
dieses neoislamischen Phänomens über- 40
haupt? Bedeutet er eine Bedrohung?
Zunächst muß man hervorheben, daß der Islam auf eine mehr als 13 Jahrhunderte alte
Religion und Kultur zurückblicken kann, die
auf ihrem Höhepunkt einen Zivilisationspro- 45
zeß hervorgerufen hat, von dem auch Europa profitierte. Der islamische Rationalismus
im Hochislam des frühen Mittelalters, der
Glanzperiode des Islam, hat seine positiven
Spuren auch in Europa hinterlassen. 50
Dagegen ist der Fundamentalismus eine politische Ideologie jüngeren Datums, nicht äl-
ter als etwa zwei Jahrzehnte. Wir können ihn
ohne Einschränkung als eine neue Variante
des Totalitarismus beschreiben. [...] 55
Die Errichtung des Islamischen Systems in
der Welt des Islam auf der Grundlage der
Gottesherrschaft ist das Ziel der Fundamentalisten. Auf lange Sicht soll diese Leistung
als eine Basis für die Islamisierung der ge- 60
samten Welt gelten. Erst wenn die heutigen
46 islamischen Staaten mit Gewalt in Gottes-
staaten nach Maßstäben der Scharia verwan-
delt sind, kann man sich dem Westen, der
Heimat der Kreuzzügler, zuwenden und ihn 65
islamisieren. Bis diese Aufgabe in den Plan
der Fundamentalisten aufgenommen wird,
können Jahrzehnte vergehen.
Vorrangig ist also zunächst die Islamisierung
der Moslems selbst. Die Islamisierung der 70

Welt ist die politische Utopie des islamischen Fundamentalismus erst für das 21. Jahrhundert.

Moslems gibt es aber nicht nur in der Welt des Islam. In Europa leben 20 Millionen Moslems, davon 12 Millionen in Westeuropa und 8 Millionen auf dem Balkan. [...]

Am besorgniserregendsten unter ihnen ist die Gruppe der aus Südasien (Pakistan und Bangladesch) stammenden Moslems: diese haben im Januar 1992 in England ein islamisches Gegenparlament gegründet.

Ihr Anführer Kalim Siddiqui hob zur Rechtfertigung dieser fundamentalistischen Herausforderung an das westliche Mutterland der Demokratie hervor, daß „die moslemische Gemeinschaft Großbritanniens ein eigenes politisches System bildet, welches Anrecht auf einen Platz unter den wichtigsten Institutionen des Landes hat". Auch in Frankreich sind die vorwiegend aus den Maghreb-Ländern stammenden islamischen Fundamentalisten bestrebt, ihre eigene politische Gemeinde zu bilden; entsprechend lehnen sie die Integration mit ähnlichen Argumenten wie die Siddiquis ab.

In Deutschland gibt es zwar im stillen wirkende Islamische Zentren, aber die Mehrheit der Türken ist für eine fundamentalistische Offenbarung nicht zu gewinnen. Das hat spezifisch kulturelle Ursachen und ist auch darin begründet, daß in der Türkei der säkulare Kemalismus weitgehend Fuß gefaßt hat.

Das bedeutet natürlich nicht, daß es in den türkischen Zentren und Koran-Schulen in Deutschland keinen Fundamentalismus gäbe, ganz im Gegenteil. Doch ist die Lage in Deutschland vergleichsweise besser als in England und Frankreich, weil die Türken integrationswilliger sind. [...]

In Europa ist eine kombinierte Einwanderer- und Integrationspolitik das beste demokratische Mittel gegen den Fundamentalismus. Im Umgang mit den islamischen Staaten gilt es, den Dialog mit dem liberalen Islam als Friedensdialog zu etablieren und zu fördern. Auch muß man hierbei gewissen islamischen Staaten helfen, ihre ökonomischen Probleme zu bewältigen. Wie der Fall Algerien zeigt, sind ökonomische Krisen oft das Futter für die fundamentalistische Mobilisierung.

Als Alternative dazu kann beispielsweise die Einbindung Marokkos in die Europäische Gemeinschaft eine Hilfe gegen den dortigen Fundamentalismus sein. Auch der Türkei sollte man nicht die kalte Schulter zeigen; sie bietet ein säkulares Modell der Mäßigung. Dagen sind realpolitische Geschäfte mit fundamentalistischen Regimen im Iran und im Sudan kein Beitrag zu einer glaubwürdigen europäischen Reaktion auf die fundamentalistische Herausforderung.

Zit. nach: „Der Spiegel", Heft 5/1993, S. 126–127

Aufgaben zu Kapitel 6

1 Erläutern Sie, was Herzl unter der „Judenfrage" versteht, und beachten Sie auch seine Erklärung des Antisemitismus (M 6.1)!

2 Vergleichen Sie die beiden Gründungsvorgänge von 1945 und 1948! Wie organisieren sich die Araber, wie die Juden (M 6.2, 6.3)?

3 Arbeiten Sie aus M 6.4 und M 6.5 Grundlagen der Außenpolitik der Supermächte heraus!

4 Analysieren Sie den Verlauf der Suez-Krise! Stellen Sie mit Hilfe des Kapiteltextes und der Materialien die Positionen der beteiligten Mächte fest! Erklären Sie, warum Großbritannien und Frankreich mit ihrer Strategie scheitern mußten, und stellen Sie die Krise in den Zusammenhang des Nord-Süd-Konfliktes (M 6.6–6.9)!

5 Welche Position bezieht die UNO im Nahost-Konflikt? Wie beurteilen Sie die Wirkungsmöglichkeiten der Weltorganisation (M 6.8, 6.10, 6.11)?

6 Im Mittelpunkt des Nahost-Konfliktes stehen die Palästinenser. Wie versuchen sie ihre Ziele durchzusetzen? Berücksichtigen Sie bei der Bewertung der palästinensischen Strategien die Situation und die (Reaktions-)Möglichkeiten der Israelis (M 6.13–6.16)!

7 Analysieren Sie die Einschätzung der Intifada durch die Nahost-Experten Schreiber und Wolffsohn (M 6.15). Können Sie ihre Einschätzung teilen? (Beachten Sie die Einleitung zu M 6.15 und M 6.16!)

8 Untersuchen Sie, welche Rolle(n) Frauen im Nahost-Konflikt spielen (M 6.17–6.19)! Vergleichen Sie mit Kapitel 5!

9 Nach dem Ende des Golfkrieges von 1991 glaubte man den Nahost-Konflikt in absehbarer Zeit lösen zu können. Analysieren Sie die Lagebeurteilungen in M 6.20 und 6.21! Überprüfen Sie, ob diese Hoffnung von arabischer und israelischer Seite geteilt wird!

10 Bilden Sie sich ein differenziertes Urteil über den Islam und seine Rolle im Nahost-Konflikt! Überprüfen Sie dabei Ihre (europäische) Sichtweise auf Vorurteile (M 6.22–6.25)!

11 Verfolgen Sie zum Schluß noch einmal die gesamte Entwicklung des Nahost-Konfliktes! Teilen Sie ihn in Phasen ein! Versuchen Sie den aktuellen Stand zu beschreiben, und entwickeln Sie Lösungsmodelle!

Hinweise zur Arbeit mit Quellen

Die Quelleninterpretation ist eine Arbeit, die viele Methoden umfaßt und verschiedene Arbeitsstrategien erfordert.

1 Die Arbeit mit schriftlichen Quellen

Das nachfolgende Schema versteht sich als pragmatischer Ansatz, der zeigen will, wie man sich in den Umgang mit schriftlichem Quellenmaterial einüben kann.

Es werden zunächst vorbereitende Arbeitsschritte (1–5) genannt, die zur eigentlichen Arbeit – der inhaltlichen Auseinandersetzung mit der Quelle – hinführen sollen. Diese vorbereitenden Arbeitsschritte müssen nicht bei jeder Quelle und in gleichem Umfang regelmäßig durchgeführt werden, sie sollen uns aber klarmachen, daß historische Quellen einen anderen Zugriff erfordern als z.B. fiktionale Texte im Deutschunterricht.

Vorbereitende Schritte

1. *Feststellen der Quellengattung* und Kennzeichnung ihrer Eigenart, Aussagemöglichkeit, Grenzen und Manipulierbarkeit (Urkunde, Vertrag, Rede, Brief, Tagebuch, Plakat, Bild usw.).
2. *Überprüfen der Quellenüberlieferung* und des Risikos von Eingriffen bei der Entstehung, Weitergabe und Publikation. (In der Regel muß der Lehrer Hinweise geben, da sie nicht in der Quelle selbst enthalten sind bzw. der Schüler sie nur schwer beschaffen kann. Die Quellenkritik bezieht sich u.a. auf Herkunft, Überlieferung, Authentizität und Informationswert der Quelle.)
3. *Sichern des Sachverständnisses:* Die Sache durchschauen, sie einem Gegenstandsbereich zuordnen können; Namen von Personen und Orten, genannte Organisationen und Ereignisse klären, den Bezug zum eigenen (Hintergrund-)Wissen herstellen; reichen die Kenntnisse nicht, ist der Rückgriff auf historische Darstellungen angebracht.
4. *Erstes Lesen und Sichern des „Wort"-Verstehens:* „Wort" ist hier im weitesten Sinne gemeint; nichts darf unverstanden bleiben; der Inhalt muß vollständig geklärt werden. Mögliche Hilfsmittel: der Kontext, Lexika, Fragen an den Lehrer.
5. *Rekonstruieren des historischen Umfeldes:* Der geschichtliche Ort, die geschichtliche Zeit und der Ereigniszusammenhang, denen die Quelle angehört, müssen verdeutlicht werden.

Interpretation des Textes

1. *Bestimmen des Urhebers und des Adressaten:* Angaben zur Biographie, zum sozialen Status, zur politischen Gruppe im Umfeld des Verfassers; Situation, Interessen und Erwartungen des Urhebers wie des Adressaten.
Mögliche Fragen, die man hierzu stellen kann: Ist der Verfasser von den Ereignissen betroffen, von einer der Seiten eines Konfliktes begünstigt oder benachteiligt oder bedroht? Ist er ein „Insider", ein zufälliger Zeuge oder Beteiligter, ist er berufsmäßiger oder ungeübter Berichterstatter? Wieviel Erkenntnis erlauben ihm seine Bildung, seine Herkunft, sein Beruf und seine Rolle bei dem Ereignis? Ist er in der Lage, zuverlässig zu berichten? An welchen Adressaten will er sich wenden und mit welchen Erwartungen und Absichten? Hat er (denkbare) Gründe, etwas zu verändern, zu betonen, zu verschweigen, umzudeuten, zu übertreiben oder zu verharmlosen? – Trifft dies zu, wie hat er das getan? – Wie hätte man den Vorgang anders darstellen können?
2. *Erfassen der Aussagen und Intentionen:* Die verschiedenen Ebenen der Aussagen beachten: offenkundiger Inhalt und Kern der Aussagen, aber daneben offene und verdeckte Absichten oder Anspielungen. Mögliche Fragen: Wie argumentiert der Verfasser? Beruft er sich auf Werte, Interessen, Gesetzmäßigkeiten? Bringt er Gefühle ins Spiel? Welche Begriffe und Vergleiche

verwendet der Verfasser? – Welche Assoziationen lösen sie aus, welche Gefühle, Urteile (und Vorurteile) und welche Wertungen wecken sie beim Adressaten und beim heutigen Leser? Was für eine Sicht der Dinge wird offenkundig oder unterschwellig gefördert?

3. *Erklären, Deuten und Diskutieren der Ergebnisse der Quellenanalyse:* Dazu gehören der Rückgriff auf eigene historische Kenntnisse und Erfahrungen, das Einordnen der Erkenntnisse, die man bei der Arbeit mit der Quelle gewonnen hat und die Formulierung einer eigenen Stellungnahme. Mögliche Fragen: Ist das erzielte Ergebnis zumindest plausibel? Ist es mit bisherigen Erkenntnissen vereinbar? Wenn nicht, ist die Argumentation, die zum Ergebnis führte, nachvollziehbar? Sind die Maßstäbe, die zur Wertung herangezogen werden, dem Gegenstand angemessen? Hat die Arbeit den Erkenntnisstand erweitert?

2 Die Arbeit mit politischen Bildquellen

Bilder erscheinen gelegentlich als bequeme, leicht verständliche Form der Information oder gar als illustrative Auflockerung von Texten. Das führt leicht zu einem oberflächlichen Umgang mit ihnen, dabei können sie durchaus wertvolle Quellen historischer Information und Erkenntnis sein. Bis zum Einsatz von Drucktechniken wurden sie mit großem Aufwand in Einzelexemplaren hergestellt. Bilder aus dem Mittelalter und der frühen Neuzeit lassen sich allerdings nur unzulänglich verstehen, wenn man die komplizierten Konventionen hinsichtlich der Bedeutung der Bildelemente nicht kennt. Mit dem Einsatz von Drucktechniken konnten Bilder massenhaft reproduziert werden und spielten im Meinungskampf eine schnell größer werdende Rolle. Neben die in der politischen Auseinandersetzung gern genutzte Karikatur trat im 20. Jahrhundert das Foto. Allerdings beruht auch die scheinbar objektive Dokumentarfotografie auf Abbildungs- und Wahrnehmungsgewohnheiten, die um so mehr manipulierbar sind, je weniger sie uns bewußt sind. Gerade in Konflikt- bzw. Kriegssituationen gewannen und gewinnen Bilder eine erhöhte Bedeutung – z. B. für die Propaganda –, weil sie einen hohen Grad an „Wahrheit" (Authentizität) suggerieren. Das

macht es erforderlich, Methoden der Bildinterpretation systematisch einzuüben.

Die folgenden Gesichtspunkte sollten nicht als ein Schema verstanden werden, dem Sie starr folgen müßten, Sie sollten vielmehr an Bildquellen zunächst spontan herangehen, Beobachtungen sammeln, und eigene Reaktionen formulieren, bevor Sie mit Hilfe der folgenden Regeln Ihre Arbeit systematisieren und vervollständigen.

1. *Feststellen der Bildgattung:* Stellen Sie fest, um was für eine Art von Bild es sich handelt (Karikatur, politisches Plakat, Zeitungsfoto usw.); klären Sie Funktion und Wirkungsmöglichkeiten dieses Genres ab!

2. *Untersuchung der Entstehungsumstände:* Untersuchen Sie den historischen Kontext (Entstehungszeit, politische Situation, Stand der Technik) und versuchen Sie Urheber und Adressaten zu bestimmen. Wichtig ist auch, wo das Bild erschien und welches Publikum es erreichte (Sie müssen eventuell hier prüfen, ob eine Zeitung frei und unzensiert erschien oder eine Partei das Machtmonopol besaß oder mit anderen konkurrierte usw.).
Überprüfen Sie die Möglichkeit von Bildmontagen oder Retuschen!

3. *Sichern des Bildverständnisses:* Klären Sie sorgfältig die Bedeutung der Bildelemente (Namen und Bedeutungen von Personen, Symbolen, Gegenständen usw.) und sichern Sie die Verknüpfung mit Ihrem Wissen und den Fragestellungen des Unterrichts. Beachten Sie auch formale Strukturen (Perspektive, Proportionen, Zusammenwirken visueller und sprachlicher Elemente)!

4. *Erfassen der Aussagen des Bildes:* Beschreiben Sie die im Bild dargestellten Personen, Orte, Gegenstände, Vorgänge usw.; beachten Sie Attribute (Kleidung, Uniform), den Ausdruck, Haltung und Gesten von Personen. Klären Sie systematisch den Zeichenwert dieser Elemente und die möglichen Reaktionen zeitgenössischer Betrachter darauf: Welche Eigenschaften, Fähigkeiten werden den dargestellten Personen zugewiesen, welche Assoziationen werden geweckt, an welche Erfahrungen, Vorurteile, Ressentiments und Klischees wird appelliert, welche Vorstellungen, Ängste, Hoffnungen werden ausgelöst?

5. *Interpretation der Bildaussage:* Viele politische Bilder reduzieren komplizierte Sachverhalte auf einfache Formeln. Dies muß in zwei Richtungen untersucht werden: Im Blick auf den dargestellten Sachverhalt ist das Bild zu prüfen, welche Interpretation es von diesem gibt bzw. nahelegt und wie angemessen oder aber inakzeptabel die Interpretation ist. Im Hinblick auf das Publikum ist zu untersuchen, welche Reaktionen es auszulösen geeignet ist, ob es z. B. erwünschte Haltungen bestärkt, unerwünschte diskriminiert, Feindbilder auf- bzw. abbaut oder sogar direkt zum Handeln aufruft (Wirkungsabsicht)! Auch die Ergebnisse dieser Betrachtung sind hinsichtlich ihrer Angemessenheit zu beurteilen.

6. *Einordnung in einen größeren Zusammenhang:* Das Ergebnis der Interpretation gewinnt seine volle Bedeutung erst, wenn Sie es in einen größeren Zusammenhang einordnen. Hierbei sollte auch die Wirkungsgeschichte berücksichtigt werden.

Erläuterung wichtiger Begriffe

Absolutismus: Form der Monarchie, in der der Fürst oder König beansprucht, eine uneingeschränkte Herrschaft auszuüben und Gesetze geben oder aufheben zu können, ohne selber an sie gebunden zu sein, so daß er absolute ▷ Souveränität besitzt. Der Absolutismus erreichte im 17./18. Jahrhundert seinen Höhepunkt, als es den Monarchen vielfach gelang, sich gegen die ▷ Stände durchzusetzen. Vorbildlich für den Absolutismus des 17. Jahrhunderts wurde die ▷ Herrschaft Ludwigs XIV. in Frankreich. Im 18. Jahrhundert wandelte sich der Absolutismus zum „aufgeklärten Absolutismus", indem die von der ▷ Aufklärung mittlerweile in Gang gesetzte öffentliche Kritik von den Herrschern mit als Richtschnur für ihr politisches Handeln berücksichtigt wurde und damit Bestandteil einer modifizierten ▷ Staatsräson wurde.

Adel: Politisch und sozial privilegierter Stand; meist mit besonderen Rechten am Boden und gegenüber von ihm beherrschten Bauern ausgestattet. Als Stand war er gebunden an die ▷ Monarchie, die er im 19. Jahrhundert zusammen mit den eigenen Privilegien verteidigte.

Aufklärung: Einflußreiche geistig-intellektuelle Bewegung, die im späten 17. Jahrhundert von England und von den Niederlanden ausging und im Verlaufe des 18. Jahrhunderts vor allem Frankreich und Deutschland ergriff. Ihre Ausstrahlung erreichte auch Amerika, während Ost- und Südosteuropa wenig von ihr berührt wurden. Obwohl die Aufklärungsphilosophen kein geschlossenes Lehrgebäude geschaffen haben, weist ihr Denken gewisse gemeinsame Kennzeichen auf. Sie sind, ausgehend von einem optimistischen Menschenbild, überzeugt vom Fortschritt des Menschengeschlechts im Geiste der Toleranz und Humanität, wenn es sich von Vernunft und Moral leiten läßt. Anfangs vom Adel, dann aber auch mehr und mehr vom wirtschaftlich erfolgreichen Bürgertum getragen, wurde Aufklärung zunächst in Geheimgesellschaften, wie den Freimaurern,

gepflegt. Von hier aus drang sie allmählich in die Öffentlichkeit vor und verschaffte sich dort mit Hilfe der zeitgenössischen Massenmedien als sog. „öffentliche Meinung" einen festen Platz. Als Sprachrohr der „guten" ▷ Gesellschaft übte sie nun im Namen von Vernunft und Moral öffentlich Kritik an den Repräsentanten des ▷ Staates, der Kirche und anderer Einrichtungen, sofern ihr deren Verhalten „unvernünftig" erschien.

Deutscher Bund: Staatenbund der deutschen Einzelstaaten. 1815 gegründet, umfaßte er 34 souveräne Fürsten und 4 Freie Städte. Problematisch war zum einen die Mitgliedschaft ausländischer Mächte (Dänemark für Holstein, England für Hannover, die Niederlande für Luxemburg), zum anderen die Grenzziehung (Österreich und Preußen gehörten ihm nur mit Teilen ihres Staatsgebietes an). Da die in Frankfurt tagende Bundesversammlung das einzige Organ war, war der Zusammenhalt von Beginn an gering. Schließlich führte der sich verstärkende Dualismus zwischen Österreich, das den Vorsitz innehatte, und Preußen zum Zerfall des Bundes im „Deutschen Krieg" von 1866.

Diplomatie: (gr. Diplom = gefaltetes Schreiben) Der Gesamtbestand an Einrichtungen, Personen, Grundsätzen, durch die Staaten, Reiche, Machthaber in Beziehung zueinander treten und diese aufrecht erhalten. Der Name leitet sich von dem Schreiben ab, mit dem der Diplomat sich als offizieller Vertreter einer Macht ausweist. Diplomatische Beziehungen bzw. Gesandtschaften hat es seit der Zeit der ersten Staatsbildungen in den sog. Hochkulturen gegeben. Die uns geläufige Form der Diplomatie mit sog. Ständigen Vertretern, die moderne Diplomatie, nahm ihren Anfang in den italienischen Stadtstaaten des 15. Jahrhunderts. Die Ständigen Vertreter dienten dabei zunächst als Lauschposten beim möglichen Feind, um die eigene Staatsführung rechtzeitig vor gefährlichen Entwicklungen zu warnen. Im Verlauf des 16./17. Jahrhunderts wurde die Diplomatie europaweit zum wichtigsten Kommunikationsmittel der Staaten untereinander ausgebaut.

Fehde: (mhd. vêde = Feindschaft) Bewaffnete Selbsthilfe, die in der germanischen Zeit und im Mittelalter vor allem von Angehörigen des Adels ausgeübt wurde, wenn sie ihr wirkliches oder vermeintliches Recht verletzt glaubten. Der Ausgang der Fehde wurde als Gottesurteil angesehen. Fehde und Krieg galten bis ins späte Mittelalter als ein und derselbe Sachverhalt. Da es in der Fehde um verletztes Recht ging, war sie nur zwischen Personen, die derselben Rechtsgemeinschaft angehörten – d. h. der abendländischen Christenheit –, möglich. Gegen Feinde außerhalb dieser Rechtsgemeinschaft konnten nach mittelalterlichem Verständnis nur ▷ Kreuzzüge geführt werden. Die eigenmächtige Gewaltanwendung in der Fehde war symptomatisch für die Zeit, als die ▷ Herrschaft des ▷ Staates noch nicht bzw. erst schwach ausgebildet war. Geistliche und weltliche Fürsten versuchten die Fehden durch Gottes- und Landfriedensordnungen einzudämmen. Jedoch war erst am Ende des Mittelalters – in Deutschland durch den „Ewigen Landfrieden" von 1495 – die staatliche Gewalt stark genug, um die Fehdeführung erfolgreich zu bekämpfen.

Fundamentalismus: Bewegungen, die seit den 1970er Jahren in den drei verwandten Weltreligionen des Christentums, des Islams und des Judentums nach einer Wiederbesinnung auf die der eigenen Religion innewohnenden Werte streben und die darauf aus sind, dem öffentlichen und privaten Leben durch die Ausrichtung auf die religiösen Wertvorstellungen eine neue Orientierung zu geben. Der Fundamentalismus wird als Reaktion insbesondere gebildeter Bevölkerungsteile auf die sog. „Krise der Moderne" gedeutet. Kennzeichen dieser Krise sind in der westlichen Welt etwa der Verlust des Glaubens an Fortschritt durch Technik, Wirtschaftswachstum oder fortgesetzte Konsumsteigerung. In gewisser Hinsicht ist Fundamentalismus hier die Gegenbewegung zu den in der Gegenwart präsenten Auswirkungen der ▷ Aufklärung. Die islamischen Fundamentalisten richten ihre Kritik an die

Adresse der eigenen Regierungen, deren Anlehnung an die westlichen oder östlichen Industrienationen innen- und außenpolitisch wenig erfolgreich gewesen sei und vom „wahren Weg" des Islam weggeführt habe. Für den jüdischen Fundamentalismus war die militärische Krise im Jom-Kippur-Krieg von 1973 ein wichtiges Schlüsselerlebnis, das seine Bestrebungen, aus dem weltlichen Staat Israel das biblische „Land Israel" zu schaffen, verstärkte. Im israelisch-palästinensisch(-arabisch-)en Verhältnis spielt der Fundamentalismus beider Seiten die Rolle eines Konfliktverstärkers und -erhalters.

Gesellschaft: Das Wort nahm im 17. Jahrhundert die Bedeutung eines Gegenbegriffs zum absolutistischen ▷ Staat an. Wichtigen Einfluß auf das Selbstverständnis der entstehenden Gesellschaft übte der englische Philosoph Locke aus, als er die Gesellschaft als Ursprung des philosophischen oder moralischen Gesetzes bezeichnete, dessen Verbindlichkeit nicht hinter dem Gesetz des Staates zurückstehe. Tatsächlich gelang es den Vertretern der (neuen) Gesellschaft im Laufe der Zeit, die moralische Gesetzgebung in Gestalt der öffentlichen Meinung öffentlich auszuüben. Die Bewegung ist als ▷ Aufklärung in die Geschichte eingegangen. In ihr erstand dem absolutistischen ▷ Staat eine mächtige Gegenkraft.

Gesellschaftsvertrag: Die Lehre vom Gesellschaftsvertrag sucht die Entstehung des ▷ Staates und der staatlichen ▷ Herrschaft bzw. die Verteilung von Herrschaft zwischen Staatsoberhaupt und Staatsvolk zu erklären. Sie geht von der (fiktiven) Annahme aus, daß die Menschen zuerst im Naturzustand vereinzelt gelebt haben, bevor sie vertraglich übereingekommen sind, das durch gesellschaftliche Differenzierung notwendig gewordene Zusammenleben zu ordnen und einen Herrscher einzusetzen. Die bedeutendsten Theoretiker der Lehre vom Gesellschaftsvertrag waren die englischen Philosophen Hobbes und Locke sowie der Franzose Rousseau. Obwohl sie alle von ähnlichen Annahmen für den Prozeß der Vergesellschaftung der Menschen und der Staatswerdung ausgehen, unterscheiden sie sich doch grundlegend in der Auffassung darüber, wer der Träger der

▷ Souveränität im Staate ist und wo die Grenzen der Souveränität zu ziehen sind. So gilt Hobbes als der Begründer der Souveränität des absolutistischen Monarchen, während Locke und mehr noch Rousseau den (der ▷ Aufklärung nahestehenden) Standpunkt der Volkssouveränität vertreten.

Gleichgewicht der Kräfte: Politisch-diplomatische Leitvorstellung, durch deren Wirksamkeit die Vormachtstellung eines Staates zuungunsten der anderen verhindert werden sollte. Sie entstand im 15. Jahrhundert in der Welt der italienischen Stadtstaaten, und seit dem 16. Jahrhundert gehörte sie zum Bestand des politisch-diplomatischen Denkens in Europa. Sie wurde vor allen Dingen von England zunächst gegenüber der kontinentalen ▷ Hegemonie Spaniens, dann Frankreichs vertreten. England sorgte dann auch dafür, daß sie 1713 durch die Aufnahme in den englisch-französischen Friedensvertrag von Utrecht, der zwischen beiden Staaten den Spanischen Erbfolgekrieg beendete, zum erstenmal offiziell-vertragliche Anerkennung erfuhr. Von da an blieb der Grundsatz vom Gleichgewicht der Kräfte, der seit dem Ende des 18. Jahrhunderts an erster Stelle auf die Mächte der ▷ Pentarchie bezogen wurde, bis ins 20. Jahrhundert ein zentrales Element der Außenpolitik.

Hegemonie: (gr. Führerschaft) Vormachtstellung eines Staates – entweder auf einem Gebiet, z. B. wirtschaftlich, oder mehreren Gebieten – in einer Gruppe von Staaten, die politisch miteinander verbunden sind. Bedeutende Hegemonialmächte der europäischen Neuzeit waren das Spanien Philipps II. im 16. Jahrhundert, das Frankreich Ludwigs XIV. im 17. Jahrhundert, das Frankreich der Französischen Revolution und Napoleons I. um 1800 oder die UdSSR in Osteuropa nach 1945. Das wichtigste Gegenmittel gegen die Hegemonie eines europäischen Staates war im 18. und 19. Jahrhundert die Einrichtung der nach dem Grundsatz des ▷ Gleichgewichts der Kräfte funktionierenden ▷ Pentarchie.

Herrschaft: Bezeichnet im Unterschied zu dem neutralen Begriff Macht die Differenzierung einer Bevölkerung in Herrschende und Beherrschte. In der Antike und besonders im Mittelalter wurde Herrschaft in z.T. sehr komplizierten und unüberschaubaren persönlichen Abhängigkeitsverhältnissen ausgeübt. Diese wurden seit dem Ende des Mittelalters abgelöst durch die Herrschaft des ▷ Staates mit festen Institutionen, Amtsträgern und Verfahren.

Hohe Pforte: Bezeichnung für die Residenz des Sultans, später allgemein für die Regierung, insbesondere für das Außenministerium des Osmanischen Reiches.

Kreuzzug: Die im Mittelalter (und z.T. noch in der frühen Neuzeit) von der Kirche geförderten Kriege gegen Ungläubige, d. h. gegen Gegner, die man nicht als der christlichen Rechtsgemeinschaft zugehörig ansah (vgl. ▷ Fehde). Das waren beispielsweise die Muslime, die heidnischen Slawen oder Bevölkerungsgruppen, die sich zu von der Amtskirche verurteilten Irrlehren bekannten. Darüber hinaus verwendeten die Päpste den Kreuzzugsgedanken auch als Mittel, um gegen ihre Gegner, wie z. B. die staufischen und aragonesischen Herrscher von Sizilien, Krieg zu führen. In ähnlicher Weise ist der Kreuzzungsgedanke in der Neuzeit bis in den Zweiten Weltkrieg immer dann wieder aufgegriffen worden, wenn kriegerische Auseinandersetzungen von starken ideologischen Feindschaften durchsetzt waren. Im engeren Sinne versteht man unter Kreuzzügen die Kriegszüge europäischer Heere, die vom 11. bis 13. Jahrhundert unternommen worden sind, um die vom Christentum beanspruchten „Heiligen Stätten" von der muslimischen Besetzung zu befreien.

Lehen: sind beneficien (Vergünstigungen), meist Ländereien, die im Mittelalter vom König (als Lehnsherr) an Mitglieder des Adels (Lehnsmänner oder Vasallen) ausgegeben wurden; letztere übernahmen dafür Kriegs- und Verwaltungsaufgaben. Da die Adligen wiederum Lehen an eigene Vasallen ausgaben, entstand eine Lehnspyramide. Das Verhältnis zwischen Lehnsherr und Vasall war von der durch Eid beschworenen gegenseitigen Treueverpflichtung geprägt. Auf diesen persönlichen Beziehungen des Lehnswesens beruhte im wesentlichen das politische Herrschaftssystem im Mittelalter, so daß man auch vom mittelalterlichen Personenverbandsstaat spricht – im Gegensatz zur Entwicklung moderner Staatlichkeit. (▷ Staat)

Monarchie: Herrschaft eines erblichen oder auf Lebenszeit gewählten Fürsten. Im Mittelalter beanspruchte der Monarch eine – ihm von Gott gegebene – besondere Stellung („Gottesgnadentum"). Im ▷ Absolutismus war die fürstliche Herrschaft uneingeschränkt; wenn eine Legislative durch ein gewähltes Parlament und unabhängige Gerichte die Respektierung der Volkssouveränität sichern, spricht man von konstitutioneller Monarchie.

Nation: (lat. Geburt, Volksstamm) Der bis heute sehr unscharfe, vieldeutige Begriff wurde in der Antike noch gleichbedeutend mit Geschlecht, Stamm, Gemeinde, Volk benutzt. Im Mittelalter schlossen sich die Studenten an Universitäten zu sog. Nationen zusammen. Dabei spielte zwar die geographische Herkunft eine gewisse Rolle, aber nicht in unserem Sinn von Volk oder Staat. Etwas näher kam dem die im Spätmittelalter übliche Einteilung der geistlichen Konzilsteilnehmer in Nationen. Der moderne Nationenbegriff entstand in den großen Auseinandersetzungen, in die durch die Französische Revolution und nachfolgend die Napoleonischen Kriege ganz Europa hineingezogen wurde. Im Ergebnis nahm er dabei zwei unterschiedliche Bedeutungen an, die nach Inhalt und Verbreitung – allerdings so idealisiert, wie sie in Wirklichkeit kaum vorkommen – in etwa so umschrieben werden können: Nach dem französischen, eher in Westeuropa verbreiteten Begriff umfaßt Nation die Menschen, die sich zu einer politischen Willens- und Handlungsgemeinschaft zugehörig fühlen („Freiheit, Gleichheit, Brüderlichkeit"). Nach der deutschen Auffassung, die im allgemeinen mit der in Mittel- und Osteuropa verbreiteten identisch ist, sind gemeinsame völkische Abstammung, gemeinsame Sprache und Kultur, gemeinsames historisches Schicksal und das aus diesen Gemeinsamkeiten erwachsende Gemeinschaftsgefühl die vorrangigen Kennzeichen einer Nation.

Naturrecht: Das Recht, das jeder vernunftbegabte Mensch von Natur aus besitzt, d. h. ohne Rücksicht auf das, was ihm von Menschen gegeben oder genommen wird. Die sich daraus ergebende naturrechtliche Gleichheit der vernunftbegabten Menschen wurde im Mittelalter auf die Mitglieder der Christenheit beschränkt. Im 16. Jahrhundert wurde die Beschränkung von einigen bedeutenden Rechtsgelehrten fallengelassen. Dadurch war der Weg für eine neue Sichtweise aufgezeigt. Der Gleichheitsgrundsatz konnte nun auch auf Nichtchristen, z. B. die Indianer Amerikas, angewendet werden. Obwohl sich diese Lehre noch lange nicht allgemein durchsetzte, bildete sie schon im 16. Jahrhundert eine wichtige Voraussetzung für die Fortentwicklung des modernen ▷ Völkerrechts.

Pentarchie: (gr. Fünferherrschaft) Darunter versteht man das System der fünf europäischen Großmächte (Frankreich, England, Rußland, Österreich, Preußen), das sich im 18. Jahrhundert herausbildete und dessen Zusammen- und Gegeneinanderspiel die Geschicke in Europa und in der Welt maßgeblich bis zum Ersten Weltkrieg bestimmte. Die Beziehungen der fünf Staaten untereinander standen unter dem Leitprinzip vom ▷ Gleichgewicht der Kräfte, und ▷ Hegemonie-Bestrebungen einzelner Staaten wurden gemeinsam von den anderen bekämpft. Das System funktionierte, solange jeder Staat mit jedem koalitionsfähig war. Dies hörte am Ende des 19. Jahrhunderts auf. Das Fünfersystem zerfiel in zwei rivalisierende Mächteblöcke, deren Gegensätze zum Ersten Weltkrieg führten.

Revolution: Krisenhaft rasche, häufig von Gewalt begleitete Veränderung der sozialen Struktur und des politischen Systems einer Gesellschaft. Ursprünglich galten vor allem unterprivilegierte und unterdrückte Gesellschaftsschichten als Träger der Revolution; inzwischen ist der Begriff stark erweitert worden, und man bezieht auch Revolutionen „von oben" sowie langandauernde Prozesse (industrielle Revolution) mit ein.

Söldnertum: Im ausgehenden Mittelalter verdrängten Söldnerheere das vom 9. bis zum 12. Jahrhundert dominierende Lehnsrittertum. Die Gründe dafür lagen einmal im Verfall des Lehnswesens überhaupt, dann aber besonders darin, daß die begrenzte Mobilisierbarkeit des Lehnsaufgebotes den Erfordernissen des entstehenden Ständestaats nicht mehr entsprach. Söldnerheere waren meist relativ klein, da sie kostenträchtig waren, und sie verlangten schon deshalb einen sehr genau kalkulierten Einsatz. Bis zur Französischen Revolution blieben sie das beherrschende Instrument des Militärwesens. Mit dem Dekret über das Massenaufgebot von 1793 führte Frankreich – ein Novum in der europäischen Geschichte – die allgemeine Wehrpflicht ein. Damit gelang es einem europäischen Land zum erstenmal, ein Millionenheer aufzustellen. Die Maßnahme war so erfolgreich, daß sie bald Nachahmer fand. So ging Preußen 1814 zur allgemeinen Wehrpflicht über.

Souveränität: Die oberste ▷ Staats- oder ▷ Herrschaftsgewalt, die von keiner höheren Gewalt (außer der göttlichen) abgeleitet ist. In diesem Sinne war ▷ Herrschaft, „die auf Erden keinen Höheren anerkennen muß", die mittelalterliche Formel für Souveränität. Der Begriff selber wurde im 16. Jahrhundert von dem französischen Politiker und Staatstheoretiker Jean Bodin geprägt. Er lieferte dabei die für den ▷ Absolutismus gültige Formel, nach der ein Herrscher dann souverän ist, wenn er oberster Gesetzgeber ist, aber selbst „legibus solutus", d. h. von seinen Gesetzen losgelöst ist (allerdings nicht vom göttlichen Gesetz sowie vom ▷ Natur- und Völkerrecht). Die ▷ Aufklärung kritisierte diese Auffassung des souveränen Herrschers. Bei Rousseau begegnet dann erstmals der Gedanke einer absoluten Souveränität, deren Träger die ▷ Nation ist.

Staat: (lat. Zustand) Ein in festen Grenzen (Staatsgebiet) lebender sozialer Verband (Staatsvolk), über den durch eine zentrale Gewalt (Staatsgewalt) hoheitliche ▷ Herrschaft ausgeübt wird. Zweck der staatlichen Gewalt ist es, das Leben der Staatsbevölkerung – im weitesten Sinne – zu beschützen und zu ordnen. Nach dem eigentlichen Träger der ▷ Souveränität im Staat unterscheidet man zwischen ▷ Monarchie, Aristokratie und Demokratie. Daneben gibt es, je nachdem, worin der oberste Staatszweck gesehen wird (z. B. Sozialstaat) oder wie der Souverän seine ▷ Herrschaft ausübt (z. B. Diktatur), zahlreiche weitere Unterscheidungen. Der Begriff „Staat"

war in der Antike und bis zum ausgehenden Mittelalter unbekannt. Erstmalig taucht er im 15. Jahrhundert in der italienischen Literatur auf. Die erste Ausformung von ▷ Herrschaft, die als Staat bezeichnet werden kann, erfolgte im Spätmittelalter durch den nach ▷ Ständen gegliederten Staat, den Ständestaat, der als Staatsform das 13. bis 17. Jahrhundert beherrschte. Er wurde abgelöst durch den absolutistischen Staat, der nach einem vielstufigen Prozeß, an dem ▷ Aufklärung, ▷ Revolution und Reform beteiligt waren, schließlich der Demokratie als dominierender Staatsform in Europa Platz gemacht hat.

Staatsräson: Im 16. Jahrhundert geprägter Ausdruck, dessen Praxis den absolutistischen ▷ Staat bestimmte. Leitprinzip der Staatsräson ist, daß es das oberste Gebot eines Staatsmanns sein muß, das Wohl seines ▷ Staates zu verwirklichen, und daß dieses Gebot auch Abweichungen von moralischen Forderungen erlaubt. Dadurch geriet die Staatsräson in das Schußfeld der moralischen Kritik von seiten der ▷ Aufklärung.

Stände: (etymologisch identisch mit: ▷ Staat; daher auch manchmal, z. B. in Frankreich oder in den Niederlanden, „Staaten" genannt) Gruppen einer Gesellschaft, deren Mitglieder sich durch Gleichheit in sozialer Herkunft, Beruf, Bildung, Recht als Einheit und von anderen Gruppen unterschieden betrachten. Seit dem Hochmittelalter unterschied man zumeist zwischen Adel, Geistlichkeit und Bürgertum (= Stände als gesellschaftliche Gruppen). Vereinzelt bildete das Bauerntum einen eigenen Stand. Gleichheit und Einheit waren in den einzelnen Ständen allerdings sehr relativ, so daß innerhalb derselben weitere Untergruppen unterschieden wurden. Verfassungsrechtlich wichtig wurden die Stände im sog. Stände- ▷ Staat des 13. bis 17. Jahrhunderts. Ihre Vertreter repräsentierten gegenüber dem Herrscher die Bevölkerung des Herrschaftsgebiets und wirkten bei der Regierung mit. Der Herrscher mußte ihnen gegenüber bei seinem Amtsantritt beschwören, daß er die Rechte und Vorrechte der einzelnen Stände achten werde (= Stände als politische Körperschaften). Das wichtigste Recht der Ständevertreter war ihr Steuerbewilligungsrecht, das gerade in der Zeit des ▷ Söldnertums zu einem wichtigen Druckmittel auf den Herrscher werden konnte. Die Auseinandersetzung zwischen Herrscher und Ständen auf dem Weg zum absolutistischen ▷ Staat war eines der ganz großen Konfliktthemen des 16./17. Jahrhunderts. Im Ergebnis wurden die Stände zwar nicht beseitigt, aber ihr politischer Einfluß wurde stark beschränkt. Verfassungsrechtlich wurden schließlich – seit dem 19. Jahrhundert – die politischen Parteien ihre Nachfolger.

Strukturelle Gewalt: Der Begriff „strukturelle Gewalt" im heutigen Verständnis geht vor allem auf die Definition des norwegischen Friedensforschers Johann Galtung in den 1960er Jahren zurück. Galtung versteht darunter – in Abgrenzung zur offenen, militärischen Gewalt – den Fall, „wenn Menschen so beeinflußt werden, daß ihre aktuelle somatische Verwirklichung geringer ist als ihre potentielle Verwirklichung". Abwesenheit struktureller Gewalt korrespondiert nach Galtung mit positivem Frieden. Im Anschluß an Galtung wird der Begriff der strukturellen Gewalt verwendet, um asymmetrische Abhängigkeitsverhältnisse zwischen Staaten und Gruppierungen innerhalb von Gesellschaften zu kennzeichnen, die auf politische, ökonomische und soziale Benachteiligungen zurückzuführen sind.

Völkerrecht: Die Gesamtheit der Rechtsvorstellungen und Verträge, in denen festgeschrieben wird, welche Rechte und Pflichten die Staaten in Krieg und Frieden in ihren Beziehungen zueinander zu beachten haben. Die Voraussetzung für die Entstehung des modernen Völkerrechts in Europa war, daß die mittelalterliche Vorstellung von der „universalen Christenheit" der Auffassung Platz machte, daß Europa aus souveränen Reichen bzw. Staaten bestand. Sie bahnte sich im späten Mittelalter an und kam im 16./17. Jahrhundert zur vollen Entfaltung. Auf der Grundlage des neuen ▷ Naturrechts entwickelte der spanische Gelehrte Francisco Suarez im 16. Jahrhundert seine Lehre von einem Völkerrecht, in das auch außereuropäische Völker gleichberechtigt einbezogen waren. Diese weitsichtige Anschauung begann sich allerdings erst im 19. Jahrhundert allgemeiner durchzusetzen.

Literaturhinweise

Vorschlag für eine kleine Handbücherei

Die in diesem Band behandelte Thematik ist so vielseitig und so vielschichtig, daß sie trotz des Bemühens der Verfasser, möglichst viele wichtige Aspekte zur Sprache zu bringen, überall zum Weiterdenken und zum Weiterforschen anregt. Dazu wollen die nachfolgenden Literaturhinweise Hilfestellung leisten. Deshalb sind die empfohlenen Bücher auch so ausgewählt worden, daß sie möglichst leicht, z. B. in der örtlichen Stadtbibliothek, oder – bei eigenem Kauf – preiswert beschafft werden können. Aus diesem Grunde sind vorzugsweise Taschenbücher – mit * gekennzeichnet – in die Auswahlliste aufgenommen worden.

Allgemeine und epochenübergreifende Werke

1. Internationale Beziehungen – Internationale Politik

Henning Behrens / Paul Noack, Theorien der Internationalen Politik, (dtv) München 1984 *

Ernst-Otto Czempiel (Hg.), Die Lehre von den Internationalen Beziehungen, (Wissenschaftliche Buchgesellschaft) Darmstadt 1969

Ernst-Otto Czempiel, Internationale Politik, (UTB-Schöningh) Paderborn 1981 *

Ernst-Otto Czempiel, Weltpolitik im Umbruch. Das internationale System nach dem Ende des Ost-West-Konflikts, (Beck'sche Reihe) München 1991 *

Volker Matthies (Hg.), Kreuzzug oder Dialog. Die Zukunft der Nord-Süd-Beziehungen, (Dietz) Bonn 1992 *

Paul Noack, Internationale Politik, (dtv) München 1981 *

Carl Christoph Schweitzer, Chaos oder Ordnung. Einführung in die Probleme der Internationalen Politik, (Verlag Wissenschaft und Politik) Köln 1973 *

2. Friedensordnungen – Friedensstrategien – Friedensbewegungen

Winfried Baumgart, Vom Europäischen Konzert zum Völkerbund, (Wissenschaftliche Buchgesellschaft) Darmstadt 1974 *

Gordon A. Craig / A.L. George, Zwischen Krieg und Frieden. Konfliktlösung in Geschichte und Gegenwart, (dtv) München 1988 *

Ernst-Otto Czempiel, Friedensstrategien, (UTB-Schöningh) Paderborn 1986 *

Fritz Dickmann, Friedensrecht und Friedenssicherung. Studien zum Friedensproblem in der Geschichte, (Vandenhoeck) Göttingen 1971

Helmut Donat / Karl Holl (Hg.), Die Friedensbewegung. Organisierter Pazifismus in Deutschland, Österreich und in der Schweiz, (Hermes Handlexikon) Düsseldorf 1983 *

Heinz Duchhardt, Gleichgewicht der Kräfte, Convenance, Europäisches Konzert, (Wissenschaftliche Buchgesellschaft) Darmstadt 1976 *

Alexander Hollerbach / Hans Meier (Hg.), Christlicher Friede und Weltfriede, (Schöningh) Paderborn 1971

Historisches Seminar der Universität Düsseldorf (Hg.), Frieden in Geschichte und Gegenwart, (Schwann) Düsseldorf 1985

Josef Janning u. andere (Hg.), Friedensbewegungen. Entwicklung und Folgen in der Bundesrepublik Deutschland, Europa und in den USA, (Verlag Wissenschaft und Politik) Köln 1987

Jörg von Uthmann, Die Diplomaten. Affären und Staatsaffären von den Pharaonen bis zu den Ostverträgen, (dtv) München 1988 *

3. Konflikte – Kriege – Kriegführung

Axel Buchholz / Martin Geiling (Hg.), Wie gefährdet ist der Friede? (Ullstein) Frankfurt 1981 *

Jörg Calließ (Hg.), Gewalt in der Geschichte, (Schwann) Düsseldorf 1983 *

Michael Howard, Der Krieg in der europäischen Geschichte, (Beck'sche Schwarze Reihe) München 1981 *

Paul Kennedy, Aufstieg und Fall der großen Mächte. Ökonomischer Wandel und militärischer Konflikt von 1500 bis 2000, (Fischer) Frankfurt / Main 1989 *

Volker Matthies, Kriege in der Dritten Welt, (Leske und Budrich) Opladen 1982 *

William H. McNeill, Krieg und Macht. Militär, Wirtschaft und Gesellschaft vom Altertum bis heute, (Beck) München 1984

Konrad Repgen, Von der Reformation zur Gegenwart, (Schöningh) Paderborn 1988 (enthält interessante Beiträge zur Kriegslegitimierung im Zeitalter der Konfessionskriege)

Dieter Ruloff, Wie Kriege beginnen, (Beck'sche Schwarze Reihe) München 1985 *

Reiner Steinweg (Red.), Der gerechte Krieg: Christentum, Islam, Marxismus, (Suhrkamp) Frankfurt 1980 *

Wolfgang Wette (Hg.), Der Krieg des kleinen Mannes. Eine Militärgeschichte von unten, (Piper) München und Zürich 1992

Einzelne Epochen

1. Mittelalter

Die Schlacht bei Worringen, Texte von Tilman Röhrig, Jan van Heelu, Werner Schäfke, Norbert Schloßmacher, (Wienand Verlag) Köln (1988)

Franz Reiner Erkens, Siegfried von Westerburg (1274–1297). Die Reichs- und Territorialpolitik eines Kölner Erzbischofs im ausgehenden 13. Jahrhundert, (Röhrscheid) Bonn 1982

Francesco Gabrieli (Hg.), Die Kreuzzüge aus arabischer Sicht, (dtv) München[2] 1976 *

Franz-Joseph Heyen, Kaiser Heinrichs Romfahrt. Die Bilderchronik von Kaiser Heinrich VII. und Kurfürst Balduin von Luxemburg 1308–1313, (dtv) München 1978 *

Wilhelm Janssen / Hugo Stehkämper (Hg.), Der Tag bei Worringen, 5. Juni 1288, (Böhlau Verlag) Köln / Düsseldorf 1988

Hans Eberhard Meyer, Geschichte der Kreuzzüge, (Urban) Stuttgart 1965 *

Regine Pernoud (Hg.), Die Kreuzzüge in Augenzeugenberichten, (dtv) München 1978

Henri Pirenne, Geschichte Europas von der Völkerwanderung bis zur Reformation, (Fischer) Frankfurt 1956 (behandelt vor allen Dingen die großen westeuropäischen Konflikte recht detailliert)

Johanna Maria van Winter, Rittertum. Ideal und Wirklichkeit, (dtv) München 1979 *

2. Das Zeitalter der Glaubenskämpfe

Werner Conze / Karl-Georg Faber / August Nitschke (Hg.), Funk-Kolleg Geschichte II, (Fischer) Frankfurt 1981 * (enthält einen vorzüglichen Beitrag von Heinrich Lutz über die sog. „gemischten Konflikte")

Harm Klueting, Das konfessionelle Zeitalter 1525–1648, (UTB-Ulmer) 1989 *

Geoffrey Parker, Der Aufstand der Niederlande, (Verlag Georg D.W. Callwey) München 1979 (das Standardwerk)

Franz Petri / Ivo Schöffer / Jan Juliaan Woltjer, Geschichte der Niederlande. Holland, Belgien, Luxemburg, (dtv) München 1991 *

Richard Saage, Herrschaft, Toleranz und Widerstand. Studien zur politischen Theorie der niederländischen und englischen Revolution, (Suhrkamp) Frankfurt 1981 *

Heinz Schilling, Der Aufstand der Niederlande. Bürgerliche Revolution oder Elitenkonflikt, in: Hans Ulrich Wehler (Hg.), 200 Jahre amerikanische Revolution und moderne Revolutionsforschung, (Vandenhoeck) Göttingen 1976

Edith Simon / Redaktion der Time Life Bücher, Ketzer – Bauern – Jesuiten, Reformation und Gegenreformation, (rowohlt) Reinbek 1979 *

Hugh Trevor-Roper (Hg.), Die Zeit des Barock. Europa und die Welt 1559–1660, (Droemer-Knaur) München-Zürich[3] 1981

Voesse + Goesen. Westfalen im Spanisch-Niederländischen Krieg (1566–1609). Katalog der Ausstellung des Nordrhein-Westfälischen Staatsarchivs Münster, (Selbstverlag) Münster 1982

Rainer Welz, Stände und frühmoderner Staat. Die Landstände von Jülich-Berg im 16. und 17. Jahrhundert, (Verlag Ph.C.W. Schmidt) Neustadt an der Aisch 1982 (ausgezeichneter, sehr detaillierter Einblick in die Verfassungswirklichkeit des frühmodernen Ständestaats)

3. Das Zeitalter des Absolutismus und der Französischen Revolution

Willi Paul Adams / Angela Meurer Adams (Hg.), Die amerikanische Revolution in Augenzeugenberichten, (dtv) München 1976 *

Charles Blitzer / Redaktion der Time Life Bücher, Söldner – Diener – Majestäten. Barocker Absolutismus, (rowohlt) Reinbek 1979 *

Goya, Desastres de la Guerre, (Diogenes) Zürich 1972 * (die beeindruckende künstlerische Darstellung der Napoleonischen Kriege in Spanien)

Elke Harten / Hans Christian Harten, Frauen – Kultur – Revolution, (Centaurus Verlag) Pfaffenweiler 1989

Irmgard A. Hartig (Hg.), Die Geburt der bürgerlichen Gesellschaft, (Suhrkamp) Frankfurt 1979 *

Eckart Kleßmann (Hg.), Deutschland unter Napoleon in Augenzeugenberichten, (dtv) München[2] 1981 *

Reinhart Koselleck, Kritik und Krise. Eine Studie zur Pathogenese der bürgerlichen Welt, (Suhrkamp) Frankfurt[3] 1979 * (eine hervorragende Darstellung zur Geschichte der Aufklärung)

Johannes Kunisch, Absolutismus, (UTB-Vandenhoeck) Göttingen 1986 *

Paul Noack, Olympe de Gouge 1748–1793, (dtv) München 1992 *

Georg Ortenburg, Waffen und Waffengebrauch im Zeitalter der Kabinettskriege, (Bernard & Gräfe) 1986

Georges Pernoud / Sabine Flaissier (Hg.), Die Französische Revolution in Augenzeugenberichten, (dtv) München *

Susanne Petersen, Marktweiber und Amazonen. Frauen in der Französischen Revolution, (Pahl-Rugenstein) Köln 1987 *

4. Das 19. Jahrhundert

Lothar Gall, Europa auf dem Weg in die Moderne 1850–1890, (Oldenbourg) München und Wien 1984

Imanuel Geiss, Der lange Weg in die Katastrophe. Die Vorgeschichte des Ersten Weltkriegs 1815–1914, (Piper) München und Zürich 2. Aufl. 1991

Dieter Langewiesche, Europa zwischen Restauration und Revolution 1815–1849, (Oldenbourg) München 1985

Josef Matuz, Das Osmanische Reich. Grundlinien seiner Geschichte, (Wissenschaftliche Buchgesellschaft) Darmstadt 2. Aufl. 1990

Gerhard A. Ritter (Hg.), Das Deutsche Kaiserreich 1871–1914. Ein historisches Lesebuch, (Vandenhoeck) 4. Aufl. 1985

Gregor Schöllgen, Das Zeitalter des Imperialismus, (Oldenbourg) München 1986

Michael Stürmer, Die Reichsgründung. Deutscher Nationalstaat und europäisches Gleichgewicht im Zeitalter Bismarcks, (dtv) München 1984 *

Hans-Ulrich Wehler, Das Deutsche Kaiserreich 1871–1918, (Vandenhoeck) Göttingen 3. Aufl. 1977 *

5. Das Zeitalter der Weltkriege

Hermann Graml, Europas Weg in den Krieg. Hitler und die Mächte 1939, (Oldenbourg) München 1990 (ausgehend von den Ergebnissen des Ersten wird der Weg in den Zweiten Weltkrieg nachgezeichnet)

Andreas Hillgruber, Jost Dülffer (Hg.), Ploetz-Geschichte der Weltkriege. Mächte, Ereignisse, Entwicklungen 1900–1945, Freiburg und Würzburg 1981

Andreas Hillgruber, Der Zweite Weltkrieg 1939–1945. Kriegsziele und Strategie der großen Mächte, (Kohlhammer) Stuttgart u.a.O. 1982

Peter Graf Kielmansegg, Deutschland und der Erste Weltkrieg, Frankfurt / Main 1968

Anette Kuhn, Valentine Rothe (Hg.), Frauen im deutschen Faschismus. Bd. 1: Frauenpolitik im NS-Staat, (Schwann) Düsseldorf 3. Aufl. 1987 (Quellensammlung mit Kommentaren)

Karl Rohe (Hg.), Die Westmächte und das Dritte Reich 1933–1939, (Schöningh) Paderborn 1982

Gerd R. Überschär / Wolfram Wette (Hg.), Der deutsche Überfall auf die Sowjetunion, (Fischer) Frankfurt / M. 1991 (Quellensammlung mit Kommentaren)*

6. Der Nahost-Konflikt

Werner Ende / Udo Steinbach (Hg.), Der Islam in der Gegenwart, (Beck) München 2. Aufl. 1989 (bietet einen sehr guten Überblick über Entwicklungen und Gruppierungen im Islam)

Alexander Flores, Intifada. Aufstand der Palästinenser, Berlin 1988

G.E. von Grunebaum, Der Islam II. Die islamischen Reiche nach dem Fall von Konstantinopel. Fischer Weltgeschichte 15, (Fischer) Frankfurt 1971 *

Ronald Hirschfeld (Hg.), Israel im Nahen Osten. Äußere Herausforderungen und innerer Wandel, (Landeszentrale für politische Bildung Nordrhein-Westfalen) Düsseldorf 1990 *

Gilles Kepel, Die Rache Gottes. Radikale Christen, Moslems und Juden auf dem Vormarsch, (Piper) München / Zürich 1991

Gert Krell / Bernd Kubbig (Hg.), Krieg und Frieden am Golf. Ursachen und Perspektiven, (Fischer TB) Frankfurt / M. 1991 (in verschiedenen Aufsätzen werden vor allem Ursachen und mögliche Folgen des Golfkrieges analysiert)

Landeszentrale für politische Bildung Baden-Württemberg (Hg.), Brennpunkt Mittel-Ost, (Kohlhammer) Stuttgart 1981 *

Landeszentrale für politische Bildung Baden-Württemberg (Hg.), Die Golfregion in der Weltpolitik, (Kohlhammer) Stuttgart 1991 *

Beata Lippmann, Alltag im Unfrieden. Frauen in Israel, Frauen in Palästina, Darmstadt 1989

Friedrich Schreiber / Michael Wolffsohn, Nahost. Geschichte und Struktur des Konflikts, (Leske + Budrich) Opladen 2. Aufl. 1989 *

Michael Wolffsohn, Israel. Geschichte, Wirtschaft, Gesellschaft, Politik, (Leske + Budrich) Opladen 1991 *

7. Der Balkan-Konflikt

Michael W. Weithmann (Hg.), Der ruhelose Balkan. Die Konfliktregionen Südosteuropas, (dtv) München 1993 (in 12 Kapiteln werden die Konfliktregionen Südosteuropas vorgestellt; in ihrer historischen Entwicklung und mit ihren aktuellen Problemen) *

Register

Das Register weist die wichtigsten Erwähnungen von Begriffen, Ortsnamen und Personennamen nach, die für das Thema von Bedeutung sind. **Fettdruck** bezeichnet Stellen, die besonders wichtig für das Verständnis eines Sachverhalts sind. ▷ verweist auf eine Kurzdefinition in den Erläuterungen S. 259–264.